The Age of Innocence

W·

첫사랑 컬렉션

설득

제인 오스틴

순수의 시대

이디스 워튼

위대한 개츠비

F. 스콧 피츠제럴드

젊은 베르테르의 슬픔

요한 볼프강 폰 괴테

순수의 시대

이디스 워튼 지음
김율희 옮김

윌북

일러두기

1. 이 책은 *The Age Of Innocence*(Penguin Classic, 2003)를 바탕으로 번역했습니다.
2. 본문의 주석은 모두 옮긴이주입니다.
3.

차례

1부

1

1870년대 초 1월 어느 저녁, 크리스티네 닐손(스웨덴 태생의 소프라노-옮긴이)이 뉴욕 '아카데미 오브 뮤직'(4000석이 넘는 관객석을 보유한 대규모 오페라하우스로 1852년에 14번가 유니온 광장 인근에 개관했다-옮긴이)에서 상연 중인 〈파우스트〉에서 노래를 부르고 있었다.

사치스럽고 화려하기로는 유럽 대도시 극장 못지않은 새 오페라하우스를 '40번가 위쪽' 멀찍한 도심에 짓는다는 소문이 진즉 나돌았지만, 사교계 사람들은 겨울이면 이 화기애애한 오페라하우스의 빨간색과 금색으로 꾸민 낡은 박스석에 기꺼이 모여들었다. 보수적인 사람들은 이 극장이 작고 불편해 뉴욕에서 두렵고도 매력적인 존재로 부상한 '새로운 인물들'(제이 굴드, J. P. 모건, 코닐리어스 밴더빌트, 윌리엄 록펠러 등 신흥 자본가나 사업가를 뜻한다-옮긴이)이 드나들지 않는다며 좋아했다. 감상적인 이들은 역사적인 장소라는 이유로 이곳을 고집했으며, 음악 애호가들은 음악 감상용으로 지은 건물에서 늘 문젯거리가 되는 음향 시설이 이 극장에는 훌륭하게 갖춰졌다는 이유로 이곳을 고수했다.

이 공연은 그해 겨울 닐손 부인이 했던 첫 공연이었다. 일간지에서 이미 '대단히 훌륭한 관객'이라고 묘사한 사람들이 닐손 부인의 노래를 듣기 위해 개인 사륜마차나 널찍하고 지붕이 있는 가족용 마차, 또는 그보다 더 소박하지만 더 편리한 '브라운 쿠페'(쿠페는 지붕 딸린 2인승 사륜마차의 일종으로, 뉴욕에서 각종 사교 행사를 진행하며 상류층 고객들에게 마차를 제공하던 아이작 브라운의 이름을 땄다-옮긴이)를 타고 미끄러운 눈길을 달려왔다.

브라운 쿠페를 타고 오페라를 보러 오는 것은 개인 소유 마차를 타고 나타나는 것만큼이나 명예로운 일이었다. 쿠페를 타고 극장을 떠날 때도 엄청난 이점이 있었으니, 추위와 술로 코가 빨개진 마부가 극장 현관에 나타날 때까지 기다리는 대신 (민주주의 원칙을 장난스럽게 들먹이며) 맨 앞에 대기한 브라운 쿠페에 오르기만 하면 되었다. 그 뛰어난 마차 대여업자는 전문가다운 직감으로, 미국인들이 유흥을 즐기러 올 때보다 그 자리를 벗어날 때 훨씬 더 서두른다는 사실을 알아냈던 것이다.

뉴랜드 아처가 사교 클럽 신사들이 앉는 박스석 뒷문

을 열었을 때는 막이 오르며 정원 장면이 시작되려는 참이었다. 그가 더 일찍 오지 못할 이유는 없었다. 7시에 어머니, 누이동생과 저녁을 먹었고 그런 뒤에는 고딕풍 서재에서 담배를 피우며 빈둥거렸는데, 서재는 아처 부인이 집 안에서 유일하게 흡연을 허락한 방으로 검은 호두나무 책장과 등받이 맨 위에 뾰족한 손잡이 모양 장식이 달린 의자들이 놓여 있었다. 그러나 무엇보다도 뉴욕은 대도시였고 대도시에서는 오페라하우스에 일찍 도착하는 것이 '관례에 어긋나는' 행동이라는 사실을 모르는 사람이 없었다. 그리고 뉴랜드 아처가 사는 뉴욕에서 '관례'에 어긋나느냐, 그렇지 않느냐는 수천 년 전 선조들 운명을 지배했던 토템에 대한 불가사의한 공포만큼이나 중요하게 작용했다.

아처가 늦은 두 번째 이유는 개인적이었다. 그는 내심 예술 애호가로서, 즐거움을 만끽하는 것보다는 다가올 즐거움을 생각할 때 더 미묘한 만족감을 느꼈기에 담배를 피우며 뭉그적거렸다. 그가 누리는 즐거움이 대개 그랬지만 그 즐거움이 섬세한 종류일 때에는 특히 그렇게 했다. 이번에 그는 질적으로 흔치 않은 절묘한 순간을 고대했다. 즉, 아처가 프리마돈나의 무대 감독과 같은 시각에 도착했다면 닐손 부인이 "그는 나를 사랑해…… 사랑하지 않아…… 나를 사랑해!" 하고 노래하며 이슬처럼 영롱한 목소리에 맞춰 데이지 꽃잎을 흩뿌리는 이 순간처럼 중요한 때에 극장에 들어서는 경험은 하지 못했을 것이다.

물론 프리마돈나는 "그는 날 사랑해"가 아니라 이탈리아어로 "마마!"라고 노래했다. 음악계에 존재하는 무조건적인 절대불변의 법칙에 따라, 스웨덴 가수들이 부르는 프랑스어 오페라의 독일어 대사를 영어권 청중이 더 정확히 이해하도록 이탈리아어로 번역해야 했기 때문이다. 뉴랜드 아처에게 이는 그의 삶을 형성한 여타 모든 관습, 예를 들어 머리 가르마를 탈 때는 반드시 뒤판이 은으로 만들어지고 파란색 법랑으로 이름 머리글자를 새긴 빗 두 개를 쓰고 단춧구멍에 꽃(이왕이면 치자나무 꽃)을 꽂지 않고서는 사교 모임에 나타나지 않는다는 관습만큼이나 자연스럽게 느껴졌다.

프리마돈나는 "마마…… 논 마마…"("M'ama"와 "non m'ama"는 이탈리아어로 '그는 나를 사랑해', '그는 나를 사랑하지 않아'라는 뜻-옮긴이) 하고 노래하다가, 마지막으로 "마마!"라고 외치며 애정 어린 탄성을 의기양양하게 터뜨렸다. 동시에 꽃잎이 다 뜯긴 데이지로 입술을 누르며 커다란 눈을 들어, 파우스트 역을 맡은 작고 가무잡잡한 캐플의 불순한 얼굴을 바라보았다. 꽉 끼는 자주색 벨벳 윗도리를 입고 깃털 달린 모자를 쓴 그는 이 순진무구한 제물만큼이나 순수하고 진실한 표정을 지으려 헛되이 애쓰고 있었다.

뉴랜드 아처는 박스석 뒤쪽 벽에 몸을 기댄 채 무대에서 시선을 돌려 오페라하우스 반대쪽을 눈으로 훑었다. 바로 맞은편에 맨슨 밍곳 노부인의 박스석이 있었다. 노부인은 엄청나게 살이 찐 탓에 오래전부터 오페라 공연에 참석하지 못했지만 사교 행사가 열리는 밤이면 가문에서 비교적 젊은 축에 속하는 몇 사람을 자기 대신 내보냈다. 오늘은 며느리인 러벌 밍곳 부인, 딸인 웰랜드 부인이 박스 석 앞자리를 차지했다. 그리고 비단 옷을 입은 이 기혼 부인들 뒤에서, 흰옷을 입은 젊은 아가씨가 약간 안쪽에 앉아 무대 위 연인들을 황홀한 시선으로 응시했다. 조용한 오페라하우스에('데이지의 노래'가 들려올 때면 박스석은 늘 대화를 멈추었다) 닐손 부인의 '마마!' 하는 외침이 울려 퍼지자 그 아가씨 뺨에 따뜻한 분홍빛 홍조가 떠오르더니, 땋아 올린 금발 뿌리 부분까지 이마를 뒤덮고 치자 꽃 한 송이로 여민 단정한 망사 목 가리개 밑, 풋풋한 가슴 둔덕까지 붉게 물들였다. 그 아가씨는 무릎에 놓인 커다란 은방울꽃 다발로 시선을 떨어뜨렸고 뉴랜드 아처는 아가씨가 흰 장갑의 손가락 끝으로 꽃을 살며시 쓰다듬는 모습을 보았다. 아처는 만족스럽고 우쭐한 기분으로 한숨을 내쉰 다음 다시 무대로 눈을 돌렸다.

무대 배경에 비용을 아낌없이 썼기에, 아처처럼 파리와 비엔나의 오페라하우스를 잘 아는 사람들조차도 아주 아름다운 무대라고 인정해 마지않았다. 무대 전경은 각광이 있는 곳까지 에메랄드빛 천으로 덮였다. 중앙에는 부드러운 초록 이끼 언덕이 좌우 대칭으로 펼쳐졌고 크로케 경기에서 쓰는 기둥문이 그 언덕을 두르고 있었다. 언덕에는 오렌지 나무처럼 생겼지만 커다란 분홍색과 빨간색 장미가 잔뜩 핀 관목이 서 있었다. 장미 나무 아래 이끼 사이에서는 장미보다 훨씬 크고 멋쟁이 목사를 위해 여자 교구민이 만든 꽃무늬 잉크 닦개와 몹시 비슷해 보이는 커다란 팬지가 얼굴을 내밀었다. 또한 먼 훗날 루터 버뱅크(교배를 거쳐 다양한 식물 개량종을 만들어낸 미국 원예 육종가–옮긴이) 씨가 이룩할 경이로운 업적을 예언하듯 장미 나뭇가지에 접붙인 데이지가 여기저기 화려하게 피어 있었다.

이 황홀한 정원 한가운데에서 닐손 부인이 눈을 내리깐 채 캐퓰 씨의 정열적인 구애에 귀를 기울이고 있었다. 옆구리를 길게 터서 연푸른 공단을 댄 흰색 캐시미어 드레스를 입고 파란색 허리띠에 작은 그물 손가방을 매달았으며 굵게 땋아 내린 금발을 모슬린 슈미젯(긴 여성용 속옷 상의인 슈미즈 위에 입어 목과 가슴을 가리는 속옷으로 자수, 레이스, 주름 장식을 더하기도 했다–옮긴이) 양옆으로 정성스레 늘어뜨린 모습이었다. 캐퓰이 말 또는 눈짓으로 무대 오른편에 비스듬히 튀어나온 아담한 벽돌 저택 1층 창문을 설득하듯 가리킬 때마다 닐손 부인은 그의 의도를 이해하지 못한 양 순진하게 굴었다.

뉴랜드 아처는 은방울꽃을 든 젊은 아가씨에게 다시 시선을 돌리며 생각했다.

'내 사랑! 이게 무슨 상황인지 짐작도 못하겠지.'

무대에 열중한 그 앳된 얼굴을 바라보며 그는 남성으로서 주도권을 가졌다는 자부심과 그 한없는 순수를 향한 애정 어린 경외심이 어우러진, 짜릿한 소유감을 맛보았다.

'우리는 『파우스트』를 함께 읽을 거야…… 이탈리아의 호수 옆에서…….'

아처는 남성다운 특권으로 신부에게 알려줄 최고의 문학 작품들과 머릿속으로 그려본 신혼여행 풍경을 다소 몽롱하게 뒤섞으며 생각했다. 메이 웰랜드가 (뉴욕에서 아가씨의 공개적인 승낙을 뜻하는 신성한 표현을 써서) '마음이 있다'라고 넌지시 내비친 것이 불과 그날 오후였건만 그는 이미 약혼반지와 약혼식의 키스, 〈로엔그린〉(독일 작곡가 리하르트 바그너가 작곡한 3막짜리 오페라로 3막에 나오는 〈혼례의 합창〉은 오늘날 〈결혼 행진곡〉으로 불리며 신부 입장곡으로 자주 쓰인다-옮긴이) 속 행진곡을 훌쩍 뛰어넘어 고풍스러운 유럽의 매혹적인 풍경 속에 자신과 나란히 선 메이의 모습을 상상하고 있었다.

그는 미래의 뉴랜드 아처 부인이 숙맥이길 눈곱만큼도 바라지 않았다. (자신이 곁에서 가르쳐준 덕분에) 사교 기술과 번득이는 재치를 계발하고 '젊은 층'에서 가장 인기 있는 기혼 여성들과 어울리며 입지를 다지도록 만들 작정이었다. 이 기혼 여성들 사이에는 남자들이 경의를 표현하도록 유인하고서는 장난스럽게 사기를 꺾는 공인된 관습이 있었다.

(가끔은 그럴 뻔했지만) 그가 자신의 허영심을 밑바닥까지 살펴보았다면, 약간 흥분한 상태로 보낸 2년 동안 그의 마음을 사로잡았던 그 매력적인 유부녀처럼 자기 아내 역시 처세에 능하면서도 타인의 호감을 사려 애쓰는 사람이기를 바라는 마음을 발견했을 것이다. 물론 미래의 아처 부인에게는 그 불행한 여자의 인생을 망칠 뻔했고 그가 세운 겨울 계획에 차질을 빚은 나약함 따위는 전혀 없어야 하리라.

불과 얼음이 어떻게 이런 기적을 만들어내는지, 그리고 가혹한 세상에서 어떻게 그 기적이 지속되는지, 아처는 굳이 생각해본 적이 없었다. 그러나 일부러 분석하지는 않고 견해를 유지하는 데 만족했다. 꼼꼼히 빗질을 하고 흰 조끼를 입고 단춧구멍에 꽃을 꽂은 신사들, 사교 클럽 박스석에 잇따라 들어와 그와 친근한 인사를 나눈 다음 오페라글라스로 원형 관람석을 살피며 체제의 산물인 숙녀들을 비평하듯 뜯어보는 그 모든 신사도 같은 생각이라는 사실을 알기 때문이었다. 지적이고 예술적인 문제에서, 뉴랜드 아처는 옛 뉴욕 상류층의 표본으로 엄선된 이 남자들보다 자신이 명백하게 우월하다고 생각했다. 그 무리 다른 남자들보다 책을 더 많이 읽고 생각을 더 많이 했으며 세상을 훨씬 더 많이 보았을 것이다. 그들은 개별적으로는 열등함을 숨기지 못했지만 함께 모이면 '뉴욕'을 대표했다. 아처는 남자끼리 연대해야 한다는 관습 때문에, 도덕이라고 불리는 모든 문제에서 그들의 원칙을 수용했다. 그 부분에서 독자 노선을 걷는다면 번거로울 뿐 아니라 상당히 무례한 행동이 되리란 사실을 본능적으로 느꼈던 것이다.

"허…… 이거 참!"

로런스 레퍼츠가 무대 쪽으로 들던 오페라글라스를 갑자기 눈 옆으로 치우며 외쳤다. 로런스 레퍼츠는 전반적으로 '예법'에 관해 뉴욕 최고 권위자로 통했다. 이 복잡하고 흥미진진한 문제를 연구하는 데 다른 누구보다도 더 많은 시간을 바쳤을 것이다. 그러나 그것만으로는 술술 흘러나오는 그 완전한 능력을 설명할 수 없었다. 비스듬히 뻗은 헐벗은 이마와 아름다운 금빛 콧수염이 그리는 곡선에서부터 군살 없고 우아한 풍채 맨 끝에 자리 잡은 긴 에나멜 구두까지, 그를 한 번 보기만 해도 그토록 좋은 옷을 손쉽게 골라 입을 줄 알고 그렇게 큰 키에도 느긋하고 우아한 자태를 유지할 줄 아는 사람이라면 '예법'에 대한 지식을 타고났으리라는 생각이 절로 드는 것이었다. 그를 존경하는 어느 젊은이가 말했듯이

"야회복에 언제 검정 넥타이를 매야 하고 언제 매지 않아야 하는지 다른 남자에게 말해줄 수 있는 이가 있다면, 바로 로런스 레퍼츠"였다. 또한 여성용 구두인 펌프스와 신사용 에나멜 구두인 '옥스퍼드'에 관한 문제에서, 그의 권위에 의문이 제기된 적은 한 번도 없었다.

"맙소사!"

로런스 레퍼츠는 이렇게 말한 다음 노신사 실러턴 잭슨에게 말없이 오페라글라스를 넘겼다.

뉴랜드 아처는 레퍼츠의 시선을 따라가다가 그가 밍곳 노부인의 박스석에 들어선 새 인물 때문에 소리쳤다는 사실을 깨닫고 놀랐다. 늘씬하고 젊은 여성으로, 메이 웰랜드보다 키가 약간 작았고 관자놀이 부근을 촘촘히 뒤덮은 갈색 곱슬머리를 가느다란 다이아몬드 머리띠로 고정한 모습이었다. 이 머리 장식 때문에 당시 '조세핀 스타일'(나폴레옹의 황후 조세핀이 즐겨 하던 옷차림. 치마를 부풀리는 무거운 허리받이와 몸을 조이는 코르셋이 필수였던 1870년대 미국 드레스와 달리, 허리선을 높게 잡고 자연스럽게 옷자락을 늘어뜨린 스타일이었다-옮긴이)로 불리던 방식으로 꾸민 듯한 분위기를 풍겼다. 게다가 커다란 구식 버클이 달린 허리띠로 가슴 밑을 과장스럽게 조인 감청색 벨벳 드레스 모양 때문에 그런 인상이 더욱 짙어졌다. 이 독특한 드레스의 주인공은 이 옷에 관심이 주목되었다는 사실을 의식하지 못한 듯, 잠시 박스석 중앙에 서서 앞줄 오른쪽 구석에 자리 잡은 웰랜드 부인 자리에 앉아도 될지 당사자와 이야기를 나누었다. 그러다가 살짝 웃음을 지으며 주장을 굽혀 반대쪽 구석에 있는 웰랜드 부인의 올케 러벌 밍곳 부인 곁에 앉았다.

실러턴 잭슨 씨는 로런스 레퍼츠에게 오페라글라스를 돌려주었다. 그 박스석에 앉은 모든 이가 이 노신사의 입에서 나올 말을 기다리며 본능적으로 그를 바라보았다. 로런스 레퍼츠가 '예법'에서 최고 권위자이듯이 나이 많은 잭슨 씨는 '가문'에 관한 최고 권위자이기 때문이었다. 그는 뉴욕의 가문들이 어떻게 갈라져 친인척 관계로 엮였는지 알았다. 밍곳가와 사우스캐롤라이나의 댈러스가가(솔리가를 통해) 어떻게 친척 관계가 되었는지, 그리고 필라델피아의 솔리가 종가가 올버니의 치버스가와 어떤 관계인지와 같은 복잡한 문제를 (워싱턴주 유니버시티 플레이스의 맨슨 치버스가와 결코 혼동하지 않고) 명쾌하게 설명할 수 있을 뿐 아니라, 각 가문의 주된 특징도 하나하나 나열할 수 있었다. 예를 들어 레퍼츠가의 신흥 분파(롱아일랜드의 레퍼츠가)는 굉장히 인색하다거나, 러시워스가는 어리석은 결혼을 하는 치명적인 경향이 있다거나, 올버니의 치버스가는 한 세대 걸러 정신이상이 꾸준히 나타나므로 뉴욕에 사는 그 가문 친척들이 결혼을 한사코 거부한다는 내용이었다. 모두가 알 듯 가여운 메도라 맨슨은 불운하게도 예외였으나…… 하필 그 여자의 어머니가 러시워스가 사람이었다.

이렇게 복잡하고 방대한 가계도 외에도 실러턴 잭슨 씨는 지난 50년간 뉴욕 사교계의 차분한 수면 아래서 들끓었던 거의 모든 추문과 비밀을 그 좁고 우묵한 관자놀이 사이, 부드럽고 텁수룩한 은발 밑에 간직하고 다녔다. 사실 그는 아주 광범위한 정보를 알고 있었고 기억력도 날카롭고 정확했기 때문에, 은행가인 줄리어스 보퍼트가 사실은 어떤 사람인지 그리고 배터리의 낡은 오페라하우스에 모여든 관객들에게 큰 기쁨을 선사한 아름다운 스페인 무희가 쿠바행 배를 탄 바로 그날, 결혼 후 1년도 지나지 않았는데 (거액의 예탁금을 들고) 사라진 맨슨 밍곳 노부인의 아버지, 그 잘생긴 밥 스파이서가 어떻게 되었는지를 말해줄 수 있는 유일한 인물로 여겨졌다. 그러나 이 비밀과 다른 수많은 비밀은 잭슨 씨 가슴속에 철저히 숨겨졌다. 그는 명예심이 대단해서 은밀히 들은 말은 절대 다른 곳으로 옮기지 않을뿐더러, 입이 무겁다는 평판을 얻으면 궁금한 내용을 알아낼 기회가 더 많아진다는 사실을 아주 잘 알았다.

따라서 사교 클럽 박스석에 앉은 남자들은 실러턴 잭슨 씨가 로런스 레퍼츠에게 오페라글라스를 돌려주는 동안 눈에 띄게 긴장하며 기다렸다. 잠시 잭슨 씨는 정맥이 비치는 눈꺼풀 밑 흐릿하고 푸른 눈으로, 귀를 쫑긋 세운 무리를 말없이 훑어보았다. 그러다가 생각에 잠긴 듯 콧수염을 한번 꼬면서 이렇게만 말했다.

"설마 밍곳가가 저럴 줄이야."

2

이 짧은 소동이 벌어지는 동안 뉴랜드 아처는 묘한 당혹감에 휩싸였다.

약혼자가 어머니와 숙모 사이에 앉은 박스석에 이렇듯 뉴욕 남자들 관심이 온통 쏠렸다는 사실이 매우 거슬렸다. 잠시 그는 엠파이어 드레스(허리선을 높이고 천을 느슨하게 늘어뜨려 몸 곡선을 자연스럽게 드러내는 방식의 드레스-옮긴이)를 입은 여자가 누구인지 알아보지 못한 데다, 그 존재 때문에 이 신사들이 술렁거리는 이유도 짐작하지 못했다. 그러다가 갑자기 머릿속에 불이 켜지면서 순간 분노가 치밀었다. 설마, 그럴 리가. 밍곳가가 저럴 줄은 누구도 상상하지 못했을 것이다!

그러나 밍곳가는 그렇게 했다. 틀림없었다. 등 뒤에서 나지막하게 오가는 이야기로 미루어볼 때, 저 젊은 여자는 메이 웰랜드의 사촌, 즉 가문에서 언제나 '불쌍한 엘런 올렌

솔리가의 젊은이가 용감하게 말했다.

"너무 비참한 처지라 집에 남겨둘 수 없었나 보죠."

이 말에 다들 예의를 차릴 겨를 없이 웃음을 터뜨렸고, 젊은이는 새빨개진 얼굴로 유식한 사람들이 일컫듯 '중의적 표현'을 써본 체했다.

누군가가 아처를 곁눈질하며 낮은 목소리로 말했다.

"뭐, 어쨌거나 웰랜드 양을 데려온 건 이상한 일이군요."

"아, 작전의 일환이지. 분명 할머님 명령일 거야. 그 노부인은 무슨 일이든 철저하게 처리하니까."

레퍼츠가 웃으며 말했다.

막이 끝나는 중이었고 박스석은 전반적으로 소란스러웠다. 뉴랜드 아처는 문득 단호한 행동을 취해야 할 것만 같은 기분이 들었다. 다른 남자들보다 먼저 밍곳 부인의 박스석에 들어가서, 기다리는 세상 사람들에게 메이 웰랜드와의 약혼을 공표하고, 사촌의 이례적인 상황 때문에 메이가 어떤 어려움에 휘말리건 끝까지 곁에서 지켜주고 싶었다. 이 충동 때문에, 그는 모든 거리낌과 망설임을 억누르고 붉은 복도를 지나 오페라하우스 맞은편으로 걸음을 재촉했다.

박스석에 들어갔을 때 그는 메이 웰랜드와 눈이 마주쳤다. 메이가 두 사람 모두 아주 고귀한 미덕으로 여기는 가문의 위엄 때문에 직접 말하지는 않았지만 그의 의도를 즉시 파악했다는 사실을 알 수 있었다. 그들이 속한 세계의 사람들은 희미한 암시와 흐릿한 미묘함이 가득한 분위기에서 살았고, 이 젊은이에게는 그와 메이가 말없이 서로의 뜻을 이해한다는 사실이 그 어떤 설명보다도 둘을 더욱 가깝게 만들어주는 듯했다. 메이의 눈동자는 '어머니가 왜 날 데려왔는지 알 거예요'라고 말했고 그의 눈은 '나라도 결코 당신을 두고 오지 않았을 거요'라고 대답했다.

"내 조카 올렌스카 백작 부인 알지?"

웰랜드 부인이 미래의 사위와 악수하며 물었다. 아처는 숙녀에게 소개될 때의 관습에 따라 손을 내밀지 않고 고개를 숙였다. 엘런 올렌스카는 흰 장갑을 낀 두 손으로 커다란 독수리 깃털 부채를 움켜쥔 채, 머리를 살짝 숙였다. 아처는 버석거리는 공단 드레스를 입은, 금발에 체구가 큰 러벌 밍곳 부인과 인사를 나눈 뒤, 약혼자 옆에 앉아 나직한 목소리로 말했다.

"올렌스카 부인에게 우리가 약혼했다고 말했겠죠? 모두가 알면 좋겠군요. 오늘 밤 무도회에서 내가 그 사실을 발표하고 싶은데."

웰랜드 양의 얼굴이 동틀 녘 하늘처럼 장밋빛으로 물들었다. 그러곤 빛나는 눈으로 아처를 바라보며 말했다.

"당신이 어머니를 설득한다면요. 하지만 이미 정한 것을 왜 바꿔야 하죠?"

아처가 대답하지 않고 메이를 바라보자 그는 더더욱 자신만만한 웃음을 지으며 덧붙였다.

"내 사촌에게는 직접 말해요. 그래도 돼요. 어릴 적에 당신과 어울려 놀았다고 하더군요."

메이는 의자를 뒤로 밀어 길을 터주었고, 아처는 주저없이 그리고 조금은 보란 듯이, 자신의 행동을 오페라하우스 전체가 봐주기를 바라는 마음으로 올렌스카 백작 부인 곁에 앉았다.

"우리 자주 같이 놀았어요. 그렇죠?"

올렌스카 부인이 진지한 눈동자로 그를 바라보며 물었다.

"당신은 지독한 장난꾸러기였고 문 뒤에서 나에게 키스한 적도 있어요. 하지만 내가 푹 빠진 사람은 나에게 눈길도 주지 않던 당신 사촌 밴디 뉴랜드였죠."

올렌스카 부인이 말굽 편자처럼 U 자 형태로 배치된 박스석을 눈으로 훑었다.

"아, 이렇게 보니 옛 생각이 나네요. 여기 앉은 사람들이 헐렁한 반바지나 속바지를 입고 다니던 모습이 눈에 선해요."

부인은 길게 늘어지는 외국 억양을 섞어 이렇게 말하며 다시 아처의 얼굴로 시선을 돌렸다.

그 눈빛은 유쾌했지만, 아처는 바로 이 순간 올렌스카

부인의 사건을 판결 중인 위엄 있는 재판소의 풍경이 당사자 눈에는 그토록 볼품없이 비쳐진다는 사실에 충격을 받았다. 장소에 걸맞지 않은 경박함보다 더 천박한 취향은 없을 것이다. 그래서 그는 다소 딱딱하게 대답했다.

"네, 아주 오래 떠나 계셨으니까요."

"아, 수백, 수천 년은 된 것 같아요. 아주 오래 떠나 살았으니 난 죽어 땅에 묻혔을 테고 이 오래된 극장은 분명 천국이겠죠."

부인이 말했다. 이유를 딱 꼬집을 수 없었지만, 뉴랜드 아처에게 그 말은 뉴욕 사교계를 한층 불경스럽게 묘사하는 표현처럼 느껴졌다.

3

언제나 그런 식으로 진행되었다.

줄리어스 보퍼트 부인은 연례 무도회를 여는 날 밤이면 반드시 오페라하우스에 나타났다. 사실 보퍼트 부인은 항상 오페라 공연이 있는 날 밤 무도회를 열었는데, 완벽하게 우월한 가사 관리 능력과 자신이 자리를 비워도 파티의 세부 항목을 빠짐없이 준비할 유능한 하인들을 거느리고 있음을 강조하기 위해서였다.

보퍼트가 저택은 뉴욕에서 무도회장을 갖춘 몇 안 되는 집 중 하나였다(맨슨 밍곳 노부인의 저택이나 헤들리 치버스가 저택보다도 먼저 지은 집이었다). 가구를 위층으로 옮기고 응접실 바닥에 '거친 아마포'를 까는 것이 '촌스럽다'라고 여겨지기 시작하던 시기에, 보퍼트가는 다른 용도로는 전혀 쓰지 않는 전용 무도회장을 갖추었다. 도금한 의자를 한쪽 구석에 쌓아두고 샹들리에를 자루로 감싼 채 1년 중 364일 동안 문을 닫아두는 무도회장을 소유했다는 이 확실한 우월함은, 보퍼트가의 과거에 어떤 유감스러운 일이 있었건 그것을 충분히 상쇄해준다고 여겨졌다.

자신의 사교 철학을 격언으로 표현하기 좋아하는 아처 부인은 "누구에게나 총애하는 평민이 있기 마련이지"라고 말한 적이 있었다. 대담한 말이긴 했지만 그 문구에 진실이 담겼음을 많은 사람이 남몰래 인정했다. 그러나 보퍼트가는 정확히 말해 평민은 아니었다. 어떤 이들은 훨씬 형편없는 가문 태생이라고 말했다. 사실 보퍼트 부인은 미국에서도 무척 명예로운 가문의 일원이었다. (사우스캐롤라이나 분파에 속하는) 사랑스러운 리자이나 댈러스였는데 언제나 건전한 동기에서 출발하지만 잘못을 저지르고야 마는 경솔한 사촌 메도라 맨슨의 주도로 뉴욕 사교계에 소개된 무일푼 미녀였다. 맨슨가, 러시워스가와 친인척 관계인 사람은 뉴욕 사교계에서 (튀일리궁을 자주 드나들었다는 실러턴 잭슨의 표현에 따르자면) '시민권'이 있었다. 그러나 줄리어스 보퍼트와 결혼하고도 그 권리를 박탈당하지 않을 수 있었을까?

문제는 '보퍼트가 어떤 사람인가'였다. 그는 영국인으로 통했고 쾌활했으며 잘생긴 얼굴에 성미는 까다로웠으나 친절했으며 재치가 넘쳤다. 맨슨 밍곳 노부인의 영국인 사위인

은행가에게 추천장을 받아 미국에 왔고 실업계에서 금세 중요한 위치를 차지했다. 그러나 방탕한 습관이 있었고 신랄한 말을 내뱉기 일쑤였으며 과거 전력도 미심쩍었다. 따라서 메도라 맨슨이 사촌과 그가 약혼했다고 발표했을 때, 다들 가여운 메도라의 경솔한 행동을 적은 긴 목록에 어리석은 짓이 하나 더 추가됐다고 생각했다.

그러나 어리석음은 지혜와 마찬가지로 그 결과로 정당화될 때가 많다. 젊은 보퍼트 부인이 결혼하고 2년이 지났을 때 부인의 집은 뉴욕에서 가장 훌륭한 집으로 인정받았다. 그 기적이 정확히 어떻게 일어났는지 아무도 알지 못했다. 리자이나는 나태하고 수동적이었으며 독설가들에게 우둔하다는 말까지 들었다. 그러나 숭배의 대상처럼 옷을 차려입고 진주 목걸이를 걸쳤으며 매년 더 젊어지고 금발도 더 짙어지는 데다 더욱 아름다워졌다. 그런 모습으로 보퍼트 씨의 육중한 갈색 사암 궁전에 여왕처럼 군림했고 보석으로 치장한 새끼손가락을 까딱하지 않아도 온 세상이 그 집으로 모여들었다. 아는 척하기 좋아하는 사람들은, 보퍼트가 직접 하인들을 훈련시키고 요리사에게 새 요리를 만들도록 가르치고 저녁 식탁과 응접실에 놓기 위해 온실에서 어떤 꽃을 재배해야 하는지 정원사들에게 일러주었으며, 손님을 선별하고 식후에 마실 펀치를 끓이고 아내가 친구들에게 쓸 짤막한 편지

내용을 불러주었다고 말했다. 정말 그랬을지라도 그 가사 활동은 은밀하게 진행되었고, 그는 초대받은 손님처럼 무심한 태도로 어슬렁거리며 응접실에 들어와서는 "제 아내의 글록시니아(브라질산 구근 식물로 꽃이 크고 색깔이 다양해 관상용으로 많이 쓰인다-옮긴이)가 참 놀랍지 않습니까? 아마 큐 식물원(영국 런던 남서부에 위치한 왕립식물원-옮긴이)에서 가져왔을 겁니다"라고 말하며 태평하고도 친절한 백만장자의 모습을 선보였다.

보퍼트 씨의 비결은 일을 처리하는 방식이라고, 다들 생각했다. 자신이 일했던 국제 은행의 '도움'을 받아 영국을 떠났다는 말이 은밀히 나돌았지만 아무 상관이 없었다. 그는 다른 소문들과 마찬가지로 그 소문도 쉽게 처리했다. 뉴욕 사업가들의 양심은 도덕규범 못지않게 민감했지만, 그는 파죽지세로 성공을 거두었고 뉴욕 전체를 응접실로 불러들였다. 그래서 20년도 더 지난 지금, 사람들은 맨슨 밍곳 부인 댁에 간다고 말할 때처럼 편안한 말투로 '보퍼트가에 간다'라고 말했다. 게다가 그렇게 말하는 목소리에서는 만족감이 풍겼는데, 1년도 안 된 미지근한 뵈브 클리코 샴페인과 데우기만 해서 내놓은 필라델피아산 크로켓이 아니라 따끈따끈한 들오리 요리와 고급 와인을 먹으리란 사실을 알기 때문이었다.

그날 보퍼트 부인은 늘 그렇듯이 〈보석의 노래〉가 시작되기 직전에 자신의 박스석에 나타났다. 그리고 역시 늘 그

렁듯이 3막이 끝나고 부인이 자리에서 일어나 아름다운 어깨에 오페라 관람용 외투를 두르고 사라지면, 뉴욕 사람들은 30분 뒤에 무도회가 시작된다는 뜻으로 받아들였다.

보퍼트가 저택은 특히 연례 무도회가 열리는 밤이면 뉴욕 사람들이 외국인들에게 자랑스레 보여주는 장소였다. 보퍼트가는 뉴욕에서 거의 최초로 붉은 벨벳 양탄자를 소유한 집으로, 만찬용 의자와 무도회용 의자와 함께 양탄자를 빌리는 대신 자기 소유의 하인에게 명령해 자기 소유의 차양 아래에 그 양탄자를 깔았다. 또 초대받은 숙녀들이 어색하게 여주인의 침실로 올라가 가스로 머리를 다시 둥글게 말지 않고, 복도에서 외투를 벗는 관습을 처음 시작한 집이기도 했다. 보퍼트는 아내의 친구라면 당연히 집을 떠날 때 머리가 제대로 손질되었는지 신경 써주는 하녀들이 있으리라 말했다고 한다.

또 이 저택은 무도회장을 갖추도록 대담하게 설계되었기에 (치버스가 저택처럼) 무도회장까지 비좁은 통로를 힘겹게 지날 필요가 없었다. 손님들은 저 멀리 광을 낸 조각나무 마루판에 수많은 촛불 빛이 반사되는 광경과 검정색, 금색 대나무 의자 위로 동백꽃과 나무고사리가 아치를 이루며 값비싼 잎을 드리운 온실 안쪽을 바라보면서, 일렬로 배치된 연한 청록색과 진홍색, 노란색 응접실 풍경을 따라 엄숙하게 걸음을 옮겼다.

뉴랜드 아처는 제법 지위를 갖춘 젊은이답게 느지막하게 어슬렁거리며 들어갔다. 비단 스타킹을 신은 하인에게(이 스타킹은 보퍼트가 저지른 몇 안 되는 어리석은 짓 중 하나였다) 외투를 넘긴 다음, 스페인산 가죽을 걸어두고 불 세공된 가구와 공작석으로 꾸민 서재에서 잠시 빈둥거렸다. 그곳에서는 남자 몇 명이 잡담을 나누며 무도회용 장갑을 손에 끼는 중이었다. 마침내 아처는 보퍼트 부인이 진홍색 응접실 입구에서 맞이하는 손님 대열에 합류했다.

아처는 초조함을 감출 수가 없었다. 오페라가 끝난 뒤에 (젊은 남자들이 대개 그러듯이) 클럽으로 돌아가지 않았고, 밤공기가 맑아서 5번 대로까지 조금 걷다가 보퍼트가 저택 쪽으로 걸음을 돌렸다. 밍곳가가 과욕을 부릴까 봐, 실제로 할머니인 밍곳 노부인이 올렌스카 백작 부인을 무도회에 데려가라는 명령을 내렸을까 봐 몹시 걱정스러웠다.

그는 사교 클럽 박스석의 분위기로 봐서 그것이 얼마나 심각한 실수가 될지를 감지했다. 그리고 '끝까지 지켜주기로' 그 어느 때보다도 굳게 결심했지만, 오페라하우스에서 약혼자의 사촌과 간단한 대화를 나눈 뒤로는 기사도 정신을 발휘해 그 올렌스카 부인을 옹호해주려던 마음이 줄어들었다.

(보퍼트가가 대담하게도 부그로[프랑스의 대표적인 신고전주의 화

가인 윌리앙 아돌프 부그로-옮긴이]의 논란 많은 누드화 '사랑의 승리'를 걸어둔) 노란색 응접실로 어슬렁거리며 들어섰을 때, 아처는 무도회장 문 근처에 선 웰랜드 부인과 그의 딸을 발견했다. 저쪽에서는 이미 남녀 여러 쌍이 마루 위에서 미끄러지듯 춤추고 있었다. 밀랍 초의 불빛이 빙글빙글 도는 얇은 명주 그물 치마 위에, 소박한 꽃으로 장식한 아가씨들 머리 위에, 젊은 기혼 여성들 머리 장식에 꽂힌 화려한 백로 깃털과 장신구 위에, 화려하고 몹시 반질거리는 셔츠 앞면과 깨끗하고 윤이 나는 장갑 위에 쏟아졌다.

메이 웰랜드는 은방울꽃을 손에 든 채(다른 꽃다발은 들지 않았다) 약간 창백한 얼굴로 흥분이 고스란히 드러나는 눈을 반짝거리면서, 당장이라도 춤추는 사람들 틈에 끼려는 듯이 문지방을 서성거렸다. 젊은 남녀가 그 주변에 몰려들어 떠들썩하게 악수를 나누고 웃음을 터뜨리고 농담을 주고받았다. 웰랜드 부인은 약간 떨어진 곳에 서서 그 광경을 바라보며 어쩔 수 없이 허락한다는 뜻으로 웃음을 보냈다. 웰랜드 양이 약혼 소식을 알리는 중이며 어머니는 그런 상황에 걸맞게 여겨지는, 부모로서 마지못해 허락한다는 기색을 내비치는 상황이 분명했다.

아처는 잠시 걸음을 멈추었다. 서둘러 약혼을 공표하고 싶긴 했지만 이런 식으로 자신의 행복이 알려지기를 바란 것은 아니었다. 북적거리는 무도회장의 열기와 소음 속에서 약혼을 발표하면 가슴속 깊이 간직해야 하는 가장 소중한 비밀을 빼앗기고 말 것이다. 그의 기쁨은 매우 깊었기에 이렇게 표면이 흐려져도 본질은 훼손되지 않았다. 그러나 표면까지도 순수하게 유지되었다면 좋았을 것이다. 메이 웰랜드도 같은 기분이라는 사실을 깨닫자 그는 몹시 흐뭇했다. 메이의 시선이 애원하듯이 재빨리 그를 향했고 그 눈빛은 '잊지 말아요. 이게 옳은 일이기 때문에 우리가 이렇게 하는 거예요' 라고 말하는 듯했다.

어떤 호소도 아처의 가슴속에 이보다 더 즉각적인 반응을 불러일으키지 못했을 것이다. 그러나 단지 불쌍한 엘런 올렌스카 때문이 아니라 다른 이상적인 이유로 어쩔 수 없이 이런 행동을 취했다면 더 좋았으리라. 메이 주변에 모인 이들이 의미심장한 웃음을 지으며 그가 지나가도록 길을 터주었다. 그는 자기 몫의 축하 인사를 받은 뒤 약혼자를 무도회장 한가운데로 데려가 팔로 약혼자의 허리를 감쌌다.

"이제는 말할 필요가 없을 거요."

〈아름답고 푸른 도나우강〉의 부드러운 선율을 타고 둥실둥실 떠다니듯이 춤을 추다가 메이의 솔직한 눈동자를 웃는 얼굴로 들여다보며 그가 말했다.

메이는 대답하지 않았다. 떨리는 입술로 웃음 지었지만

눈빛은 형언할 수 없는 환영에 열중한 듯 진지하고 아득했다.

"메이."

아처가 메이의 몸을 끌어당기며 속삭였다. 약혼 후 처음 몇 시간 동안은, 설사 무도회장에서 보내더라도 두 사람 마음에 엄숙하고 신성한 감정이 싹튼다는 사실을 그는 깨달았다. 이 순수하고 눈부시고 선량한 존재를 곁에 두고 새로운 삶을 시작하게 되는 것이다!

춤이 끝나자 두 사람은 약혼한 남녀답게 온실 속으로 모습을 감추었다. 높은 칸막이나 다름없는 나무고사리와 동백나무 뒤에 앉아서, 아처는 장갑 낀 메이의 손에 입을 맞추었다.

"알겠지만 당신이 부탁한 대로 했어요."

메이가 말했다.

"그래요. 기다릴 수가 없었죠."

아처가 웃으며 대답했다. 그리고 잠시 뒤 덧붙였다.

"단지 무도회장이 아니었다면 좋았을 텐데."

메이는 이해한다는 듯 시선을 마주했다.

"네, 알아요. 하지만 그래도…… 이곳에서도 단둘이 함께 있잖아요. 그렇지 않나요?"

"오, 내 사랑. 언제나 그럴 거예요!"

아처가 외쳤다.

분명 메이는 언제나 이해해줄 것이다. 언제나 옳은 말만 할 것이다. 그 사실을 깨닫자 그의 잔에서 기쁨이 넘쳐흘렀고 그는 유쾌하게 말을 이었다.

"가장 나쁜 건 당신에게 키스하고 싶지만 그럴 수 없다는 거예요."

이렇게 말하면서 아처는 온실을 재빨리 둘러보고 그 순간에는 둘뿐임을 확인한 뒤 메이를 끌어당겨 아주 짧게 입을 맞추었다. 그리고 이 과감한 행동을 상쇄하기 위해 온실 중 덜 외진 곳에 있는 대나무 소파로 메이를 데려갔다. 그는 곁에 앉아 메이가 든 꽃다발에서 은방울꽃을 하나 꺾었다. 메이는 말없이 앉았고 햇빛이 비치는 골짜기처럼 세상이 두 사람의 발치에 펼쳐졌다.

"사촌 엘런에게 말했어요?"

곧 메이가 꿈속에서 말하듯이 물었다.

아처는 정신이 번쩍 들었고 그렇게 하지 않았다는 사실을 떠올렸다. 이상한 외국 여자에게 그런 말을 하려니 극복할 수 없는 반감이 생겨서 입을 뗄 수가 없었다.

"아니…… 도무지 기회가 없었어요."

아처는 재빨리 둘러댔다.

"아."

메이는 실망한 표정을 지었지만 부드럽게 주장을 관철

하기로 마음먹었다.

"그럼 말해야 해요. 내가 말하지 않았으니까요. 엘런이 오해하는 건 싫은데……."

"당연해요. 하지만 실은 엘런에게 당신이 알려줘야 하지 않겠어요?"

메이는 그 말을 듣고 생각에 잠겼다.

"제때에 말해주었더라면, 맞는 말이에요. 하지만 이렇게 지체됐으니, 내가 당신에게 오페라하우스에서 엘런에게 알려주도록 부탁했다고, 이곳에서 모두에게 밝히기 전에 말해달라고 했다고 당신이 해명해주는 게 좋겠어요. 그렇게 하지 않으면 엘런은 내가 자기를 잊어버렸다고 생각할지도 몰라요. 알다시피 엘런은 우리 가문 일원이지만 아주 오래 떨어져 지냈기 때문에 조금…… 예민해요."

아처는 불타는 듯한 눈빛으로 메이를 보았다.

"사랑스럽고 고결한 나의 천사! 당연히 내가 말할게요."

아처는 조금 걱정스럽다는 표정으로 사람들이 붐비는 무도회장을 힐끗 쳐다보았다.

"하지만 아직 올렌스카 부인을 보지 못했는데. 여기 왔어요?"

"아니에요. 출발 직전에 안 오겠다고 하더군요."

"출발 직전에?"

아처는 엘런이 올 생각을 했다는 사실에 놀라움을 감추지 못하고 되물었다.

"네. 춤을 무척 좋아하거든요."

젊은 아가씨가 단순하게 대답했다.

"하지만 갑자기 드레스가 무도회에 올 만큼 세련되지 않다면서 안 오겠다는 거예요. 우린 모두 그 옷이 정말 아름답다고 생각했지만요. 그래서 숙모님이 집으로 데려다주신댔어요."

"아, 그랬군."

아처는 만족스러워서 무심한 목소리로 대답했다. 약혼자에게서 가장 마음에 드는 점은, 두 사람이 자라면서 배운대로 '불쾌한' 것들을 무시하는 습관을 되도록 단호하고 꿋꿋하게 실천하는 모습이었다.

아처는 곰곰이 생각했다.

'사촌이 오지 않은 진짜 이유를 메이도 나만큼이나 잘 알아. 하지만 내가 불쌍한 엘런 올렌스카의 평판에 드리운 그늘을 안다는 내색은 결코 하지 말아야겠지.'

4

다음 날에는 약혼 이후의 의례적인 첫 방문이 오갔다. 그런 문제에서 뉴욕의 관습은 정확하고 완고했다. 그 관습에 따라 뉴랜드 아처가 우선 어머니, 여동생과 함께 웰랜드 부인을 방문했고 그 뒤로 아처와 웰랜드 부인, 메이가 가문에서 존경받는 어른의 축복을 받고자 맨슨 밍곳 노부인의 저택을 찾았다.

젊은 아처는 맨슨 밍곳 노부인을 방문하는 것이 늘 즐거웠다. 저택 자체가 이미 역사적 기록이나 다름없었다. 물론 유니버시티 플레이스와 5번 대로 아래쪽에 있는 몇몇 오랜 가문의 저택만큼 유서 깊지는 않았다. 그 저택들은 순수한 1830년대식 건물로, 장미 화환 무늬 양탄자와 자단목 콘솔, 검은 대리석 선반이 딸린 아치형 벽난로, 광택이 흐르는 거대한 마호가니 책장 등이 음침하게 어우러졌다. 반면 나중에 집을 지은 밍곳 노부인은 젊은 시절 쓰던 크고 무거운 가구를 통째로 내다 버리고 밍곳 가문에 대대로 내려오는 가구들과 제2제정 시대(나폴레옹 3세가 프랑스를 다스린 1852년부터 1871년-옮긴이)의 경박한 실내 장식용품을 뒤섞어 배치했다. 북쪽으로 흘러오다가 자신의 고적한 문 앞에 이른 삶과 유행을 조용히 지켜보기라도 하듯 1층 거실 창가에 앉는 것이 노부인의 습관이었다. 그 두 가지를 서둘러 데려오려 하지도 않았으니, 자신감 못지않게 인내심이 강하기 때문이었다. 노부인은 임시 울타리와 채석장, 단층 술집, 우둘투둘한 정원에 자리 잡은 목조 온실, 염소들이 올라서서 두리번거리는 바위 같은 것들이 곧 사라지고 자신의 집만큼이나 위풍당당한 저택들이, 어쩌면 훨씬 더 위엄 있는 저택들이(부인은 공정한 사람이었다) 나타나리라고 확신했다. 덜거덕거리는 낡은 승합마차들이 소란스레 달려가는 자갈길이 파리에서 보았다고들 하는 매끄러운 아스팔트로 바뀔 것이라고 생각했다. 그 사이에도 부인이 만나고 싶어 하는 사람들은 모두 직접 찾아왔기에(또한 저녁 메뉴에 음식 하나 추가하지 않아도 보퍼트가만큼이나 손님들이 집에 가득했기에), 노부인은 지리적 고립 때문에 고생하지는 않았다.

중년에 들어서면서, 불운한 도시에 용암이 밀려들듯 살이 엄청나게 불어나 맵시 좋던 발과 발목으로 활달하게 움직이던 통통하고 자그마한 여인은 자연 현상처럼 거대하고 위엄 있는 존재로 변했다. 밍곳 노부인은 그동안 겪은 다른 시련을 대할 때처럼 이 침몰을 달관하는 태도로 받아들였다. 초고령에 접어든 지금은 거의 주름 없이 늘어난 탱탱하고 발그레한 살 한가운데에서 발굴을 기다리는 듯 잔존한 작은 얼굴의 흔적을 거울에 비춰보는 것을 보상으로 삼았다. 매끈한 이중 턱은 아찔하게 깊고 여전히 새하얀 가슴으로 이어졌으며 작고한 밍곳 씨의 작은 초상화로 고정한 새하얀 모슬린이 가슴을 덮었다. 가슴 주변과 밑으로는 검은 비단이 널찍한 안락의자 가장자리로 파도처럼 굽이쳐 내려왔으며 작고 하얀 두 손이 파도에 내려앉은 갈매기처럼 그 위에 놓여 있었다.

맨슨 밍곳 부인은 몸이 무거워 오래전부터 계단을 오르내리지 못했으므로 특유의 독립적인 성격대로 위층에 응접실을 만들고 (뉴욕의 모든 예법을 명백히 위반하며) 자신은 1층에 자리 잡았다. 따라서 밍곳 부인과 함께 그 거실에 앉으면 (늘 열려 있는 문과 윗부분에 고리가 달린 노란 다마스크[비단, 양모, 리넨, 면 등에 실로 무늬를 짜 넣은 묵직한 천으로 커튼이나 실내 장식으로 쓰였다-옮긴이] 칸막이 커튼을 통해) 뜻밖에도 침실 풍경이 보였다. 침실에는 소파처럼 덮개를 씌운 크고 낮은 침대와 경망스러운 레이스 주름 장식을 달고 금테 거울을 놓은 화장대가 있었다.

손님들은 프랑스 소설 장면을 떠올리게 하는 이런 이국적인 배치와 순진한 미국인들은 꿈도 꾸지 못한 부도덕을 부추기는 집안 구조에 경악하면서도 매료되었다. 구대륙의 사악한 사교계에서 애인을 둔 여자들은 소설에 묘사된 것처럼 이런 식으로 모든 방이 한 층에 있고 망측하게도 다닥다닥 붙은 공동 주택에 살았다. 뉴랜드 아처는 (소설 『드 카모르 씨』[프랑스 작가 옥타브 푀예가 1867년에 발표해 큰 성공을 거둔 소설-옮긴이]의 정사 장면이 밍곳 부인의 침실에서 일어났다고 남몰래 상상했기에) 간통의 무대 배경인 이곳에서 나무랄 데 없는 삶을 꾸려나가는 밍곳 부인의 모습을 즐겁게 그려보았다. 그러나 혹시라도 이 용감무쌍한 여인이 애인을 원했다면 그 뜻도 이루었을 것이라고, 아처는 마음 깊이 탄복하며 생각했다.

약혼한 두 젊은이가 방문한 동안 올렌스카 백작 부인이 할머니의 응접실에 없어서 모두 안도했다. 밍곳 부인은 백작 부인이 외출했다고 말했다. 평판이 위태로운 여자가 이렇게 환한 대낮에 그것도 '쇼핑 시간'에 외출하다니 그 자체가 상스러운 행동처럼 보였다. 어쨌거나 덕분에 함께 있어 곤란할 일도 없었고 백작 부인의 불행한 과거가 둘의 눈부신 미래에 드리울지 모르는 희미한 그림자도 피할 수 있었다. 방문은 예상대로 순조롭게 진행되었다. 예의 주시하던 친척들이 오래전부터 예상하며 가족회의에서 신중하게 결정한 약혼이었기에, 밍곳 노부인은 무척 기뻐했다. 눈에 띄지 않는 갈고리 발톱에 크고 굵은 사파이어를 붙인 약혼반지에도 찬사를 아끼지 않았다.

"새로운 세공 방식이에요. 물론 보석이 아름답게 드러나지만 보수적인 사람들 눈에는 너무 단순해 보일 거예요."

웰랜드 부인이 이해해달라는 듯 미래의 사위를 곁눈질하며 설명했다.

"보수적인 사람들의 눈이라고? 설마 나를 가리키는 말은 아니겠지? 나는 새로운 것이라면 뭐든 좋아한단다."

노부인은 안경으로 미관을 해친 적 없는 작고 빛나는 눈 가까이 반지를 들어 올리고 말했다.

"아주 멋지구나."

노부인이 이렇게 덧붙이며 반지를 돌려주었다.

"아주 개방적이고 말이야. 우리 때에는 진주를 박은 카메오 세공 반지면 충분하다고 생각했지. 하지만 반지를 돋보이게 하는 건 손이지. 안 그런가, 아처?"

밍곳 부인은 나잇살이 상아 팔찌처럼 손목을 에워싼, 손톱이 작고 뾰족한 작은 손을 흔들었다.

"로마에서 그 위대한 페리지아니가 내 손 모형을 만들었지. 메이의 손 모형도 만들어야 하네. 그 사람이 틀림없이 맡아서 해줄 거야. 메이의 손은 커…… 현대식 운동으로 관절이 늘어난 탓이지. 하지만 피부는 하얗구나. 참, 결혼식이 언제라고?"

노부인은 말을 멈추고 아처의 얼굴을 빤히 바라보았다.

웰랜드 부인이 "아……" 하고 웅얼거리는 동안 아처는 약혼자에게 웃음을 보내고는 이렇게 대답했다.

"부인께서 도와주신다면 되도록 빨리 하고 싶습니다."

"둘이 서로를 좀 더 알아갈 시간이 필요해요, 어머니."

웰랜드 부인이 상황에 걸맞게 짐짓 내키지 않는다는 표정으로 끼어들었다. 그 말에 노부인이 응수했다.

"서로를 더 알다니? 허튼소리 마라! 뉴욕 사람들은 서로를 아주 잘 알아. 이 젊은이가 뜻대로 하도록 내버려둬. 와인에서 김이 다 빠질 때까지 기다리지 말고. 사순절 전에 결혼시켜라. 난 이제 겨울이면 언제 폐렴에 걸릴지 모른다. 그리고 결혼 피로연은 내가 열어주고 싶구나."

잇따라 이어진 이 말에 동석한 이들은 즐거움과 놀라움, 감사를 적절히 표현하며 화답했다. 가벼운 농담이 오가던 분위기는 문이 열리고 올렌스카 백작 부인이 들어오는 바람에 사라지고 말았다. 보닛을 쓰고 망토를 걸친 백작 부인 뒤에서 뜻밖에도 줄리어스 보퍼트가 모습을 드러냈다.

숙녀들은 친근하고 즐겁게 소곤거렸고 밍곳 부인은 페리지아니가 모델로 삼았던 손을 은행가에게 내밀었다.

"하! 보퍼트, 귀하신 몸이 여길 다 오다니!"

(부인은 남자들을 성으로 부르는 이상한 외국식 습관이 있었다).

"감사합니다. 저도 더 자주 찾아뵙고 싶었습니다만."

손님은 느긋하고 거만한 태도로 말했다.

"대개는 일 때문에 꼼짝을 못하니까요. 하지만 매디슨 스퀘어 공원에서 엘런 백작 부인을 만났는데 상냥하게도, 제가 여기까지 함께 걸으며 바래다줘도 괜찮다고 하더군요."

"아, 엘런이 여기 있으니 분위기 더 즐거워지겠군!"

밍곳 부인이 아주 즐거운 듯이 뻔뻔스레 외쳤다.

"앉게나, 앉아, 보퍼트. 노란 안락의자를 당겨보게. 이왕 왔으니 재미있는 소문 좀 들려줘. 자네 집 무도회가 화려했다고 들었네. 레뮤얼 스트러더스 부인을 초대했다지? 흠, 궁금하니 그 여자를 직접 만나보고 싶구먼."

밍곳 부인은 엘런 올렌스카의 안내를 받아 현관으로 나가는 친척들을 잊어버렸다. 밍곳 노부인은 언제나 공개적으로 줄리어스 보퍼트를 극찬했다. 냉정하고 고압적인 방식이나 관습을 돌파하고 지름길을 선택하는 면에서 두 사람은 닮은 데가 있었다. 지금 노부인은 보퍼트가가 구두약 회사 소유주였던 작고한 스트러더스의 아내, 레뮤얼 스트러더스 부인을 (처음으로) 무도회에 초대하게 된 연유가 무엇인지 궁금해서 목이 빠질 지경이었다. 스트러더스 부인은 기나긴 유럽 첫 여행에서 작년에 돌아와 뉴욕이라는 까다롭고 작은 성채를 끈질기게 공략하는 중이었다.

"물론 자네와 리자이나가 그 여자를 초대한다면 그걸로 결정 난 거지. 뭐, 우리에겐 새로운 피와 새로운 돈이 필요하니까. 게다가 듣자 하니 아직도 꽤나 미인이라고 하더군."

노부인이 탐욕스럽게 말했다.

현관에서 웰랜드 부인과 메이가 모피 코트를 입는 동안, 아처는 올렌스카 백작 부인이 뭔가를 묻는 듯 희미하게 미소를 지으며 자신을 바라보는 모습을 발견했다.

"물론 이미 아시겠죠…… 메이와 저에 대해서."

아처는 쑥스럽게 웃으며 부인의 표정에 답했다.

"어젯밤 오페라하우스에서 그 소식을 알리지 않았다고 메이에게 혼났습니다. 메이가 우리의 약혼 사실을 당신에게 전해달라고 부탁했지만…… 그렇게 북적거리는 곳에서는, 말할 수가 없었습니다."

미소는 올렌스카 백작 부인의 눈에서 입술로 번졌다. 부인은 더 젊어 보였고 아처가 어린 시절 알던, 대담하고 가무잡잡한 엘런 밍곳과 더 비슷해졌다.

"당연히 알죠. 그럼요. 정말 기뻐요. 하지만 그렇게 사람이 북적거리는 곳에서 누가 그런 이야기부터 꺼내겠어요."

숙녀들은 문간에 서 있었고 올렌스카 백작 부인은 손을

내밀었다.

"안녕히 가세요. 나중에 저를 만나러 오세요."

부인이 아처에게서 시선을 떼지 않은 채 말했다.

5번 대로로 향하는 마차 속에서, 일행은 밍곳 부인의 나이와 기백과 훌륭한 다른 자질에 대해 예리한 대화를 주고받았다. 누구 입에서도 엘런 올렌스카의 이름은 나오지 않았다. 그러나 아처는 웰랜드 부인이 '도착한 바로 다음 날, 사람들이 붐비는 시간에 줄리어스 보퍼트와 5번 대로를 활보하는 모습을 보이다니, 엘런이 실수한 거야'라고 생각하고 있음을 알았다. 아처 또한 마음속으로 덧붙였다.

'게다가 백작 부인은 이제 막 약혼한 남자가 다른 부인을 방문하는 데 시간을 쓰지 않는다는 사실도 알아야 해. 하지만 부인이 살았던 곳에서는 다들 그런가 보지…… 늘 그렇게 하나 보지.'

그리고 그는 자신의 국제적 시각을 자랑스럽게 여기면서도, 자신이 뉴욕 사람이며 같은 부류의 사람과 결혼할 예정이라는 사실에 깊이 감사했다.

5

다음 날 저녁, 노신사 실러턴 잭슨 씨가 아처의 가족들과 저녁을 먹으러 왔다.

아처 부인은 수줍음이 많아 사교계를 멀리했지만 사교계 동향에 대해서는 알아두고 싶어했다. 오랜 벗인 실러턴 잭슨은 수집가와도 같은 인내력과 박물학자와도 같은 지식을 동원해 친우들의 개인사를 조사했다. 함께 사는 누이 소피 잭슨 양은 인기 많은 오빠를 만나지 못하는 사람들에게서 자주 초대를 받았고, 그렇게 얻은 사소한 소문을 조금씩 집으로 가져와 실러턴 잭슨이 그린 그림에서 빠진 부분을 쏠쏠하게 메워주었다.

따라서 아처 부인은 궁금한 일이 생길 때마다 잭슨 씨를 저녁 식사에 초대했다. 부인의 초대를 받는 영광을 누리는 사람이 극히 드문 데다 아처 부인과 딸 제이니가 훌륭한 청

중이었기에, 잭슨 씨는 대개 누이를 보내지 않고 직접 찾아왔다. 조건을 모두 정할 수 있었다면 아처가 외출한 날 저녁을 선택했을 것이다. 그 젊은이가 마음에 들지 않아서는 아니었고(두 사람은 클럽에서 아주 사이좋게 지냈다), 이 늙은 이야기꾼이 느끼기에 아처가 숙녀들은 그런 기색이 없었으나 아처만큼은 그의 말을 듣고 근거를 따지는 경향이 있기 때문이었다.

완벽함이 지상에서 이뤄질 수 있었다면, 잭슨 씨는 아처 부인의 음식이 조금 더 나아져야 한다고 말했을 것이다. 그러나 기억이 닿는 곳까지 최대한 거슬러 올라가보면, 당시 뉴욕은 음식과 옷과 돈에 신경 쓰는 밍곳가, 맨슨가 집안과 여행과 원예와 훌륭한 소설에 몰두하며 더 천박한 형태의 쾌락을 멸시하는 아처-뉴랜드-밴-더-라이든 일족이라는 거대한 두 핵심 집단으로 나뉘었다.

어쨌든 모든 것을 가질 수는 없는 법이다. 러벨 밍곳과 식사하는 손님은 들오리와 식용 거북, 고급 와인을 먹었다. 애들린 아처의 집에서는 알프스의 풍경과 『대리석 목양신』(미국 소설가 너새니얼 호손이 1860년에 발표한 소설-옮긴이)을 화제 삼아 대화를 나눌 수 있었다. 또 다행히도 아프리카 희망봉을 돌아 아처가에 도착한 마데이라 와인이 있었다. 따라서 아처 부인이 친절하게 초대할 때면, 진정한 절충주의자인 잭슨 씨는 누이에게 대개 이렇게 말했다.

"지난번에 러벌 밍곳의 집에서 저녁을 먹은 뒤 통풍이 온 느낌이 좀 들었지. 그러니 애들린 집에서 식사하는 게 도움이 되겠구나."

오래전에 남편을 잃은 아처 부인은 웨스트 28번가에서 남매와 함께 살았다. 위층은 온전히 아처에게 내주고 두 여자는 더 갑갑한 아래층 방에서 비좁게 지냈다. 모녀는 취향과 관심을 유쾌하게 조합해 식물 재배용 유리 용기에 양치류를 키우고, 마크라메 레이스(명주실이나 끈으로 매듭을 엮어 다양한 무늬를 만드는 수공예 레이스-옮긴이)를 짜고, 리넨에 양모 자수를 놓고, 미국 독립 혁명 시절의 유약 바른 도기를 수집하고, 《굿 워즈》(1860년부터 1906년까지 출간된 영국의 월간지-옮긴이)를 구독하고, 이탈리아 분위기를 느끼려고 위다(『플랜더스의 개』를 쓴 영국 소설가 마리 루이즈 드 라 라메의 필명. 1874년 이탈리아 피렌체로 이주해 그곳에서 여생을 보냈다-옮긴이)의 소설을 읽었다(두 사람은 농촌 생활을 다룬 소설을 좋아했는데 자연경관과 더 유쾌한 감정을 묘사하기 때문이었다. 그러나 대개는 인물들의 동기와 습관을 더 쉽게 이해할 수 있기에 사교계 사람들을 다룬 소설을 즐겨 읽었다. 찰스 디킨스에 대해서는 '신사를 묘사한 적 없다'라고 혹평했으며 윌리엄 새커리[19세기 영국의 대표적인 소설가. 『허영의 시장』 등의 작품에서 빅토리아 시대 영국 중상류층의 허영심을 풍자적으로 표현했다-옮긴이]가 에드워

드 불워[『폼페이 최후의 날』을 쓴 영국의 소설가이자 극작가, 정치가-옮긴이] 보다 사교계 생활양식에 정통하지 못하다고 생각했다. 그러나 불워는 구식으로 여겨지던 참이었다). 아처 부인과 아처 양은 둘 다 아름다운 풍광을 몹시 좋아했다. 가끔 해외여행을 떠나면 주로 그런 멋진 경치를 찾아가 감탄했다. 건축과 그림은 남자들, 특히 존 러스킨(영국 작가이자 미술, 건축 평론가-옮긴이)을 읽은 박식한 이들에게 걸맞은 주제로 여겼다. 아처 부인은 뉴랜드 가문에서 태어났고 자매처럼 닮은 이 모녀는 둘 다 세간에서 일컫듯이 '진정한 뉴랜드가 사람들'이었다. 키가 크고 얼굴이 창백하고 등이 약간 굽고 코가 길었으며, 상냥한 미소를 머금었고, 레이놀즈(영국의 초상화가 조슈아 레이놀즈-옮긴이)의 빛바랜 일부 초상화처럼 활기는 없지만 기품이 우러났다. 나이가 들어 살이 붙은 탓에 아처 부인의 검은 비단 옷은 몸에 꽉 끼는 반면 아처 양의 갈색과 자주색 포플린 옷은 해가 갈수록 처녀다운 몸매 위에서 점점 더 헐거워졌으니, 이 차이만 아니면 두 사람은 신체적으로 완벽한 유사성을 보였을 것이다.

똑같은 버릇 때문에 겉모습은 종종 비슷해 보였지만 정신적인 측면에서는 아처가 아는 듯 그리 완벽하게 비슷하지가 않았다. 두 사람은 오랫동안 서로 의지하며 친밀하게 함께 지낸 습관 때문에 똑같은 어휘를 썼고, 둘 중 어느 쪽이건 의견을 내놓고 싶을 때는 '엄마 생각에는' 또는 '제이니 생각에는'이라는 표현으로 시작하는 버릇도 똑같았다. 그러나 사실, 아처 부인은 차분하고 상상력이 없어 사회에서 수용되는 친숙한 것들에 생각이 머무는 경향이 있었지만 제이니는 억눌린 로맨스의 샘에서 끓어오르는 놀랍고도 일탈적인 공상에 심취했다.

모녀는 서로를 아주 좋아했고 아들이자 오빠인 아처를 존경했다. 아처는 두 사람의 지나친 존경심을 알았고 은밀히 만족하며 양심의 가책을 느꼈으므로, 비판하지 않고 다정하게 그들을 사랑했다. 가끔은 유머 감각을 발휘해 자신의 통치력을 문제 삼기도 했지만 실제로는 남자가 집에서 권위를 존중받는 것이 좋다고 생각했다.

아처는 잭슨 씨가 이번에는 그가 밖에서 식사를 해주기를 바라리란 사실을 아주 잘 알았다. 그러나 나름대로 그렇게 하지 않은 이유가 있었다.

나이 많은 잭슨 씨는 당연히 엘런 올렌스카에 대해 이야기하고 싶어 했고 아처 부인과 제이니도 당연히 그가 해줄 이야기를 듣고 싶어 했다. 아처가 밍곳 일가와 장차 친척이 되리라는 사실이 알려진 다음이므로, 그가 동석하면 세 사람 모두 약간 당황할 터였다. 이 젊은이는 그들이 이 난관을 어떻게 극복하는 보고 싶어 즐거운 호기심을 품고 기다렸다.

세 사람은 간접적으로 레뮤얼 스트러더스 부인에 대한

이야기부터 꺼냈다.

아처 부인이 부드럽게 말했다.

"보퍼트가에서 엘런을 초대하다니, 유감이에요. 하지만 리자이나는 늘 남편이 하라는 대로 하니까요. 그리고 보퍼트는……."

"미묘한 의미 같은 걸 파악하지 못하죠."

잭슨 씨가 청어 구이를 신중하게 살피며, 아처 부인의 요리사는 왜 늘 어란을 숯덩이가 되도록 태우는가를 수천 번째로 궁금하게 여기며 말했다(아처 또한 오랫동안 같은 의문을 품어 왔기에 우울하고 못마땅한 이 노인의 표정을 보고 늘 그 속마음을 읽어냈다).

"오, 그럴 수밖에요. 보퍼트는 저속한 사람이거든요."

아처 부인이 말했다.

"뉴랜드가의 제 조부님께서는 늘 제 어머니에게 이렇게 말씀하셨죠. '무슨 일이 있어도 그 보퍼트 녀석을 딸들에게 소개하지 마라.' 하지만 그 사람은 적어도 신사들과는 잘도 교류하더군요. 영국에서도 그랬다고 하던데. 정말이지 불가사의한 일이에요."

아처 부인은 제이니를 힐끔 보고는 입을 다물었다. 아처 부인과 제이니는 보퍼트가의 비밀을 속속들이 알았지만, 공식적으로는 그 주제가 미혼 남녀에게 적당하지 않다는 생각을 고수했다.

아처 부인이 말을 이었다.

"하지만 스트러더스 부인 말인데요. 어떤 사람이라고요, 실러턴?"

"어느 광산 출신이라더군요. 아니면 탄광 앞쪽 술집 출신이랍니다. 그러다가 실물 밀랍 인형들을 데리고 뉴잉글랜드를 순회했답니다. 경찰이 해산시킨 뒤에 산 곳은……."

이번에는 잭슨 씨가 제이니를 힐끔 보았다. 제이니의 눈은 길게 뻗은 눈썹 밑에서 튀어나오기 직전이었다. 제이니에게는 스트러더스 부인의 과거에 여전히 메워지지 않는 틈이 있었다.

"그러다가" 하고 잭슨 씨가 말을 이었다(왜 아무도 집사에게 오이를 쇠 나이프로 자르지 말라고 말해주지 않았는지 그가 의아하게 여긴다는 사실을, 아처는 알 수 있었다).

"그러다가 레뮤얼 스트러더스가 나타났죠. 그의 광고사가 구두약 포스터에 그 부인의 머리를 썼다는군요. 알다시피 머리가 새까맣잖아요, 이집트 사람처럼. 어쨌거나, 그는…… 결국…… 부인과 결혼했죠."

간격을 두고 음절 하나하나를 적절히 강조하며 '결국'이라고 말하는 모습이 깨나 빈정거리는 태도였다.

"아, 뭐…… 요즘 우리가 처한 상황을 보면, 중요한 문제는 아니죠."

아처 부인이 무심하게 말했다. 바로 지금 여자들은 스트러더스 부인에게 그다지 관심이 없었다. 엘런 올렌스카라는 주제가 너무 신선하고 흥미진진한 탓이었다. 사실 아처 부인이 스트러더스 부인의 이름을 먼저 언급한 이유는 그저 "그리고 뉴랜드의 새로운 사촌…… 올렌스카 백작 부인은요? 무도회에 왔나요?"라는 말을 곧 꺼내기 위해서였다.

아들 이름을 언급할 때 빈정대는 느낌이 어렴풋이 풍겼고, 아처는 그 사실을 알았으며 예상한 바이기도 했다. 인간사에 지나치게 기뻐한 적이 별로 없는 아처 부인조차 아들 약혼에는 전적으로 기뻐했다. ("러시워스 부인과의 그 어리석은 일이 있고 난 뒤니까 더더욱 기쁘구나" 하고 부인은 제이니에게 말했다. 아처에게 한때 영원히 영혼의 상처로 남을 비극처럼 여겨졌던 일을 암시하는 말이었다.)

어떤 관점에서 이 문제를 살펴보더라도, 뉴욕에서 메이 웰랜드보다 더 나은 짝은 없었다. 물론 아처는 얼마든지 그런 결혼을 할 자격이 있었다. 그러나 (어떤 여자들이 아주 유혹적이고 거리낌이 없듯이) 젊은 남자들은 무척 어리석고 변덕스럽기에, 하나뿐인 아들이 사이렌의 섬을 무사히 지나 흠 없는 가정이라는 안식처에 이른 모습을 보기란 기적이나 다름없었다.

아처 부인은 그렇게 느꼈고 아들도 그 점을 알고 있었다. 그러나 아처는 약혼을 예정보다 이르게 발표한 탓에, 또는 그렇게 한 원인 때문에 어머니가 심란해했다는 사실도 알았다. 그는 대체로 다정하고 너그러운 가장이었기에 바로 그 이유로 그날 저녁 집에 머물렀다.

"밍곳가의 단결심을 인정 못하겠다는 말은 아니야. 하지만 뉴랜드의 약혼이 왜 그 올렌스카라는 여자의 행동거지와 엮여야 하는지 모르겠구나."

아처 부인이 제이니에게 한 말이었다. 완벽한 다정함을 조금 벗어버린 아처 부인의 모습을 목격하는 사람은 오직 제이니뿐이었다.

웰랜드 부인을 방문했을 때 아처 부인은 훌륭하게 처신했다. 훌륭한 처신으로 말하자면 부인에게 비할 사람이 없었다. 그러나 아처는 그 집에 머무르는 동안 아처 부인과 제이니가 올렌스카 부인이 방해할까 봐 경계하며 노심초사했다는 사실을 알았다(그의 약혼자도 분명 짐작했을 것이다). 그리고 다함께 그 집을 나설 때 아처 부인은 아들에게 이렇게 말하며 속내를 드러냈다.

"오거스타 웰랜드 혼자 우리를 맞아줘서 다행이지 뭐니."

뒤숭숭한 마음을 암시하는 이런 말 때문에 아처도 밍곳가가 도를 지나쳤다는 쪽으로 생각이 기울었다. 그러나 두 사람 머릿속을 차지한 핵심적인 생각을 내비치는 것은 사회적 관례의 모든 규칙을 거스르는 행동이었기에, 아처는 이렇게만 대답했다.

"아, 네, 약혼을 하면 으레 가족 모임이라는 단계를 거쳐야 하잖아요. 더 빨리 끝날수록 좋죠."

그 말에 아처 부인은 젖빛 포도로 장식한 회색 벨벳 보닛의 레이스 베일 밑에서 입을 꼭 다물 따름이었다.

그날 저녁에 잭슨 씨가 올렌스카 백작 부인에 대해 말하도록 '유도하는' 것이 어머니가 할 수 있는 복수, 게다가 정당한 복수라고 아처는 생각했다. 그리고 장차 밍곳가 일원이 될 사람으로서 자신의 공적인 의무를 완수했으므로, 사적인 자리에서 그 여자에 대한 이야기가 오가더라도 반대할 이유가 없었다. 다만 그 주제가 이미 지겨워졌을 따름이다.

잭슨 씨는 침울해 보이는 집사가 자기처럼 미심쩍은 표정으로 건넨 미지근한 살코기를 한 조각 먹고 버섯 소스는 거의 눈에 띄지 않게 냄새를 맡은 뒤 거절한 참이었다. 당혹스럽고 배고픈 기색이었으며, 아처는 그가 엘런 올렌스카에 대한 이야기로 식사를 끝내버릴 것 같다고 생각했다.

잭슨 씨는 의자에 등을 기댄 채, 어두운 벽에 걸려 검은 액자 틀 안에서 촛불 빛을 받는 아처가와 뉴랜드가, 밴 더 라이든가의 인물들을 힐끔 쳐다보았다.

"아, 자네 조부님께서 훌륭한 만찬을 얼마나 좋아하셨는지 모른다네, 뉴랜드!"

그는 하얀 기둥이 딸린 시골 저택을 배경으로 장식용 타이를 목에 감고 파란색 코트를 입은, 통통하고 가슴이 벌어진 젊은 남자의 초상화에 눈길을 고정한 채 말했다.

"글쎄, 어떨까, 어땠을까…… 외국인들과의 이런 결혼에 대해 그분께서 뭐라고 하셨을까."

아처 부인은 조상들 음식을 은근히 언급한 그 말을 못 들은 척했고 잭슨 씨는 신중하게 말을 이었다.

"아니, 백작 부인은 무도회에 오지 않았다오."

"아."

아처 부인이 '그 정도 품위는 있는 모양이군요'라는 뜻을 내포한 말투로 중얼거렸다.

"보퍼트가 사람들이 그 부인을 모를 수도 있죠."

제이니가 천진하게 악의를 드러내며 말했다.

잭슨 씨는 보이지 않는 마데이라를 맛보기라도 한 듯이 가볍게 입맛을 다셨다.

"보퍼트 부인은 모를 수도 있지…… 하지만 보퍼트는 틀림없이 그 백작 부인을 알고 있단다. 오늘 오후에 보퍼트와 함께 5번 대로를 걷는 모습을 온 뉴욕 사람들이 봤으니까."

"맙소사."

아처 부인은 외국인들의 행동을 섬세함이 부족한 탓으로 치부해도 소용없다는 사실을 확실히 깨닫고 신음했다.

"백작 부인이 오후에 둥근 모자를 쓰는지 보닛을 쓰는지 궁금해요. 오페라하우스에서는 감색 벨벳을 입었잖아요. 완전히 수수하고 밋밋해서…… 잠옷 같았죠."

제이니가 생각에 잠긴 듯이 말했다.

"제이니!"

아처 부인이 외쳤다. 제이니는 얼굴을 붉히면서도 대담해 보이려 애썼다.

"어쨌거나 무도회에 참석하지 않은 게 더 품위 있는 행동이었어요."

아처 부인이 말을 이었다.

아들이 삐딱한 마음에서 응수했다.

"품위 문제는 아니었을 겁니다. 메이의 말로는 원래 참석하려고 했다가, 문제의 그 드레스가 그다지 세련되지 않아서 그렇게 결정했답니다."

아처 부인은 자신의 추측을 확정해주는 이 말에 웃음을 지었다.

"불쌍한 엘런."

그 부인은 이렇게만 말하더니 가엾다는 듯이 덧붙였다.

"우린 메도라 맨슨이 그 애를 얼마나 별나게 키웠는지

는 명심해야 해요. 사교계 데뷔 무도회에 검은 공단 드레스를 입도록 허락받은 여자에게 뭘 기대할 수 있겠어요?"

"아…… 그 모습을 기억 못할 수가 없지!"

잭슨 씨는 이렇게 말한 다음 "불쌍한 아이야!" 하고 덧붙였다. 즐거운 기억이지만 그 광경이 예고했던 바를 그때 이미 다 알고 있었다는 듯한 말투였다.

"엘런 같은 불쾌한 이름을 계속 유지했다니 이상해요. 저라면 일레인으로 바꿨을 거예요."

제이니가 말했다. 그러고는 이 말이 불러온 효과를 확인하려 식탁 곳곳을 곁눈질했다.

제이니의 오빠가 웃음을 터뜨렸다.

"왜 일레인이지?"

"모르겠어. 그 이름이 더…… 폴란드식인 것 같아."

제이니가 얼굴을 붉히며 말했다.

"눈에 더 띄는 이름 같구나. 그 여자가 그걸 바랄 리는 없지만."

아처 부인이 냉담하게 말했다.

"왜 안 되는데요?"

부인의 아들이 갑자기 따지듯이 끼어들었다.

"본인 선택이라면 눈에 띄어서는 안 되는 이유가 있을까요? 치욕스러운 짓을 저지른 것처럼 조심스럽게 돌아다녀야 하는 이유가 뭡니까? 운 나쁘게도 비참한 결혼 생활을 했으니 '불쌍한 엘런'인 건 사실이죠. 하지만 그게 마치 죄인이라도 된 듯이 사람들을 피해 다녀야 할 이유는 아니잖아요."

"밍곳가는 바로 그런 입장을 고수할 모양이더군."

잭슨 씨가 생각에 잠긴 듯이 말했다.

아처의 얼굴이 붉어졌다.

"그런 뜻으로 하신 말씀이라면, 제가 그분들 지시를 기다릴 이유는 없습니다. 올렌스카 부인은 불행하게 살았어요. 그렇다고 따돌림당해서는 안 되지요."

"이런저런 소문이 있다네."

잭슨 씨가 제이니를 곁눈질하며 말을 꺼냈다.

"아, 알고 있습니다. 비서 말이죠."

아처가 끼어들었다.

"말도 안 되는 얘기예요, 어머니. 제이니도 다 컸습니다. 사실상 죄수처럼 부인을 가둔, 짐승 같은 남편에게서 달아나도록 비서가 도왔다면서요? 뭐, 그게 사실이면 어떻습니까? 바라건대 우리 중에 어떤 남자든 그런 상황에서는 똑같이 행동했을 겁니다."

잭슨 씨는 등 뒤를 힐끔 보며 침울해 보이는 집사에게 "혹시…… 그 소스를…… 조금만, 어쨌든……" 하고 말했다. 그가 소스를 맛본 뒤 말했다.

"집을 찾는 중이라더군. 이곳에서 살 작정인 거야."

"제가 듣기로는 이혼할 생각이라던데요."

제이니가 대담하게 말했다.

"그러면 좋겠구나!"

아처가 외쳤다.

그 말은 순수하고 차분한 분위기였던 아처가의 식당에 폭탄처럼 떨어졌다. 아처 부인은 우아한 눈썹을 치켜 올려 특별한 곡선을 그렸는데 그것은 '집사가 있잖니'라는 뜻이었다. 아처는 그런 사적인 문제를 공적으로 논의하는 것이 점잖지 못한 행동임을 깨닫고 밍곳 노부인을 방문한 이야기로 서둘러 화제를 돌렸다.

저녁 식사가 끝난 뒤, 아주 오랜 관습에 따라 아처 부인과 제이니는 긴 실크 옷자락을 끌고 응접실로 올라갔다. 신사들이 아래층에서 담배를 피우는 동안 두 여자는 유리등에 무늬를 새긴 카셀 램프(시계태엽 장치로 석유를 펌프질해 위쪽 심지로 올려보내는 방식의 램프-옮긴이)를 옆에 두고 녹색 비단 주머니가 밑에 놓인 자단목 작업대에 마주 앉아 들꽃을 수놓은 태피스트리 띠의 양쪽 끝에 수를 놓았다. 젊은 뉴랜드 아처 부인의 응접실에 둘 '예비' 의자를 장식하기 위한 것이었다.

응접실에서 이 의식이 진행되는 동안, 아처는 고딕풍 서재에서 난롯가 근처 안락의자에 잭슨 씨를 앉히고 담배를 건넸다. 잭슨 씨는 안락의자에 만족스럽게 몸을 파묻고 자신만만한 태도로 담배에 불을 붙인 다음(담배를 산 사람은 아처였다), 가늘고 연로한 발목을 불타는 석탄 쪽으로 뻗으며 말했다.

"그 비서는 부인이 달아나도록 도왔을 뿐이라고 했지, 자네? 흠, 그런데 1년 뒤에도 계속 부인을 돕고 있었다네. 스위스 로잔에서 함께 지내는 둘을 만난 사람이 있거든."

아처의 얼굴이 달아올랐다.

"함께 지냈다고요? 글쎄요, 그게 어때서요? 자신의 삶을 바꿀 권리가 부인 자신이 아닌 그 누구에게 있단 말입니까? 남편이라는 자가 매춘부들과 지내기를 더 좋아하는데도 젊은 여자를 산 채로 매장하려 하다니, 그 위선에 신물이 나는군요."

아처는 말을 멈추고 화난 표정으로 고개를 돌려 담배에 불을 붙였다.

"여자들은 자유로워야 합니다. 우리 남자들만큼이나."

그는 너무 분개한 나머지 이것이 얼마나 중대한 발언인지를 가늠하지 못하고 새삼스레 선언했다.

실러턴 잭슨 씨는 석탄에 더 가까이 발목을 뻗으며 가소롭다는 듯 휘파람을 불었다.

그가 잠시 입을 다물었다가 말했다.

"뭐, 올렌스키 백작도 자네와 견해가 같은 모양이야. 아내를 되찾으려고 손가락 하나 까딱했다는 말은 듣지 못했으니까."

6

그날 저녁 잭슨 씨가 떠나고 숙녀들이 사라사 무명 커튼을 친 침실로 물러난 뒤, 뉴랜드 아처는 생각에 잠긴 채 개인 서재로 올라갔다. 여느 때처럼 빈틈없는 하인이 불을 지피고 램프 심지를 다듬어둔 뒤였다. 책이 줄줄이 꽂히고 벽난로 선반 위에 청동과 강철로 만든 '검술사' 조각상이 있으며 유명한 그림을 찍은 사진들이 잔뜩 걸린 그 방이 유난히 안락해 보였다.

아처는 메이 웰랜드의 커다란 사진을 물끄러미 바라보며 난롯가 안락의자에 털썩 주저앉았다. 메이가 연애 초창기에 준 사진으로, 이제는 탁자 위에 있던 다른 초상화들을 대신해 그 자리를 독차지했다. 아처는 자신이 영혼의 보호자가 되어야 할 그 아가씨의 숨김없는 이마와 진지한 눈, 명랑하고 순수한 입을 새삼 경외하는 마음으로 바라보았다. 그가 속하고 믿는 사회 체제의 무서운 산물, 아무것도 모른 채 모든 것을 기대하는 아가씨가 메이 웰랜드라는 친숙한 모습을 통해 낯선 사람처럼 그를 마주 보았다. 그동안 줄곧 배웠듯이 결혼이 안전한 정박지가 아니라 미지의 바다로 떠나는 항해임을 그는 다시 한 번 자각했다.

올렌스카 백작 부인의 문제 때문에, 오랫동안 확고히 자리 잡았던 신념이 흔들렸고 그의 머릿속을 위험하게 표류했다. "여자들은 자유로워야 합니다⋯⋯ 우리 남자들만큼이나"라는 그의 외침은 그가 속한 세계에서 존재하지 않는다고 여기기로 모두가 합의한 문제의 뿌리를 공격했다. '참한' 여자들은 제아무리 부당한 대우를 받더라도 그가 말한 종류의 자유를 요구하지 않을 것이며, 따라서 아처 자신처럼 관대한 남자들은 (뜨거운 논쟁을 거쳐) 한층 더 기사도적인 태도로 여자들에게 그 자유를 허용해줄 용의가 있었다. 그런 말뿐인 관대함은 사실 모든 것을 속박하며, 사람들을 낡은 행동 방식에 구속하는 냉혹한 관습을 눈속임하고 위장하는 방편이었다. 그러나 지금 그는 자기 아내가 그랬다면 교회와 국가의 온갖 비난이 쏟아지길 빌어 마땅하다고 여겼을 행위를 두고, 약혼자의 사촌으로서 옹호하기로 맹세한 셈이었다. 물론 그런 진퇴양난은 순전히 가정일 뿐이었다. 그는 불한당 같은 폴란드 귀족이 아니므로 자신이 그렇다고 가정하고 아내에게 어떤 권리가 있을지 따져보는 것은 우스꽝스러운 행동일 것이다. 그러나 뉴랜드 아처는 상상력이 풍부했기에 그와 메이는 그만큼 추잡하거나 뚜렷하지도 않은 이유로 사이가 벌어질지도 모른다고 생각했다. '점잖은' 남자로서 과거를 메이에게 숨기는 것이 그의 의무이며, 마찬가지로 결혼 적령기 아가씨로서 숨길 만한 과거를 만들지 않는 것이 메이의 의무라면, 두 사람은 서로에 대해 진정 무엇을 알 수 있단 말인가? 두 사람에게 영향을 줄 더 미묘한 이유 때문에 상대에게 싫증이 나거나 오해가 생기거나 화가 난다면 어떻게 해야 할까? 친구들의 결혼을, 행복하다고 여겨지는 결혼 생활을 떠올려보았지만, 그가 메이 웰랜드와 영원히 맺게 될 관계에서 그려보듯이 열정적이고 다정한 동료애에 조금이라도 부합되는 사례는 없었다. 그가 그리는 그림에서는 메이가 경험과 다재다능함, 판단할 자유를 가진 사람이라는 전제가 있었지만, 메이는 이런 자질을 갖추지 못하도록 세심하게 훈련을 받아왔다. 주변에 보이는 대부분의 결혼처럼, 그의 결혼도 물질적이고 사회적인 이해관계의 지루한 결합으로서 한 사람의 무지와 다른 한 사람의 위선으로 유지되리라는 불길한 예감에 그는 등골이 오싹했다. 모두가 선망하는 이 이상을 가장 완벽하게 실현한 남편으로, 로런스 레퍼츠가 떠올랐다. 예법의 대제사장답게 그는 자기 편의에 완벽하게 들어맞는 아내를 만들었다. 그리하여 세상 사람이 다 알 정도로 남편이 다른 남자의 아내와 툭 하면 바람을 피워대던 때에도, 그 부인은 아무것도 모른다는 듯 웃음 띤 얼굴로 돌아다니며 "로런스는 놀라울 만큼 엄격한 사람이에요"라고 말했다. 게다가 들리는 말로는 부인이 있는 자리에서 어떤 사람이 줄리어스 보퍼트가 (출신이 미심쩍은 '외국인'답게) 뉴욕에서 이른바 '딴살림'을 차렸다는 사실을 넌지시 언급하면 화가 나서 얼굴을 붉히며 시선을 피했다고 한다.

아처는 자신이 로런스 레퍼츠 같은 바보가 아니고 메이가 불쌍한 거트루드 같은 얼간이가 아니라고 생각하며 마음을 달래려 했다. 그러나 그 차이란 게 결국에는 지성 차이일 뿐 기준 차이는 아니었다. 사실 그들은 모두 상형문자의 세상에 살았다. 진실을 말로 표현하거나 행동으로 옮기거나 생각조차 하지 않고, 일련의 임의적 상징으로만 의사를 표현하는 세상이었다. 웰랜드 부인은 아처가 자신에게 딸의 약혼을 보퍼트가의 무도회에서 발표하자고 간청한 이유를 정확히 알았지만(또한 실제로는 그가 그렇게 해주기를 기대했지만), 내키지 않는 척하며 어쩔 수 없었다는 분위기를 풍겨야 한다고 생각했다. 진보된 문명사회 시민들이 읽기 시작한 원시인을 다룬 책에서 야만인 신부가 부모의 천막에서 비명을 지르며 끌려 나올 때처럼 말이다.

물론 그 결과, 이렇게 정교하고 신비화된 체제의 중심에 있는 아가씨는 그 솔직함과 확신 때문에 더욱 이해하기 어려운 존재로 남았다. 이 불쌍한 아가씨는 감출 것이 없기에 솔직했고 무엇을 경계해야 하는지 알지 못했기에 확신이 있었다. 그리고 겨우 이 정도 준비만 갖춘 채, 사람들이 '인생의 현실'이라고 얼버무리듯이 말하는 것으로 하룻밤 새 뛰어들 예정이었다.

아처는 진실하되 평온한 사랑에 빠져 있었다. 약혼자의 눈부신 미모와 건강, 승마술, 게임할 때 보이는 우아하고 민첩한 태도, 그의 지도를 받아 발달하기 시작한 책과 사상에 대한 수줍은 관심에 즐거움을 느꼈다. (그와 함께 「국왕 목가」를 비웃을 만큼 발전했지만 「율리시스」와 「연을 먹는 사람들」[세 편 모두 영국 빅토리아 시대의 대표 시인인 앨프리드 테니슨의 시-옮긴이]의 아름다움을 느끼는 수준에는 미치지 못했다.) 메이는 솔직하고 성실하며 용감했다. 유머 감각도 있었다(이는 무엇보다 그의 농담에 웃음을 터뜨리는 모습으로 입증되었다). 또한 순진하게 응시하는 그 영혼 깊은 곳에 뜨겁게 타오르는 감정이 있어 그것을 일깨우면 즐겁지 않을까, 하고 그는 생각했다. 그러나 메인의 이런저런 모습을 잠시 떠올리다가, 이 모든 솔직함과 순수함이 인위적인 산물에 불과하다는 생각에 다시 낙담하고 말았다. 훈련받지 않은 인간 본성은 솔직하지도, 순수하지도 않다. 오히려 본능적인 교활함에서 비롯된 왜곡과 자기방어로 가득하다. 그는 어머니들과 숙모들, 할머니들과 오래전에 죽은 여자 선조들의 음모로 교묘하게 가공된 이 인위적인 순수함이라는 창조물에 짓눌리는 느낌이 들었다. 그가 당연히 그 순수함을 원해야 하고 원할 권리가 있으며 눈사람처럼 마음대로 부수며 즐거워해도 된다는 것이 사회 통념이었기 때문이다.

이런 생각에는 어느 정도 진부한 면이 있었다. 결혼식이 다가오면 젊은 남자들이 버릇처럼 하는 생각이었다. 대개는 양심의 가책과 자기 비하가 동반되기 마련이지만, 뉴랜드 아처는 눈곱만큼도 그런 감정을 느끼지 않았다. (그를 수시로 짜증나게 하던 새커리의 소설 속 주인공들처럼) 신부가 그에게 흠 없는 백지를 내어줄 텐데 자신에게는 그 답례로 상대에게 선사할 깨끗한 백지가 없다며 한탄할 수는 없었다. 그는 자신이 메이처럼 자랐다면 두 사람이 〈숲속의 아이들〉(고아가 된 두 아이와 유산을 노리고 아이들을 죽이려 하는 삼촌의 이야기가 담긴 영국 옛 민요. 순진하고 미숙한 사람을 빗대는 표현이기도 하다-옮긴이)과 마찬가지로 어찌할 바를 몰랐으리란 사실을 외면할 수 없었다. 또한 자신의 신부가 왜 자기와 똑같이 다양하게 경험할 자유를 누리지 못했는지를 애타게 심사숙고해봐도, 그럴듯한 이유(즉, 그의 순간적인 기쁨이나 남자의 허영심이라는 감정과는 관련 없는 이유)를 찾을 수가 없었다.

이맘때쯤이면 이런 질문이 그의 머릿속을 곧잘 떠돌았다. 그러나 불편할 정도로 이렇게 집요하고 면밀한 생각이 떠오르는 까닭은 올렌스카 백작 부인이 부적절한 시기에 도착했기 때문임을 그는 알았다. 약혼한 그 순간, 순수한 생각과 구름 한 점 없는 희망으로 가득해야 할 그 순간에, 가만히 놔두면 좋았을 온갖 색다른 문제들을 야기하는 추문의 소용돌이에 휘말리고 말았다.

"빌어먹을 엘런 올렌스카!"

그는 난롯불을 끄고 옷을 벗으며 투덜거렸다. 엘런 올렌스카의 운명이 왜 그의 운명에 눈곱만큼이라도 영향을 미쳐야 하는지 정말이지 알 수가 없었다. 그러나 약혼한 이상 어쩔 수 없이 올렌스카 부인을 옹호하느라 감수해야 할 위험이 어느 정도인지 이제 겨우 파악하기 시작했을 뿐이라는 생각이 어렴풋이 머리를 스쳤다.

며칠 뒤, 일이 터지고야 말았다.

러벌 밍곳가가 '정찬'으로 알려진 행사(즉 하인 세 명을 추가하고 코스마다 요리가 두 가지씩 나오며 중간에 로마식 펀치를 제공하는 식사) 초대장을 보냈다. 낯선 이들을 왕족처럼, 그게 아니면 적어도 대사처럼 대접하는 친절한 미국인들 관습에 따라 초대장 첫머리에는 '올렌스카 백작 부인과의 만남을 위해'라는 문구가 적혔다.

처음으로 초대받은 사람들도 예카테리나 대제의 확고한 통제력을 알아차릴 만큼 손님들은 대담하고 까다롭게 선별되었다. 빠짐없이 초대를 받기에 반드시 초대해야 하는 셀프리지 메리 부부, 사람들이 늘 친분을 맺고 싶어 하는 보퍼트 부부, 실러턴 잭슨 씨와 (오빠가 가라고 하면 어디든 가는) 누이 소피 등 오랜 지원군이 초대 명단에 올랐다. 그리고 영향력 있는 '젊은 부부' 중에서도 가장 상류층이며 가장 흠잡을 데 없는 이들인 로런스 레퍼츠 부부, (남편을 여읜 사랑스러운 여인인) 레퍼츠 러시워스 부인, 해리 솔리 부부, 레기 치버스 부부, 젊은 모리스 대거넛과 (결혼 전 밴 더 라이든가의 일원이었던) 아내도 초대를 받았다. 사실 초대 손님으로서는 완벽한 조합이었다. 다들 뉴욕에서 사교계에 오래 몸담고 밤마다 사그라지지 않는 열정을 활활 불태우며 흥겹게 어울려 놀던 작은 내부 집단에 속한 이들이었기 때문이다.

48시간 뒤 믿을 수 없는 일이 일어났다. 보퍼트 부부와 나이 많은 잭슨 씨 그리고 그의 누이 외에 모두가 밍곳가의 초대를 거절한 것이다. 밍곳 가문의 일원인 레기 치버스 부부조차 그 행위에 가담했다. 대개는 예의상 적어 보내는 '선약이 있다'라는 듣기 좋은 사유도 덧붙이지 않은 채 하나같이 '초대를 수락하지 못해 유감스럽다'라고만 써 보낸 점으로 볼 때, 고의적인 모욕임이 더욱 분명해졌다.

그 시절 뉴욕 사교계는 규모가 너무 작고 재원이 너무 빈약했으므로 사교계에 속한 사람들은 (마차 임대업자와 집사, 요리사까지도) 모두 어느 날 저녁에 누가 한가한지 정확히 알았다. 따라서 러벌 밍곳 부인의 초대를 받은 이들은 올렌스카 백작 부인을 만나지 않겠다는 결심을 잔인하지만 분명히 밝힌 셈이었다.

예기치 못한 타격이었다. 그러나 밍곳가는 자신들 방식대로 씩씩하게 대처했다. 러벌 밍곳 부인은 이 상황을 웰랜드 부인에게 털어놓았고 웰랜드 부인은 뉴랜드 아처에게 털어놓았다. 아처는 그 모욕적인 행위에 격분한 나머지, 어머니에게 다그치듯 열렬하게 호소했다. 아처 부인은 내적으로는 거부하면서도 외적으로는 확답을 미루며 고통스러운 시간을 보낸 뒤, (언제나 그랬듯이) 아들의 요구에 굴복했다. 그리고 그동안 망설인 탓에 더더욱 활기찬 모습으로 즉시 아들의 주장을 받아들이고 회색 벨벳 보닛을 쓰며 말했다.

"루이자 밴 더 라이든을 만나보마."

뉴랜드 아처가 살던 시기 뉴욕은 작고 매끄러운 피라미드였고, 아직은 그 피라미드에 작은 틈이 생기거나 발판이 덧붙여진 적이 없었다. 아처 부인이 '평민'이라고 부르는 이들이 피라미드 아랫부분에서 단단한 토대를 이루었다. 훌륭하지만 잘 알려지지 않은 다수의 점잖은 가문들로, (스파이서가나 레퍼츠가, 잭슨가처럼) 명문가 일원과 결혼해 신분 상승한 이들이었다. 아처 부인은 사람들이 전처럼 까다롭게 처신하지 않는다고 입버릇처럼 말했다. 그러나 캐서린 스파이서였던 밍곳 노부인이 5번 대로의 한쪽 끝을 지배하고 줄리어스 보퍼트가 다른 쪽 끝을 지배하는 상황에서, 옛 전통이 더 지속되기를 기대할 수는 없는 노릇이었다.

부유하지만 이목을 끌지 않는 이 토대 위의 확 좁아진 공간을 유력한 집단이 조밀하게 차지했는데, 현재는 밍곳가, 뉴랜드가, 치버스가, 맨슨가가 그 대표 가문이었다. 대부분은 이들이 피라미드의 꼭대기라고 생각했다. 그러나 당사자들은(적어도 아처 부인의 세대에 속하는 이들은) 전문적인 계보학자의 눈으로 보면 아주 소수 가문만이 그 고지에 대한 권리를 주장할 수 있음을 알았다.

아처 부인은 아들딸에게 이렇게 말하곤 했다.

"요즘 신문들이 뉴욕 귀족들을 두고 늘어놓는 헛소리에 대해서는 입도 벙긋하지 마라. 귀족이 있다면 그건 밍곳가도, 맨슨가도 아니야. 그래, 뉴랜드가나 치버스가도 아니지. 우리 조부님과 증조부님 들은 영국이나 네덜란드 출신의 존경스러운 상인에 불과해. 돈을 벌려고 식민지에 왔고 그게 잘 돼서 여기 남은 거야. 너희 증조부님 중 한 분은 독립 선언서에 서명하셨고 다른 분은 조지 워싱턴의 참모진에서 장군으로 활약하며 새러토가 전투(1777년 9월 19일부터 10월 17일까지 뉴욕 주 새러토가 일대에서 벌어진 전투로 영국군 사령관 존 버고인이 이 전투에서 대패하며 미국 독립전쟁 판도가 대륙군 쪽으로 기울었다-옮긴이)가 끝난 뒤에 버고인 장군이 쓰던 칼을 받으셨단다. 모두 자랑스러운 일이지만, 그분들은 지위나 계층과는 전혀 상관 없어. 뉴욕은 늘 상업 중심 사회였고, 진정한 의미에서 귀족 태생이라고 주장할 수 있는 가문은 고작 셋뿐이다."

다른 뉴욕 사람들처럼, 아처 부인과 아들딸은 이 특권층이 누구인지 알았다. 우선 워싱턴 스퀘어의 대거넷가는 영국 어느 지역의 오랜 명문가 출신으로 피츠가와 폭스가의 친척이었다. 래닝가는 그라스 백작의 후손들과 혼인한 가문이었다. 밴 더 라이든가는 첫 네덜란드인 맨해튼 지사의 직계 후손으로, 프랑스와 영국 귀족의 몇몇 후손들과 혁명 전에 결혼으로 친척 관계를 맺었다.

래닝가는 고령이지만 활기찬 두 래닝 양의 모습으로만 명맥을 유지했는데, 래닝 자매는 가족 초상화와 치펀데일 양식(영국의 가구 제작자 토머스 치펀데일이 다양한 시대와 지역의 양식을 두루 도입해 창시한 가구 양식-옮긴이)의 가구 사이에서 지난날을 회상하며 유쾌하게 지냈다. 대거넷가는 대규모 가문으로, 볼티모어와 필라델피아 최고 명문가와 친척이었다. 그러나 이 모든 이들 위에 우뚝 선 밴 더 라이든가는 천상의 황혼 속으로 서서히 사라져갔고 두 사람만이 두각을 드러냈으니, 바로 헨리 밴 더 라이든 부부였다.

헨리 밴 더 라이든 부인의 결혼 전 이름은 루이자 대거넷이었다. 어머니는 유서 깊은 채널 아일랜드 가의 일원 뒤 라크 대령의 증손녀였는데, 뒤 라크 대령은 콘월리스 장군 휘하에 참전해 전쟁이 끝난 뒤에는 세인트 오스트리 백작의 다섯째 딸인 앤젤리카 트리베나를 아내로 맞아 메릴랜드에 정착했다. 대거넷가와 메릴랜드의 뒤 라크가, 그리고 콘월 지방 귀족인 친척 트리베나 가는 늘 가깝고도 화기애애한 관계를 유지했다. 밴 더 라이든 부부는 트리베나 집안의 현 수장인 세인트 오스트리 공작을 방문해 콘월의 별장과 글로스터셔의 세인트 오스트리가에 한 차례 이상 장기 체류한 적이 있었다. 공작 각하는 언젠가는 (대서양을 무서워하는 공작 부인은 놔두고) 답방하겠노라는 의사를 자주 밝혔다.

밴 더 라이든 부부는 메릴랜드에 있는 트리베나 저택과 스카이터클리프를 오가며 지냈다. 스카이터클리프는 허드슨 강가에 있는 넓은 영지로, 네덜란드 정부가 식민지 시대에 유명한 초대 지사에게 하사한 땅 중 하나였으며 밴 더 루이든 씨는 아직도 그 영지의 '퍼트룬(17세기 초반에 네덜란드가 북아메리카 동부 허드슨강 하구에 건설한 식민지 뉴네덜란드에서 지주를 부르던 호칭-옮긴이)'이었다. 매디슨가에 있는 그들의 크고 장엄한 저택은 거의 닫혀 있었고, 밴 더 라이든 부부는 뉴욕에 왔을 때도 아주 가까운 친구들만 집으로 초대했다.

"네가 함께 가면 좋겠구나, 뉴랜드."

아처 부인이 브라운 쿠페의 문 앞에서 갑자기 걸음을 멈추며 말했다.

"루이자가 너를 좋아하시잖니. 물론 내가 이런 조치를 취하는 건 사랑스러운 메이 때문이야. 게다가 우리가 다 함께 뭉치지 않으면 사교계라는 게 남지 않을 거다."

7

헨리 벤 더 라이든 부인은 사촌 아처 부인의 이야기에 말없이 귀를 기울였다.

밴 더 라이든 부인은 늘 말이 없으며, 타고난 기질과 교육으로 인해 자기 의사를 분명히 밝히지 않았지만 진심으로 마음에 드는 사람들에게는 아주 친절했다. 그 점을 미리 알아두는 것이 방문객에게는 아주 유익했다. 직접 겪어 그 점을 안다 하더라도, 천장이 높고 흰 벽으로 둘러싸인 매디슨가의 응접실에 들어서면 오싹한 느낌이 엄습하곤 했기 때문이다. 응접실에는 임시로 덮개를 벗겨낸 것이 분명한 허연 양단 안락의자가 놓였고, 도금한 벽난로 선반 장식품과 게인즈버러(18세기 영국을 대표하는 화가 중 한 명인 토머스 게인즈버러-옮긴이)가 그린 〈앤젤리카 뒤 라크 부인〉 초상화를 넣어둔 아름답고 오래 된 목각 액자에 아직 얇은 천이 덮여 있었다.

그 아름다운 조상의 초상화 맞은편에는 헌팅턴(초상화로 유명한 뉴욕 태생 화가 대니얼 헌팅턴-옮긴이)이 그린 밴 더 라이든 부인의 초상화(검은 벨벳과 베네치아식 자수 레이스 차림이었다)가 걸려 있었다. '카바넬(고전주의 작풍으로 명성을 떨친 프랑스 화가 알렉상드르 카바넬-옮긴이) 작품처럼 섬세하다'라는 것이 일반 평이었고 초상화를 제작한 지 20년이라는 시간이 흘렀는데도 여전히 '실물과 완벽하게 똑같았다'. 실제로 그 초상화 밑에 앉아 아처 부인의 말을 경청하는 밴 더 라이든 부인은 녹색 렙(씨실 방향으로 골이 지도록 짠 천-옮긴이) 커튼 앞에서 금박 안락의자에 늘어지듯이 기댄 그 아름답고 아직 젊은 여인의 쌍둥이 자매인 것만 같았다. 밴 더 라이든 부인은 사교계 모임에 참석할 때, 더 정확히 말하자면 (밖에서 식사를 하지 않았기에) 집 문을 열고 사교계 사람들을 맞이할 때, 변함없이 베네치아식 자수 레이스가 달린 검은 벨벳 드레스를 입었다. 백발로 변하지 않고 색만 바랜 금발을 여전히 이마 한가운데서 고르고 반듯하게 가르마를 탔고 담청색 눈동자 사이에 자리 잡은 곧은 코는 초상화를 그리던 때에 비해 콧구멍 주변이 아주 약간 수척할 뿐이었다. 사실 뉴랜드 아처에게 그 부인은 늘 완벽하게 흠잡을 데 없는 생활이라는 진공 상태 속에 다소 섬뜩하게 보존된 존재처럼 느껴졌다. 빙하에 갇힌 시신들이 죽은 상태로도 오랫동안 장밋빛 생기를 유지하듯이 말이다.

다른 가족들처럼 아처 역시 밴 더 라이든 부인을 존경하고 숭배했다. 그러나 그는 밴 더 라이든 부인의 다정하고 나긋나긋한 상냥함이 어머니의 나이 많은 숙모들, 즉 어떤 부탁인지 듣기도 전에 관습에 따라 '안 돼'라고 말하는 사나운 독신녀들의 엄격함보다 더 가까이하기 어려운 것임을 알았다.

밴 더 라이든 부인은 승낙도 거절도 아닌 태도로, 늘 선처해주는 쪽으로 마음이 기우는 듯한 표정을 짓다가 망설이듯이 희미한 웃음을 얇은 입술에 머금으며 거의 언제나 이렇게 대답했다.

"우선 남편과 이 문제를 상의해봐야겠어요."

부인과 밴 더 라이든 씨는 몹시 똑같아서, 누구보다 가까운 부부로 40년을 보내고 일심동체가 된 두 사람이 논란이 필수인 상의라는 것을 할 만큼 분리될 수 있는지, 아처는 의아할 때가 많았다. 그러나 두 사람 다 이 불가사의한 비밀회의를 먼저 거치지 않고서는 결론을 내리지 않았기에, 아처 부인과 아들은 상황을 설명하고 난 뒤 체념한 태도로 익숙한 그 말이 나오기를 기다렸다.

그러나 그 누구라도 놀라게 한 적이 거의 없는 밴 더 라이든 부인이 설렁줄 쪽으로 긴 손을 뻗어 이 모자를 놀라게 했다.

"아무래도 지금 이 이야기를 헨리에게 들려주는 게 좋겠어요."

밴 더 라이든 부인이 말했다.

하인이 나타나자 부인은 엄숙하게 말을 이었다.

"밴 더 라이든 씨가 신문 읽기를 마치셨거든, 이곳으로 와주시면 좋겠다고 말씀드리게."

부인은 "신문 읽기를 마치셨거든"이라는 말을 마치 국무장관 아내가 "각료 회의 주재를 마치셨거든"이라고 말하는 듯한 어조로 전했다. 이는 거만한 마음에서 비롯된 것이 아니라, 평생 몸에 밴 습관과 친구들, 친척들 태도로 인해 밴 더 라이든 씨의 아주 사소한 행동마저도 거의 성직자의 행동처럼 중요하게 여기게 된 탓이었다.

그 신속한 행동은 부인이 이 사건을 아처 부인만큼이나 긴급하게 생각한다는 사실을 보여주었다. 그러나 미리 의견을 밝힌다고 여겨지지 않도록, 밴 더 라이든 부인은 더없이 다정한 표정으로 말을 덧붙였다.

"헨리는 당신을 만나면 늘 즐거워하니까요, 애들린. 게다가 뉴랜드를 축하해주고 싶을 테고요."

이중문이 다시 열리며 그 사이에서 키가 크고 마른 몸에 프록코트를 입은 헨리 밴 더 라이든 씨가 나타났다. 빛이 바랜 금발에다 아내와 마찬가지로 콧날이 곧았고, 눈동자가 연한 파란색이 아니라 연한 회색이라는 점만 제외하면 눈빛에

냉랭한 관대함이 감도는 느낌도 아내와 똑같았다.

밴 더 라이든 씨는 사촌답게 온화한 태도로 아처 부인에게 인사했고 아처에게는 아내와 똑같은 말로 나직하게 축하 인사를 건넸다. 그러고는 최고 통치자처럼 스스럼없이 양단 안락의자에 앉았다.

"이제 막《타임스》를 다 읽었다오."

그는 긴 손가락 끝을 한데 모으며 말했다.

"도시에 있을 때는 아침에 할 일이 너무 많아서 점심 식사를 한 뒤에 신문을 읽는 쪽이 더 편하더군요."

"그렇게 하신다는 분들이 아주 많아요. 사실 에그먼트 숙부님은 조간신문을 저녁 식사 후에 읽어야 흥분할 일이 줄어든다고 하시더군요."

아처 부인이 맞장구쳤다.

"맞소. 아버님은 서두르는 걸 싫어하셨지. 하지만 지금 우리는 끊임없이 서두르는 세상에서 살고 있어요."

밴 더 라이든 씨는 신중한 말투로 이렇게 말하며 아처가 보기에는 주인을 빼닮은, 천으로 덮인 커다란 방을 즐거운 표정으로 세심하게 둘러보았다.

"그런데 정말 신문을 다 읽은 거죠, 헨리?"

그의 아내가 끼어들었다.

"그럼, 그럼."

그가 아내를 안심시켰다.

"그러면 애들린이 당신에게 이야기를……."

"아, 사실은 뉴랜드 이야기예요."

아처 부인이 웃음을 지으며 말했다. 그런 다음 러벌 밍곳 부인이 모욕을 당했다는, 말도 안 되는 이야기를 다시 한 번 들려주기 시작했다.

"물론, 오거스타 웰랜드와 메리 밍곳은 당신과 헨리가 이 문제에 대해 알아야 한다고 생각해요. 특히 뉴랜드의 약혼을 고려하면 말이에요."

"아……."

밴 더 라이든 씨는 깊게 한숨을 내쉬며 말했다.

침묵이 흘렀다. 그동안 흰 대리석 벽난로 선반에 놓인 엄청나게 큰 도금 시계의 초침 소리가 탕 하는 조포 소리만큼이나 커져갔다. 아처는 마르고 쇠약해진 이 두 인물을 물끄러미 바라보며 경외감에 젖었다. 두 사람은 옛 조상이 지녔던 권위의 대변자로서 운명에 따라 그 권위를 어쩔 수 없이 휘둘러야 한다는 듯, 총독처럼 엄격한 모습으로 나란히 앉아 있었다. 어쩌면 이 부부는 스카이터클리프의 완벽한 잔디밭에서 눈에 띄지도 않는 잡초를 뽑고 저녁이면 함께 페이션스(혼자서 하는 카드놀이-옮긴이)를 하면서 소박하고 호젓하게 살고픈 마음이 훨씬 클 것이다.

밴 더 라이든 씨가 가장 먼저 입을 열었다.

"이 일이 정말 로런스 레퍼츠의 어떤…… 고의적인 방해 때문에 벌어졌다고 생각하나?"

그가 아처 쪽으로 고개를 돌리며 물었다.

"확실합니다. 최근에 레퍼츠는 평소보다 더 심한 문제를 일으켰습니다. 이렇게 말씀드려도 루이자 아주머니께서 양해해주실지 모르겠지만…… 그는 마을 우체국장의 아내나 그 비슷한 부류의 누군가와 심각하게 바람을 피우고 있습니다. 불쌍한 거트루드 레퍼츠가 의심을 품기 시작할 때마다, 그는 문제가 일어나는 게 두려워서 이런 소동을 일으킵니다. 자신이 매우 도덕적인 사람임을 보여주기 위해서죠. 그리고 자기가 원치 않는 사람들을 아내가 만나도록 무례하게 초대장을 보낸다고 목소리를 높입니다. 올렌스카 부인을 욕받이로 이용하는 것뿐입니다. 전에도 이런 짓을 꾸미는 걸 많이 봤습니다."

"레퍼츠가!"

밴 더 라이든 부인이 말했다.

"레퍼츠가!"

아처 부인이 똑같이 외치고는 덧붙였다.

"로런스 레퍼츠가 다른 사람의 사회적 지위에 대해 떠들고 다니는 걸 알면 에그먼트 숙부님이 뭐라고 하셨을까요?

사교계가 어떤 지경에 이르렀는지 보여주는 사건이에요."

"그 정도는 아니길 바라야지요."

밴 더 라이든 씨가 단호하게 말했다.

"아, 당신과 루이자가 좀 더 자주 나와 주었더라면!"

아처 부인이 한숨을 내쉬었다.

그러나 부인은 즉시 자신의 실수를 알아차렸다. 밴 더 라이든가는 은둔 생활에 대한 어떤 비판에도 병적으로 민감하게 반응했다. 그들은 상류층의 중재자이자 마지막 항소 법원이었으며, 그 사실을 알고 운명에 순응했다. 그러나 그런 역할에 걸맞은 성향을 타고나지 않았고 남과 잘 어울리지 않는 내성적인 성격이었기에, 되도록이면 스카이터클리프의 고독한 숲에서 많은 시간을 보냈다. 그리고 도시에 오면 밴 더 라이든 부인의 건강을 핑계로 모든 초대를 거절했다.

뉴랜드 아처가 어머니를 구하려고 나섰다.

"뉴욕 사람들 중에 두 분이 무엇을 상징하는지 모르는 사람은 없습니다. 그래서 러벌 밍곳 부인은 올렌스카 백작 부인이 모욕을 당한 이 문제를 두 분께 상의하지 않고 넘겨서는 안 된다고 생각한 겁니다."

밴 더 라이든 부인은 남편을 흘낏 보았고, 그는 아내를 보았다.

밴 더 라이든 씨가 말했다.

"일이 그렇게 되다니 마음이 언짢군. 명문가에서 그 가문의 구성원을 지지하는 한 그걸 최종적인 결론으로 받아들여야 하는 법이야."

"제가 보기에도 그래요."

그의 아내가 새로운 의견을 내놓는 듯한 태도로 말했다.

밴 더 라이든 씨가 말을 이었다.

"어쩌다 이런 상황까지 왔는지 모르겠군."

그는 잠시 입을 다물고 다시 아내를 보았다.

"생각해보니, 여보, 올렌스카 백작 부인은 이미 친척이나 다름없소…… 메도라 맨슨의 첫 남편을 통해서 말이오. 어쨌든 뉴랜드가 결혼하면 친척이 되겠지."

그는 젊은이 쪽으로 고개를 돌렸다.

"오늘 아침 《타임스》를 읽어봤나, 뉴랜드?"

"아, 네, 읽었습니다."

아침에 커피를 마시며 대개 신문 여섯 종을 읽어 치우는 아처가 말했다.

남편과 아내는 다시 서로를 바라보았다. 두 사람의 창백한 눈동자가 마주치며 길고도 진지한 회의를 시작했다. 그러다가 밴 더 라이든 부인의 얼굴에 희미한 미소가 스쳤다. 남편 뜻을 짐작하고 동의했다는 뜻이 분명했다.

밴 더 라이든 씨가 아처 부인에게 고개를 돌렸다.

"루이자의 건강이 식사하러 나갈 정도로 괜찮다면 말입니다, 러벌 밍곳 부인에게 전해주면 좋겠소, 우리 부부가 기쁘게…… 음…… 밍곳 부인의 식탁에서 로런스 레퍼츠 부부의 빈자리를 채우겠노라고."

그는 이 말의 반어적 의미가 충분히 전달되도록 잠시 말을 멈추었다.

"아시겠지만, 그건 말도 안 돼요."

아처 부인은 동조하고 찬성한다는 듯한 목소리로 대답했다.

"그런데 뉴랜드가 오늘 아침에 《타임스》를 읽었다고 말했지요. 그러니 아마 루이자의 친척인 세인트 오스트리 공작이 다음 주에 러시아에 도착한다는 기사를 봤을 겁니다. 다음 여름에 열리는 국제 컵 경주에 새 범선인 기니비어를 출전시킬 예정이에요. 트리베나에서 들오리 사냥도 좀 하실 거고."

밴 더 라이든 씨는 다시 입을 다물었다가 더욱 자애로운 말투로 말을 이었다.

"공작을 메릴랜드로 데려가기 전에, 이곳에서 친구들을 몇 명 초대해 공작을 만나게 할 예정입니다. 저녁 식사는 간단히 하고 그 뒤 환영회를 가질 거예요. 올렌스카 백작 부인이 초대 손님 목록에 이름을 올리도록 허락해준다면, 분명 루이자도 나만큼이나 기뻐할 겁니다."

그는 자리에서 일어서서 긴 몸을 딱딱하지만 친근한 태도로 사촌 쪽으로 기울이며 덧붙였다.

"루이자가 곧 외출해서 직접 만찬회에 초대할 뜻을 전할 거라고, 루이자 대신 내가 말해도 괜찮겠지요. 물론 초대장을, 당연히 초대장도 함께 건넬 테고."

아처 부인은 이것이 계속 기다리는 법이 결코 없는 17핸드짜리('핸드'는 말의 키를 재는 단위로 바닥부터 말의 양어깨 사이까지 길이를 가리키며 1핸드는 10.16센티미터다-옮긴이) 밤색 말들이 현관에 왔다는 암시임을 알고, 서둘러 감사의 말을 중얼거리며 일어섰다. 밴 더 라이든 부인은 아하수에로 왕에게 탄원하는 에스더와 같이(구약성서의 「에스더」 서에서 왕비인 에스더는 아하수에로 왕에게 유대인 말살 명령을 철회해달라고 간청한다-옮긴이) 아처 부인에게 환한 미소를 보냈다. 그러나 부인의 남편은 그러지 말라는 듯이 한 손을 들었다.

"나에게 감사할 필요 없어요, 애들린. 그게 뭐든. 이런 일이 뉴욕에서 일어나서는 안 됩니다. 내가 도울 수 있는 한, 안 될 말이지요."

그는 위엄 있지만 부드럽게 말하며 사촌 일행을 문으로 안내했다.

두 시간 뒤, 밴 더 라이든 부인이 외출할 때마다 늘 타고 다니는 커다란 C 자형 사륜 포장마차(접이식 지붕이 딸렸고 지붕을

다 폈을 때 C 형태가 되는 사륜마차-옮긴이)가 밍곳 노부인의 문간에 나타났다는 사실과 부인이 그곳에서 크고 네모난 봉투를 건넸다는 사실을 모두가 알게 되었다. 그날 저녁 오페라하우스에서 실러턴 잭슨 씨는 그 봉투에 올렌스카 백작 부인을 만찬에 초대하는 카드가 들어 있었으며, 밴 더 라이든 부부가 다음 주에 사촌 세인트 오스트리 공작을 위해 여는 만찬이라고 설명해주었다.

그 말에 사교 클럽 박스석에 앉은 남자들 중 젊은 쪽에 속하는 이들 몇 명이 미소를 교환하며 로런스 레퍼츠를 곁눈질했다. 그는 박스석 앞줄에 태연하게 앉아 긴 금색 수염을 당기며, 소프라노가 노래를 멈추었을 때 위엄 있게 말했다.

"파티(19세기 후반의 전설적인 소프라노 가수 아델리나 파티-옮긴이)가 아닌 다른 사람이 〈몽유병 여인〉(19세기 중반의 거장으로 손꼽히는 이탈리아 작곡가 빈첸초 벨리니가 1831년에 처음 선보인 2막짜리 오페라-옮긴이)에서 노래를 부른다고 나서면 안 되지."

8

뉴욕 사람들은 대부분 올렌스카 백작 부인이 '미모를 잃었다'는 데 동의했다.

뉴랜드 아처가 소년이었을 때 처음 뉴욕에 나타난 엘런은 아홉 살이나 열 살 정도의 눈부시게 예쁜 소녀였다. 사람들은 그 모습을 '그림으로 남겨야 한다'라고 말했다. 부모는 대륙 곳곳을 떠돌았고 엘런은 아주 어렸을 때 방랑 생활을 하다가 양친을 잃고는 숙모인 메도라 맨슨에게 맡겨졌다. 마찬가지로 방랑 생활을 하던 메도라는 '정착하기' 위해 뉴욕으로 돌아가려던 참이었다.

남편을 거듭 잃은 불쌍한 메도라는 늘 정착하겠다며 고향에 돌아왔고, 그때마다 새 남편이나 입양한 아이를 데려왔다. 그러나 몇 달이 지나면 어김없이 남편과 헤어지거나 입양아와 다퉜고, 손해를 보면서도 집을 팔아치우고 다시 방랑

길에 올랐다. 어머니가 러시워스가의 일원인 데다 불행한 마지막 결혼으로 정신이 이상한 치버스가 사람과 관계를 맺었기에, 뉴욕 사람들은 그 기행을 너그럽게 바라보았다. 그러나 엘런의 부모는 유감스럽게도 방랑벽이 있긴 했지만 인기가 많았고, 따라서 메도라 맨슨이 고아가 된 어린 조카를 데리고 돌아왔을 때 다들 예쁜 아이가 그런 사람의 손에 맡겨졌다며 안타까워했다.

모두가 어린 엘런 밍곳을 다정하게 대해주려 했다. 그러나 거무스름하고 붉은 뺨과 빽빽한 곱슬머리 때문에, 엘런에게서는 부모를 잃고 아직 상복을 입어야 하는 아이에게 어울리지 않는 듯한 명랑한 분위기가 풍겼다. 미국에서 애도 중에 지키는 불변의 규칙을 무시하는 것은 가르침을 잘못 받은 메도라의 수많은 기벽 중 하나였다. 메도라가 증기선에서 내릴 때 가족들은 메도라가 오빠의 장례를 위해 쓴 검은 크레이프 베일이 올케들 것보다 17센티미터나 짧은 데다 어린 엘런이 집시 고아처럼 진홍색 메리노 모직 옷에 호박 구슬 목걸이를 건 모습을 보고 아연실색했다.

그러나 뉴욕 사람들이 오래전에 메도라를 포기한 터라 몇몇 노부인들만이 엘런의 현란한 옷차림에 고개를 저었을 뿐, 다른 친척들은 밝은 혈색과 활달한 성격에 매료되었다. 엘런은 스스럼이 없고 붙임성이 좋은 아이였고, 당황스러운 질문을 던지고 조숙한 발언을 했으며, 스페인의 숄 춤을 추거나 기타에 맞춰 나폴리의 연가를 부르는 등 이국적인 기교도 선보였다. 숙모의 지도 아래(진짜 이름은 솔리 치버스 부인이었지만 교황이 주는 작위를 받은 첫 남편의 성을 따라 스스로를 맨슨 후작 부인이라고 칭했다. 이탈리아에서는 이름을 '만초니'[이탈리아의 유명한 소설가이자 시인인 알레산드로 만초니-옮긴이]로 바꿀 수 있기 때문이다), 그 어린 소녀는 사치스럽지만 일관성 없는 교육을 받았다. 그중에는 뉴욕 사람들이 전에 상상도 하지 못했던 '모델 보고 그림 그리기'나 직업 음악가들과 오중주로 피아노를 연주하는 활동도 있었다.

물론 그런 교육이 좋은 결과로 이어지지는 않았다. 몇 년 뒤, 불쌍한 치버스가 결국 정신 병원에서 죽자 (이상한 상복을 걸친) 그의 아내는 눈매가 또렷하고 키가 크고 마른 소녀로 자란 엘런을 데리고 다시 거처를 옮겼다. 얼마 동안은 그들 소식이 더는 들려오지 않았다. 그러다가 엘런이 파리 튀일리궁의 어느 무도회에서 엄청난 갑부에다 명성이 드높은 폴란드 귀족을 만나 결혼하게 되었다는 소식이 날아들었다. 그 귀족은 파리와 니스, 플로런스에 호화 저택이 있으며 영국 카우스에 요트가 한 대 있고 트란실바니아에는 아주 넓은 사냥터가 있다고 했다. 엘런은 눈부신 전설이 되어 사라졌다. 몇 년 뒤 메도라는 우울하고 가난한 모습으로 세 번째 남편의 죽음을 애도하며 다시 뉴욕에 돌아와 훨씬 작은 집을 찾아다녔다. 그때 사람들은 부유한 조카가 숙모를 위해 아무 도움도 주지 못했다는 사실을 의아하게 여겼다. 그러다가 엘런의 결혼도 재앙으로 끝났으며, 엘런도 일가친척 사이에서 모든 것을 잊은 채 쉬려고 고향으로 돌아오리라는 소식이 전해졌다.

일주일 뒤, 그 중대한 만찬이 열리는 저녁에 밴 더 라이든가 응접실에 들어서는 올렌스카 백작 부인을 보았을 때 이런 지난날 사연이 뉴랜드 아처의 머리에 떠올랐다. 행사 분위는 엄숙했고 아처는 엘런이 잘 버텨낼까, 싶어 약간 초조했다. 엘런은 한 손에 아직 장갑을 끼지 않은 채 손목에 팔찌를 채우며 조금 늦게 도착했다. 그러나 뉴욕에서 가장 엄격하게 선별된 손님들이 약간 부담스러운 분위기를 풍기며 모인 응접실로 들어서면서도 서두르거나 당황한 기색이 없었다.

응접실 중앙에서 엘런은 걸음을 멈추고, 입을 엄숙하게 다문 채 웃음기 어린 눈으로 주위를 둘러보았다. 그 순간 뉴랜드 아처는 엘런의 외모에 대한 세간의 판결이 틀렸다고 생각했다. 어린 시절의 광채가 사라진 것은 사실이었다. 붉었던 뺨은 창백해졌다. 마르고 지쳐 보였으며, 아마 서른 살쯤 되었을 텐데 실제보다 더 나이 들어 보였다. 그러나 아름다움이라는 신비로운 권위가 엘런을 감쌌고 머리를 세운 자세나 눈을 움직이는 모습에서 확신이 느껴졌다. 아처가 보기에는 고도로 훈련되고 의식적으로 최대한 힘을 끌어 올린 듯한 모습이었지만 꾸며낸 느낌이 전혀 없었다. 동시에 엘런은 그 자리에 참석한 대부분 숙녀보다 태도가 더 소탈했으며 (나중에 제이니에게 들어보니) 많은 이들은 그 옷차림이 더 '세련되지' 않아서 실망했다. 세련됨은 뉴욕에서 가장 높이 평가하는 요소이기 때문이었다. 아처는 어쩌면 어릴 적 엘런의 생기가 사라졌기 때문이리라고 생각했다. 엘런이 아주 조용했기 때문에, 그러니까 동작이나 목소리, 나지막하게 말하는 말투 등이 아주 조용하게 느껴졌기 때문일 것이다. 뉴욕은 그런 사연이 있는 젊은 여자에게서 훨씬 더 낭랑한 모습을 기대했던 것이다.

그 만찬은 꽤 버거운 행사였다. 밴 더 라이든 부부와 식사를 하는 것만으로도 가벼운 문제가 아닌데 사촌인 공작과 함께 그곳에서 식사를 하다니, 엄숙한 종교 행사나 다름없었다. 아처는 (뉴욕이 느끼는) 단순한 공작과 밴 더 라이든가 공작의 미묘한 차이를 전통 있는 뉴욕 사람들만이 감지할 수 있다는 생각에 마음이 흐뭇했다. 뉴욕은 뜨내기 귀족들을 냉담하게 맞이했고 (스트러더스가를 제외하면) 불신 가득하고 거만한 태도로 대하기까지 했다. 그러나 지금처럼 자격을 증명하면 고풍스러운 방식으로 성의를 다해 맞이했으니, 자신의 이름이 『디브렛』(1803년에 초판 발행한 영국의 귀족 연감-옮긴이)에 등재된 덕분에 그런 대접을 받는 줄 안다면 큰 오산이었다. 그렇게 구별해서 대하는 분위기 때문에 아처는 냉소를 보내면서도 그의 예스러운 뉴욕을 소중하게 여겼다.

밴 더 라이든 부부는 이 행사의 중요성을 강조하고자 최선을 다했다. 만찬에는 뒤 라크가의 세브르 자기와 트리베나의 조지 2세 접시가 나왔다. 밴 더 라이든가의 '로스토프트' 자기(동인도 회사산)와 대거넷가의 크라운 더비 자기도 등장했다. 밴 더 라이든 부인은 어느 때보다도 카바넬 초상화 속 인물처럼 보였고, 할머니에게서 받은 작은 진주알과 에메랄드로 치장한 아처 부인을 보고 아처는 이자베(프랑스 화가 장 밥티스트 이자베-옮긴이)의 세밀화를 떠올렸다. 숙녀들은 다들 가진 것 중 가장 훌륭한 보석을 착용했지만 이 가문과 행사의 특징상 다소 묵직하고 구식으로 세팅된 장신구가 대부분이었다. 설득을 받아 겨우 참석한 래닝 양은 실제로 어머니의 카메오 조각 장식을 달고 스페인풍 금색 숄을 둘렀다.

만찬에 참석한 젊은 여자는 올렌스카 백작 부인뿐이었다. 그러나 아처는 다이아몬드 목걸이와 높이 솟은 타조 깃털 장식 사이에 있는 노부인들의 매끄럽고 통통한 얼굴을 훑어보다가, 그 얼굴들이 이상하게도 올렌스카 백작 부인의 얼굴에 비해 미성숙해 보인다고 생각했다. 엘런이 어떤 일을 겪었기에 저런 눈빛을 갖게 되었을지 생각하니 섬뜩했다.

여주인 오른편에 앉은 세인트 오스트리 공작은 자연스레 그날 저녁의 중심인물이 되었다. 그러나 올렌스카 백작 부인이 사람들 기대보다 이목을 덜 끌었다면, 공작은 거의 눈에 띄지 않았다. 훌륭한 교육을 받고 자란 사람이었기에 (최근 방문했던 다른 공작과는 달리) 사냥복 차림으로 만찬에 나타나지는 않았다. 그러나 공작의 야회복은 너무 허름하고 헐거운데다 모양새가 매우 촌스러워, (구부정하게 앉은 자세와 셔츠 앞면에 넓게 퍼진 턱수염까지 더해지니) 만찬용 복장으로 보이지가 않았다. 그는 키가 작고 어깨가 굽었으며 피부는 햇볕에 그을었고, 코가 두툼하고 눈이 작으며 친근하게 웃음을 지었다. 그러나 말을 거의 하지 않았고 입을 열어도 아주 낮은 목소리로 말했기 때문에, 식탁 곳곳에서 공작의 말을 들으려고 자주 입을 다물곤 했는데도 그가 하는 말은 곁에 앉은 사람들에게만 들렸다.

식사가 끝나고 남자들이 숙녀들과 어울리는 시간에, 공작은 곧장 올렌스카 백작 부인에게 다가갔다. 두 사람은 방 한쪽 구석에 앉아 활발하게 대화를 나누었다. 공작이 먼저 러벌 밍곳 부인, 헤들리 치버스 부인에게 경의를 표해야 했다는 사실을 두 사람 다 깨닫지 못한 모양이었다. 또한 백작 부인이 온화한 심기증 환자인 워싱턴 스퀘어의 어번 대거냇 씨와 대화를 나눴어야 한다는 사실도 모르는 듯했다. 대거넷 씨는 백작 부인과 만나는 기쁨을 누리기 위해, 1월부터 4월까지는 밖에서 식사하지 않는다는 철칙을 깨고 참석했던 것이다. 공작과 백작 부인은 거의 20분 동안 담소를 나누었다. 그러다가 백작 부인이 자리에서 일어나, 혼자 넓은 응접실을 가로지르더니 뉴랜드 아처 옆에 앉았다.

숙녀가 다른 대화 상대를 찾으려고 한 신사 곁에서 일어나 자리를 뜨는 것은 뉴욕의 응접실 관례가 아니었다. 예법에 따르자면 숙녀는 자신과 대화를 나누고 싶어 하는 남자들이 옆에서 서로 자리를 내주는 동안 조각상처럼 꼼짝하지 않고 기다려야 했다. 그러나 백작 부인은 자신이 규칙을 어겼다는 사실조차 모르는 게 분명했다. 아처와 나란히, 소파 구석에 그야말로 편히 앉아서 더없이 상냥한 눈빛으로 그를 바라보았다.

"메이에 대해 이야기 좀 해줘요."

백작 부인이 말했다.

대답 대신 아처가 물었다.

"전부터 공작을 알고 있었습니까?"

"아, 맞아요. 니스에서 겨울마다 만났죠. 도박을 무척 좋아하세요. 도박장을 자주 찾아가셨죠."

엘런 올렌스카는 그런 말을 "그는 야생화를 좋아해요"

라고 말하는 것처럼 무척 간단하게 내뱉었다. 그리고 잠시 뒤 솔직하게 덧붙였다.

"내가 지금껏 만난 사람 중에서 가장 따분한 사람이에요."

아처는 그 말이 너무 재미있어서 그전에 엘런의 말 때문에 가벼운 충격을 받았다는 사실을 잊어버렸다. 밴 더 라이든가문의 공작이 따분하다고 생각하면서 그 의견을 감히 소리 내서 말하는 여성을 만나다니, 분명 흥미로운 경험이었다. 아처는 질문을 던지고 싶었다. 엘런이 스스럼없이 꺼낸 말에서 언뜻 엿보이는 그동안의 삶에 대해 좀 더 듣고 싶었다. 그러나 괴로운 기억을 건드릴까 봐 두려웠고, 그가 다른 말을 떠올리기도 전에 엘런은 그 이야기에서 벗어나 원래 주제로 돌아갔다.

"메이는 정말 아름다워요. 뉴욕에서 그렇게 예쁘고 총명한 아가씨는 본 적이 없어요. 메이를 많이 사랑하나요?"

뉴랜드 아처는 얼굴을 붉히며 웃음을 터뜨렸다.

"한 남자가 사랑할 수 있는 만큼은요."

백작 부인은 그의 말에 담긴 미묘한 의미 차이를 조금도 놓치지 않으려는 듯이, 생각에 잠겨 그를 계속 바라보았다.

"그러면, 거기에 한계가 있을까요?"

"사랑하는 데 말입니까? 있다고 해도, 저는 찾지 못했습니다!"

동감이라는 듯 엘런의 얼굴에 홍조가 떠올랐다.

"아…… 정말 진실한 연애라는 말인가요?"

"연애 중에서도 가장 낭만적인 연애죠."

"정말 근사해요! 게다가 두 사람이 스스로 찾아낸 거죠? 정해진 대로 따른 게 아니라!"

아처는 믿기지 않는다는 듯 엘런을 바라보았다.

"우리나라에서는 혼처를 정해 결혼하지 않는다는 사실을 잊으셨습니까?"

그가 웃음 띤 얼굴로 물었다.

거무스름한 홍조가 엘런의 뺨을 물들였고, 아처는 즉시 자신이 한 말을 후회했다.

"맞아요. 잊어버렸어요. 내가 가끔 이런 실수를 하더라도 용서해줘야 해요. 그동안 지내다 온 곳과 이곳은 모든 게 다르다는 사실을 가끔은 잊어버리니까요."

백작 부인이 대답했다. 부인은 독수리 깃털로 만든 베네치아식 부채를 내려다보았고 입술이 떨리는 모습이 아처의 눈에 띄었다.

"미안합니다. 하지만 이제 이곳에선 친구들이 함께 있지 않습니까."

그는 충동적으로 말했다.

"네, 그렇죠. 어디를 가든 그 기분을 느껴요. 그래서 고향에 온 거죠. 다른 건 모두 잊고 다시 온전한 미국인이 되고 싶어요. 밍곳가와 웰랜드가, 또 당신과 당신의 유쾌한 어머니, 오늘 밤 이곳에 온 다른 좋은 사람들처럼 말이에요. 아, 저기 메이가 도착했네요. 얼른 메이에게 가보셔야죠."

부인은 이렇게 덧붙였지만 움직이지 않았다. 문에서 시선을 떼고 다시 젊은이의 얼굴을 물끄러미 바라보았다.

응접실은 만찬 이후에 도착한 손님들로 붐비기 시작했고, 올렌스카 백작 부인의 시선을 따라간 아처는 어머니와 함께 들어서는 메이 웰랜드를 보았다. 흰색과 은색으로 만든 옷을 입고 머리에 은색 꽃으로 만든 화환을 두른 키 큰 아가씨는 사냥을 마치고 돌아와 이제 막 말에서 내린 다이애나 여신 같았다.

"아, 경쟁자가 무척 많군요. 이미 사람들에게 둘러싸였습니다. 공작님이 소개를 받는군요."

아처가 말했다.

"그러면 나랑 좀 더 함께 있어요."

올렌스카 백작 부인이 깃털 달린 부채로 아처의 무릎을 슬쩍 건드리며 낮게 말했다. 아주 가벼운 접촉이었지만, 그는 애무를 받은 듯 전율을 느꼈다.

"네, 함께 있어요."

그는 자신이 무슨 말을 하는지 거의 알지 못한 채 같은 말투로 대답했다. 그러나 바로 그때 밴 더 라이든 씨가 노신사인 어번 대거넷 씨를 데리고 다가왔다. 백작 부인은 엄숙한 미소를 띠고 두 사람에게 인사를 건넸으며, 집주인이 경고하는 시선을 보낸다고 느낀 아처는 일어서서 자리를 양보했다.

올렌스카 백작 부인이 작별 인사를 건네는 양손을 내밀었다.

"그럼, 내일, 5시 이후에…… 뵙기로 해요."

부인은 이렇게 말한 다음 대거넷 씨에게 자리를 마련해 주려고 몸을 돌렸다.

"내일……."

그는 자기도 모르게 부인의 말을 되풀이했다. 약속한 적도, 대화 중에 그를 다시 만나고 싶다는 뜻을 넌지시 비친 적도 없었다.

자리를 뜨는데 키가 크고 화려하게 차려입은 로런스 레퍼츠가 아내를 소개하려고 데려오는 모습이 보였다. 거트루드 레퍼츠가 올렌스카 백작 부인에게 어느새 환한 미소를 지으며 이렇게 말하는 소리도 들렸다.

"하지만 우린 어릴 때 함께 무용 학교를 다녔을 텐데요……."

백작 부인 뒤로 부인에게 자기를 소개하려고 사람들이

기다리고 있었다. 아처는 그들이 러벌 밍곳 부인의 파티에서 백작 부인을 만나지 않겠다고 완고하게 거절했던 여러 부부임을 알아보았다. 아처 부인이 말한 대로, 밴 더 라이든 부부는 마음만 먹으면 교훈을 주는 방법을 알았다. 그러기로 마음먹는 때가 거의 없다는 점이 놀라울 뿐이었다.

어깨를 두드리는 느낌이 들어서 쳐다보니, 밴 더 라이든 부인이 검은 벨벳 드레스와 가문에서 내려오는 다이아몬드로 치장해 고귀함 그 자체인 모습으로 그를 내려다보고 있었다.

"뉴랜드, 올렌스카 부인에게 그토록 사심 없이 시간을 내주다니 참 친절하기도 하지. 내가 헨리에게 반드시 자네를 구하러 가야 한다고 말했어."

아처는 부인을 향해 애매하게 미소를 지었고, 밴 더 라이든 부인은 그의 수줍은 성격을 이해해주겠다는 듯이 이렇게 덧붙였다.

"메이가 이렇게 아름다워 보인 적은 처음이야. 공작님도 이 방에서 그 아이가 가장 아름다운 아가씨라고 하셨다네."

9

올렌스카 백작 부인은 '5시 이후'라고 말했다. 그 시각에서 30분쯤 지났을 때 뉴랜드 아처는 회반죽 칠이 벗겨진 집의 초인종을 눌렀다. 커다란 등나무가 힘없는 주철 발코니를 칭칭 감고 있었다. 웨스트 23번가 한참 아래쪽에 있는 이 집은 엘런이 방랑자 메도라에게 빌린 곳이었다.

확실히 이곳은 자리 잡기에 이상한 동네였다. 작은 양장점과 새 박제사, '글쟁이들'이 가장 가까운 이웃이었다. 너저분한 길 저편, 포장도로 끝에 낡아빠진 목조 주택이 보였다. 아처가 가끔 마주치는 윈셋이라는 작가 겸 기자가 사는 집이었는데, 그가 자기 집이라고 말한 곳이었다. 윈셋은 사람들을 집에 초대하지 않았다. 그러나 저녁 산책을 하던 중 아처에게 그 집을 가리키며 알려주었고, 아처는 가볍게 몸서리치며 다른 대도시에서도 사람들이 이렇게 초라한 집에서 사는

지 마음속으로 질문했다.

올렌스카 부인이 사는 집도 창틀 주변에 페인트를 좀 더 칠했을 뿐 거의 비슷했다. 아처는 수수한 현관으로 다가가면서, 그 폴란드 백작이 부인의 환상뿐 아니라 재산도 다 털어 가버린 모양이라고 중얼거렸다.

그날은 만족스럽지 않은 하루였다. 식사 후에 메이를 데리고 공원에서 산책하고 싶은 마음에, 아처는 웰랜드가에서 점심을 먹었다. 메이를 독차지하고 전날 밤에 메이가 얼마나 매혹적이었는지, 그래서 얼마나 자랑스러웠는지 말해주면서 결혼을 서두르자고 조르고 싶었다. 그러나 웰랜드 부인은 일가친척 방문이 아직 반도 끝나지 않았음을 단호하게 일깨웠고, 그가 결혼식 날짜를 앞당기고 싶다는 뜻을 내비치자 질책하듯 눈썹을 치켜올리며 한숨을 내쉬었다.

"할 일이 수십 가지는 되는데…… 자수도 놓아야 하고……."

그들은 가족용 사륜마차 한 대에 빽빽하게 몸을 싣고 친척들 집을 차례로 방문했다. 오후 방문이 끝나자 아처는 교묘한 덫에 걸린 들짐승처럼 구경거리가 된 기분으로 약혼자와 헤어졌다. 사실은 가족적인 분위기가 단순하고 자연스럽게 드러났을 뿐인데, 자신이 인류학 책을 읽은 탓에 조잡한 관점으로 바라보게 된 모양이라고 생각했다. 그러나 웰랜드가가 다음 가을이나 되어야 결혼식을 거행할 예정이라는 사실을 떠올리며 그때까지 자신의 삶이 어떠할지 그려보니 마음이 물에 젖은 듯이 무거워졌다.

"내일은 치버스가와 댈러스 가를 방문할 걸세."

웰랜드 부인이 아처 등 뒤에서 외쳤다. 그는 웰랜드 부인이 양가 친척들을 알파벳순으로 방문할 예정이며 그 두 가문은 그중 앞쪽에서 4분의 1지점에 있을 뿐임을 깨달았다.

그는 올렌스카 백작 부인의 요청 또는 명령에 따라 그날 오후 엘런을 방문해야 한다는 사실을 메이에게 말해줄 생각이었다. 그러나 잠깐뿐인 둘만의 시간에는 더 긴급하게 나눌 이야기가 있었다. 게다가 그 문제를 언급하려니 조금 우스꽝스럽게 여겨졌다. 그가 사촌에게 친절하게 대해주기를 메이가 유난히 바란다는 사실을 그는 알고 있었다. 약혼을 서둘러 발표한 이유도 그런 바람 때문이 아니었던가? 백작 부인이 나타나지 않았더라면 여전히 자유로운 남자까지는 아니어도 돌이킬 수 없는 서약에 매이지는 않았으리라고 생각하면 기분이 묘했다. 그러나 메이는 그렇게 하기를 원했고 아처는 그 정도 의무를 다했으니 괜찮다는 느낌이 들었다. 그러니 원한다면 메이에게 말하지 않고 메이의 사촌을 자유롭게 방문해도 좋을 듯했다.

올렌스카 부인의 집 문턱에 서자 무엇보다도 호기심이

밀려왔다. 그를 부르던 어조 때문에 혼란스러웠다. 아처는 올렌스카 부인이 보기보다 단순하지 않다고 결론을 내렸다.

까무잡잡하고 이국적인 외모에, 화려한 목도리 밑으로 가슴이 불룩 나온 하인이 문을 열었다. 그는 막연히 하인이 시칠리아 사람일 거라고 생각했다. 하인은 흰 이가 모두 드러날 만큼 환하게 웃으며 그를 맞이했고, 그의 질문에 알아듣지 못한다는 뜻으로 고개를 저으며 좁은 복도를 지나 벽난로 불빛이 희미하게 비치는 응접실로 안내했다. 방에는 아무도 없었다. 하인이 한참 자리를 비워서 그는 주인을 찾으러 갔는지 아니면 그가 찾아온 이유를 모르는 건지 의아했다. 어쩌면 시계태엽을 감으러 갔는지도 몰랐다. 그는 그곳에서 유일하게 눈에 띄는 물건인 시계가 멎었다는 사실을 눈치챘다. 남쪽 인종은 몸짓 언어로 의사소통을 한다는 사실을 알았기에, 하인이 어깨를 으쓱하며 미소를 지은 이유를 전혀 이해하지 못했다는 사실에 굴욕감을 느꼈다. 마침내 하인이 등불을 들고 돌아왔다. 그동안 아처는 단테(『신곡』을 쓴 13세기 이탈리아의 시인-옮긴이)와 페트라르카(이탈리아 학자이자 시인, 인문주의자-옮긴이)의 작품에 나왔던 글귀를 조합한 결과 하인의 말에서 답을 얻어냈다. "라 시뇨라 에 푸오리. 마 베라 수비토"(원문은 'La signora è fuori; ma verrà subito'로, 이탈리아어로 '마님은 외출하셨어요. 하지만 곧 돌아오실 거예요'라는 뜻-옮긴이)라는 말을 그는 "마님은 외출하셨어요. 하지만 곧 만나실 수 있을 거예요"라는 뜻으로 받아들였다.

그사이에 그는 램프 불빛 덕분에, 희미한 그림자가 드리운 매력적인 방을 둘러보았다. 지금까지 알던 어떤 방과도 달랐다. 올렌스카 백작 부인이 잔해라고 부르는 소유물 일부를 가져왔음을 그는 알았다. 어두운 나무로 만든 작고 얇은 탁자와 벽난로 선반 위에 놓인 섬세하고 작은 그리스 청동상, 변색된 벽지에 못으로 고정한 붉은 다마스크 천 한 폭이 그 물건들인 듯했다. 다마스크 천 앞에는 낡은 액자에 넣은, 이탈리아 풍경으로 보이는 그림 두 점이 걸려 있었다.

뉴랜드 아처는 이탈리아 예술에 조예가 깊다는 사실을 스스로 뿌듯하게 여겼다. 소년 시절에는 러스킨에 심취했고 존 애딩턴 시먼즈(영국 역사가이자 학자로 대표작은 『이탈리아의 르네상스』이다-옮긴이)의 저서들과, 버넌 리(영국 소설가이자 수필가, 평론가인 바이올렛 패짓의 필명-옮긴이)의 『유포리온』, P. G. 해머튼(영국 작가이자 예술 평론가-옮긴이)의 수필, 월터 페이터(영국 평론가이자 소설가-옮긴이)가 쓴 『르네상스』라는 놀라운 신간 등 최근에 나온 책은 모두 읽었다. 보티첼리(이탈리아 초기 르네상스 시대의 대표적인 화가-옮긴이)에 대해 술술 이야기했고 프라 안젤리코(이탈리아 화가이자 도미니크 수도회 수도사-옮긴이)에 대해서는 약간 우쭐한 태도로 말했다. 그러나 이 방에 걸린 그림은 이탈리아를 여행할 때 익히 보았던(따라서 감상할 수 있게 된) 그림과는 딴판이어서 당황스러웠다. 어쩌면 이 이상하고 텅 빈 집에, 분명 누구도 그가 오기를 기다리지 않은 곳에 있다는 기묘함 때문에 관찰력이 흐려진 탓일지도 몰랐다. 메이 웰랜드에게 올렌스카 백작 부인의 요청을 말하지 않았다는 사실이 후회스러웠다. 약혼자가 사촌을 만나러 들어올지도 모른다는 생각에 조금 불안하기도 했다. 가까운 사이라도 되는 듯 해 질 녘에 숙녀의 집 난롯가에 홀로 앉아 기다리는 그를 보면, 메이가 무슨 생각을 하겠는가?

그러나 그는 온 김에 기다릴 작정이었다. 그래서 의자에 몸을 묻고 장작 쪽으로 발을 뻗었다.

그런 식으로 그를 불러두고 잊어버리다니 이상한 일이었다. 그러나 아처는 마음이 상하기보다는 호기심을 느꼈다. 그가 발을 들여놓았던 어떤 방과도 분위기가 달랐기에 모험하는 기분이 들면서 남의 눈을 의식하는 태도가 사라졌다. 전에도 붉은 다마스크 천과 '이탈리아풍' 그림이 걸린 응접실에 들어간 적이 있었다. 팜파스 그래스(아르헨티나와 브라질 남부 원산이며 관상용으로 재배하는 풀. 갈대와 비슷하게 생겼다-옮긴이)와 로저스(미국 조각가-옮긴이)의 작은 조각상들이 배경으로 황폐하게 자리 잡은 메도라 맨슨의 허름한 셋집이, 솜씨를 부려 몇 가지 물건을 노련하게 활용하자 편안하면서도 옛 로맨스 영화의 장면과 정감을 은근하게 풍기는 '이국적인' 집으로 바꿔다니 몹시 인상 깊었다. 그는 비결을 분석해보았다. 의자와 탁자를 모아둔 방식이나 가까이 놓인 호리호리한 꽃병에 (누구도 12송이 이하로는 사지 않는 꽃인) 자크미노 장미를 딱 두 송이만 꽂아둔 것, 손수건에 뿌리는 향수가 아니라 터키산 커피와 용연향과 말린 장미가 섞인 어느 머나먼 시장의 냄새처럼 은은하게 풍겨오는 향기에서 단서를 찾아보았다.

정처 없이 떠돌던 생각은 메이의 응접실이 어떤 모습일까, 하는 질문으로 흘러갔다. 그는 '매우 후하게' 처신 중인 웰랜드 씨가 이스트 39번가의 새로 지은 저택에 이미 눈독을 들였다는 사실을 알았다. 좀 외진 듯한 동네였고 섬뜩한 녹황색 돌로 지어진 집이었는데 이는 젊은 건축가들이 차가운 초콜릿 소스처럼 단색으로 뉴욕을 뒤덮은 적갈색 사암에 반기를 들고 이용하기 시작한 자재였다. 그러나 그 집의 배관은 완벽했다. 아처는 집 문제를 미뤄두고 여행을 하고 싶었다. 그러나 웰랜드가에서는 장기 유럽 신혼여행에는 (심지어는 이집트에서 겨울을 보내는 것에도) 찬성했지만, 돌아온 신혼부부가 지낼 집이 필요하다는 입장만큼은 확고했다. 아처는 운명이 확정되었다고 느꼈다. 앞으로 여생 동안 저녁마다 그 녹황색 문간에 딸린 주철 난간 사이를 걸어 올라가 폼페이식 현관을 지난 다음 니스 칠한 노란 나무를 벽에 덧댄 복도로 들어설 것이다. 그러나 그의 상상력은 그 이상 나아가지 못했다. 위층 응접실에 돌출된 창이 있으리란 사실은 알았지만, 메이가 그곳을 어떻게 꾸밀지는 상상할 수가 없었다. 메이는 웰랜드가의 응접실을 꾸민 자주색 공단과 노란 장식용 술, 상감 세공을 한 가짜 탁자들과 현대식 작센 도자기로 가득한 금박 진열장에 기꺼이 순응했다. 메이가 자신의 집은 다르게 꾸미고 싶어 할 거라고 짐작할 만한 이유를 찾을 수가 없었다. 서재를 그가 원하는 대로 꾸미게 해주리라는 생각만이 유일한 위안이었다. 물론 서재에는 '진정성 있는' 이스트레이크 양식(19세기에 미국에서 유행한 가구와 건축 양식으로 단순하고 실용적인 장식을 추구한 영국 건축가 찰스 록 이스트레이크의 이름을 딴 명칭이다–옮긴이) 가구와 유리문 없이 수수한 새 책장을 놓을 것이다.

가슴이 풍만한 하인이 들어와서 커튼을 치고 장작 하나를 다시 밀어 넣은 다음 위로하듯이 "베라…… 베라"('verrà'는 이탈리아어로 '올 거예요'라는 뜻–옮긴이) 하고 말했다.

하인이 사라지자 아처는 일어서서 방을 서성거리기 시작했다. 더 기다려야 할까? 꼴이 좀 우스워지고 있었다. 어쩌면 올렌스카 부인의 말을 오해했는지도 모른다. 어쩌면 사실은 그를 초대한 게 아니었는지도 모른다.

조용한 거리에 깔린 자갈에서 말발굽 소리가 울려 퍼졌다. 마차가 집 앞에서 멈추고 마차 문이 열리는 소리가 들렸다. 아처는 커튼을 열고 땅거미가 진 초저녁 풍경을 내다보았다. 정면에 가로등이 서 있었다. 그 가로등 불빛 속에서 큰 밤색 얼룩말이 끄는 줄리어스 보퍼트의 소형 영국제 사륜마차와 마차에서 내려 올렌스카 부인을 도와주는 그 은행가의 모습이 보였다.

보퍼트가 모자를 손에 들고 선 채 뭐라고 말했고 상대는 거절하는 듯했다. 두 사람은 곧 악수를 나누었고, 부인이 계단을 오르는 동안 보퍼트는 마차에 올라탔다.

방에 들어온 올렌스카 백작 부인은 거기 있는 아처를 보고도 전혀 놀란 기색이 아니었다. 놀라움이야말로 백작 부인이 결코 빠져들지 않는 감정인 듯했다.

"괴상한 내 집이 마음에 드나요? 나에게는 천국이랍니다."

올렌스카 부인은 이렇게 말하며 작은 벨벳 보닛의 끈을 풀어 긴 망토와 함께 던져놓고는 깊은 생각에 잠긴 눈으로 아처를 바라보며 서 있었다.

"근사하게 꾸미셨군요."

아처는 이렇게 대답하면서도 매우 단조로운 표현이라고 느꼈지만, 소탈하면서도 인상적인 모습을 유지하고 싶은 마음이 간절해 진부한 말에서 벗어나지 못했다.

"아, 작고 초라한 곳이죠. 친척들은 싫어해요. 하지만 어쨌든 밴 더 라이든 부부의 집보다 음침하지는 않으니까요."

그 말에 아처는 전기에 감전된 듯 큰 충격을 받았다. 감히 밴 더 라이든 부부의 위엄 있는 저택을 음침하다고 말할 수 있는 반항적인 사람은 거의 없었기 때문이다. 그 집에 들어가는 특권을 받은 사람들은 그곳에서 몸을 떨며 '당당하고 아름다운' 집이라고 말했다. 그러나 아처는 백작 부인이 모두가 몸서리치는 이유를 소리 내서 말했다는 사실에 갑자기 기분이 좋아졌다.

"분위기가 참 유쾌합니다……. 이곳을 단장한 방식 말입니다."

아처가 다시 말했다.

"난 이 작은 집이 좋아요."

백작 부인이 시인했다.

"하지만 정말 좋은 건 이곳, 내 나라와 내 고향에 있다는 행복감이겠죠. 게다가 이곳에 혼자 있다는 점이."

부인의 목소리가 너무 낮아서 아처는 마지막 구절을 거의 듣지 못했다. 그러나 어색한 기분에 질문을 던졌다.

"혼자 있어서 좋단 말입니까?"

"그래요. 친구들이 나를 외롭지 않게 해주는 한."

올렌스카 부인은 난로 근처에 앉으며 말했다.

"나스타시아가 곧 차를 내올 거예요."

부인은 그에게 다시 안락의자에 앉으라고 손짓하며 덧

붙였다.

"이미 당신 자리를 골랐군요."

부인은 몸을 의자에 기대고 양손을 뒤통수에 얹은 뒤, 내리뜬 눈으로 난롯불을 바라보았다.

"내가 가장 좋아하는 시간이에요…… 당신은요?"

당연하게도 체면을 지켜야겠다는 생각에 그는 이렇게 대답했다.

"약속시간을 잊어버렸을까 봐 걱정했습니다. 보퍼트와 아주 즐거운 시간을 보내셨나 봅니다."

부인은 재미있다는 표정을 지었다.

"어머, 오래 기다렸어요? 보퍼트 씨가 나를 데리고 다니며 여러 집을 보여주셨어요. 내가 이 집에서 계속 지내면 안 되는 모양이에요."

부인은 보퍼트와 아처를 머릿속에서 깨끗이 잊어버린 듯한 모습으로 말을 이었다.

"후미진 동네에 산다고 이렇게 반감을 표하는 도시는 처음이에요. 어디에 살건 그게 무슨 상관이죠? 이 동네도 꽤 괜찮다고 들었는걸요."

"상류층이 선호하는 곳은 아닙니다."

"상류층이라니! 당신들은 모두 그걸 그렇게나 중요하게 여기는군요! 각자 자기만의 방식대로 살면 안 되나요? 하지만 내가 너무 독립적으로 살아온 탓이겠죠. 어쨌거나 다들 하는 대로 나도 하고 싶어요. 사랑받고 있다고, 안전하다고 느끼고 싶어요."

아처는 전날 밤에 올렌스카 부인이 자신을 이끌어줄 사람이 필요하다고 말했을 때처럼 마음이 뭉클했다.

"친구들은 당신이 그렇게 느끼기를 바라고 있습니다. 뉴욕은 지독하게 안전한 곳입니다."

그는 순간 빈정거리듯이 덧붙였다.

"맞아요, 그렇죠? 다들 그렇게 느낄 거예요."

올렌스카 부인은 빈정거림을 감지하지 못하고 외쳤다.

"여기 있으면 마치…… 마치…… 착한 소녀가 돼서 수업을 모두 마치고 휴가 온 듯한 기분이 들어요."

좋은 뜻으로 한 비유였지만 아처는 썩 마음에 들지 않았다. 자신이 뉴욕에 대해 경솔하게 말한 것은 신경 쓰이지 않았지만, 다른 사람이 같은 어조로 그렇게 말하니 듣기 싫었다. 뉴욕이 아주 강력한 기관이며 자신을 거의 으스러뜨릴 뻔했다는 사실을 백작 부인이 아직 눈치채지 못했는지 궁금했다. 사교계의 온갖 잡다한 인사들을 모아 큰 곤경을 가까스로 수습한 러벨 밍곳가의 만찬 덕분에 아슬아슬하게 위기를 모면했음을 깨달았으면 좋았을 것이다. 그러나 올렌스카 부인은 자신이 재앙을 가까스로 피했음을 내내 몰랐거나,

밴 더 라이든가에서 보낸 저녁으로 의기양양한 나머지 그 점을 놓쳐버린 듯했다. 아처는 앞선 추측이 더 맞을 거라고 생각했다. 백작 부인이 보는 뉴욕은 아직도 완벽하게 획일적인 곳이라는 생각이 들었고 그렇게 짐작하자니 짜증이 났다.

"어젯밤에 뉴욕 전체가 당신 앞에 펼쳐졌습니다. 밴 더 라이든 부부는 일을 어중간하게 처리하지 않습니다."

아처가 말했다.

"그럼요. 얼마나 친절하시던지! 참 멋진 파티였어요. 다들 두 분을 무척 존경하는 것 같더군요."

도무지 적절하지 않은 표현이었다. 래닝 양의 다과회였다면 그런 식으로 말해도 괜찮았을 것이다.

"밴 더 라이든 부부는 뉴욕 사교계에서 가장 막강한 영향력을 발휘합니다. 불행히도…… 부인의 건강 때문에 손님을 맞이할 때가 거의 없지만."

아처는 이렇게 말하면서도 잘난 체하는 기분이 들었다.

엘런 올렌스카는 뒤통수에서 깍지를 풀고 생각에 잠긴 표정으로 그를 바라보았다.

"아마 그게 이유가 아닐까요?"

"이유라면……?"

"막강한 영향력을 갖는 이유 말이에요. 자신들을 아주 진귀한 존재로 만든 덕분이죠."

아처는 약간 달아오른 얼굴로 올렌스카 부인을 빤히 바라보았다. 그러다 문득 그 말에 통찰이 담겼음을 깨달았다. 부인은 밴 더 라이든 부부에게 일격을 가했고 그들은 쓰러졌다. 아처는 웃음을 터뜨리며 그들을 포기했다.

나스타시아가 차와 함께 손잡이 없는 일본 찻잔과 뚜껑을 덮은 작은 접시를 쟁반에 담아와서는 낮은 탁자에 내려놓았다.

"하지만 당신이 그런 문제를 설명해줘야 해요. 내가 알아야 하는 걸 모두 설명해줘요."

올렌스카 부인이 몸을 내밀어 그에게 잔을 건네며 말을 이었다.

"내게 설명해줄 사람은 바로 당신이에요. 내가 너무 오랫동안 바라보느라 더는 보지 못하게 된 것들에 눈을 뜨도록 말이에요."

부인은 팔찌 하나에서 작은 금색 담뱃갑을 떼어내서 아처에게 내밀었고 자기 몫의 담배도 하나 꺼냈다. 벽난로에는 담배에 불을 붙이는 긴 점화용 심지가 있었다.

"아, 그러니까 우린 서로 도울 수 있어요. 하지만 내게 필요한 도움이 훨씬 많죠. 어떻게 하면 되는지 말만 해줘요."

'보퍼트와 거리를 돌아다니는 모습을 사람들에게 보이지 말아요'라는 대답이 아처의 입 끝에 맴돌았다. 그러나 그는 방의 분위기에 흠뻑 빠졌고 그것은 올렌스카 부인의 분위기이기도 했기에, 그런 종류의 조언을 건네는 것은 사마르칸트(중앙아시아 우즈베키스탄에 위치한 아주 오래된 도시-옮긴이)에서 장미기름을 두고 흥정하는 사람에게 뉴욕에서 겨울을 나려면 반드시 방한용 덧신을 준비해야 한다고 말하는 것과 같을 터였다. 뉴욕은 사마르칸트보다 훨씬 더 먼 곳 같았고, 두 사람이 정말 서로를 돕기로 한다면, 올렌스카 부인의 아처가 자신이 태어난 도시를 객관적으로 바라보게 해줌으로써 서로 돕는 관계의 문을 연 셈이었다. 그렇게 보니 마치 망원경의 다른 쪽 끝을 들여다본 것처럼 뉴욕이 당황스러울 만큼 작고 멀어 보였다. 그러나 사마르칸트에서 이쪽을 본다면 정말 그럴 것이다.

장작에서 불꽃이 튀어나왔다. 올렌스카 부인의 난롯불 위로 몸을 숙이며 가느다란 손을 불꽃에 아주 가까이 뻗었고 타원형 손톱 주변에서 희미한 후광이 빛났다. 난로 불빛이 땋은 머리에서 삐져나온 검고 둥글둥글한 머리카락을 적갈색으로 물들이며 그 창백한 얼굴을 더욱 창백하게 만들었다.

"어떻게 해야 할지 당신에게 말해줄 사람은 많습니다."

아처가 어렴풋이 질투심을 느끼며 대답했다.

"아…… 고모들과 숙모들 말인가요? 사랑하는 할머니도?"

올렌스카 부인은 그 의견을 공정하게 고려해보았다.

"다들 내가 독립했다고 약간 화가 나셨어요. 특히 가여운 할머니께서. 할머니는 나를 곁에 두고 싶어하셨죠. 하지만 난 자유가 필요했어요……."

아처는 그 무시무시한 캐서린을 이렇게 가볍게 언급하는 데 깊은 인상을 받았고, 올렌스카 부인이 가장 외로운 종류의 자유라 할지언정 이렇게나 자유를 갈망하게 된 이유가 무엇이었을까 생각하니 마음이 아팠다. 그러나 보퍼트에 대한 생각으로 괴로웠다.

"어떤 심경인지 알 것 같습니다. 그래도, 가족은 당신에게 조언할 수 있어요. 다른 점을 설명해주고 길을 알려줄 수 있죠."

그가 말했다.

올렌스카 부인은 가늘고 검은 눈썹을 치켜 올렸다.

"뉴욕이 그렇게 복잡한 미로인가요? 위아래로 쭉 뻗어 있는 줄 알았어요. 5번 대로처럼. 게다가 교차로마다 번호가 매겨졌잖아요!"

부인은 이 말에 그가 약간 반감을 느낀다고 짐작한 모양이었다. 얼굴 전체를 매혹적으로 만드는 보기 드문 미소를 지으며 덧붙였다.

"사실 난 뉴욕을 다름 아닌 그 이유 때문에 좋아하는

데…… 위아래로 길이 쭉 뻗었고 모든 것에 크고 정직한 이름표가 붙어 있다는 이유 말이에요!"

그는 기회를 놓치지 않았다.

"모든 것에 이름표가 붙어 있을지도 모릅니다…… 하지만 모든 사람에게 그런 건 아니죠."

"아마도 그렇겠죠. 내가 너무 단순하게 생각하는 걸지도 몰라요. 하지만 그러면 나에게 주의를 줘요."

올렌스카 부인은 난롯불에서 고개를 돌려 그를 바라보았다.

"내가 느끼기에 이곳에서 내 마음을 이해하고 상황을 설명해줄 수 있는 사람은 딱 둘 뿐이에요. 당신과 보퍼트 씨."

두 이름이 함께 나오자 아처는 순간 얼굴을 찡그렸으나 뒤이어 재빨리 마음을 바꿔 이해하고 공감했으며 연민을 느꼈다. 악마들과 너무 가까이 살아온 탓에 아직도 그런 공기 속에서 더 자유롭게 숨 쉬는 것이다. 그러나 또한 부인은 아처가 자신을 이해한다고 느끼므로, 그가 할 일은 부인이 보퍼트의 실체와 그 남자가 대변하는 모든 것을 제대로 보도록, 그래서 혐오하도록 만드는 것이었다.

아처는 부드럽게 대답했다.

"이해합니다. 그러나 우선은 오랜 친구들의 손을 놓지 말아요. 그러니까 할머니인 밍곳 부인과 웰랜드 부인, 밴 더 라이든 부인 같은 노부인들 말입니다. 그분들은 당신을 좋아하고 칭찬합니다. 당신을 돕고 싶어 하십니다."

올렌스카 부인은 고개를 저으며 한숨을 쉬었다.

"아, 알아요…… 알고말고요! 하지만 불쾌한 이야기는 듣지 않는다는 조건에서만 그러시죠. 웰랜드 고모님이 하신 말씀이에요. 내가 솔직하게 사정을 말하려……. 이곳에는 진실을 알고 싶어 하는 사람이 아무도 없나요, 아처 씨? 진짜 고독이란 가식적인 행동만 요구하는 온갖 친절한 사람들 사이에서 살아가는 거예요!"

올렌스카 부인은 두 손으로 얼굴을 감쌌고, 아처는 그 야윈 어깨가 흐느낌에 흔들리는 모습을 보았다.

"올렌스카 부인! ……아, 그러지 말아요, 엘런."

아처는 벌떡 일어나 올렌스카 부인 위로 몸을 굽히며 외쳤다. 올렌스카 부인의 손 하나를 끌어내려 꼭 붙잡고 아이의 손을 쓰다듬듯이 손을 쓸어주며 소곤소곤 말로 달랬다. 그러나 엘런은 곧바로 손을 빼고 속눈썹에 눈물을 달고 그를 쳐다보았다.

"이곳에는 우는 사람도 없나요? 그럴 필요가 없겠죠. 천국이니까."

엘런은 웃음을 내뱉고 땋은 머리의 느슨해진 부분을 바로잡은 뒤 찻주전자로 몸을 기울였다. 자신이 올렌스카 부인을 '엘런'이라고 불렀으며, 게다가 두 번이나 그랬고 엘런이 그 점을 눈치채지 못했다는 사실이 그의 의식에 각인되었다. 뒤집힌 망원경 저 멀리에서 메이 웰랜드의 희미하고 하얀 형체가 보였다. 그곳은 뉴욕이었다.

갑자기 나스타시아가 머리를 들이밀고 낭랑한 이탈리아어로 뭐라고 말했다.

올렌스카 부인이 다시 한 손으로 머리를 매만지며 이탈리아어로 "물론이지…물론이야" 하고 빠르게 외치며 승낙했다. 곧 세인트 오스트리 공작이 어느 숙녀를 안내하며 들어왔다. 그 여자는 몸을 모피로 휘감고 엄청나게 큰 검은색 가발을 썼으며 붉은 깃털 장식을 꽂고 있었다.

"백작 부인, 내 오랜 친구를 모시고 당신을 만나러 왔소…… 스트러더스 부인이오. 어젯밤 파티에는 초대받지 않았는데, 당신과 친해지고 싶다는군요."

공작이 거기 모인 모두를 향해 환하게 웃었다. 올렌스카 부인은 이 괴상한 한 쌍을 향해 환영 인사를 중얼거리며 앞으로 걸음을 옮겼다. 부인은 그 두 사람이 기묘하게도 잘 어울린다는 점이나 공작이 친구를 데려온 행동이 큰 무례라는 사실을 모르는 듯했다. 공정하게 말하자면, 아처가 보기에 공작 본인도 그 사실을 모르는 눈치였다.

"친해지고 싶고말고요."

스트러더스 부인이 그 강렬한 깃털 장식과 요란한 가발에 걸맞게 천둥처럼 울리는 목소리로 외쳤다.

"난 젊고 흥미롭고 매력적인 사람들 모두와 친해지고 싶어요. 게다가 공작님 말씀으로는 당신이 음악을 좋아한다더군요. 그러셨죠, 공작님? 혹시 피아노도 치지 않나요? 참, 내일 저녁에 우리 집에 와서 사라사테(스페인 태생 바이올린 연주자이자 작곡가인 파블로 데 사라사테-옮긴이)의 연주를 들어볼래요? 알다시피 일요일 저녁마다 행사를 열어요. 일요일이면 뉴욕 사람들은 하루를 어떻게 보내야 할지 모르잖아요. 그래서 내가 말했죠. '여기 와서 즐겁게 보내세요'. 공작님은 당신이 사라사테에 관심을 보일 거라고 생각하셨어요. 당신 친구들도 많이 올 거예요."

올렌스카 부인의 얼굴이 기쁨으로 환해졌다.

"정말 친절한 말씀이군요! 저를 생각해주시다니 공작님은 정말 좋은 분이에요!"

올렌스카 부인이 의자 하나를 티 테이블 쪽으로 밀자 스트러더스 부인은 기분 좋은 모습으로 의자에 깊숙이 앉았다.

"당연히 즐거운 마음으로 참석해야죠."

"좋아요, 올렌스카 부인. 여기 있는 젊은 신사도 함께 데려와요."

스트러더스 부인이 아처에게 싹싹하게 손을 내밀었다.

"이름은 모르겠지만…… 분명 만난 적이 있어요…… 난 여기에서나 파리에서, 런던에서 온갖 사람들을 만났으니까. 외교관 아닌가요? 외교관들은 모두 나를 만나러 오니까. 젊은이도 음악 좋아해요? 공작님, 이 신사도 꼭 데려오세요."

공작의 풍성한 턱수염 안쪽에서 "물론입니다" 하는 대답이 나왔다. 아처는 관심 없고 무신경한 어른들 사이에 낀 숫기 없는 남학생처럼 멋쩍은 기분으로, 뻣뻣하게 절을 하고 물러났다.

방문이 이렇게 끝났지만 섭섭하지는 않았다. 단지 더 일찍 마무리되어 쓸데없이 감정을 소모하지 않았으면 좋았을 거라는 생각이 들었다. 밖으로 나와 겨울 밤거리에 들어서자, 뉴욕이 다시 가까이 다가와 넓게 펼쳐졌고 메이 웰랜드는 그곳에서 가장 아름다운 여인이 되었다. 그는 메이에게 매일 보내는 은방울꽃 상자를 주문하러 단골 꽃가게로 발길을 돌렸다. 당혹스럽게도 그날 아침에는 꽃 상자를 까맣게 잊어버렸던 것이다.

명함에 글귀를 적고 봉투를 받으려고 기다리면서 식물이 가득한 꽃가게를 둘러보는데, 문득 노란 장미 다발이 눈에 들어왔다. 그렇게 태양처럼 금빛을 내뿜는 꽃은 본 적이 없었기에, 처음에는 메이에게 은방울꽃 대신 저 장미를 보내고 싶은 충동을 느꼈다. 그러나 그 장미는 메이처럼 보이지 않았다. 그 불같은 아름다움 속에는 너무 화려하고 너무 강렬한 뭔가가 있었다. 그는 갑자기 마음을 바꿔 자신이 무엇을 하고 있는지도 거의 인식하지 못한 채, 꽃가게 주인에게 그 노란 장미를 다른 긴 상자에 담아달라는 몸짓을 보냈다. 그리고 올렌스카 백작 부인의 이름을 적은 다른 봉투에 명함을 살짝 넣었다. 그러나 발길을 돌리려던 순간, 다시 명함을 꺼내고 상자에 빈 봉투만 남겨두었다.

"바로 배달됩니까?"

그는 장미를 가리키며 물었다.

꽃가게 주인은 반드시 그렇게 하겠다고 대답했다.

10

다음 날 그는 메이를 설득해 점심 식사를 마치고 빠져 나와 공원을 산책했다. 뉴욕의 구식 감독교회 관습에 따라, 메이는 일요일 오후에는 주로 부모님과 교회에 갔다. 그러나 웰랜드 부인은 메이의 불참을 눈감아주었다. 바로 그날 아침에 직접 수를 놓은 혼수품 수십 가지를 제대로 갖출 시간이 필요하니 약혼 기간을 길게 잡아야 한다고 딸을 설득하는 데 성공했기 때문이다.

기분 좋은 날씨였다. 공원 산책로에 늘어선 앙상한 나무들이 둥글게 몸을 굽혀 청금석 하늘과 함께 지붕이 되어주었고 수정 조각처럼 빛나는 눈 위로 휘어질 듯 가지를 늘어뜨렸다. 메이의 얼굴은 날씨 때문에 환하게 빛났고 서리 맞은 어린 단풍나무처럼 발그스름하게 달아올랐다. 아처는 메이를 힐끔거리는 시선에 가슴이 뿌듯했고 메이를 차지했다는 단순한 기쁨만으로도 마음속의 당혹감이 깨끗이 씻겨 나갔다.

"얼마나 기분이 좋은지 몰라요…… 아침마다 방 안에 풍기는 은방울꽃 향기를 맡으며 잠에서 깰 때면!"

메이가 말했다.

"어제는 늦게 도착했을 거예요. 아침에는 시간이 없었거든."

"하지만 당신이 매일 기억하고 보내주는 편이 훨씬 더 좋아요. 기계적으로 배달되도록 주문을 해둬서 음악 선생님처럼 매일 아침 정시에 꽃이 오는 것보다…… 예를 들어 거트루드 레퍼츠가 로런스와 약혼했을 때 그랬다고 하잖아요."

"아, 그랬군요!"

아처는 메이의 예리함에 즐거워하며 웃음을 터뜨렸다. 과일처럼 탐스러운 메이의 볼을 곁눈질하다 보니 마음이 넉넉해지고 안심이 되어 덧붙였다.

"어제 오후에 당신에게 은방울꽃을 보낼 때 조금 화려한 노란 장미가 보여서, 상자에 담아 올렌스카 부인에게 보내라고 했어요. 잘한 일일까?"

"자상하기도 해라! 그런 행동이라면 뭐든 엘런이 기뻐할 거예요. 그 얘기를 꺼내지 않은 게 이상하네요. 오늘 우리와 점심을 같이 먹었는데, 보퍼트 씨가 멋진 난초를 보냈고 사촌인 헨리 밴 더 라이든이 스카이터클리프에서 카네이션 바구니를 통째로 보냈다고 말했거든요. 꽃을 받아서 몹시 놀란 눈치였어요. 유럽에서는 사람들이 꽃을 보내지 않나요? 그걸 무척 멋진 관습이라고 생각하더군요."

"아, 글쎄, 내가 보낸 꽃이 보퍼트의 난초에 묻혔더라도 놀라운 일은 아니지."

아처가 짜증스럽게 말했다. 다음 순간 장미와 함께 카드를 넣지 않았다는 사실이 떠올라서 그는 꽃 얘기를 괜히 꺼냈다는 생각에 골치가 아팠다. "어제 당신 사촌을 방문했어요"라고 말하고 싶었지만 그는 망설였다. 올렌스카 부인이 그가 방문했다고 말하지 않았는데 자신이 그 말을 꺼낸다면 어색하게 보일 터였다. 그러나 말을 하지 않으면 그 일은 그가 싫어하는 비밀스러운 분위기를 풍길 것이다. 아처는 그 문제를 떨쳐버리고 두 사람의 계획과 미래, 그리고 약혼 기간을 길게 잡자는 웰랜드 부인의 주장에 대해 대화를 나누기 시작했다.

"그 정도가 길다니요! 이사벨 치버스와 레기는 2년 동안 약혼을 유지했어요. 그레이스와 솔리는 거의 1년 반 정도였고요. 우리가 이 상태로 잘 지내지 못할 이유가 있나요?"

전통을 따르는 아가씨다운 질문이었고, 그는 그 질문을 매우 유치하다고 생각하는 자신이 부끄러웠다. 메이는 분명 주변에서 들려준 말을 따라하는 것뿐이었다. 그러나 스물두

살 생일이 다가오고 있었고, '참한' 여성은 대체 몇 살이 되어야 자기 의견을 말하게 되는지 아처는 궁금했다.

"절대, 우리가 허용하지 않는 한 그런 일은 아마 없을 거예요."

그는 이렇게 말하며 실러턴 잭슨 씨에게 분노를 터뜨렸던 때를 떠올렸다.

'여자들도 우리만큼 자유로워야 합니다…….'

이 아가씨의 눈에서 안대를 벗기고 세상을 바라보라고 말해주는 것이 곧 그의 의무가 될 터였다. 그러나 메이가 태어나기까지 얼마나 많은 세대의 여성들이 안대를 한 채 가족 납골당으로 내려갔을까? 그는 과학 서적에서 읽은 새로운 견해 몇 가지와 자주 인용되는 켄터키 동굴 어류의 예시를 떠올리며 가볍게 몸서리쳤다. 그 물고기는 눈을 쓸 필요가 없어서 시력이 퇴화되었다고 했다. 그가 메이 웰랜드에게 눈을 뜨라고 말해도 아무것도 보지 못하고 멍하니 있기만 하면 어떻게 해야 할까?

"지금보다 훨씬 잘 지낼 거예요. 언제나 같이 있을 거고…… 여행도 하겠지."

메이의 얼굴이 환해졌다.

"그럼 정말 멋질 거예요."

메이는, 자신은 여행을 좋아하겠지만 어머니는 그렇게

남들과 다르게 행동하고 싶어 하는 두 사람을 이해하지 못할 거라고 고백했다.

"그저 '남들과 다르다'라는 게 행동의 이유가 될 수는 없다는 말 같군!"

구혼자가 고집스레 말했다.

"뉴랜드! 당신은 정말 특이한 사람이에요!"

메이가 즐겁다는 듯이 말했다.

아처는 가슴이 철렁했다. 같은 상황에서 젊은 남자들이 당연히 하는 말을 자신이 모두 되풀이하고 있으며, 메이는 본능과 전통이 가르쳐준 대로 대답하고 있다는 사실을 깨달았기 때문이다. 그에게 특이하다고 말한 부분까지도 그랬다.

"특이하다니! 우리는 종이 하나를 접어 오려낸 인형들처럼 서로 닮았어요. 벽지에 찍어 넣은 무늬처럼 똑같아요. 당신과 내가 우리 힘으로 헤쳐 나갈 수는 없을까, 메이?"

그는 이 토론에 흥분한 나머지 걸음을 멈추고 메이의 얼굴을 정면으로 바라보고 있었다. 메이의 시선이 티끌 한 점 없이 빛나는 경탄을 담고서 그에게 머물렀다.

"맙소사…… 함께 도망이라도 갈까요?"

메이가 웃음을 터뜨렸다.

"당신이 원한다면……."

"나를 정말 사랑하는군요, 뉴랜드! 정말 행복해요!"

"그렇다면…… 더 행복해지면 안 되겠어요?"

"하지만 우린 소설에 나오는 사람들처럼 굴어서는 안 돼요. 그렇지 않아요?"

"왜 안 된다는 거지? 왜, 왜?"

그가 고집을 부리자 메이는 약간 지겹다는 표정을 지었다. 메이는 그럴 수 없다는 걸 아주 잘 알았지만 이유를 대려니 골치가 아팠다.

"나는 당신과 언쟁할 만큼 똑똑하지 않아요. 하지만 그런 종류의 행동은 약간…… 저속하지 않나요?"

메이는 이 문제 전체를 확실히 진압해버릴 표현을 생각해냈다는 사실에 안도하며 말했다.

"그러면, 당신은 저속해지는 게 그토록 두렵다는 말인가요?"

그 말에 메이는 충격을 받은 기색이 역력했다.

"당연히 싫어요…… 당신도 그렇지 않아요?"

메이는 약간 짜증스럽게 대꾸했다.

아처는 지팡이로 구두코를 초조하게 툭툭 치면서 말없이 서 있었다. 메이는 이 대화를 마무리지을 방법을 정확히 찾아냈다고 생각하고 홀가분하게 말을 이었다.

"아, 내가 엘런에게 반지를 보여줬다고 말했던가요? 이렇게 아름답게 세공된 반지는 처음 본대요. 뤼 드 라 페(고급 상점이 많은 파리 중심부 거리-옮긴이)에도 이런 건 없다던데요. 뉴랜드, 예술적 감각이 이토록 뛰어난 당신을 정말 사랑해요!"

다음 날 오후, 저녁 식사 전에 아처가 언짢은 기분으로 서재에서 담배를 피우고 있을 때 제이니가 서성거리듯이 들어왔다. 그는 같은 계층의 부유한 뉴욕 사람들이 흔히 그러하듯이 느긋하게 법률 관련 업무를 처리하는 것이 직업이었는데 그날은 사무실에서 돌아오는 길에 클럽에 들르지 않았다. 울적했고 화도 약간 났으며, 매일 같은 시각에 같은 일을 하는 생활에 대한 혐오가 뇌리를 잠식했다.

"똑같아…… 똑같다고!"

실크해트를 쓴 익숙한 형체들이 판유리 뒤에서 어슬렁거리는 모습을 보았을 때 그는 끈질기게 떠오르는 노랫가락처럼 머릿속을 맴돌던 말을 낮게 내뱉었다. 그리고 평소에는 클럽에 들르는 시각이었기에, 대신 집으로 갔다. 사람들이 어떤 이야기를 나눌지는 물론이고 대화에서 각 사람이 어떤 역할을 맡을지조차 훤히 알고 있었다. 주요 화제는 당연히 공작일 것이다. 물론 검은 말 한 쌍이 끄는 작고 노란 사륜마차를 타고 5번 대로에 나타난 금발 숙녀(보퍼트가 원인 제공자라는 것이 일반적인 견해였다)에 대해서도 철저하게 검토할 것이다. (이른바) 그런 '여자들'은 뉴욕에 소수였고 자기 소유

마차를 모는 여자들은 훨씬 더 적었으므로, 패니 링 양이 혼잡한 시각에 5번 대로에 나타난 사건으로 사교계가 발칵 뒤집혔다. 바로 전날, 링 양의 마차는 러벌 밍곳 부인의 마차를 지나쳐 갔고 밍곳 부인은 즉시 곁에 있던 작은 종을 울려 마부에게 집으로 가라고 지시했다.

"밴 더 라이든 부인에게 그런 일이 일어났다면 어떻게 됐을까?"

사람들은 몸서리치며 서로에게 물었다. 바로 그 순간에 사교계가 붕괴되었다며 장황한 설교를 늘어놓는 로런스 레퍼츠의 목소리가 아처 귀에 들리는 것만 같았다.

제이니가 들어오자 아처는 짜증스럽게 고개를 들었다가, 동생을 보지 못한 듯이 재빨리 책 위로 고개를 숙였다(그 책은 스윈번[영국 시인이자 평론가인 앨저넌 찰스 스윈번-옮긴이]의 희곡 『체스터라드』였고 막 꺼낸 참이었다). 제이니는 책이 쌓인 책상을 힐끔 보고는 발자크(프랑스 사실주의 문학의 대가로 손꼽히는 오노레 드 발자크-옮긴이)의 『우스운 이야기들』을 펼쳤다가 프랑스 고어에 얼굴을 찌푸리며 한숨을 쉬었다.

"참 어려운 책들을 읽는구나!"

"용건이……?"

동생이 예언자 카산드라(그리스신화에 나오는 트로이의 공주로 아폴론 신에게 예언 능력을 받았으나 그의 구애를 거절해 예언의 설득력을 빼앗긴다. 트로이의 멸망을 예언했으나 누구도 믿지 않는다-옮긴이)처럼 눈앞에서 서성거리자 그가 물었다.

"어머니, 화가 많이 나셨어."

"화가 나시다니? 누구에게? 무슨 일로?"

"소피 잭슨 양이 좀 전까지 여기 있다 갔어. 잭슨 씨가 저녁 식사 후에 들를 거라는 말을 전하러 왔대. 오라버니가 말하지 말라고 했다면서 많은 이야기를 들려주지는 않았어. 자세한 이야기는 잭슨 씨가 직접 전해주고 싶어 한다고. 지금 사촌인 루이자 밴 더 라이든과 함께 있다던데."

"맙소사, 아가씨, 처음부터 다시 말해봐. 네가 하는 말을 알아들으려면 전지전능한 신이라도 모셔 와야겠어."

"불경한 소리를 할 때가 아니야, 오빠…… 어머니는 오빠가 교회에 가지 않은 것만으로도 이미 기분이 안 좋으셔……."

아처는 신음을 내뱉고 다시 책으로 관심을 돌렸다.

"오빠! 잘 들어봐! 오빠 친구 올렌스카 부인이 어젯밤에 레뮤얼 스트러더스 부인의 파티에 참석했어. 공작이랑 보퍼트 씨와 함께 갔대."

동생이 전한 말 중에서 마지막 구절 때문에, 젊은이의 가슴에 까닭을 알 수 없는 분노가 차올랐다. 분노를 감추려 그는 웃음을 터뜨렸다.

"그래, 그게 어때서? 그럴 줄 알고 있었어."

제이니의 얼굴이 창백해졌고 눈이 튀어나올 듯이 커졌다.

"그럴 줄 알았는데…… 말리지 않았단 말이야? 경고도 하지 않고?"

"말린다고? 경고를 한다고?"

그는 다시 소리 내서 웃었다.

"나는 올렌스카 백작 부인과 결혼하려고 약혼한 게 아니야!"

아처 자신이 듣기에도 괴이한 말이었다.

"결혼해서 그 집안사람이 될 거잖아."

"아, 집안…… 집안이라!"

그가 비아냥거렸다.

"오빠…… 오빤 집안이 신경 쓰이지 않아?"

"눈곱만큼도."

"사촌 루이자 밴 더 라이든이 어떻게 생각할지도?"

"그건 더더욱 신경 안 써. 잔소리꾼처럼 허튼 생각을 한다고 해도."

"어머니는 잔소리꾼이 아니잖아."

여동생이 일그러진 입술로 말했다. 그는 소리쳐 대답하고 싶었다.

'아니, 어머니는 잔소리꾼이야. 밴 더 라이든 부부도 그

렇지. 우리 모두 마찬가지야. 현실의 날개 끝에 이리저리 휩쓸려 다닌다는 점에서 말이야.'

그러나 동생이 길고 온순한 얼굴을 일그러뜨리며 눈물을 흘리는 모습을 보자, 그는 쓸데없이 그 아이를 괴롭히고 있다는 생각에 부끄러워졌다.

"빌어먹을 올렌스카 백작 부인! 바보처럼 굴지 마, 제이니…… 난 그 부인의 보호자가 아니야."

"그래. 하지만 우리 모두 부인 편이 되도록 오빠가 웰랜드가에 약혼을 더 일찍 발표하자고 말한 건 사실이잖아. 그렇게 하지 않았으면 루이자 밴 더 라이든이 공작님을 위해 마련한 만찬에 부인을 초대할 일도 없었을 거야."

"그래서…… 부인을 초대하는 바람에 피해라도 입었단 말이야? 올렌스카 부인은 그 방에서 가장 매력적인 여자였어. 덕분에 밴 더 라이든가의 연회가 평소만큼 장례식 같은 분위기를 풍기지 않았지."

"친척 헨리가 오빠를 기분 좋게 해주려고 부인을 초대했다는 사실을 알잖아. 그분이 루이자를 설득한 거야. 그런데 지금은 두 분 다 무척 화가 나서 내일 스카이터클리프로 돌아가신대. 내 생각에는, 오빠, 내려가보는 게 좋겠어. 어머니가 어떤 기분인지 오빠는 모르는 모양이니까."

아처는 응접실에서 어머니를 발견했다. 아처 부인은 괴

로운 표정으로 바느질감에서 고개를 들어 올리며 물었다.

"제이니가 말했니?"

"네."

그는 어머니처럼 침착한 어조를 유지하려 애썼다.

"하지만 그렇게 심각한 문제는 아닐 겁니다."

"사촌 루이자와 헨리를 불쾌하게 만들었는데 심각하지 않다고?"

"그분들이 사소한 문제로 불쾌해하시기도 한다는 사실을 말하는 겁니다. 올렌스카 백작 부인은 그분들 생각에 저속해 보이는 여자의 집에 찾아간 것뿐이잖아요."

"'그분들 생각에'라니……!"

"네, 저속하긴 하죠. 하지만 좋은 음악을 들려주고, 온 뉴욕이 활기 없이 죽어가는 일요일 저녁마다 사람들을 즐겁게 해주잖아요."

"좋은 음악? 내가 알기로는 탁자 위에 올라서서, 네가 파리에서 찾아가는 그런 곳에서 부를 만한 노래를 불렀다더구나. 담배도 피우고 샴페인도 마시고."

"뭐…… 다른 곳에서도 그런 일은 일어나니까요. 그래도 세상은 여전히 잘 돌아갑니다."

"설마, 얘야, 진심으로 프랑스식 일요일(예배와 휴식으로 시간을 보내는 전통적인 영국식 일요일과 반대로, 산책과 가족 야유회로 일요일을 보내는 방식을 뜻한다-옮긴이)을 옹호하는 건 아니겠지?"

"런던에 있을 때도 어머니는 영국식 일요일에 대해 자주 불평하셨잖아요."

"뉴욕은 파리도, 런던도 아니다."

"아, 아니죠! 아니고말고요!"

아들이 신음하듯이 말했다.

"네 말은, 여기 사교계가 그만큼 근사하지 않다는 거냐? 아마 네 말이 맞을 거다. 하지만 우리가 속한 곳은 바로 이곳이고 여기 찾아온 사람들은 우리 방식을 존중해야 해. 엘런 올렌스카는 특히 그렇지. 근사한 사교계를 누리던 생활에서 도망쳐서 여기에 온 거니까."

아처는 대답하지 않았다. 잠시 뒤에 어머니가 조심스레 입을 열었다.

"보닛을 쓰고 너에게 저녁 식사 전에 잠깐 루이자를 만나도록 데려다달라고 할 참이었다."

그는 눈살을 찌푸렸고 아처 부인은 말을 이었다.

"네가 좀 전에 한 말을 루이자에게 설명해줄 수 있을 거라 생각했다. 외국의 사교계는 다르다고…… 사람들이 그렇게 까다롭지 않고, 올렌스카 백작 부인은 우리가 그런 행동을 어떻게 여기는 깨닫지 못한 것 같다고 말이다. 알겠지만, 네가 그렇게 해주면……."

아처 부인은 악의 없이 노련하게 덧붙였다.

"올렌스카 백작 부인에게도 도움이 될 거다."

"어머니, 우리가 이 문제와 무슨 관련이 있는지 정말 모르겠어요. 공작님이 올렌스카 부인을 스트러더스 부인 댁에 데려갔습니다. 사실은 스트러더스 부인을 대동하고 부인을 방문했죠. 그분들이 왔을 때 저도 그 자리에 있었어요. 밴 더 라이든 부부가 누군가와 싸우고 싶다면, 진짜 상대는 그 집 지붕 밑에 있단 말입니다."

"싸우다니? 뉴랜드, 우리 사촌 헨리가 싸우는 걸 본 적 있니? 게다가 공작님은 그의 손님이야. 외국인이기도 하지. 외국인은 뭐가 뭔지 분별할 줄 몰라. 어떻게 그러겠니? 올렌스카 백작 부인은 뉴욕 사람이니, 뉴욕 정서를 존중했어야 해."

"좋아요, 그래서 희생자가 꼭 필요하다면, 허락해드릴 테니 올렌스카 부인을 그들에게 던져주세요."

격분한 아들이 외쳤다.

"저도…… 그리고 어머니도…… 부인의 잘못을 속죄하려고 스스로를 희생양으로 내놓진 않을 테니까요."

"아, 당연히 너는 밍곳가 편에서 생각하겠지."

아처 부인이 자신으로서는 화를 내는 것이나 마찬가지인, 신경질적인 어조로 대답했다.

침울해 보이는 집사가 응접실 칸막이 커튼을 젖히며 보

고했다.

“밴 더 라이든 씨가 오셨습니다.”

아처 부인은 바늘을 떨어뜨리고 당황한 손길로 의자를 밀었다.

“등불을 하나 더 가져오게.”

물러가던 하인에게 부인이 외쳤고, 제이니는 몸을 굽혀 어머니의 모자를 바로잡아주었다.

밴 더 라이든 씨의 모습이 문간에 나타났고 뉴랜드 아처가 나서서 친척을 맞이했다.

“그렇지 않아도 밴 더 라이든 씨에 대해 이야기 나누던 참이었습니다.”

아처가 말했다.

밴 더 라이든 씨는 그 말에 당황한 기색이었다. 장갑을 벗어 숙녀들과 악수를 나눈 뒤, 제이니가 안락의자를 앞으로 미는 동안 실크해트를 수줍게 매만졌다. 아처가 말을 이었다.

“올렌스카 백작 부인에 대해서도 말입니다.”

아처 부인의 얼굴이 하얗게 질렸다.

“아…… 매력적인 여성이지. 지금 만나고 오는 길이라네.”

밴 더 라이든 씨가 평온하고 만족스러운 표정을 되찾으며 말했다. 그는 의자에 깊숙이 앉아 모자와 장갑을 옛날 방식대로 바로 옆 바닥에 내려놓고 말을 이었다.

"꽃꽂이 솜씨가 아주 뛰어나더군. 내가 스카이터클리프에서 카네이션을 조금 보냈는데, 깜짝 놀랐다네. 우리 수석 정원사가 하듯이 한데 모아 큰 다발로 만들지 않고, 여기저기에 대충 흩어놓았더군. 어떤 광경이었는지 표현할 수가 없어. 공작님이 나에게 말해주었지. '백작 부인이 응접실을 얼마나 솜씨 좋게 꾸몄는지 가서 보시오'라고 말이야. 그 말이 맞더군. 정말이지 루이자를 데려가서 만나게 해주고 싶었다네. 그 동네가 그렇게…… 불쾌하지만 않다면."

평소와 달리 밴 더 라이든 씨의 입에서 말이 줄줄 흘러나왔지만 그것을 맞이한 것은 죽음과도 같은 침묵이었다. 아처 부인은 바구니에 신경질적으로 쑤셔 넣었던 자수 감을 꺼냈고, 아처는 벽난로에 몸을 기댄 채 벌새 깃털로 만든 불씨 가리개를 손으로 비틀었다. 놀라서 입을 벌린 제이니의 표정이 다가오는 두 번째 등불의 불빛에 환히 드러났다.

"사실은 말이에요."

밴 더 라이든 씨는 퍼트룬의 커다란 인장 반지에 눌린 핏기 없는 손으로 긴 회색 바지를 쓰다듬으며 말을 이었다.

"사실은, 백작 부인이 내가 보낸 꽃에 대해 아주 멋진 답장을 보내서 감사 인사를 하려고 들렀던 거라오. 그리고…… 물론 이건 우리끼리니까 하는 말이지만…… 친구로서 경고를 해줄 목적도 있었지요. 백작 부인을 데리고 파티에

간 공작님의 행동을 용인한 일 때문에. 들었는지 모르겠지만……."

아처 부인은 너그러운 웃음을 지었다.

"공작님이 엘런을 파티에 데려가셨나요?"

"그런 영국의 고위 귀족들이 어떤지 알잖아요. 모두 똑같아요. 루이자와 난 친척인 공작을 무척 좋아해요. 그러나 유럽 궁정에 익숙한 사람들이 우리 공화국의 사소한 특징에 신경 써주길 기대할 수는 없는 노릇이지요. 공작님은 재미있는 곳을 찾아다니는 사람이니까."

밴 더 라이든 씨가 잠시 말을 멈추었지만 누구도 입을 열지 않았다.

"맞아요……. 어젯밤에 공작님이 백작 부인을 레뮤얼 스트러더스 부인 집에 데려갔어요. 실러턴 잭슨이 아까 우리 집에 와서 어처구니없는 이야기를 들려주고 갔는데, 루이자는 꽤나 심란해했습니다. 그래서 올렌스카 백작 부인에게 곧장 찾아가 설명하는 게 가장 좋은 방법이라고 생각했지요. 특정한 문제에 대해 뉴욕 사람들이 어떻게 느끼는지…… 다들 알겠지만, 넌지시 알려주려고 말이오. 그렇게 해도 실례가 아닐 거라는 생각이 들었소. 우리와 함께 만찬을 들었던 날 저녁에 나에게 지도를 해주면 고맙겠다는 뜻을 내비쳤으니까…… 아니, 그렇게 알려주었으니까. 그리고 실제로도 고마워하더군요."

밴 더 라이든 씨는 저속한 열정을 다 떨쳐내지 못한 이들의 얼굴에 떠올랐다면 자기만족이라고 했을 만한 표정으로 응접실을 둘러보았다. 그의 얼굴에서는 그 표정이 온화한 인정으로 나타났고 아처 부인도 예의 바르게 같은 표정을 지었다.

"두 분 다 어쩜 그렇게 친절하신가요, 헨리…… 언제나 말이에요! 두 분께서 뉴랜드의 새로운 친척들과 사랑스런 메이를 위해 해주신 일 때문에 뉴랜드가 특히 감사하게 생각할 거예요."

아처 부인은 아들에게 경고하는 시선을 보냈고 아처는 이렇게 말했다.

"정말 감사드립니다. 하지만 올렌스카 백작 부인을 좋아하실 거라고 믿었습니다."

밴 더 라이든 씨는 더없이 부드러운 표정으로 그를 바라보았다.

"뉴랜드, 나는 내가 좋아하지 않는 사람은 결코 내 집에 초대하지 않는다네. 아까 실러턴 잭슨에게도 그렇게 말해두었지."

그는 시계를 힐끔 쳐다보더니 자리에서 일어나며 덧붙였다.

"하지만 루이자가 기다릴 거야. 저녁을 일찍 먹고 공작님을 오페라하우스로 모실 예정이라서."

손님의 등 뒤로 칸막이 커튼이 엄숙하게 닫히고 난 뒤, 아처의 가족들에게 침묵이 내려앉았다.

"맙소사…… 정말 낭만적이야!"

마침내 제이니의 입에서 이 말이 폭발하듯이 터져 나왔다. 많은 부분이 생략된 그 말이 어쩌다 나왔는지 누구도 정확히 알지 못했고, 가족들은 제이니의 말을 해석하려는 노력을 오래전에 그만두었다.

아처 부인은 한숨을 내쉬며 고개를 저었다.

"결국 일이 다 잘 풀린다면 좋겠지만."

부인은 분명 그러지 않을 것임을 아는 사람처럼 말했다.

"뉴랜드, 오늘은 집에 있다가 저녁에 실러턴 잭슨 씨가 오면 네가 만나줘야 한다. 그 사람에게 뭐라고 말하면 좋을지 정말 모르겠구나."

"가여운 어머니! 하지만 그는 오지 않을 거예요……."

아들은 소리 내어 웃으며 몸을 굽히고 얼굴을 찌푸린 어머니의 이마에 입을 맞추었다.

11

2주쯤 지난 뒤, 뉴랜드 아처는 '레터블레어 램슨 앤 로' 변호사 사무실의 자기 방에서 아무 일도 하지 않고 멍하니 앉아 있다가 회사 대표의 호출을 받았다. 3대째 뉴욕 상류층의 공인된 법률 고문을 맡아온 고령의 레터블레어 씨는 당혹감이 역력한 표정으로 마호가니 책상 뒤에 왕처럼 앉아 있었다. 레터블레어 씨가 바싹 깎은 흰 구레나룻을 쓰다듬다가 불룩한 이마 위쪽의 헝클어진 은발을 한 손으로 쓸어 넘겼을 때, 불손한 후배 변호사는 그가 환자의 증상이 어떤 병 때문인지 알 수 없어 골머리를 앓는 가족 주치의와 꽤나 닮았다고 생각했다.

"선생……(그는 늘 아처를 '선생'이라고 불렀다), 작은 문제를 하나 검토해달라고 불렀네. 당분간 스킵워스 씨나 레드우드 씨에게는 언급하고 싶지 않은 문제라네."

그가 말한 두 신사는 회사의 대표 변호사들이었다. 뉴욕의 오래된 법률 회사가 늘 그렇듯이, 사무실 상호에 이름이 내걸린 대표들은 모두 오래전에 세상을 떠났다. 예를 들어 레터블레어 씨는 정확히 말하자면 상호에 적힌 레터블레어 씨의 손자였다.

그는 이마를 찡그리며 의자에 몸을 기대고 말을 이었다.

"집안 문제라서 말이야……."

아처가 고개를 들었다.

"밍곳 집안 문제라네."

레터블레어 씨가 변명하듯이 웃음을 짓고 고개를 끄덕이며 말했다.

"맨슨 밍곳 부인이 어제 나를 부르셨지. 손녀인 올렌스카 백작 부인이 남편을 상대로 이혼 소송을 제기하고 싶어 한다고. 일부 서류가 수중에 들어왔다네."

그는 말을 멈추며 손가락으로 책상을 탁탁 두드렸다.

"선생은 장차 그 집안과 친척이 될 테니, 이 이상 조처를 취하기 전에 선생과 상의하고 싶었지…… 이 사건을 함께 논의해보고 싶었다네."

아처는 관자놀이에서 펄떡거리는 맥박을 느꼈다. 지난번 방문한 뒤로 올렌스카 백작 부인을 딱 한 번 보았을 뿐이며 그것도 오페라하우스 밍곳가 박스석에서였다. 그사이에,

끈덕지게 달라붙던 엘런의 생생한 인상이 흐릿해지며 그의 눈앞에서 멀어졌고 메이 웰랜드가 정당한 자리를 되찾았다. 제이니가 처음 제멋대로 떠들어대던 때 이후로는 백작 부인의 이혼에 대한 소식을 듣지 못했고 그 이야기를 뜬소문으로 취급했다. 이론적으로, 이혼한다는 생각은 어머니 못지않게 그에게도 꺼림칙한 것이었다. 그래서 레터블레어 씨가 (분명 캐서린 맨슨 밍곳 노부인이 부추겼을 테지만) 노골적으로 그를 그 사건에 끌어들이려 하는 모습에 짜증이 났다. 어쨌거나 밍곳가에는 그 일을 떠맡을 남자들이 많았고, 그는 아직 결혼을 거쳐 밍곳가 사람이 된 것도 아니었다.

아처는 상사가 말을 계속하기를 기다렸다. 레터블레어 씨는 서랍을 열어 꾸러미를 하나 꺼냈다.

"자네가 이 서류들을 훑어보면……."

아처는 눈살을 찌푸렸다.

"죄송합니다만, 앞으로의 관계를 위해서라도 스킵워스 씨나 레드우드 씨와 상의하시는 편이 좋겠습니다."

레터블레어 씨는 놀란 표정이었고 약간 기분이 상한 듯했다. 아랫사람이 시작부터 이렇게 거절하기란 흔치 않았다.

레터블레어 씨가 고개를 숙였다.

"망설일 만하네, 선생. 그러나 이 사건은 정말이지 꽤 까다로운 문제라서 내 부탁대로 해주게. 사실 이건 내가 아니라 맨슨 밍곳 부인과 그 아드님 제안이라네. 난 러벌 밍곳을 만나고 웰랜드 부인도 만났지. 다들 자네를 거론하더군."

아처는 화가 치밀었다. 지난 2주 동안 잡다한 일들로 다소 맥없이 떠돌면서, 밍곳가 일원으로서 감당해야 하는 꽤 성가신 압박감을 메이의 아름다운 얼굴과 밝은 성격으로 떨쳐내곤 했다. 그러나 밍곳 노부인의 이런 명령으로 그는 이 가문이 미래 사위에게 무엇을 요구할 권리가 있다고 생각하는지를 깨달았다. 그는 그 역할에 짜증이 났다.

"그 숙부님들이 이 문제를 처리하셔야 합니다."

아처가 말했다.

"이미 그렇게 했네. 집안에서 이 문제를 검토했지. 그들은 백작 부인의 생각에 반대하고 있다네. 하지만 부인이 확고한 데다 법적인 견해를 들어보겠다며 고집을 부린다더군."

젊은이는 말이 없었다. 손에 든 꾸러미를 열어보지도 않았다.

"백작 부인이 재혼을 원합니까?"

"그런 것 같더군. 본인은 부인하지만."

"그렇다면……."

"아처 선생, 먼저 이 서류를 검토해주겠나? 그런 다음 이 일에 대해 논의할 때 자네에게 내 의견을 밝히겠네."

아처는 달갑지 않은 서류를 들고 마지못해 물러났다. 지난번에 만난 뒤로 올렌스카 부인이라는 무거운 짐을 벗어버리려고 반은 무의식적으로 여러 사건에 협력했다. 난롯가에서 단둘이 시간을 보내며 그들은 순간적으로 친밀감에 휩싸였지만, 세인트 오스트리 공작이 레뮤얼 스트러더스 부인과 함께 들이닥치고 백작 부인이 즐겁게 그들을 맞이하면서 그 친밀감은 하늘이 돕기라도 한 듯이 사라져버렸다. 이틀 뒤 아처는 백작 부인이 밴 더 라이든 부부의 호의를 되찾게 된 희극에 일조했다. 그리고 꽃다발을 보내는 유력한 노신사들에게 그토록 효과적으로 감사를 전할 줄 아는 숙녀라면 자기처럼 영향력이 미미한 젊은이의 사적인 위로나 공적인 변호는 필요 없을 거라고, 다소 신랄하게 중얼거렸다. 이런 관점으로 그 문제를 바라보니 자신의 상황이 단순명료해졌고 빛을 잃었던 온갖 가정적인 덕목이 놀랄 만큼 새롭게 다가왔다. 생각해낼 수 있는 그 어떤 위급 상황에서도 메이 웰랜드가 개인적인 어려움을 떠벌리고 다니거나 낯선 남자들에게 비밀을 마구 털어놓는 모습은 도무지 상상할 수가 없었다. 그다음 주에 메이는 어느 때보다도 우아하고 아름다워 보였다. 심지어 약혼 기간을 오래 유지하자는 메이의 바람에 굴복하고야 말았으니, 결혼을 서두르자는 그의 애원을 누그러뜨릴 대답 한 가지를 메이가 찾아냈기 때문이다.

"알다시피, 결정적인 문제에서 부모님은 당신이 어린아

이였을 때부터 늘 원하는 대로 하게 해주셨잖소."

그가 주장했다. 메이는 티 없이 맑은 얼굴로 대답했다.

"맞아요. 그래서 어린아이로서 부모님의 마지막 부탁이 될 청을 거절하기가 그토록 어려운 거예요."

예전부터 뉴욕 사람들이 쓰던 어조였다. 그는 자기 아내라면 그런 종류의 대답을 내놓을 수 있으리라고 늘 믿고 싶었다. 뉴욕 공기를 습관적으로 마시다 보면, 덜 맑은 공기 속에서는 질식하고 말 거라는 생각이 들기 마련이었다.

그가 물러나와 읽은 서류는 사실 내용이 많지 않았다. 그러나 그 내용만으로도 숨이 막혔고 열변이라도 토하고 싶은 심정이었다. 서류는 주로 올렌스키 백작의 변호사들과 백작 부인이 재정 문제 해결을 의뢰한 프랑스 법률 회사가 주고받은 편지들이었다. 백작이 아내에게 보낸 짧은 편지도 있었다. 그 편지를 읽은 뒤, 뉴랜드 아처는 벌떡 일어나 서류를 다시 봉투에 밀어 넣고 레터블레어 씨의 사무실로 되돌아갔다.

"편지 여기 있습니다. 원하시면 올렌스카 부인을 만나보겠습니다."

아처가 쥐어짜 낸 듯한 목소리로 말했다.

"고맙네…… 고맙네, 아처 선생. 시간 있으면 오늘 저녁에 우리 집에 와서 식사나 하지. 그 뒤에 이 문제에 대해 논의해보자고. 혹시 자네가 내일 우리 고객을 방문할 생각이라면 말일세.”

그날 오후, 뉴랜드 아처는 다시 집으로 직행했다. 지붕 위에 순수한 초승달이 떠오른, 청명한 겨울 저녁이었다. 그는 영혼의 폐를 그 순수한 빛으로 가득 채우고 저녁 식사 후에 레터블레어 씨와 밀담을 나눌 때까지는 누구와도 말을 섞고 싶지 않았다. 다른 결정을 내릴 수는 없었다. 올렌스카 부인의 비밀이 다른 사람들 눈에 드러나게 놔두느니, 직접 만나야 했다. 연민이라는 거대한 파도가 그의 냉담함과 조바심을 휩쓸어 갔다. 올렌스카 부인은 위험에 노출된 가련한 모습으로 그의 앞에 서 있었다. 운명에 맞서 미친 듯이 몸을 내던지다가 더 큰 상처를 입지 않도록 무슨 수를 써서라도 구해야 했다.

웰랜드 부인이 과거사 중에서 ‘불쾌한’ 이야기는 아예 꺼내지 말라고 했다던 그 말이 떠올랐다. 뉴욕 공기가 이토록 순수하게 유지되는 것은 어쩌면 그런 태도 때문이 아닐까, 하고 생각하며 그는 얼굴을 찌푸렸다.

‘결국 우리는 바리새인(유대교 3대 종파 중 하나인 바리새파에 속하는 사람들로, 신약성서를 보면 엄격한 율법주의, 형식주의 등으로 예수 그리스도에게서 위선자라는 비판을 받는다-옮긴이)에 불과한 것인가?’

그는 인간의 비열함에 대한 본능적인 혐오와 인간의 연

약함을 향해 느끼는 똑같이 본능적인 동정을 조화롭게 수용하려 애쓰다가 당혹감을 느꼈다. 자신이 늘 아주 단순한 원칙을 따랐다는 사실을 처음으로 깨달았다. 그는 위험을 두려워하지 않는 젊은이로 통했고, 가엾고 어리석은 솔리 러시워스 부인과의 은밀한 연애는 사실 모험하는 기분이 들 만큼 은밀하지가 않았다. 그러나 러시워스 부인은 어리석고 허영심이 강하고 천성적으로 비밀을 좋아하는 성격이어서, 그의 매력과 자질보다는 불륜이 주는 은밀함과 위태로움에 훨씬 깊이 매료되는, '그런 류의 여자'였다. 그 사실을 깨달았을 때 그는 마음이 거의 찢어졌지만, 이제는 바로 그 점이 오명을 씻어주는 요소처럼 보였다. 간단히 말해 또래 젊은이들 대부분은 통과의례처럼 그런 연애에 빠졌다가, 자신이 사랑하고 존경하는 여인과, 함께 즐기며 동정하는 대상이 하늘과 땅 차이라는 확고한 믿음을 얻고 양심의 가책 없이 그 관계에서 벗어났다. 이런 관점으로 어머니와 숙모와 다른 나이 많은 여자 친척들은 젊은이들을 부지런히 부추겼다. 그들은 모두 아처 부인처럼 '그런 일이 일어난다면', 분명 남자가 어리석은 탓이겠지만 죄를 저지른 쪽은 여자라고 믿었다. 아처가 아는 모든 노부인들은 경솔하게 사랑에 빠진 여자라면 죄다 부도덕하고 교활한 속셈을 품은 존재로 간주했고, 머리가 둔한 남자가 여자의 손아귀에 무기력하게 붙들렸을 뿐이라고 생각했다. 그 해결책이란 남자를 설득해 되도록 빨리 참한 여자와 결혼시킨 다음 그를 돌보는 일을 그 여자에게 맡기는 것뿐이었다.

아처는 복잡한 옛 유럽 사회에서는 애정 문제가 이보다 더 복잡했으며 이렇게 단순하게 분류되지는 않았으리라고 생각했다. 풍요롭고 한가하며 겉치레에 신경 쓰는 사회에서는 이런 상황이 훨씬 더 자주 발생할 것이다. 또한 천성적으로 예민하고 고고한 여성이 주변 상황 때문에 부득이하게, 완전한 무방비 상태인데다 고독한 나머지, 전통적인 기준으로는 용납되지 않는 관계에 빠져들 때도 있을 것이다.

아처는 집에 이르자마자 올렌스카 백작 부인에게 다음 날 몇 시에 방문하면 좋을지 묻는 간단한 편지를 써서 심부름꾼 소년 편으로 보냈다. 심부름꾼은 전갈을 들고 금세 돌아왔는데, 다음 날 아침에 스카이터클리프에 가서 밴 더 라이든 부부와 함께 일요일을 보낼 예정이지만 그날 저녁 식사 이후에 찾아오면 혼자 있을 것이라는 취지의 답장이었다. 답장은 날짜나 주소도 없이, 다소 지저분한 종이 반쪽에 적혀 있었으나 필체는 단단하고 자유로웠다. 엘런이 스카이터클리프의 장엄한 고독 속에서 주말을 보내다니 상상만 해도 재미있었지만, 곧이어 엘런이 '불쾌한' 것들을 철저히 회피하는 냉랭한 분위기를 다른 어느 곳보다도 바로 그곳에서 가장 강렬하게 느끼리라는 생각이 들었다.

그는 정확히 7시에 레터블레어 씨의 집에 도착했고 저녁 식사 후에 빨리 자리를 뜰 핑계가 있어 다행이라고 생각했다. 넘겨받은 서류로 의견을 이미 결정했으니 상사와 그 문제를 특별히 의논하고 싶지는 않았다. 레터블레어 씨는 홀아비였다. 그래서 그들은 단둘이 〈채텀의 죽음〉(영국에서 활동한 미국 화가 존 싱글턴 코플리의 그림-옮긴이)과 〈나폴레옹의 대관식〉(프랑스 신고전주의를 대표하는 화가 자크 루이 다비드의 그림-옮긴이) 같은 누르스름한 판화가 걸린 어둡고 허름한 방에서 푸짐하게 그리고 천천히 저녁을 먹었다. 찬장에는 세로로 홈을 새긴 셰러턴 칼집 사이에 오 브리옹(프랑스 보르도산 고급 레드와인-옮긴이) 병과 (고객이 선물한) 래닝가의 오래된 포트와인 병이 놓여 있었다. 이 와인들은 건달 같은 톰 래닝이 샌프란시스코에서 미심쩍고 수치스러운 죽음을 맞이하기 한두 해 전에 팔아치운 것이었다. 가족들에게는 와인 저장고를 팔아버린 것에 비하면 그의 죽음이 차라리 덜 망신스러운 사건이었다.

부드러운 굴 수프 다음에 청어와 오이가 나왔고 옥수수 튀김을 곁들인 어린 칠면조 구이, 건포도 젤리와 셀러리 마요네즈를 곁들인 들오리 요리가 차례로 식탁에 올랐다. 레터블레어 씨는 샌드위치와 차로 점심을 때웠기에 천천히 그리고 충분히 저녁을 먹었고 손님도 그렇게 하도록 고집했다. 마침내 마지막 절차까지 모두 마치자 식탁이 정리되었고 담배에 불이 붙었다. 레터블레어 씨는 의자에 등을 기대고 포트와인을 왼쪽으로 밀어둔 채, 뒤에 있는 석탄 난로 쪽으로 기분 좋게 등을 펴면서 말했다.

"온 집안이 이혼을 반대한다네. 내가 생각해도 당연한 일이야."

그 즉시 아처는 자신이 그 주장 반대쪽에 있다고 생각했다.

"하지만 이유가 뭡니까? 소송을 제기하면……."

"글쎄, 그게 무슨 소용일까? 부인은 여기에 있어…… 남자는 그곳에 있고. 둘 사이에는 대서양이 있지. 백작 부인은 남편이 자발적으로 돌려준 금액 외에는 자기 돈을 1달러도 되찾지 못할 거야. 저 빌어먹을 이교도식 부부 재산 계약서에 그 점이 아주 엄격하게 명시됐지. 그쪽 처리 방식을 생각하면, 올렌스키 백작은 너그럽게 행동한 셈이야. 땡전 한 푼 없이 아내를 내쫓을 수도 있었어."

아처도 그 점을 알았기에 대답하지 않았다.

레터블레어 씨가 말을 이었다.

"하지만 백작 부인은 돈을 중요하게 여기는 것 같지 않아. 그러니 가족들 말처럼 이 상태로 쭉 지내면 되지 않겠나?"

한 시간 전, 집에 돌아갔을 때 아처도 레터블레어 씨와 전적으로 같은 의견이었다. 그러나 이 이기적이고 뚱뚱하며 지독히도 무심한 노인이 그 생각을 말로 옮기자, 갑자기 불쾌한 것에 맞서 방어벽을 치는 데만 열중하는 사회의 바리새인이 말하는 목소리처럼 들렸다.

"결정은 본인이 해야지요."

"흠…… 이혼하기로 하면 그 결과가 어떨지 생각해봤나?"

"남편 편지에 담긴 협박을 말씀하시는 겁니까? 그게 무슨 영향을 미치겠습니까? 불한당 같은 자가 홧김에 막연히 비난을 퍼부었을 뿐입니다."

"그래. 하지만 정말 소송에서 변호하게 되면 불쾌한 이야기가 될 수 있지."

"불쾌하다니요……!"

아처가 폭발하듯이 외쳤다.

레터블레어 씨는 캐묻는 표정으로 눈썹을 치켜 올리며 그를 바라보았다. 아처는 머릿속에 든 생각을 설명하려 해봤자 소용없다는 사실을 깨닫고 순순히 고개를 숙였다. 그사이에 상사가 말을 이었다.

"이혼은 늘 불쾌한 일이지."

레터블레어 씨는 말없이 대답을 기다리다가 다시 입을 열었다.

"자네 생각도 그런가?"

"물론입니다."

아처가 대답했다.

"자, 그러면, 자네를 믿겠네. 밍곳 가문도 자네를 믿을 거야. 생각을 바꾸도록 힘써줄 텐가?"

아처는 머뭇거리다가 마침내 이렇게 말했다.

"올렌스카 백작 부인을 만날 때까지는 약속드릴 수 없습니다."

"아처 선생, 이해가 안 되는군. 수치스러운 이혼 소송에 시달리는 집안과 결혼하고 싶단 말인가?"

"이 문제와는 상관없는 일인 것 같습니다."

레터블레어 씨는 포트와인 잔을 내려놓고 신중하고도 걱정스러운 시선으로 젊은 동료를 응시했다.

아처는 그가 명령을 철회할 위험이 있다는 사실을 깨달았다. 이유를 분명히 알 수는 없었지만 그럴 가능성이 있다는 게 싫었다. 이미 자신에게 맡겨진 일이므로 단념할 생각은 없었다. 그 가능성을 차단하려면 밍곳가의 법적 양심인 이 상상력 없는 노인을 안심시켜야 했다.

"보고를 드릴 때까지는 당연히 단언할 수 없는 노릇입니다. 제 말씀은 올렌스카 백작 부인의 말을 듣기 전까지는 제 의견을 말씀드리지 않는 편이 좋다는 뜻이었습니다."

레터블레어 씨는 뉴욕의 가장 훌륭한 전통이라고 할 만

한 그 과도한 신중함에 만족스레 고개를 끄덕였다. 젊은이는 시계를 힐끗 보고는 약속이 있다는 핑계와 함께 작별 인사를 건넸다.

12

전통적으로 뉴욕 사람들은 7시에 저녁을 먹었다. 저녁 식사를 마치고 다른 사람의 집에 방문하는 관습은 아처 또래 젊은이들에게서 비웃음을 샀지만 여전히 널리 퍼져 있었다. 아처가 웨이벌리 플레이스에서 5번 대로를 따라 거니는 동안 긴 대로에는 인적이 드물었다. 다만 (공작을 위한 저녁 만찬이 열린) 레기 치버스가 앞에 마차들이 서 있었고 무거운 외투와 목도리로 몸을 감싼 노신사들이 이따금씩 적갈색 돌계단을 올라 가스등이 켜진 현관 안으로 사라졌다. 이렇게 아처는 워싱턴 스퀘어를 가로지르며 노신사 뒤 라크 씨가 사촌 대거넷가를 방문하는 모습을 보았고, 웨스트 19번가 모퉁이를 돌 때는 래닝 양을 방문하러 가는 게 분명한 회사 동료 스킵워스 씨를 보았다. 5번 대로를 따라 좀 더 올라가자 환한 불빛을 등지고 검게 투영된 보퍼트의 형체가 그의 집 문간에 나타나더니, 계단을 내려와 전용 사륜마차를 타고는 비밀스럽고도 짐작건대 입에 담기 망측한 목적지를 향해 달려갔다. 오페라 공연이 있는 밤이 아니었고 파티를 연 사람도 없었으니 보퍼트의 외출은 의심할 여지 없이 은밀한 것이었다. 아처는 머릿속으로 렉싱턴 가 너머에 있는 작은 집, 최근에 리본으로 장식한 창문 커튼과 꽃 상자들이 나타났고 새로 페인트칠 한 문 앞에서 패니 링 양의 샛노란 사륜마차가 대기 중인 모습이 자주 보이던 그 집이 보퍼트의 외출과 관련이 있을 거라고 생각했다.

아처 부인의 세계를 구성하는 작고 매끄러운 피라미드 너머에는 지도에 거의 나타나지 않는 동네가 있었으니, 화가와 음악가와 '글쟁이'가 거주하는 곳이었다. 이렇게 흩뿌려진 인류의 파편들은 사회 구조에 융합되고 싶어 하는 기색이 전혀 없었다. 특이하게 산다는 말을 듣기는 했지만, 대부분은 꽤 점잖았다. 그러나 그들은 남들과 어울리지 않는 것을 선호했다. 메도라 맨슨은 잘나가던 시절에 '문학 살롱'을 열었지만 문인들이 자주 드나들지 않으려 한 탓에 곧 사라지고 말았다.

다른 사람들도 같은 시도를 했다. 열정적이고 입심 좋은 어머니와 그 어머니를 닮은 단정치 못한 세 딸이 있는 블렌커가가 그러했는데, 그 집에 가면 에드윈 부스(미국 배우로 셰

익스피어 극을 공연하며 미국과 유럽 대도시를 순회했다-옮긴이), 아델리나 파티, 윌리엄 윈터(미국 연극 평론가 겸 작가-옮긴이), 셰익스피어극의 신인 배우인 조지 리그놀드(영국과 오스트레일리아에서 주로 활동한 영국 태생 배우-옮긴이)와 몇몇 잡지 편집자들과 음악·문학 비평가들을 만날 수 있었다.

아처 부인과 그 무리는 이런 사람들을 대할 때면 약간 주눅이 들었다. 그들은 기묘하고 변덕스러우며 삶이나 생각의 이면에 다른 사람은 알지 못할 것들을 가지고 있었다. 아처가 사람들은 문학과 미술을 무척 높이 평가했다. 아처 부인은 늘 자녀들에게 워싱턴 어빙(미국 소설가 겸 수필가-옮긴이)과 피츠-그린 핼럭(풍자시로 유명한 미국 시인 겸 수필가-옮긴이), 「죄인 요정」을 쓴 시인(미국 시인 조지프 로드맨 드레이크를 가리킴-옮긴이) 같은 인물들이 있어 사교계가 한층 유쾌하고 교양 있는 곳이 되었음을 알려주려 애썼다. 아처 부인의 세대에서 가장 유명한 작가들은 '신사들'이었다. 그들을 계승한 이름 없는 이들은 혹시 신사와 비슷한 분위기를 풍기더라도 그들의 출신과 외모, 머리카락, 그리고 연극 무대나 오페라와 가깝다는 점을 고려하면 뉴욕의 오랜 기준에는 맞지 않았다.

아처 부인은 이렇게 말하곤 했다.

"내가 젊었을 때, 우린 배터리에서 캐널 가 사이에 사는 사람들을 모두 알았단다. 누구인지 알 만한 사람들만 마차가 있었어. 그때는 누가 누구인지 알아보기란 식은 죽 먹기였어. 이제는 누구인지 알 수도 없고, 그러고 싶은 마음도 없다."

도덕적 편견이 없고 거의 벼락부자들만큼이나 미묘한 차이에 무관심한 캐서린 밍곳 노부인만이 그 깊은 간극을 메울 수 있었다. 그러나 부인은 책을 펴거나 그림을 보지 않았고, 음악을 좋아했지만 단지 튀일리궁에서 승승장구하던 시절에 이탈리아에서 보낸 화려한 밤을 떠올리게 해주기 때문이었다. 대담성으로는 노부인 못지않은 보퍼트가 어쩌면 뒤를 이어 양쪽의 통합을 이룰 수도 있었을 것이다. 그러나 격의 없는 사교 행사를 추진하기에는 그의 웅장한 저택과 실크 양말을 신은 하인들이 걸림돌이었다. 게다가 그는 밍곳 노부인만큼이나 예술에 무지했고 '글쟁이들'을 그저 돈을 받고 부자들에게 오락거리를 조달하는 존재로 치부했다. 그의 견해에 영향을 미칠 만큼 부유한 이들은 누구도 이의를 제기하지 않았다.

뉴랜드 아처는 기억력이 허락하는 한 아주 오래전부터 이 모든 것을 알았고 그의 세계를 구성하는 체계 일부로 받아들였다. 그는 어떤 사교계에서는 화가와 시인, 소설가, 과학자, 심지어 훌륭한 배우들이 공작만큼이나 대단한 인기를 누린다는 사실을 알았다. 가끔 (손에서 떼어놓을 수 없는 책 중 하나인 『미지의 여인에게 쓴 편지』를 쓴) 메리메(단편소설과 중편소설로 유명했던 프랑스 소설가이자 극작가, 역사가 프로스페르 메리메-옮긴이) 나 새커리, 브라우닝(영국 빅토리아 시대를 대표하는 시인 로버트 브라우닝-옮긴이) 또는 윌리엄 모리스(영국 화가이자 공예가, 시인, 사회활동가-옮긴이)에 대해 도란도란 이야기를 나누는 응접실에 살았다면 어땠을지 상상하곤 했다. 그러나 뉴욕에서는 그런 일을 상상조차 할 수 없었고 생각하는 것만으로도 물의를 빚을 만한 행위였다. 아처는 '글쟁이들'과 음악가들, 화가들 대부분과 알고 지냈다. 센추리(작가와 예술가로 구성된 뉴욕의 남성 사교 클럽으로 1847년에 창립되었다-옮긴이)나 이제 막 나타나기 시작한 음악, 연극 클럽에서 그들을 만났다. 그곳에서 만났을 때는 즐거웠지만 블렌커가에서 만났을 때는 지루했다. 그들이 포획된 희귀품처럼 주변을 지나가는 열정적이고 헤픈 여자들과 어울렸기 때문이다. 네드 윈셋과 무척 흥미진진한 대화를 나누더라도, 헤어질 때면 자신의 세계가 편협하듯이 그들의 세계도 그러하며 어느 한쪽의 세계를 넓히는 방법은 서로 자연스럽게 어우러질 만큼 비슷한 행동 방식을 갖추는 것뿐이라는 생각이 들었다.

그는 올렌스카 백작 부인이 살았고 괴로워했으며 어쩌면 은밀한 기쁨을 맛보았을 사교계 풍경을 그려보며 그런 생각을 떠올렸다. 할머니인 밍곳 노부인과 웰랜드가가, '글쟁이들'이 차지한 '보헤미안풍' 동네에 사는 것을 반대했다고 말하면서 백작 부인이 무척 즐거워하던 모습도 떠올랐다. 부인의 가문이 싫어하는 것은 위험이 아니라 가난이었다. 그러나 엘런은 그 미묘한 속뜻을 알아차리지 못하고 문학이 체면을 위태롭게 한다고 생각해서 그러는 줄로만 알았다.

백작 부인 본인은 그런 염려를 전혀 하지 않았고 응접실 여기저기 흩어진 책들은(집 안에서 응접실은 보통 책을 두기에 '부적절한' 곳으로 여겨졌다) 주로 소설이긴 했지만 폴 부르제(프랑스 시인이자 소설가, 수필가로 이디스 워튼의 친구였다-옮긴이), 위스망스(프랑스 소설가이자 미술 평론가-옮긴이), 공쿠르 형제(19세기 프랑스 형제 소설가 에드몽과 쥘 드 공쿠르. 합작 형식으로 작품을 썼다. 사후에 '공쿠르상'이 설립되었다-옮긴이) 같은 낯선 이름들로 아처의 호기심을 자극했다. 백작 부인 집으로 다가가며 이런 생각에 잠겼다가, 그는 엘런이 가치관을 특이한 방식으로 뒤집었으며, 엘런이 현재 겪는 어려움에 도움을 주려면 자신이 아는 것들과 놀랍도록 다른 환경을 염두에 두어야 한다는 사실을 다시 한번 깨달았다.

나스타시아가 수수께끼 같은 미소를 띠며 문을 열었다. 복도의 긴 의자에 검은담비 털로 안감을 댄 외투와 안쪽에 금색으로 J. B라는 글자가 박힌 광택 없는 실크로 만든 접이식 오페라 모자, 흰색 실크 목도리가 놓여 있었다. 이 사치스러운 물건들은 틀림없이 줄리어스 보퍼트의 것이었다.

아처는 화가 치밀었다. 너무 화가 난 나머지 명함에 한 마디만 휘갈겨 쓰고 돌아갈 뻔했다. 그 순간, 올렌스카 부인에게 편지를 쓸 때 지나치게 신중을 기하느라 단둘이 만나고 싶다는 말을 빠뜨렸다는 사실이 떠올랐다. 따라서 올렌스카 부인이 다른 손님에게 문을 열어주었다고 해도 잘못한 사람은 아처 자신이었다. 그는 보퍼트가 방해꾼이 된 듯한 기분을 느끼게 해서 먼저 내보내야겠다고 단단히 결심하고 응접실로 들어갔다.

은행가는 벽난로 선반에 기대 서 있었다. 선반에는 오래된 자수 덮개가 드리웠고 덮개를 고정하려 놓아둔 나뭇가지 모양 촛대에는 누르스름한 밀랍으로 만든 교회용 양초가 꽂혀 있었다. 보퍼트는 가슴을 내밀고 어깨를 벽난로 선반에 기댄 채 커다란 에나멜가죽 구두를 신은 한쪽 발로 체중을 지탱하고 있었다. 아처가 들어갔을 때 그는 웃음 띤 얼굴로 집주인을 내려다보고 있었고 백작 부인은 굴뚝과 직각으로 놓인 소파에 앉아 있었다. 소파 뒤 탁자에는 꽃들이 병풍처럼 쌓였고 올렌스카 부인은 아처가 보기에 보퍼트의 온실에서 나온 선물이 틀림없는 난초와 진달래를 배경으로 소파에 반쯤 눕듯이 기대고 있었다. 한 손으로 머리를 받치고 있었는데 소매통이 넓어 팔꿈치까지 맨살이 드러났다.

숙녀들은 저녁에 손님을 맞을 때면 대개 이른바 '수수한 만찬용 드레스'를 입었다. 몸에 꼭 맞는 갑옷처럼 고래수염을 뼈대로 삼은 비단 코르셋을 입고 목 부분을 살짝 파서 물결 같은 레이스로 채웠으며 주름 장식이 달린 꼭 끼는 소매는 에트루리아(현재 이탈리아 토스카나주에 해당하는 고대 지역 지명-옮긴이)식 금팔찌나 벨벳 끈이 보일 정도로만 손목을 드러냈다. 그러나 관습에 신경 쓰지 않는 올렌스카 부인은 턱 주변에 붉은 벨벳을 두르고 앞섶에 반질거리는 검은 모피를 댄 길고 낙낙한 옷을 입고 있었다. 아처는 지난번 파리에 갔을 때 보았던, 신진 화가 카롤루스 뒤랑(19세기부터 20세기 초까지 활동한 프랑스 화가이자 조각가-옮긴이)이 그린 초상화를 떠올렸다. 그의 그림은 살롱에 선풍을 일으켰는데, 그 초상화의 숙녀는 모피로 턱을 감싸고 이렇게 몸에 달라붙는 대담한 드레스를 입고 있었다. 후덥지근한 응접실에서 저녁에 모피를 두른다는 발상, 그리고 목도리를 두른 목과 맨살이 드러난 팔의 조합은 어딘가 삐딱하고 도발적이었다. 그러나 그 효과는 부인할 수 없을 만큼 보기 좋았다.

"저런, 스카이터클리프에서 사흘을 꼬박 지낸다고요!"

아처가 들어갔을 때 보퍼트는 큰 소리로 빈정거리듯이 말하고 있었다.

"모피 전부와 보온 물통을 가져가는 게 좋을 겁니다."

"왜요? 그 저택이 그렇게나 춥나요?"

올렌스카 부인은 아처가 당연히 입을 맞출 거라고 생각하는 듯이 묘한 태도로 그에게 왼손을 내밀었다.

"아니, 그 댁 마님이 그렇다는 겁니다."

보퍼트는 아처에게 대충 고개를 끄덕이고 말했다.

"하지만 제 생각에는 무척 친절한 분이에요. 저를 초대하려 직접 찾아오셨는걸요. 할머님은 제가 꼭 가야한다고 말씀하셨어요."

"할머님이야 당연히 그러시겠죠. 그런데 다음 일요일에 당신을 위해 소박한 굴 만찬회를 열 계획이었는데 그걸 놓치게 되다니 유감이군요. 캄파니니(이탈리아 태생 오페라 테너 가수인 이탈로 캄파니니-옮긴이)와 스칼키(이탈리아 태생 오페라 가수 소피아 스칼키. 콘트랄토, 즉 여성 목소리 중 가장 낮은 음역대를 내는 성악가였다-옮긴이)에다 유쾌한 사람들이 적잖이 참석할 텐데 말입니다."

엘런은 망설이는 표정으로 은행가에게서 아처에게로 시선을 옮겼다.

"아, 그쪽으로 마음이 끌리네요! 스트러더스 부인 댁에서 보낸 저번 저녁을 제외하고는 여기 온 뒤로 예술가를 단 한 명도 만나지 못했어요."

"어떤 종류의 예술가 말씀입니까? 제가 화가 한두 사람을 아는데 실력이 아주 뛰어납니다. 원하신다면 여기로 데려와서 소개해드리죠."

아처가 대담하게 말했다.

"화가들? 뉴욕에 화가들이 있나?"

보퍼트가 자신이 그림을 사지 않았으니 화가가 있을 리 없다는 듯한 말투로 물었다. 올렌스카 부인은 침착하게 웃음을 지으며 말했다.

"그것도 즐겁겠어요. 하지만 사실은 극작가들, 가수들, 배우들, 음악가들을 생각했답니다. 남편 집에는 늘 그런 사람들이 가득했으니까요."

백작 부인은 '남편'이라는 말을 마치 그 말에서 불길한 요소는 전혀 연상되지 않는다는 듯이, 그리고 결혼생활의 잃어버린 기쁨이 그립다는 듯한 말투로 입에 올렸다. 아처는 엘런이 평판의 위태로움을 감수하고서라도 과거와 결별하고자 하는 이런 순간에 그토록 쉽게 과거를 거론하는 게, 경솔해서인지 위선인지 알 수 없어서 당혹스러운 얼굴로 엘런을 바라보았다.

올렌스카 부인은 두 남자를 향해 말을 이었다.

"저는 정말이지 예상치 못한 일이 생기면 즐거움이 더 커진다고 생각해요. 매일 같은 사람들만 만나는 건 잘못된 선택일지도 몰라요."

"어쨌든 지독하게 따분한 일이죠. 뉴욕은 따분함으로 죽어가고 있어요."

보퍼트가 투덜거렸다.

"그런데 내가 당신을 위해 활기를 불어넣으려고 하는데 나를 저버리는군요. 자…… 잘 생각해봐요! 일요일이 마지막 기회요. 캄파니니는 다음 주면 볼티모어와 필라델피아로 떠나니까. 내 별실에는 스테인웨이 피아노가 있고, 그들이 나를 위해 밤새도록 노래를 부를 거요."

"정말 멋지네요! 생각해보고 내일 아침에 편지를 드려도 될까요?"

백작 부인은 상냥하지만 희미하게나마 거절 의사가 담긴 목소리로 말했다. 보퍼트는 분명히 그것을 느꼈지만 거절에 익숙하지 않았기에 미간을 고집스럽게 찌푸리며 부인을 빤히 바라보았다.

"지금은 왜 안 됩니까?"

"이렇게 늦은 시각에 결정하기엔 너무 중대한 문제니까요."

"지금이 늦었다고요?"

올렌스카 부인은 냉정하게 그의 시선을 마주했다.

"네. 아처 씨와 일 문제로 상담해야 한답니다."

"아."

보퍼트가 날카롭게 내뱉었다. 부인의 목소리는 간청하는 느낌이 아니었으므로 그는 어깨를 살짝 으쓱하며 평정을 되찾았고 부인의 손을 잡아 능숙하게 입을 맞추었다. 보퍼트는 문턱에서 "어이, 뉴랜드, 백작 부인이 시내에 남도록 설득할 수 있으면 자네도 그 만찬에 끼워주지" 하고 소리친 다음 거드름을 피우듯이 느릿느릿 방에서 나갔다.

잠깐 동안 아처는 레터블레어 씨가 엘런에게 자기 방문을 알린 게 틀림없다고 생각했다. 그러나 엘런이 전혀 상관없는 말을 꺼내자 생각이 바뀌었다.

"그러니까 아는 화가들이 있다는 거죠? 주변에 화가들이 사나요?"

엘런이 호기심이 가득한 눈빛으로 물었다.

"아, 그런 건 아닙니다. 여기에 화가들이 조금이라도 모여 사는 동네가 있는지는 모르겠습니다. 아마 근교에 드문드문 흩어져 살 겁니다."

"하지만 그런 걸 좋아하죠?"

"무척 좋아합니다. 파리나 런던에 있으면 전시회를 하나라도 빠뜨리지 않고 찾아갑니다. 뒤처지지 않으려고 애쓰지요."

올렌스카 부인은 주름 잡힌 치맛자락 밑으로 튀어나온 작은 공단 신발코를 내려다보았다.

"나도 예전에는 무척 좋아했어요. 삶이 그런 것들로 가득했죠. 하지만 이제는 그러지 않으려고 해요."

"그러지 않으려고 하다니요?"

"그래요. 예전 생활은 벗어던지고 이곳에 사는 다른 사람들처럼 되고 싶어요."

아처의 얼굴이 붉어졌다.

"당신은 이곳에 사는 사람들처럼 되지 않을 겁니다."

그가 말했다.

부인은 곧게 뻗은 눈썹을 살짝 치켜 올렸다.

"아, 그런 말은 하지 말아요. 내가 다르다는 걸 얼마나 싫어하는지 당신도 알면 좋을 텐데!"

부인의 얼굴에서 어느새 비극 속 가면처럼 침울한 분위기가 풍겼다. 부인은 몸을 숙여 야윈 두 손으로 무릎을 감싸며 아처에게서 시선을 돌려 어둡고 먼 곳을 바라보았다.

"그 모든 것에서 벗어나고 싶어요."

부인이 고집스레 말했다.

아처는 잠시 기다렸다가 목청을 가다듬었다.

"알아요. 레터블레어 씨가 말씀하셨습니다."

"네?"

"그래서 이렇게 찾아왔습니다. 나에게 부탁하시더군요…… 알다시피 법률 사무소에서 일합니다."

부인은 약간 놀란 표정을 지었다가 곧 눈을 빛냈다.

"그러니까 당신이 나를 위해 일을 처리해준다는 말이군요? 레터블레어 씨 대신 당신에게 이야기하면 되고요? 아,

그럼 훨씬 수월할 거예요!"

부인의 어조에 그는 감동했고 자기만족과 함께 자신감도 커졌다. 그는 부인이 그저 보퍼트를 내보내기 위해서 일 얘기를 꺼냈음을 깨달았다. 보퍼트를 쫓아냈다는 사실에 승리감을 느꼈다.

"그 이야기를 나누려고 온 겁니다."

그가 다시 말했다.

올렌스카 부인은 소파 등받이에 올린 팔에 그대로 머리를 기댄 채 대답하지 않았다. 드레스의 강렬한 붉은 빛에 묻혀 흐릿해진 것처럼 얼굴이 창백하고 어두침침했다. 문득 부인이 애처롭고 심지어는 불쌍한 사람이라는 느낌이 들었다.

'이제 엄연한 사실에 다가서게 되겠군.'

그는 이렇게 생각하며, 어머니와 그 주변 어른들을 수시로 비판했지만 자신도 그들과 똑같이 본능적으로 뒷걸음질 치고 있음을 깨달았다. 흔치 않은 상황에 대처한 경험이 거의 전무했던 것이다! 이런 상황에 관련된 용어들이 낯설었고 소설이나 연극에 나올 법한 말처럼 느껴졌다. 닥쳐올 현실을 마주하자 어린아이가 된 것처럼 어색하고 당황스러웠다.

잠시 침묵하던 올렌스카 부인이 갑자기 격렬하게 외쳤다.

"자유로워지고 싶어요! 과거를 모두 지워버리고 싶어요."

"이해합니다."

엘런의 얼굴이 부드러워졌다.

"그럼 나를 도와줄 거죠?"

그는 머뭇거렸다.

"우선…… 좀 더 알아야 할 것 같습니다."

엘런이 놀란 표정을 지었다.

"내 남편이 어떤지…… 그 사람과 보낸 결혼생활이 어땠는지 알잖아요?"

그는 몸짓으로 동의했다.

"그럼…… 그렇다면…… 더 알아야 할 것이 있나요? 이 나라에서는 그런 행위를 용인하나요? 난 개신교도예요…… 개신교에서는 이혼을 금하지 않아요."

"물론 그렇습니다."

두 사람은 다시 입을 다물었다. 아처는 올렌스키 백작의 편지라는 망령이 소름끼치는 표정으로 얼굴을 찡그린 채 둘 사이에 도사리고 있다는 느낌이 들었다. 백작의 편지는 고작 반쪽 분량이었고 레터블레어 씨와 이야기를 나눌 때 자신이 묘사했듯이 불한당이 홧김에 막연하게 퍼부은 비난에 불과했다. 그러나 그 너머에 얼마나 많은 진실이 있을까? 올렌스키 백작의 아내만이 알 수 있을 것이다.

"당신이 레터블레어 씨에게 준 문서들을 모두 살펴보았습니다."

마침내 아처가 입을 열었다.

"그럼…… 그보다 더 추악한 것이 있을까요?"

"없지요."

엘런은 자세를 살짝 바꾸며 손을 들어 올려 눈을 가렸다.

아처가 말을 이었다.

"당연히 아시겠지만, 남편이 소송에 맞서기로 하면…… 그가 협박한 대로……."

"그러면요……?"

"이런저런 말을…… 그러니까 불쾌, 아니 당신이 싫어할 이야기를 꺼낼지도 모릅니다. 공개적으로 그런 이야기를 꺼내면 소문이 퍼져서 당신에게 피해를 줄 수도 있어요. 설령……."

"설령……?"

"그러니까, 제아무리 근거 없는 이야기라고 해도 말입니다."

엘런은 한동안 침묵을 지켰다. 침묵은 무척 길었다. 아처는 엘런의 그늘진 얼굴을 계속 바라보고 싶지 않아서 엘런이 무릎에 얹은 다른 손의 정확한 생김새와 넷째 손가락과 새끼손가락에 낀 반지 세 개의 상세한 특징을 머리에 새겨 넣었다. 반지 중에 결혼반지가 보이지 않는다는 사실을 그는 알아차렸다.

"그 사람이 공개적으로 그런 말을 하더라도, 그런 비난이 여기 있는 나에게 무슨 해를 끼칠 수 있겠어요?"

아처는 하마터면 '불쌍한 사람…… 그 어느 곳보다도 바로 여기에서 훨씬 심각한 해를 끼칠 거요!'라고 외칠 뻔했다. 대신 그는 자기가 듣기에도 레터블레어 씨 같은 목소리로 대답했다.

"뉴욕 사교계는 당신이 살았던 곳에 비해 아주 작은 세상입니다. 그리고 겉보기와 달리 소수가 지배합니다…… 그러니까, 사고방식이 꽤 보수적인 사람들 말입니다."

엘런이 아무 말도 하지 않았기에 아처는 말을 이었다.

"결혼과 이혼에 대한 생각이 특히 보수적이에요. 이 나라 법률은 이혼을 지지하지만…… 사회 관습은 그렇지 않습니다.

"절대 용인하지 않나요?"

"그게…… 여성이 제아무리 큰 상처를 받았고 제아무리 흠잡을 데 없어도, 형세가 조금이라도 불리하다면, 관습에 얽매이지 않은 행동으로…… 불쾌감을 초래하는 일에 연루되는 모습을 보인다면 용인하지 못합니다."

엘런은 고개를 좀 더 낮게 숙였다. 아처는 엘런이 분노를 터뜨리거나 거부를 뜻하는 짧은 비명이라도 지르기를 간절히 바라며 다시금 기다렸다. 어떤 반응도 없었다.

엘런 곁에 놓인 작은 여행용 시계가 재촉하듯이 똑딱거

렸고 장작이 둘로 쪼개지며 불티가 마구 튀어 올랐다. 방 전체가 숨죽인 채 생각에 잠겨, 아처와 함께 조용히 기다리는 듯했다.

"맞아요."

마침내 엘런이 중얼거렸다.

"집안에서 나에게 하는 말이 바로 그거예요."

아처는 약간 움찔했다.

"당연히……,"

"우리 집안이군요."

엘런이 말을 바로잡았고, 아처는 얼굴을 붉혔다.

"당신도 곧 내 사촌이 될 테니까요."

엘런이 온화하게 말을 이었다.

"그렇게 되길 바랍니다."

"그럼 당신도 그분들과 같은 생각인가요?"

그 말에 아처는 일어서서 낡은 빨간색 다마스크 천 앞에 걸린 그림 하나를 공허한 눈빛으로 바라보며 응접실 안을 서성거렸다. 그러다가 머뭇거리며 백작 부인 곁으로 돌아왔다. '그래요. 당신 남편이 암시한 내용이 사실이거나, 당신이 그 말을 반박할 방법이 없다면'이라고, 어떻게 말할 수 있겠는가?

그가 입을 열려는 순간 엘런이 불쑥 끼어들었다.

"진심이 어떠냐는 말이에요……."

그는 난롯불을 내려다보았다.

"그렇다면, 진심으로 드리는 말씀입니다만…… 지저분한 이야기가 쏟아져나올지도 모르는데, 아니 분명 그럴 텐데 그걸 상쇄할 만한 이익이 뭐란 말입니까?"

"하지만 내 자유는…… 그건 아무것도 아닌가요?"

그 순간 그 편지에 담긴 비난이 사실이며 엘런이 공범과 결혼하고 싶어 한다는 생각이 그의 머리를 스쳤다. 정말 그런 계획을 품고 있다면, 미국 법이 가차 없이 저지하리란 사실을 엘런에게 어떻게 말해줘야 한단 말인가? 그런 생각이 엘런의 머릿속에 있을지 모른다는 의심만으로도 엘런을 대하는 태도가 매몰차고 조급해졌다.

"하지만 당신은 지금도 공기처럼 자유롭지 않습니까?"

아처가 대꾸했다.

"누가 당신을 건드릴 수 있겠습니까? 레터블레어 씨 말씀으로는 재정적인 문제도 해결됐고……."

"아, 그렇죠."

엘런이 냉담하게 말했다.

"음, 그렇다면, 끝없이 불쾌하고 고통스러울지도 모르는데 위험을 무릅쓸 가치가 있을까요? 신문들을 생각해봐요…… 그 비열함을! 죄다 어리석고 편협하고 부당하지요…… 하지만 누구도 사회를 뜯어고칠 수는 없습니다."

"맞아요."

엘런이 수긍했다. 목소리가 몹시 희미하고 쓸쓸해서 갑자기 아처는 자기 의견을 너무 강경하게 내세웠다는 자책감에 사로잡혔다.

"그때, 개인은 십중팔구 집단의 이익이라고 여겨지는 것에 희생되고 맙니다. 사람들은 가족을 결속해주고 자녀를 보호해주는 관습이 있다면, 그게 뭐든 집착하니까요."

그는 엘런의 침묵으로 적나라하게 드러나버린 것만 같은 추한 현실을 어떻게든 감추고 싶어, 입에서 나오는 대로 온갖 진부한 문구를 마구 내뱉으며 횡설수설했다. 말하고 싶지 않은 건지 아니면 말할 수가 없는 건지, 경직된 분위기를 풀어줄 말이 백작 부인 입에서 한마디도 나오지 않았으므로, 아처는 자신이 비밀을 파고들려고 한다는 인상을 주지 않기만을 빌었다. 자신이 치료할 수 없는 상처를 위태롭게 파헤치느니, 신중한 뉴욕 사람들의 오랜 방식대로 피상적인 태도를 유지하는 편이 나았다.

그가 말을 이었다.

"알다시피 당신이 당신을 가장 아끼는 사람들처럼 이 문제를 바라보도록 돕는 게 내 일입니다. 밍곳가와 웰랜드가, 밴 더 라이든가와 당신의 모든 친구, 친척들 말입니다. 그 사람들이 이런 문제를 어떻게 판단하는지 내가 당신에게 정직하게 알려주지 않는다면, 공정하지 못한 행동일 겁니다. 그렇지 않습니까?"

그는 이 지루한 침묵을 은폐하려는 간절한 마음으로 엘런에게 거의 애원하다시피 끈질기게 말했다.

"그래요, 공정하지 않죠."

엘런이 느릿느릿 대답했다.

타오르던 장작이 허물어져 재로 변했고 램프 하나가 관심을 달라는 듯이 꾸르륵 소리를 냈다. 올렌스카 부인은 자리에서 일어나 램프의 태엽을 감고 난롯가로 돌아왔지만, 다시 소파에 앉지는 않았다.

"좋아요. 당신 뜻대로 할게요."

엘런이 불쑥 말했다. 그의 이마로 피가 몰렸다. 그는 갑작스런 굴복에 깜짝 놀라, 어색하게 엘런의 두 손을 잡았다.

"나는…… 나는 당신을 돕고 싶습니다."

그가 말했다.

"이미 돕고 있는걸요. 잘 가요, 사촌."

그는 허리를 굽혀 엘런의 손에 입술을 댔다. 엘런의 손은 차갑고 생기가 없었다. 엘런이 손을 거두자 그는 문으로 발길을 돌려 복도의 희미한 가스등 아래서 외투와 모자를 찾았다. 그리고 말 더듬는 이들의 뒤늦은 웅변으로 가득한 것만 같은 겨울밤으로 뛰어들었다.

13

그날 밤, 월랙 극장에는 인파가 넘쳤다.

연극은 디온 부시코(아일랜드 태생 미국 극작가이자 배우로 19세기 후반 미국에서 큰 인기를 끌었다-옮긴이)가 주인공을 맡고 해리 몬터규(영국 태생 미국 배우로 본명은 헨리 제임스 몬터규-옮긴이)와 에이다 다이어스(아일랜드 태생 배우-옮긴이)가 연인으로 출연한 〈방랑자〉였다. 이 훌륭한 영국 극단은 인기 절정이었기에, 〈방랑자〉 상연 때마다 극장이 만원이었다. 맨 위층 관객들은 열광을 감추지 않았고 무대 앞 1등석과 박스석에 앉은 관객들은 진부한 감성과 작위적인 상황에 웃음을 머금고 위층 관객들만큼이나 즐겁게 관람했다.

특히 1층부터 꼭대기 층에 이르기까지 온 극장의 관심을 사로잡은 장면이 하나 있었다. 해리 몬터규가 다이어스 양과 대사도 거의 없이 슬프게 헤어진 뒤, 작별을 고하고 자리를 뜨려 몸을 돌리는 장면이었다. 벽난로 근처에 서서 난롯불을 내려다보는 다이어스는 멋들어진 고리 장식이나 테두리 장식 없이, 큰 키에 맞게 발치까지 치렁치렁 내려온 회색 캐시미어 드레스를 입고 있었다. 폭이 좁은 검정색 벨벳 리본을 목에 두르고 그 리본 양 끝을 등에 늘어뜨린 모습이었다.

구혼자가 몸을 돌리자, 다이어스 양은 벽난로 선반에 두 팔을 얹고 손에 얼굴을 묻었다. 남자는 문지방에서 걸음을 멈추고 다이어스 양을 바라보았다. 그러다가 살며시 되돌아가 벨벳 리본 한쪽 끝을 들어 올려 입을 맞춘 다음 방에서 나갔는데, 다이어스 양은 그의 기척을 듣지 못했고 자세를 바꾸지도 않았다. 그리고 이 고요한 이별 장면에서 막이 내려왔다.

뉴랜드 아처가 〈방랑자〉를 보러 가는 이유는 늘 바로 이 특별한 장면 때문이었다. 그는 몬터규와 에이다 다이어스의 이별 장면이 파리에서 본 크루아제트와 브레상(프랑스 코메디 프랑세즈 극단 단원인 배우 소피 크루아제트와 장 밥티스트 브레상-옮긴이)의 공연이나 런던에서 본 매지 로버트슨과 켄달(19세기 후반 영국에서 활동한 유명한 부부 배우-옮긴이)의 연기만큼이나 훌륭하다고 생각했다. 그 조심스러운 침묵과 묵묵한 슬픔은 아주 유명한 연극조의 장광설보다도 더 큰 감동을 주었다.

바로 이날 저녁에는 그 짧은 장면을 보자, 이유를 댈 수는 없었지만 일주일인가 열흘 전쯤 올렌스카 부인과 은밀한 이야기를 나누고 작별하던 순간이 떠올라 아처는 더욱 가슴이 저릿했다.

그 두 상황에서 비슷한 점을 찾기란 등장인물들 외모에서 닮은 데를 찾는 것만큼이나 어려울 터였다. 뉴랜드 아처는 젊은 영국 배우의 낭만적이고 잘생긴 외모와 눈곱만큼도 닮았다고 할 수 없었고, 우람하고 키가 크며 머리카락이 붉은 다이어스 양은 창백하고 호감을 주지만 못생긴 얼굴이 엘런 올렌스카의 생기발랄한 얼굴과는 딴판이었다. 아처와 올렌스카 부인은 가슴 아픈 침묵 속에서 헤어지는 연인도 아니었다. 그들은 의뢰인과 변호사로, 변호사에게는 의뢰인의 사례가 그야말로 최악이라는 인상을 남긴 대화를 나누고 헤어졌다. 그렇다면 어디에 닮은 점이 있기에 이 젊은이의 가슴이 추억을 회상하는 듯한 설렘으로 뛰었단 말인가? 반복되는 일상적인 경험 바깥에서 비극적이고 감동적인 일이 일어날 수 있다고 암시하는 올렌스카 부인의 신비스러운 능력 때문인 듯했다. 엘런은 그런 인상을 주는 말을 한마디도 하지 않았지만, 신비스럽고 이국적인 배경이 투영된 것이건, 혹은 엘런이 타고난 극적이고 열정적이며 독특한 기질에서 나온 것이건, 그 능력은 엘런의 일부였다. 아처는 늘 인간의 운명을 형성하는 데에 있어, 어떤 일이 일어나게 하는 타고난 성향에 비하면 우연과 환경은 사소한 역할만 할 뿐이라고 생각하는 편이었다. 그는 올렌스카 부인에게서 처음부터 그런 성향을 느꼈다. 그가 보기에 조용하고 거의 수동적인 이 젊은 여인은 아무리 뒷걸음질 치고 애써 피하려 해도 반드시 그런 일들을 겪고야 마는, 바로 그런 종류의 사람이었다. 흥미로운 사실은 엘런이 극적인 사건으로 가득한 환경에서 살아왔기에 그런 사건을 유발하는 엘런 자신의 성향은 분명 눈에 띄지 않고 넘어갔으리란 점이었다. 이상할 정도로 놀라는 법이 없는 그 모습 때문에, 그는 엘런이 격심한 소용돌이 속에 있다가 빠져나왔다고 느꼈다. 엘런이 당연하게 받아들이는 것들을 보면 그동안 무엇에 저항해왔는지를 짐작할 수 있었다.

아처는 엘런의 집을 나설 때 올렌스키 백작의 비난이 사실무근이라고 확신했다. 백작 부인의 과거에 '비서'로 등장하는 그 수수께끼 같은 인물은 아마 엘런의 탈출을 도우며 자기 몫의 보상을 받았을 것이다. 엘런은 도저히 견딜 수 없고 말로 표현할 수도 없으며 믿기지 않는 상황에서 달아났다. 엘런은 젊었고 겁에 질렸으며 필사적이었다. 자신을 구해준 이에게 고마움을 느끼는 것이야말로 자연스러운 일이 아닌가? 안타깝게도 고마워하는 엘런의 마음 때문에 법이나 세상은 엘런을 그 가증스러운 남편과 똑같이 바라보았다. 아처는 자신이 해야 할 일이었기에 그 점을 엘런에게 이해시켰다. 또한 올렌스카 부인은 이곳에서 더 큰 관대함을 기대했겠지만 순진하고 다정한 뉴욕이야말로 그 어디보다도 관용을 바랄 수 없는 곳임을 엘런에게 이해시켰다.

이런 사실을 분명히 알려주고 엘런이 체념하며 받아들이는 모습을 눈앞에서 바라보는 것은 그에게 참기 어려울 만큼 고통스러운 일이었다. 아처는 마치 엘런이 말없이 과오를 시인해 초라하지만 사랑스러운 모습으로 그의 처분을 기다리는 듯, 질투와 동정이 뒤섞인 모호한 감정에 휩싸여 엘런에게 끌림을 느꼈다. 엘런이 냉정하고 철저하게 조사하는 레터블레어 씨나 당혹스러운 눈으로 바라볼 가족이 아니라 자기에게 비밀을 털어놓았다는 사실이 기뻤다. 그는 즉시 양측에 엘런이 이혼 절차를 진행해도 소용없음을 이해했고, 따라서 이혼하려던 생각을 확실히 접었다고 직접 전했다. 그들은 모두 깊이 안도하며 엘런 탓에 겪을 뻔했던 '불쾌함'에서 시선을 돌렸다.

"뉴랜드가 잘 처리할 줄 알았어."

웰랜드 부인은 장래 사위에 대해 자랑스럽게 말했다. 은밀히 이야기를 나누려 그를 부른 밍곳 노부인은 빈틈없는 일처리 솜씨를 칭찬하며 짜증스럽게 덧붙였다.

"어리석은 숙맥 같으니라고! 그게 얼마나 터무니없는

생각인지 내가 그 아이에게 직접 말했다네. 기혼에 백작 부인으로 사는 행운이 제 것인데 다시 엘런 밍곳이 돼서 노처녀라 불리며 살고 싶어하다니!"

이런 일들 때문에 올렌스카 부인과 마지막에 나눈 대화가 이 젊은이의 마음에 생생히 간직되었고, 두 배우의 이별 장면에서 막이 내릴 때 그의 눈에는 눈물이 가득했다. 그는 극장을 떠나려고 일어섰다.

극장을 나오면서 그는 극장 옆쪽을 뒤돌아보았고 자신이 생각하던 여인이 보퍼트 부부와 로런스 레퍼츠와 다른 신사 한두 명과 앉은 모습을 발견했다. 함께 보낸 그날 저녁 이후로 단둘이 이야기 나눠본 적이 없었고 올렌스카 부인과 함께 있는 상황을 피하려 애썼다. 그러나 지금은 눈이 마주친 데다 동시에 보퍼트 부인이 그를 알아보고 이쪽으로 오라는 듯 힘없이 손짓했기에, 그 박스석에 들어서지 않을 수가 없었다.

보퍼트와 레퍼츠가 길을 터주었다. 대화에는 관심이 없고 아름답게 보이기를 더 좋아하는 보퍼트 부인과 몇 마디 나눈 뒤, 그는 올렌스카 부인 뒤에 앉았다. 그 박스석에서 말을 하는 사람은 실러턴 잭슨 씨뿐이었는데, 그는 레뮤얼 스트러더스 부인이 지난 일요일에 연 연회에 대한 이야기를(몇몇 사람들의 말에 따르면 그 연회에서는 춤도 선보였다고 한다) 보퍼트 부인에게 은밀하고 나지막하게 들려주고 있었다. 보퍼트 부인은 완벽한 미소를 머금고 극장 1층 앞자리에서 자기 옆모습이 보이도록 직각으로 고개를 돌린 채 귀를 기울였고 연회에 대한 상세한 설명이 들려오는 순간을 틈타, 올렌스카 부인이 아처를 보며 낮은 목소리로 입을 열었다.

"내일 아침에 저 남자가 여자에게 노란 장미 한 다발을 보낼까요?"

엘런은 무대 쪽으로 시선을 던지며 이렇게 물었다.

아처의 얼굴이 붉어졌고 놀란 심장이 쿵쾅거렸다. 그는 올렌스카 부인을 고작 두 번 방문했을 뿐인데 그때마다 노란 장미가 담긴 상자를 보냈으나 명함은 넣지 않았다. 그때까지 엘런이 간접적으로도 그 꽃을 언급한 적이 없었기에 그가 보냈다고 생각하지 않는 줄만 알았다. 지금 엘런이 갑작스레 그 선물에 대해 아는 티를 내며 그것을 무대 위 애정 어린 작별과 연결하자, 출렁이는 기쁨이 마음에 차올랐다.

"나도 그런 생각을 하고 있었습니다…… 그 장면을 마음에 품고 극장을 나서려던 참이었지요."

그가 말했다.

놀랍게도 엘런의 얼굴이 주춤거리듯이 어스름하게 붉어졌다. 엘런은 장갑을 낀 매끈한 손에 든 자개 오페라글라스를 내려다보며 잠시 뜸을 들이다가 말했다.

"메이가 없을 때는 뭘 하나요?"

"일에 전념합니다."

그는 그 질문에 희미한 불쾌감을 느끼며 대답했다.

오랜 습관에 따라, 웰랜드가는 지난주에 세인트오거스틴(미국 플로리다주 북동부에 위치한 도시로 인기 있는 휴양지다-옮긴이)으로 떠났다. 민감하다고 여겨지는 웰랜드 씨의 기관지를 생각해, 그들은 늘 겨울 후반부를 그곳에서 보냈다. 웰랜드 씨는 온화하고 과묵한 남자로, 의견을 내세우는 법은 없었으나 지켜야 하는 습관은 여러 가지였다. 무엇도 그 습관을 방해하지 못했다. 그중 하나가 아내와 딸을 동반하고 매년 남쪽으로 여행을 떠나는 것이었다. 마음의 평화를 위해 그는 반드시 가정생활을 고스란히 유지해야만 했다. 웰랜드 부인이 옆에서 말해주지 않았다면 머리빗이 어디 있는지, 편지에 붙일 우표를 어떻게 구해야 하는지 알지 못했을 것이다.

가족들은 모두 서로를 무척 좋아했고 웰랜드 씨가 숭배의 중심이었기에, 웰랜드 부인과 메이는 세인트오거스틴으로 그를 혼자 보낸다는 생각을 해본 적이 없었다. 두 아들은 모두 법조계에서 일했고 겨울에는 뉴욕을 떠날 수가 없었으므로 늘 부활절 기간에 합류했다가 그와 함께 뉴욕으로 돌아왔다.

아처는 메이가 아버지와 반드시 동행해야 하느냐는 문

제를 두고 왈가왈부할 수 없었다. 밍곳가 주치의는 웰랜드 씨가 한 번도 앓지 않은 폐렴 분야에서 주로 명성을 떨쳤고 따라서 세인트오거스틴에 가야 한다는 의사의 주장을 누구도 꺾을 수 없었다. 원래는 메이가 플로리다에서 돌아온 뒤에 약혼을 발표할 예정이었지만, 더 일찍 발표했다고 해서 웰랜드 씨의 계획이 변경될 리는 없었다. 아처는 메이의 가족과 합류해 몇 주간 약혼자와 함께 햇빛과 뱃놀이를 즐기고 싶었다. 그러나 그도 관습과 관행에 얽매인 몸이었다. 직무가 그리 고되지 않다고 해도, 한겨울에 휴가를 신청했다면 밍곳 가문 전체가 그를 경솔한 사람으로 낙인찍었을 것이다. 그는 체념이야말로 결혼생활의 주된 구성 요소 중 하나라고 여기며, 체념하는 태도로 메이가 떠나는 것을 받아들였다.

아처는 올렌스카 부인이 눈을 내리깐 채 그를 바라보고 있음을 깨달았다.

"당신이 바라는 대로 했어요…… 당신이 조언한 대로."

엘런이 불쑥 말했다.

"아…… 다행입니다."

그는 이런 순간에 그 이야기가 나오자 당황하며 대답했다.

"나도 알아요…… 당신 말이 옳다는 걸."

엘런은 약간 숨 가쁘게 말을 이었다.

"하지만 가끔은 산다는 게 어려워요…… 당혹스럽고……."

"그렇죠."

"당신 말이 옳았다는 걸 나도 잘 안다고 말해주고 싶었어요. 고맙다는 말도."

엘런은 오페라글라스를 재빨리 들어 눈에 대면서 말을 맺었다. 박스석 문이 열리고 보퍼트의 우렁찬 목소리가 그들 사이에 끼어들었기 때문이다.

아처는 자리에서 일어나 박스석을 벗어난 뒤 극장을 떠났다.

바로 전날 메이 웰랜드의 편지를 받았는데, 거기에는 그들이 없는 동안 '엘런을 친절하게 대해달라'는 부탁이 특유의 솔직한 어투로 쓰여 있었다.

> 엘런은 당신을 좋아하고 무척 존경해요…… 그리고 알다시피, 내색하진 않지만 아직 몹시 외롭고 불행하답니다. 내 생각에 할머니는 엘런을 이해하지 못하고, 러벨 밍곳 삼촌도 마찬가지예요. 그분들은 엘런이 실제보다 훨씬 더 세속적이고 사교계를 좋아한다고 생각하시죠. 가족들은 인정하지 않겠지만 뉴욕이 분명 엘런에게 지루하게 느껴지리란 사실을 나는 알 수 있어요. 엘런은 우리에겐 없는 수많은 것들에 익숙해졌을 테니까요. 멋진 음악과 그림 전시회, 유명인사들…… 화가와 작가와 당신이 존경하는 온갖 똑똑한

사람들 말이에요. 할머니는 엘런이 각종 만찬과 옷 이상을 원한다는 걸 이해하지 못해요. 하지만 내가 보기에 뉴욕에서 엘런이 정말 좋아하는 것에 대해 함께 이야기를 나눌 사람은 거의 당신뿐이에요.

현명한 나의 메이…… 그런 편지를 보낸 메이가 얼마나 사랑스럽던지! 그러나 그는 편지 내용에 따라 행동할 생각이 없었다. 우선 너무 바빴고 약혼한 남자로서 너무 눈에 띄게 올렌스카 부인의 옹호자 역할을 맡고 싶지 않았다. 그가 생각하기에 올렌스카 부인은 순진한 메이가 짐작하는 것보다 자기를 돌보는 법을 훨씬 더 잘 알았다. 엘런 올렌스카의 발치에는 보퍼트가 있었고 밴 더 라이든 씨가 수호신처럼 그 위에서 맴돌았으며, (로런스 레퍼츠 같은) 수많은 후보들이 그 중간에서 기회를 기다리고 있었다. 그러나 엘런 올렌스카를 볼 때나 함께 대화를 나눌 때면, 어쨌거나 메이의 순진함이 거의 예언의 재능이나 다름없다는 느낌을 떨칠 수가 없었다. 엘런 올렌스카는 외로웠고 불행했다.

14

밖으로 나오던 아처는 로비에서 친구 네드 윈셋과 마주쳤다. 제이니가 소위 '똑똑한 사람들'이라고 부르는 그의 친구들 중에서, 아처가 클럽과 음식점에서 주고받는 수준의 농담을 넘어 더 깊은 이야기를 나누고 싶은 상대는 네드 윈셋뿐이었다.

극장 저편에서 낡은 옷을 걸친 윈셋의 굽은 등을 발견한 순간, 아처는 윈셋의 시선이 보퍼트의 박스석을 향하고 있음을 곧바로 눈치챘다. 악수를 나눈 뒤에 윈셋이 모퉁이 근처에 있는 작은 독일식 식당에서 흑맥주나 한잔하자고 말했다. 아처는 그런 곳에서 평소 같은 대화를 나눌 기분이 아닌 터라 집에 가서 처리할 일이 있다는 핑계로 거절했다. 윈셋이 말했다.

"아, 그 문제라면 나도 마찬가지야. 나도 '근면한 견습생'(영국 화가 윌리엄 호가스의 연작 판화 〈근면과 게으름〉에 등장하는 주인공

중 하나-옮긴이)이 될 생각이라네."

두 사람은 함께 거닐었고, 이내 윈셋이 말했다.

"이보게, 내가 진짜 궁금한 건 자네의 그 근사한 박스석에 있던 검은 옷 숙녀의 이름일세. 보퍼트 부부와 함께 있지 않았나? 자네 친구 레퍼츠가 홀딱 반한 표정으로 바라보던 그 숙녀 말이야."

이유는 알 수 없었지만 아처는 약간 짜증이 났다. 대체 네드 윈셋이 왜 엘런 올렌스카의 이름을 궁금해한단 말인가? 무엇보다도, 그 이름을 왜 레퍼츠의 이름 옆에 붙인단 말인가? 그런 호기심을 노골적으로 드러내다니, 윈셋답지 않았다. 그러나 아처는 그가 어쨌든 기자라는 사실을 떠올렸다.

"인터뷰할 생각은 아니겠지?"

그가 웃음을 터뜨렸다.

"글쎄…… 기사로 낼 건 아니야. 그냥 내가 궁금해서 그런다네."

윈셋이 대꾸했다.

"실은 그 숙녀가 우리 동네에 살더군…… 그런 미인이 자리 잡기엔 기묘한 동네인데 말이야…… 또 아들 녀석이 고양이를 쫓다가 그 집 근처에서 넘어져 상처가 심하게 났는데 무척 친절하게 대해줬다는군. 맨머릿바람으로 뛰어나와서 아이를 안고 집으로 들어가 무릎에 아주 멋지게 붕대를 감아

줬는데, 어찌나 인정 많고 아름답던지 내 아내가 넋이 나가 이름을 묻질 못했다는 거야."

기분 좋은 만족감이 아처의 가슴에 번졌다. 그 이야기에 특별한 점은 없었다. 어떤 여자라도 이웃 아이에게 그 정도는 해주었을 것이다. 그러나 맨머릿바람으로 뛰어나와 아이를 안고 들어가다니, 그리고 가여운 윈셋 부인이 이름 묻는 걸 잊어버릴 만큼 넋을 빼놓다니, 정말 엘런답다고 그는 생각했다.

"올렌스카 백작 부인이야. 밍곳 노부인의 손녀라네."

"휴우…… 백작 부인이라."

네드 윈셋이 휘파람을 불었다.

"거 참, 백작 부인이 그렇게 싹싹할 줄이야. 밍곳가 사람들은 그렇지 않잖아."

"자네가 기회만 주면 그럴 거야."

"아, 그거야……."

사교계에 드나들기를 완고하게 거부하는 '똑똑한 사람들'의 성향에 대해 두 사람은 오래전부터 꾸준히 논쟁을 벌여왔고, 둘 다 그 논쟁을 길게 끌어봐야 소용없다는 사실을 알았다.

윈셋이 논쟁을 멈추고 말했다.

"백작 부인이 어쩌다 우리 동네 같은 빈민가에 살게 됐지?"

"자기가 어디에 살건 전혀 개의치 않기 때문이지. 우리의 사소한 사회적 푯말 같은 것도."

아처는 올렌스카 부인에 대한 자신의 묘사에 은근히 자부심을 느끼며 말했다.

"흠…… 큰물에서 살다 오셨단 말씀이군. 자, 난 이쪽으로 가야 해."

윈셋이 말했다.

그는 구부정한 자세로 브로드웨이를 가로질러 건넜고 아처는 자리에 서서 친구의 뒷모습을 바라보며 마지막 말을 곱씹었다.

네드 윈셋에게는 그렇게 번뜩이는 통찰력이 있었다. 그 점이 가장 흥미로운 특징이었고, 아처는 윈셋이 그런 통찰력을 갖고도 대부분 남자라면 아직 기를 쓰고 노력할 나이에 왜 그토록 무심하게 실패를 받아들이는지 늘 의아할 따름이었다.

아처는 윈셋에게 아내와 아이가 있다는 사실은 알았지만 만난 적은 없었다. 두 사람은 늘 센추리 아니면 윈셋이 흑맥주를 마시러 가자고 했던 식당처럼 기자와 연극 관계자들이 자주 드나드는 장소에서 만났다. 그는 아처에게 자기 아내가 아프다고 말했다. 그 말은 사실일지도 모르지만 그 가여운 부인에게 사교적 재능과 야회복 중 하나가 없다거나 둘

다 없다는 뜻일지도 몰랐다. 윈셋 본인은 사교적 관습을 맹렬하게 혐오했다. 아처는 더 깔끔하고 편안하다는 생각에 저녁에도 정장을 차려입었고, 예산이 많지 않은 형편이라면 그 깔끔함과 편안함이 가장 값비싼 항목이라는 사실을 굳이 떠올려본 적이 없었기에 윈셋의 태도를 지긋지긋한 '보헤미안적' 태도의 일부로 간주했다. 상류층 사람들은 생색내지 않고 조용히 옷을 갈아입으며 하인을 몇이나 거느리고 있는지 끝없이 떠벌리지도 않는데 그렇게 보헤미안적 태도를 취하는 부류 때문에 늘 다른 사람들보다 훨씬 더 단순하고 뻔뻔스럽게 비쳤다. 그래도 아처는 언제나 윈셋에게서 자극을 받았고 이 기자의 턱수염을 기른 야윈 얼굴과 우울한 눈동자가 보일 때면 구석에서 그를 데리고 나와 한참 이야기를 나누었다.

윈셋은 좋아서 기자가 된 것이 아니었다. 문학이 필요 없는 세상에 때를 잘못 맞춰 태어난, 순수한 문인이었다. 간결하면서도 예리한 문학 평론집 한 권을 출간해 120부를 팔고 30부를 증정했는데 결국 출판사가 더 잘 팔리는 책을 보관할 공간을 마련하려 (계약대로) 재고를 폐기하고 말았다. 그 뒤에 그는 진정한 소명을 포기하고, 최신 유행복의 옷본과 종이 도안을 뉴잉글랜드의 연애소설, 무알코올 음료 광고와 번갈아 싣는 여성 주간지의 부편집장으로 취직했다.

그는《가정의 난롯불》(잡지 이름이었다)에 대해서라면 지칠 줄 모르고 즐겁게 이야기했다. 그러나 그 즐거움의 이면에는 노력했다가 포기해버린 아직 젊은 남자의 무익한 쓰라림이 숨어 있었다. 그와 대화를 나눌 때면 아처는 늘 자신의 삶을 견주어보았고 그 알맹이가 몹시도 빈약하다고 생각했다. 그러나 어쨌거나 윈셋의 삶은 훨씬 더 빈약했고 지적 관심과 호기심이 풍부하다는 공통점 덕분에 대화가 아주 즐거웠지만, 두 사람이 주고받는 의견은 대개 사색적 도락의 한계를 벗어나지 못했다.

윈셋이 이렇게 말한 적이 있었다.

"사실, 우리 둘 다 딱 어울리는 삶을 살고 있진 않아. 나는 빈털터리 신세야. 어찌해볼 도리가 없지. 내가 만들 상품은 하나뿐인데 이곳에는 그걸 내다 팔 시장이 없어. 내 생전에 그때가 오진 않을 거야. 하지만 자네는 자유롭고 부유하지. 세상에 발을 담가보지그래. 방법은 딱 하나야. 정계에 진출하는 것."

아처는 고개를 젖히고 껄껄 웃었다. 이럴 때면 윈셋 같은 남자와 다른 남자들, 즉 아처와 같은 부류 사이에 메울 수 없는 간극이 있다는 사실이 순식간에 드러났다. 상류 사회에 속한 사람은 누구나 미국에서는 '신사가 정계에 진출할 수 없다'는 사실을 알았다. 그러나 윈셋에게 그런 식으로 말할 수는 없었기에, 아처는 이렇게 얼버무렸다.

"미국 정계에서 정직한 사람이 어떻게 되는지 보라고! 그들은 우리를 원하지 않아."

"'그들'이 누군데? 자네들이 모두 뭉쳐서 '그들'이 되어 보는 건 어떤가?"

아처의 입술에 남은 웃음이 약간 잘난 체하는 듯한 미소로 바뀌었다. 토론을 더 끌어봐야 헛수고였다. 자신의 깨끗한 이름을 더럽힐 각오를 하고 뉴욕의 시정이나 주 정치에 뛰어들었던 몇몇 신사들의 구슬픈 운명을 모르는 사람이 없었다. 그런 일이 가능하던 시대는 지나갔다. 이 나라는 정계 거물들과 이민자들 수중에 들어갔고 품위 있는 사람들은 뒤로 물러나 스포츠나 문화에 몰두했다.

"문화라고! 그렇겠지…… 우리에게 문화란 게 있다면 말이야! 하지만 뭐랄까, 괭이질도 하지 않고 교잡도 해주지 않아 여기저기에서 죽어가는 작고 편협한 밭뙈기 몇 군데가 전부인 걸. 자네들 선조가 가져온 옛 유럽 전통의 마지막 자취 말일세. 하지만 자네들은 애처로운 소수 집단에 불과해. 중심도 없고, 경쟁도, 관객도 없지. 버려진 집의 벽에 걸린 그림과도 같아. '어느 신사의 초상'이라고나 할까. 자네들 중 그 누구도 대단한 존재가 되지 못할 거야. 소매를 걷어 올리고 진창 속에 뛰어들지 않는다면 말이야. 그렇게 하거나, 이민을 가거나…… 빌어먹을! 내가 이민을 갈 수만 있다면……."

아처는 마음속으로 어깨를 으쓱한 뒤, 윈셋이 늘 관심을 보인다고 짐작되는 책이라는 화제로 말을 돌렸다. 이민이라니! 신사가 조국을 버릴 수 있을 리가! 조국을 버릴 수 없듯이, 소매를 걷어 올리고 진창에 뛰어들 수도 없다. 신사는 조국에 머물며 절제할 뿐이다. 그러나 윈셋 같은 사람에게 그 점을 깨우쳐줄 수는 없었다. 이런 까닭에 문학 클럽과 이국적인 식당이 즐비한 뉴욕이 처음에는 만화경처럼 보이지만 알고 보면 5번 대로를 구성하는 원자들을 모아놓은 것보다도 더 작고 무늬도 더 단조로운 상자일뿐이었다.

다음 날 아침, 아처는 노란 장미를 다시 사려고 시내를 샅샅이 뒤졌지만 허사였다. 그렇게 헤매느라 사무실에 늦게 도착했는데 그렇게 해도 누구에게든 아무런 차이가 없다는 사실을 깨닫자, 정교하지만 무의미한 삶에 갑자기 분노가 치솟았다. 이 순간, 왜 메이 웰랜드와 함께 세인트오거스틴의 백사장에 있으면 안 된단 말인가? 일이 바쁘다는 핑계에 속은 사람은 아무도 없었다. 레터블레어 씨가 대표로 있는 이런 오래된 법률 회사는 주로 대규모 사유지 관리와 '보수적인' 투자를 맡았으며 꽤 유복하고 직업적 야망이 없는 젊은이 두세 명이 반드시 있어서 매일 일정 시간 동안 책상에 앉아 사소한 업무를 처리하거나 마냥 신문만 읽기도 했다. 젊은이라면 직업을 갖는 것이 바람직하다고들 생각했지만, 돈벌이를 한다는 천박한 사실은 여전히 경멸스럽게 여겨졌고 법률가라는 직업은 사업가보다는 더 신사적인 일로 간주되었다. 그러나 이런 젊은이 중에 자기 직업에서 정말로 성공을 거두리라는 희망이나 그러려는 진지한 열망을 품은 사람은 없었다. 이미 그중 많은 이들에게는 형식적인 태도가 푸른곰팡이처럼 뚜렷이 퍼져나가고 있었다.

그런 태도가 자기에게까지 미칠지 모른다는 생각에 아처는 몸서리쳤다. 물론 그에게는 다른 취향과 관심거리가 있었다. 유럽 여행을 하며 휴가를 보냈고, 메이가 말하는 '똑똑한 사람들'과 친교를 나누었으며, 올렌스카 부인에게 다소 애석한 마음으로 말한 것처럼 '뒤처지지 않기' 위해 전반적으로 노력했다. 그러나 결혼하고 나면 진짜 경험으로 가득한, 삶의 이 좁은 여백은 어떻게 되는 것일까? 자기만큼 열렬하지는 않았어도 이런 꿈을 꾸던 젊은이들이 선배들처럼 평온하고 호화로운 일상 속으로 서서히 가라앉는 모습을, 그는 질리도록 보았다.

아처는 사무실에서 올렌스카 부인에게 그날 오후에 들러도 될지 클럽으로 답장을 달라는 편지를 써서 심부름꾼 편에 보냈다. 그러나 클럽에 가보니 답장이 없었고 다음 날에도 편지를 받지 못했다. 이 예상치 못한 침묵에 그는 터무니 없을 정도로 굴욕감을 느꼈고, 다음 날 아침에 꽃집 유리창 너머로 화려한 노란 장미 다발이 보였지만 그대로 지나쳤다. 사흘째 되는 날 아침에야 그는 올렌스카 백작 부인에게서 우편으로 짤막한 답신을 받았다. 놀랍게도 스카이터클리프에서 부친 편지로, 밴 더 라이든 부부는 공작을 증기선에 태우고 나서 신속하게 그곳으로 돌아갔던 것이다.

난 도망쳤어요.

편지를 보낸 사람은 (일반적인 서두 없이) 불쑥 이 말부터 꺼냈다.

극장에서 당신을 만난 다음 날에 말이에요. 이 상냥한 벗들이 나를 데려와주었죠. 조용히 지내며 생각을 좀 하고 싶었어요. 이분들이 무척 친절하다는 당신의 말은 사실이더군요. 이곳에 있으니 안전하다는 느낌이 들어요. 당신도 우리와 함께 있으면 좋을 텐데요.

올렌스카 부인은 돌아올 날짜에 대해서는 전혀 언급하지 않고 '이만 줄입니다'라는 상투적인 문구로 편지를 맺었다.

아처는 그 편지의 어조에 놀랐다. 올렌스카 부인은 무엇에게서 도망쳤으며 왜 안전해져야만 한다고 느꼈을까? 외국에서 어떤 험악한 위협을 전해 받았으리라는 생각이 가장 먼저 떠올랐다. 그러다가 자신은 엘런이 어떤 문체로 편지를 쓰는지 모르며 실감나게 과장하는 것이 엘런의 방식일 수도 있겠다는 생각이 들었다. 여자들은 늘 과장한다. 게다가 엘런은 영어를 아주 편하게 구사하지는 못해서, 가끔 프랑스어를 번역하듯이 말했다. 그런 맥락에서 첫 문장인 'Je me suis evadee(난 도망쳤어요)……'를 보면, 그저 지루하게 이어지는 약속들에서 달아나고 싶었을 마음이 즉시 연상되었다. 아마도 그럴 가능성이 높을 것이다. 그가 판단하기에 엘런은 변덕스러운 데다 한순간 즐거워하다가도 쉽게 싫증을 내기 때문이다.

밴 더 라이든 부부가 엘런을 겨우 두 번째 방문에 스카이터클리프로, 게다가 무기한으로 데려가다니, 재미있는 일이었다. 스카이터클리프의 문은 손님들에게 드물게 그것도 마지못해 열렸으며, 그런 특권을 얻은 소수에게 허락된 체류 기간이라고 해봤자 쌀쌀한 주말 정도였다.

그러나 아처는 마지막으로 파리를 방문했을 때 관람한 라비슈(19세기 프랑스의 대표적인 극작가 외젠 라비슈-옮긴이)의 유쾌한 희극 『페리숑 씨의 여행』에서, 페리숑 씨가 빙하에서 끌어낸 젊은이에게 낙담하지 않고 끈질기게 애정을 쏟던 내용을 떠올렸다. 밴 더 라이든 부부는 빙하만큼이나 차가운 운명에서 올렌스카 부인을 구해냈다. 그리고 부인에게 매료될 다른 이유가 많겠지만, 아처는 그 밑에 백작 부인을 계속 구해주겠다는 다정하고도 단호한 결심이 있음을 알았다.

올렌스카 부인이 떠났다는 사실을 알고 아처는 분명 실망감을 느꼈다. 그러나 거의 동시에, 허드슨 강가의 저택에서 다음 일요일을 함께 보내자는 레기 치버스의 초대를 바로 하루 전에 거절했던 기억이 떠올랐다. 그 저택은 스카이터클리프와 몇 킬로미터쯤 떨어진 곳에 있었다.

하이뱅크에서 열리는 시끌벅적하고 화기애애한 파티에 참석해, 해안을 따라 항해하고 빙상 요트와 썰매를 타고 눈 속을 오래 떠돌아다니면서 전반적으로 가벼운 희롱과 더 가벼운 장난을 곁들이는 따위의 경험에는 신물 난 지 오래였다. 런던의 서점에서 새 책을 담은 상자 하나가 막 도착했기 때문에, 그는 이 전리품과 더불어 집에서 조용한 일요일을 보내는 편이 더 좋겠다고 생각했던 것이다. 그러나 지금 그는 클럽 서재로 들어가 서둘러 전보를 쓴 다음 하인에게 즉시 부치라고 말했다. 그가 알기로 레기 부인은 손님들이 갑자기 마음을 바꿔도 싫어하지 않았고 그 융통성 있는 집에는 늘 남는 방이 있었다.

15

뉴랜드 아처는 금요일 저녁에 치버스가 저택에 도착해, 토요일에는 하이뱅크에서 주말마다 거행하는 온갖 의식에 성실히 참여했다.

아침에는 여주인과 손님들 중에서 겁이 없는 몇 사람과 함께 빙상 요트를 타고 한바탕 질주했다. 오후에는 레기 치버스와 '농장 시찰'을 나가 정교한 설비를 갖춘 마구간에서 말에 대해 길고도 감동적인 설명을 들었다. 차를 마신 뒤에는 난로를 피운 넓은 방의 한쪽 구석에서 젊은 숙녀와 이야기를 나누었다. 그 숙녀는 그가 약혼을 발표했을 때 가슴이 찢어질 만큼 상심했다고 제 입으로 떠들고 다녔는데, 이제는 결혼에 대한 자신의 소망을 말해주고 싶어 안달이었다. 그리고 마침내 자정 무렵, 그는 어느 손님의 침대에 금붕어를 넣도록 손을 보태고, 신경이 과민한 숙모의 욕실에 한 사람을 도둑으로 변장시켜 들여보내고, 아이들 놀이방에서부터 지하실에 이르기까지 한밤중이 되도록 이어진 베개 싸움에 끼어들었다. 그러나 일요일에는 점심을 먹고 나서 말이 끄는 작은 썰매를 하나 빌려 스카이터클리프로 갔다.

스카이터클리프에 지은 그 저택이 이탈리아식 별장이라는 말이 자주 나돌았다. 이탈리아에 가본 적 없는 사람들은 그 말을 믿었다. 이탈리아에 가본 사람들도 마찬가지였다. 그 저택은 밴 더 라이든 씨가 젊은 시절에 '유럽 순회 여행'에서 돌아와서 곧 다가올 루이자 대거넷 양과의 결혼을 기대하며 지은 집이었다. 크고 네모진 목조 건물이었는데, 은촉붙임(널빤지를 나란히 이을 때 맞닿는 면 한쪽에 세로로 홈을 파고 다른 쪽에는 돌기를 만들어 서로 이어붙이는 방식-옮긴이)으로 시공한 벽을 연녹색과 흰색으로 칠하고 코린트식으로 화려하게 주랑현관을 지었으며, 창문 사이에는 세로로 홈을 판 장식용 기둥을 세운 집이었다.

저택이 자리 잡은 높은 언덕에서부터 모양이 불규칙한 자그마한 호수까지 계단식 녹지가 강판으로 찍어낸 듯한 모습으로 경사면을 따라 이어졌고, 장식용 항아리를 윗면에 붙인 난간이 그 녹지를 두르고 있었다. 희귀한 침엽수들이 호수 가장자리에 깔린 아스팔트 위로 가지를 늘어뜨렸다. 호수 좌우로는 (종류도 다양한) '표본' 나무들을 곳곳에 심은 그 유명한 잡초 없는 잔디밭이 펼쳐지다가 정교한 주철 장식들을 높다랗게 세운 긴 풀밭으로 이어졌다. 그리고 그 아래쪽 우묵한 대지에는 초대 퍼트룬이 1612년에 토지를 하사받고 지은 방 네 개짜리 석조 주택이 있었다.

고르게 펼쳐진 눈밭과 잿빛 겨울 하늘을 배경으로 이탈리아식 별장이 다소 음산하게 눈앞에 나타났다. 이 별장은 여름에도 범접하기 어려운 분위기를 풍겼고 제아무리 대담한 콜레우스(아시아와 아프리카 열대 지방에 주로 분포하는 여러해살이풀로 잎이 화려해 관상용 정원수로 쓰인다-옮긴이) 화단도 그 장엄한 전경 9미터 이내로는 감히 파고들지 못했다. 아처가 초인종을 누르자 찌르릉거리는 종소리가 이 웅장한 왕릉 곳곳에서 오래도록 메아리치는 것만 같았다. 마침내 종소리에 응답한 집사는 영면에 들었다 불려나온 사람처럼 몹시 놀란 표정이었다.

다행히도 아처는 친척이었고, 따라서 느닷없이 찾아왔어도 올렌스카 백작 부인이 정확히 45분 전에 밴 더 라이든 부인과 함께 오후 예배를 드리러 마차를 타고 외출했다는 사실을 전해들을 자격이 있었다.

집사가 말을 이었다.

“밴 더 라이든 씨는 안에 계십니다. 그러나 제 생각에는 낮잠에서 막 깨어나셨거나 어제 일자 《이브닝포스트》를 읽고 계실 겁니다. 오늘 오전에 교회에서 오시자마자 점심 식사 이후에《이브닝포스트》를 훑어보실 거라고 말씀하셨습니다. 원하신다면 제가 서재 문 앞으로 가서 소리를…….”

아처는 고맙지만 숙녀들을 만나러 가겠다고 말했다. 집사는 눈에 띄게 안도하는 표정으로 위엄 있게 문을 닫았다.

마부가 썰매를 마구간으로 끌고 갔고, 아처는 저택의 정원을 통해 큰길로 나갔다. 스카이터클리프 마을까지는 2.5킬로미터도 안 되는 거리였지만, 밴 더 라이든 부인이 걸어가지는 않았을 테니 마차와 마주치려면 큰길을 쭉 따라가야 했다. 그러나 큰길을 가로지르는 작은 길을 따라 걷다가 그는 곧 붉은 망토를 두른 채 커다란 개를 앞세우고 걷는 가냘픈 여자를 발견했다. 아처는 서둘러 다가갔고 올렌스카 부인은 반갑게 웃으며 걸음을 멈추었다.

“아, 왔군요!”

엘런이 방한용 토시에서 한 손을 빼며 말했다.

붉은 망토 덕분에 오래전의 엘런 밍곳처럼 명랑하고 생기발랄하게 보였다. 그는 엘런의 손을 잡고 소리 내어 웃으며 대답했다.

“당신이 무엇에게서 도망쳤는지 궁금해서 왔습니다.”

얼굴이 어두워졌으나 엘런은 이렇게 대답했다.

“아, 그건…… 곧 알게 될 거예요.”

그는 그 대답에 당황했다.

"설마…… 여기까지 들이닥쳤단 뜻입니까?"

엘런은 나스타시아처럼 어깨를 살짝 으쓱하고는 더 가벼운 목소리로 대답했다.

"산책할까요? 설교가 끝난 다음부터 무척 춥네요. 그리고 이제 당신이 나를 보호해주러 왔으니 문제가 뭐든 무슨 상관이겠어요?"

그의 관자놀이로 피가 쏠렸다. 그는 엘런의 주름진 망토 자락을 붙잡았다.

"엘런…… 무슨 일이에요? 나에게는 말해줘야 해요."

"아, 곧 말할게요…… 우선 경주부터 해요. 발이 꽁꽁 얼어붙을 지경이에요."

엘런이 외쳤다. 엘런은 망토 자락을 모아 쥐고 눈밭을 가로지르며 달아났고, 개도 이에 질세라 짖어대며 엘런 주변에서 겅중거렸다. 아처는 잠시 자리에 서서 그 광경을 바라보았다. 하얀 눈밭에서 번쩍이는 빨간 유성을 보니 눈이 즐거웠다. 그러다가 그도 뒤따라 달리기 시작했다. 두 사람은 저택 정원으로 이어지는 쪽문에서 만나 숨을 헐떡이며 웃음을 터뜨렸다.

엘런이 아처를 쳐다보며 웃음을 지었다.

"당신이 올 줄 알았어요!"

"오길 바랐다는 뜻이군요."

그는 별 의미도 없는 이런 대화에도 터무니없이 기쁨을 느끼며 대답했다. 하얗게 반짝이는 나무들이 그 신비스러운 빛으로 공중을 가득 채웠고, 두 사람이 눈밭을 걷는 동안 발밑에서 대지가 노래하는 것만 같았다.

"어디에서 오는 길이에요?"

올렌스카 부인이 물었다.

그는 설명을 한 다음 덧붙였다.

"당신 편지를 받았기 때문입니다."

엘런은 잠시 입을 다물었다가 눈에 띄게 싸늘한 목소리로 말했다.

"메이가 나를 돌봐달라고 부탁한 거군요."

"누구의 부탁도 필요 없었습니다."

"그 말은…… 내가 눈에 보일 만큼 무력하고 대책 없다는 뜻인가요? 다들 날 불쌍하기 짝이 없는 사람이라고 생각하는 모양이군요! 하지만 여기 여자들은 그렇게…… 그럴 필요를 느끼지 않는 것 같던데요. 천국의 성도들처럼."

그는 목소리를 낮추어 물었다.

"어떤 필요 말입니까?"

"아, 내게 묻지 말아요! 난 당신들 말을 하지 못하니까."

엘런이 벌컥 화를 내며 쏘아붙였다.

그 대답에 그는 갑자기 한 대 얻어맞은 것만 같았다. 길에 가만히 서서 엘런을 내려다보았다.

"당신과 같은 말을 쓰지 않는다면, 내가 왜 왔겠습니까?"

"아, 정말이지……!"

엘런은 아처의 팔에 손을 가볍게 얹었고 그는 진지하게 애원했다.

"엘런…… 무슨 일이 있었는지 왜 말해주지 않는 거예요?"

엘런은 다시 어깨를 으쓱했다.

"천국에서 별일이 있겠어요?"

그는 대답하지 않았다. 두 사람은 한마디도 나누지 않고 한참을 걸었다. 마침내 엘런이 말했다.

"말해줄게요…… 하지만 어디, 어디에서, 대체 어디에서요? 거대한 신학교 같은 저 집에서는 한 순간도 혼자 있을 수가 없어요. 문이란 문은 죄다 활짝 열려 있고, 하인이 차를 내오거나 난로에 장작을 넣거나 신문을 가져다준다며 수시로 들락거리죠! 미국 저택에는 혼자 있어도 되는 장소가 전혀 없나요? 당신들은 무척 수줍어하면서도 지나치게 공개적인 방식으로 살더군요. 다시 수녀원에 들어간 기분에서 벗어날 수가 없어요…… 아니면 박수 한번 쳐주지 않는, 끔찍할 만큼 점잖은 관객을 앞에 두고 무대에 오른 기분이에요."

"아, 우리가 마음에 들지 않는단 말이군요!"

아처가 외쳤다.

그들은 벽이 낮고 널찍하며 작고 네모난 창문들이 중앙의 굴뚝을 촘촘하게 둘러싼 옛 퍼트룬의 저택을 지나는 중이었다. 덧문이 활짝 열려 있었고, 새로 닦은 창문 너머로 타오르는 난롯불이 아처의 눈에 띄었다.

"아니…… 문이 열려 있어요!"

그가 말했다.

엘런은 가만히 서 있었다.

"아니에요. 어쨌든 오늘만이에요. 내가 집을 보고 싶다고 해서, 밴 더 라이든 씨가 불을 지피고 창문을 열어두신 거예요. 오늘 아침에 교회에서 돌아오는 길에 잠깐 들르도록 말이에요."

엘런은 계단을 뛰어 올라가 문을 열어보았다.

"아직 열려 있네…… 정말 다행이에요! 들어가서 조용히 이야기를 나누면 되겠어요. 밴 더 라이든 부인은 나이 많은 숙모님들을 뵈러 라인벡에 갔으니, 앞으로 한 시간은 그 집에서 우릴 찾지 않을 거예요."

그는 엘런을 따라 좁은 통로에 들어섰다. 엘런의 마지막 말에, 가라앉았던 기분이 이상하게도 날아갈 듯이 가벼워졌다. 소박하고 작은 집이 그들을 맞이하려 마법으로 빚어낸 것처럼 그곳에 자리 잡고 있었고 판자와 황동 장식이 난로 불빛에 반짝거렸다. 부엌 벽난로 속에는 넓게 깔린 장작에서 아직 다 타지 않은 불씨가 어슴푸레 깜빡거리고 그 위에는 아주 오래된 갈고리에 철 냄비가 걸려 있었다. 타일이 깔린 벽난로 바닥에는 골풀을 엮어 앉는 자리를 만든 안락의자가 마주 놓였고, 벽에 달린 선반에는 네덜란드의 델프트 사기 접시들이 진열되어 있었다. 아처는 몸을 숙여 깜부기불 위로 장작을 던졌다.

엘런 올렌스카는 망토를 벗고 안락의자 하나에 앉았다. 아처는 벽난로에 기댄 채 엘런을 바라보았다.

"지금은 웃고 있군요. 하지만 내게 편지를 썼을 때는 울적했겠죠."

그가 말했다.

"맞아요."

엘런은 이렇게 말하고 잠시 뜸을 들였다.

"하지만 당신이 왔으니 울적할 리가 없어요."

"오래 있지는 못합니다."

그는 정도만 말하고 더는 말을 꺼내지 않으려 애쓰느라 입술에 힘을 주었다.

"그렇죠. 알아요. 하지만 난 앞날을 생각하지 않아요. 행복할 때는 그 순간을 즐겁게 누리죠."

그 말이 유혹처럼 슬그머니 그의 마음을 파고들었다. 그는 유혹에 무감각해지려고 난롯가를 떠나 다른 곳에 서서, 눈밭을 배경으로 뻗은 검은 나무줄기를 내다보았다. 그러나 마치 엘런 역시 자리를 옮긴 듯이, 자신과 나무 사이에서 나른한 미소를 머금고 난롯불 위로 몸을 숙인 엘런의 모습이 여전히 눈앞에 보였다. 아처의 심장이 말을 듣지 않고 세차게 뛰었다. 엘런이 자기를 피해 달아난 거라면, 엘런이 그 이야기를 하고 싶어 이 비밀스런 방에 단둘이 될 때까지 기다린 거라면?

"엘런, 내가 정말 당신에게 도움이 된다면…… 정말 내가 오기를 바랐다면…… 문제가 뭔지 말해줘요. 무엇을 피해서 달아나고 있는지 알려줘요."

그가 고집스레 말했다.

그렇게 말하면서 그는 자세를 바꾸지도 않고 고개를 돌려 엘런을 바라보지도 않았다. 만약 그 일이 일어날 거라면 이런 식으로, 넓은 방에서 서로 멀리 떨어져 있고 그가 바깥에 쌓인 눈에 시선을 고정하고 있을 때 일어나야 했다.

엘런은 한동안 말이 없었다. 순간 아처는 엘런이 살며시 등 뒤로 다가와 가벼운 팔로 그의 목을 끌어안는 상상에 빠졌고 엘런이 움직이는 소리를 들은 것만 같았다. 떨리는 몸과 마음으로 다가올 기적을 기다리는 동안, 두꺼운 코트를 입고 모피가 달린 옷깃을 세운 채 집으로 이어지는 길을 따라 다가오는 남자의 모습이 시야에 절로 들어왔다. 줄리어스 보퍼트였다.

"아……!"

아처는 웃음을 터뜨리며 외쳤다.

그사이에 올렌스카 부인은 벌떡 일어나 곁으로 다가와 그의 손에 자기 손을 슬쩍 집어넣었다. 그러나 창문을 힐끔 내다보고는 창백해진 얼굴로 뒷걸음쳤다.

"그러니까 이거였습니까?"

아처가 빈정거리듯이 말했다.

"저 사람이 오는 줄 몰랐어요."

올렌스카 부인이 중얼거렸다. 엘런의 손은 아직 아처의 손을 붙잡고 있었다. 그러나 그는 손을 빼고 복도로 걸어가 현관문을 벌컥 열었다.

"안녕하십니까, 보퍼트 씨…… 이쪽입니다! 올렌스카 부인이 당신을 기다리고 계십니다."

그가 말했다.

다음 날 아침에 뉴욕으로 돌아오는 동안, 아처는 스카이터클리프에서 보낸 마지막 순간을 지칠 때까지 생생하게 돌이켜보았다.

보퍼트는 뉴랜드 아처가 올렌스카 부인과 함께 있는 모

습을 보고 언짢은 기색이었지만, 평소처럼 위압적인 자세로 상황에 대처했다. 불편하게 느껴지는 상대를 무시해버리는 그의 이런 태도 때문에, 예민한 사람들은 눈에 보이지 않거나 아예 존재하지 않는 사람이 된 듯한 기분을 느낄 수밖에 없었다. 세 사람이 다시 정원으로 천천히 걸어갈 때 아처 역시 투명 인간이 된 듯한 묘한 기분에 사로잡혔다. 덧없는 욕심을 접어야 했지만 대신 유령처럼 눈에 띄지 않는 모습으로 상황을 관찰할 수 있는 이점이 생겼다.

그 작은 집에 들어설 때 보퍼트는 여느 때처럼 여유롭고 자신만만했다. 그러나 웃음을 지으면서도 미간에 세로로 잡힌 주름까지 지우지는 못했다. 엘런의 말을 듣고 짐작했지만 분명 엘런은 보퍼트가 오리라는 사실을 몰랐다. 어쨌거나 엘런이 뉴욕을 떠날 때 보퍼트에게 목적지를 확실히 밝히지도 않았고 아무 말도 없이 떠난 탓에 보퍼트는 격분했다. 그곳에 찾아온 표면적인 이유는 바로 전날 밤에 아직 매물로 나오지 않은 '완벽하고 아담한 집'을 발견했다는 것이었다. 그 집은 엘런에게 안성맞춤이지만 잡지 않으면 곧장 다른 사람이 낚아채고 말 터였다. 그는 그 집을 막 찾아냈을 때 엘런이 달아나는 바람에 이리저리 뛰어다녀야 했다며 비난하는 척 목소리를 높였다.

"전선으로 대화를 나눌 수 있다는 그새 발명품이 조금만 더 완성 단계에 이르렀더라면, 당신을 뒤좇아 눈밭을 방황하지 않고 지금 발에 클럽 난롯불을 쬐면서 시내에서 이 이야기를 모조리 들려줬을 거요."

그는 이런 핑계로 진짜 화가 났다는 사실을 감추며 투덜거렸다. 올렌스카 부인은 그가 처음 꺼낸 말을 꼬투리 삼아 언젠가는 서로 다른 동네에 살아도, '믿기지 않는 꿈'이지만 심지어는 서로 다른 도시에 살아도 실제로 대화를 나누게 되리라는 환상적인 가능성으로 화제를 돌렸다. 세 사람은 에드거 앨런 포(미국 소설가이자 시인으로 '추리소설의 창시자'로 불린다-옮긴이)와 쥘 베른(프랑스 소설가로 공상과학소설 분야를 개척해 '과학소설의 아버지'로 불린다-옮긴이)을 떠올렸고, 지식인들이 시간이나 때울 생각으로 순진하게도 너무 빨리 믿어버릴 수는 없는 새 발명품에 대한 이야기를 나눌 때 자연스럽게 흘러나오기 마련인 상투적인 의견을 주고받았다. 그렇게 전화를 화제 삼아 대화를 나눈 덕분에 그들은 무사히 대저택으로 돌아갔다.

밴 더 라이든 부인은 아직 돌아오지 않은 상태였다. 아처는 작별 인사를 건네고 썰매를 가지러 나갔고 보퍼트는 올렌스카 부인을 따라 안으로 들어갔다. 밴 더 라이든 부부가 예고 없는 방문을 환영하지 않을지언정, 그에게 저녁을 대접하고 9시 기차를 타도록 역까지 데려다줄 가능성은 있었다. 그러나 그 이상은 얻지 못할 터였다. 집주인들로서는 짐도 없이 여행하는 신사가 하룻밤 묵고 가려 한다는 것은 생각조차 할 수 없는 일이고, 보퍼트처럼 적당히 예의만 차리는 상대에게 그런 제안을 하기도 싫을 것이다.

보퍼트는 이 모든 사실을 알고 있었고 분명 예상했다. 이토록 사소한 보상을 얻으려 긴 여행을 했다는 사실로 그가 얼마나 조바심이 났는지를 알 수 있었다. 그는 분명 올렌스카 백작 부인을 따라다니고 있었다. 그리고 보퍼트가 예쁜 여자를 따라다니는 목적은 딱 하나였다. 그는 지루하고 아이가 없는 집에 신물이 난 지 오래였다. 좀 더 오래가는 위안거리를 찾기도 했지만 거기에서 만족하지 않고 늘 같은 계층에서 연애 상대를 물색했다. 올렌스카 부인은 틀림없이 이 남자에게서 도망치고 있었던 것이다. 문제는 그의 집요함이 싫어서 달아났느냐, 아니면 온전히 저항할 자신이 없어서 달아났느냐는 것이었다. 물론 달아났다는 말이 모두 눈속임이고 그 행동이 책략에 불과한 것이 아니라면 말이다.

아처는 정말 그렇다고 생각하지는 않았다. 사실 올렌스카 부인을 자주 만나지는 않았지만 표정을 읽을 수 있다는, 표정이 아니라면 목소리를 읽어낼 수 있다는 생각이 들었다. 보퍼트가 갑자기 나타났을 때 엘런의 표정과 목소리에서 곤혹스러움이 느껴졌고 낙담한 기색까지 드러났다. 그러나 어쨌든 엘런의 행동이 책략이었다면, 보퍼트를 만나기 위해 뉴욕을 벗어난 것보다는 낫지 않은가? 엘런이 정말 그런 행동을 했다면 관심의 대상이기를 포기하고 가장 천박한 위선자와 함께하는 쪽으로 운명을 내던졌다는 뜻이었다. 보퍼트의 연애 상대가 된 여자는 자기가 그 정도 '수준'임을 돌이킬 수 없이 드러내는 셈이다.

아니, 혹시 올렌스카 부인이 보퍼트를 파악했고 어쩌면 경멸하면서도 주변 다른 남자들을 뛰어넘는 여러 장점에 끌린 것이라면, 그러니까 두 대륙과 두 사교계의 관습에 익숙하고 화가들과 배우들과 일반적으로 세상의 주목을 받는 사람들과 친분을 나누며 지역적인 편견을 태평하게 무시해버리는 태도에 이끌린 것이라면, 훨씬 나쁜 상황이었다. 보퍼트는 천박하고 무식하며 재력을 자랑했다. 그러나 생활환경과 타고난 기민함 덕분에, 도덕적으로나 사회적으로 그보다 낫지만 시야가 배터리 공원과 센트럴파크 정도에만 한정된 많은 남자보다는 대화 상대로서 훨씬 가치가 있었다. 더 넓은 세상에서 살다가 온 사람이라면 당연히 그 차이를 느끼고 끌리지 않았을까?

엘런은 벌컥 화를 내며 아처에게 두 사람이 같은 말을 쓰지 않는다고 말했었다. 그는 어떤 면에서는 그 말이 사실임을 알고 있었다. 그러나 보퍼트는 엘런이 쓰는 언어의 표현 방식을 모두 이해했고 그 언어로 유창하게 말했다. 그의 인생관과 말투, 태도는 더 거칠 뿐이지 올렌스키 백작의 편지에 드러난 특징과 비슷했다. 그런 점이 올렌스키 백작의 아내에게는 불리하게 작용하는 것처럼 보일 수도 있다. 그러나 아처는 엘런 올렌스카 같은 젊은 여인이 과거를 떠오르게 하는 모든 것들에게서 반드시 뒷걸음치지는 않는다는 사실을 모르지 않았다. 엘런은 자신이 과거를 전적으로 혐오한다고 생각할지 모른다. 그러나 과거에 엘런을 매료시켰던 것들은 본인이 원하지 않더라도 여전히 마음을 사로잡을 것이다.

이렇게 아처는 고통스럽지만 공정하게 보퍼트의 입장에서, 그리고 보퍼트 때문에 피해자가 된 엘런의 입장에서 그 상황을 이해했다. 마음속에 엘런을 깨우쳐주고 싶은 강렬한 갈망이 일었다. 가끔은 엘런이 부탁한 것이 그저 자신을 깨우쳐달라는 것뿐이었다는 생각이 들었다.

그날 저녁 아처는 런던에서 온 책 상자를 풀었다. 상자에는 손꼽아 기다리던 책들이 가득했다. 허버트 스펜서(영국 철학자이자 사회학자-옮긴이)의 신작과 왕성하게 활동 중인 알퐁스 도데(프랑스 소설가이자 시인, 극작가-옮긴이)의 훌륭한 단편선집, 『미들마치』(영국 작가 조지 엘리엇이 1871년부터 1872년에 걸쳐 발표한 장편소설-옮긴이)라는 소설 등이었는데, 그 소설에 대한 최근 서평에는 흥미로운 내용이 많았다. 그는 이 책들을 실컷 즐기기 위해 저녁 초대를 세 차례 거절했다. 그러나 애서가로서 감성적인 기쁨을 느끼며 책장을 넘겼지만 무슨 말인지 머릿속에 들어오지 않았고 결국 책을 하나씩 손에서 내려놓고 말았다. 갑자기 그 책들 사이에서, 『생명의 집』(영국 시인이자 화가인 단테이 게이브리얼 로세티의 소네트 연작 시집으로 1881년에 펴낸 최종판에는 모두 102편의 소네트가 실렸다-옮긴이)이라는 제목에 홀려 주문했던 작은 시집이 눈에 띄었다. 아처는 그 책을 집었고 어떤 책에서도 느끼지 못한 색다른 분위기에 정신없이 빠져들었다. 무척 따뜻하고 풍요로우면서도 뭐라 말할 수 없이 부드러워서, 인간의 열정이라는 가장 근본적인 요소에 새롭고도 인상 깊은 아름다움을 선사하는 책이었다. 그는 밤새 그 황홀한 책장들 사이에서 엘런 올렌스카의 얼굴을 지닌 어느 여인의 환영을 뒤쫓았다. 그러나 다음 날 아침에 잠에서 깨어나 길 건너편에 있는 적갈색 사암 저택을 내다보며 레터블레어 씨의 사무소에 놓인 자신의 책상과 그레이스 교회에 있는 가족 예배석을 떠올리자, 스카이터클리프의 정원에서 보낸 시간이 간밤의 환영만큼이나 도무지 일어날 법하지 않은 일처럼 느껴졌다.

"맙소사, 얼굴이 너무 창백해, 오빠!"

아침 식탁에서 제이니가 커피를 마시며 말했다. 어머니도 덧붙였다.

"뉴랜드, 얘야, 최근에 보니까 기침을 하더구나. 정말이지 과로하지 않으면 좋겠어."

두 숙녀는 이 젊은이가 상사들의 엄격한 독재하에서 몹시 소모적인 격무에 시달리며 지낸다고 철석같이 믿었고, 그도 굳이 사실을 일깨워줄 필요는 없다고 생각했다.

이후 이삼일은 느리게 지나갔다. 평소처럼 식사를 해도 숯덩이를 먹는 느낌이었고, 가끔씩은 미래에 산 채로 매장되는 중인 것만 같았다. 올렌스카 백작 부인이나 완벽하고 아담한 집에 대해서는 어떤 소식도 들려오지 않았다. 클럽에서 보퍼트를 만났으나 휘스트(두 명씩 한 팀을 이루어 총 네 명이서 하는 카드게임-옮긴이) 테이블 너머에서 서로 고개만 끄덕여 인사했을 뿐이었다. 나흘째 날 저녁에야, 집에 돌아와보니 그를 기다리는 편지가 있었다.

내일 느지막하게 와줘요. 당신에게 꼭 설명하고 싶어요.

엘런.

내용은 그게 전부였다.

밖에서 식사할 예정이었던 아처는 그 편지를 주머니에 찔러 넣으며, '당신에게'라는 프랑스풍 문구에 잠깐 웃음을 지었다. 저녁식사를 마친 뒤에는 연극을 보러 갔다. 자정이 지나 집에 돌아온 뒤에야 비로소 그는 엘런 올렌스카의 편지를 다시 꺼내 몇 번이나 천천히 읽고 또 읽었다. 답장을 보낼 방법이 몇 가지 있었고, 그는 어수선한 마음으로 밤을 지새우며 방법 하나하나를 한동안 따져보았다. 아침이 밝았을 때 그가 마침내 선택한 방법은, 여행 가방에 옷을 몇 벌 던져 넣고 바로 그날 오후 세인트오거스틴으로 떠나는 배에 오르는 것이었다.

16

아처는 세인트오거스틴의 모래 깔린 중심가를 걸어 누군가가 웰랜드 씨 댁이라고 가르쳐준 집으로 향하다가, 머리에 햇살을 받으며 목련 나무 아래 서 있는 메이 웰랜드를 보았다. 왜 그토록 오래 기다리다가 이제야 찾아왔을까, 하는 생각이 들었다.

진실이, 현실이 여기에 있었다. 그에게 속한 삶이 여기에 있었다. 게다가 독단적 규제를 몹시 경멸한다고 자처하던 그가 남몰래 휴가를 보내면 사람들이 어떻게 생각할까 두려워 책상을 떠나지 못했다니!

메이가 가장 먼저 외친 말은 "뉴랜드…… 무슨 일 있었어요?"였다. 순간, 그가 온 이유를 메이가 그의 눈에서 즉시 읽어냈더라면 더 '여성스러웠을' 거라는 생각이 머리를 스쳤다. 그러나 그가 "그래…… 당신을 만나야만 했어요"라고 대답하자, 메이의 얼굴이 기쁨으로 붉어지면서 놀랐을 때 드러났던 쌀쌀맞은 느낌이 사라졌다. 그리고 아처는 관대한 가족들이 자신을 쉽게 용서하고 레터블레어 씨의 가벼운 비난마저도 금세 웃어넘기리란 사실을 깨달았다.

이른 시간이었지만 중심가는 형식적인 인사 외에 다른 이야기를 나눌 만한 장소는 아니었다. 아처는 메이와 단둘이 있으면서 모든 애정과 조바심을 쏟아내고 싶은 마음이 간절했다. 웰랜드가의 느지막한 아침 식사 시각까지 아직 한 시간이 남았으므로, 메이는 그에게 집으로 들어오라고 하는 대신 시내 저편에 있는 오래된 오렌지 과수원까지 산책하자고 말했다. 메이는 강에서 배를 타고 돌아온 참이었다. 마치 햇살로 만든 그물에 붙잡혔다 나온 듯이 금빛 햇살이 귀여운 곱슬머리를 뒤덮고 있었다. 바람에 날린 머리카락이 볕에 탄 메이의 따뜻한 뺨에서 은실처럼 반짝거렸고 눈동자도 색깔이 더 연해진 듯, 생기발랄하고 투명해서 거의 색이 없는 듯했다. 아처와 나란히 성큼성큼 걷는 메이의 얼굴은 대리석으로 만든 젊은 운동선수의 얼굴처럼 아무 감정 없이 평온했다.

그 모습이 푸른 하늘과 느리게 흘러가는 강의 풍경처럼, 신경이 곤두선 아처의 마음을 달래주었다. 두 사람은 오렌지 나무 아래 놓인 벤치에 앉았고 그는 한 팔로 메이를 끌어안으며 입을 맞추었다. 햇살을 받은 차가운 샘물을 마시는 느낌이었다. 그러나 생각보다 더 격렬하게 입술을 누른 모양인지, 메이가 얼굴을 붉게 물들이며 깜짝 놀란 듯이 몸을 뺐다.

"왜 그래요?"

그가 웃으며 물었다. 메이는 놀란 표정으로 그를 바라보며 대답했다.

"아무것도 아니에요."

두 사람 사이에 약간 어색한 분위기가 감돌았고 메이는 아처의 손에서 슬며시 자기 손을 빼냈다. 보퍼트가의 온실에서 몰래 숨어 포옹한 적이 있지만 그가 메이의 입술에 키스한 적은 처음이었다. 그는 메이가 자신만만한 소년 같은 침착함을 잃고 당황했다는 사실을 알았다.

"하루 종일 뭘 했는지 말해봐요."

그가 머리를 뒤로 젖힌 채 양손을 겹쳐 뒷목에 대고 눈부신 햇빛을 막으려 모자를 앞으로 밀면서 말했다. 메이에게 친숙하고 단순한 이야기를 하게 해주는 것은 그가 잇따라 떠오르는 자기만의 생각에 잠길 수 있는 가장 쉬운 방법이었다. 그는 벤치에 앉은 채, 수영을 하고 배를 타고 승마를 즐기다가 가끔 군함이 들어오면 케케묵은 여관에서 열리는 무도회로 변화를 준다는 메이의 단순한 일상에 대해 들었다. 필라델피아와 볼티모어에서 온 몇몇 유쾌한 사람들이 소풍을 나와 여관에 머물었고, 케이트 메리가 기관지염에 걸린 탓에 셀프리지 메리가 사람들이 3주째 와서 지내는 중이었다. 그들은 모래밭에 테니스 코트를 지을 계획이었다. 그러나 라켓을 가진 사람이 케이트와 메이뿐이었고 대부분은 그 경기에 대해 들어본 적도 없었다.

이 모든 일 때문에 메이는 무척 바빴고 아처가 그전 주에 보낸, 송아지 가죽으로 감싼 작은 책(『포르투갈인이 보낸 소네트[영국 시인 엘리자베스 배럿 브라우닝이 로버트 브라우닝을 위해 쓴 사랑의 소네트 44편이 담긴 시집으로 1850년에 출간되었다-옮긴이]』였다)을 보기만 했을 뿐 읽을 시간이 없었다. 그러나 「그들은 어떻게 겐트에서 엑스로 좋은 소식을 가져왔나(영국 시인 로버트 브라우닝이 1845년에 발표한 시-옮긴이)」는 외우고 있었는데, 그가 처음으로 읽어준 시 중 하나였기 때문이다. 그리고 메이는 케이트 메리가 로버트 브라우닝이라는 시인에 대해 들어본 적도 없더라고 말하며 무척 즐거워했다.

얼마 지나지 않아 메이는 깜짝 놀라 일어서며 아침 식사에 늦겠다고 외쳤다. 두 사람은 웰랜드가 사람들이 겨울을 보내는 그 쓰러질 듯한 집으로 서둘러 돌아갔다. 현관에 페인트도 칠해지지 않았고 갯질경이와 분홍 제라늄으로 만든 울타리도 다듬지 않아 어수선했다. 웰랜드 씨는 가정적인 분위기에 예민해서 지저분한 남부 호텔이 주는 불편함을 싫어했다. 웰랜드 부인은 엄청난 비용을 들여 거의 이겨내기 어려운 한계에 맞서, 한편으로는 불만스러워하는 뉴욕의 하인들을 데려오고 한편으로는 그 지역 흑인들 노동력을 이용해 해마다 임시변통으로 살림을 꾸려야 했다.

"의사들 말로는 우리 남편이 집에 있는 것처럼 느끼게 해줘야 한대요. 그렇지 않으면 기분이 안 좋아져서 이 기후가 아무 도움이 안 될 거라는군요."

겨울마다 웰랜드 부인은 동정을 표하는 필라델피아 사람들과 볼티모어 사람들에게 이렇게 해명했다. 웰랜드 씨는 온갖 산해진미가 기적처럼 올라온 아침 식탁 저편에서 환하게 웃으며, 이내 아처에게 말했다.

"알겠지만, 뉴랜드, 우리는 야영을 하고 있어. 말 그대로 야영이지. 아내와 메이에게 고생을 견디는 법을 가르쳐주고 싶다고 말했다네."

아처가 갑자기 찾아온 탓에 웰랜드 씨 부부도 메이만큼이나 놀랐다. 그러나 아처는 고약한 감기에 걸릴 듯한 기분이었다고 즉흥적으로 둘러댔고, 웰랜드 씨는 그것이 어떤 의무라도 내팽개칠 충분한 이유라고 생각하는 듯했다.

"아무리 조심해도 지나치지 않는 법일세. 특히 봄이 다가오는 시기에는."

그는 밀짚 빛깔 핫케이크를 접시에 가득 담아 금색 시럽을 잔뜩 뿌리며 말했다.

“내가 자네 나이 때 조심했더라면, 메이는 지금쯤 병든 노인네와 황무지에서 겨울을 보내는 대신 이런저런 모임에서 춤을 추고 있었을걸세.”

“아, 하지만 전 이곳에 있는 게 좋아요, 아빠. 아빠도 아시면서. 뉴랜드가 여기 머물 수만 있으면 뉴욕보다 천 배는 더 좋을 테고요.”

“뉴랜드도 감기가 완전히 떨어질 때까지 여기 있어야지.”

웰랜드 부인이 너그럽게 말했다. 아처는 소리 내어 웃으며 그래도 직업상 할 일은 해야 할 거라고 말했다.

그러나 회사와 전보를 주고받은 뒤, 그는 감기를 앓을 기간으로 일주일을 확보할 수 있었다. 아처는 레터블레어 씨의 관대한 처사가 부분적으로는 영리하고 젊은 후배 변호사가 올렌스키 백작의 이혼이라는 귀찮은 문제를 만족스럽게 해결했기 때문임을 알았고 그래서 상황이 얄궂게 느껴졌다. 레터블레어 씨는 웰랜드 부인에게 뉴랜드 아처가 가문 전체에 ‘아주 값진 도움을 주었’으며 맨슨 밍곳 노부인이 특히 기뻐했다는 소식을 알려주었다. 메이가 그 집의 유일한 마차를 타고 아버지와 바람을 쐬러 나간 어느 날, 웰랜드 부인이 그 틈을 이용해 딸이 있을 때는 늘 피하던 화제를 꺼냈다.

“엘런의 생각이 우리 모두의 생각과 달라서 유감이야. 메도라 맨슨이 그 애를 데리고 유럽으로 돌아갔을 때 그 애는 채 열여덟 살도 되지 않았지…… 사교계 데뷔 무도회에 그 애가 검은 드레스를 입고 나타났을 때 얼마나 큰 소동이 벌어졌는지 기억나지? 메도라의 기벽이 또 나타났구나, 했는데…… 이번에 보니 그 일은 거의 예언이나 다름없었어! 적어도 12년 전 일일 거야. 그때 이후로 엘런은 미국에 한 번도 오지 않았지. 완전히 유럽 사람이 된 게 놀랄 일은 아닐세."

"하지만 유럽 사교계에서 이혼은 흔한 일이 아닙니다. 올렌스카 백작 부인은 자유를 요구하면서 미국적인 사고방식을 따른다고 생각했습니다."

스카이터클리프를 떠난 뒤 처음으로 그 이름을 입에 올린 순간이었다. 아처는 빰이 달아오르는 것을 느꼈다.

웰랜드 부인은 측은하다는 듯이 미소를 지었다.

"외국인들이 우리에 관해 지어낸 기이한 이야기일 뿐이지. 그 사람들은 우리가 2시에 저녁을 먹고 이혼을 지지한다고 생각해! 그러니 내가 보기엔 뉴욕에 오는 외국인들을 즐겁게 해주려는 건 아주 어리석은 행동이야. 우리에게 후한 대접을 받고는 고향에 돌아가서 하나같이 말도 안 되는 이야기만 되풀이하니까."

아처는 그 말에 아무런 대꾸를 하지 않았고 웰랜드 부인은 말을 이었다.

"하지만 엘런이 이혼을 단념하도록 자네가 설득해줘서

모두 무척 고맙게 여긴다네. 엘런의 할머니와 러벌 숙부도 그 애를 어떻게 해볼 도리가 없었지. 두 분 다 그 애가 마음을 바꾼 게 온전히 자네의 영향력 덕분이라고 편지를 보내셨어. 실제로 그 애가 할머니께 그렇게 말했다는군. 엘런은 자네를 한없이 존경해. 불쌍한 엘런…… 늘 다루기 힘든 아이였지. 그 애 운명은 대체 어떻게 될까?"

그는 이렇게 대답하고 싶었다.

'우리 모두가 계획한 대로 되겠죠. 당신들이 모두 엘런이 어느 점잖은 남자의 아내보다는 보퍼트의 정부가 되는 편이 좋겠다고 생각한다면, 방향을 제대로 잡으신 겁니다.'

그는 생각에 그치지 않고 이 말을 입 밖으로 꺼냈다면 웰랜드 부인이 뭐라고 했을지 궁금했다. 평생 사소한 일들을 마음대로 지휘해온 탓에 인위적인 권위를 풍기는 그 단호하고 차분한 얼굴이 갑자기 무너져 내리는 모습을 생생히 그려볼 수 있었다. 엘런의 얼굴에는 메이처럼 싱그럽고 아름다웠던 시절의 자취가 아직 남아 있었다. 아처는 메이의 얼굴도 점차 흐려져 저렇게 불굴의 순수함을 발산하는 중년의 얼굴로 변하고 마는 것일까, 하고 자문했다.

아, 그래서는 안 된다. 메이가 저런 종류의 순수를, 상상력이 들어오지 못하도록 생각을 봉인하고 경험에 저항하며 마음을 닫아버리는 그런 순수를 갖게 되는 것은 싫다!

웰랜드 부인이 말을 이었다.

"정말이지, 그 끔찍한 일이 신문에 실렸다면 우리 남편에게 치명타가 됐을 거야. 자세한 사정은 몰라. 불쌍한 엘런이 나에게 그 이야기를 해주려 했을 때도 그렇게 말했지만, 나에게는 말하지 말게. 돌봐야 할 환자가 있기 때문에 난 밝고 즐거운 마음을 유지해야 한다네. 하지만 웰랜드 씨는 몹시 심란해했지. 어떻게 결론이 났는지 함께 기다리는 동안 아침마다 미열이 있었거든. 남편은 그런 일이 가능하다는 사실을 딸아이가 아는 게 두려웠던 거야…… 하지만, 뉴랜드, 자네도 당연히 그런 마음이었겠지. 자네가 메이를 생각하고 있었다는 걸, 우리 모두 안다네."

"저는 언제나 메이를 생각하고 있습니다."

아처는 이렇게 대꾸하며 대화를 끝맺으려고 자리에서 일어났다.

원래는 웰랜드 부인과 단둘이 대화를 나눌 기회를 잡아 결혼 날짜를 앞당겨달라고 설득해볼 생각이었다. 그러나 웰랜드 부인의 마음을 움직일 만한 근거가 전혀 떠오르지 않았기에, 웰랜드 씨와 메이가 마차를 타고 현관으로 다가오는 모습이 보이자 마음이 놓였다.

유일한 희망은 메이에게 다시 간청하는 것뿐이었다. 떠나기 전날 그는 메이와 함께 스페인 선교회 건물에 딸린 황폐한 정원으로 산책을 나섰다. 유럽의 경치를 언급하기에 아주 적절한 배경이었다. 너무나 맑은 눈동자에 신비스러운 그림자를 드리우는 챙 넓은 모자를 쓴 메이는 어느 때보다도 사랑스러웠고, 그가 스페인의 도시 그라나다와 그곳에 있는 알람브라 궁전에 대해 이야기하자 얼굴이 열망으로 붉게 타올랐다.

"올봄에 그 모든 걸 볼 수도 있어요. 어쩌면 스페인 세비야에서 열리는 부활절 행사까지도."

그는 더 큰 양보를 받아낼 셈으로 무리한 요구를 제시하며 메이를 몰아붙였다.

"세비야에서 부활절을 보낸다고요? 다음 주부터 사순절이잖아요!"

메이가 웃음을 터뜨렸다.

"사순절에 결혼하면 안 될 이유라도 있나요?"

그가 대꾸했다. 그러나 메이가 너무 놀란 표정을 지었기에 그는 자신의 실수를 깨달았다.

"물론 그러자는 뜻은 아니에요. 하지만 부활절 직후라면…… 4월 말에는 배를 탈 수 있을 거요. 사무실에서 미리 준비해두면 되니까."

그 가능성에 메이는 꿈꾸듯이 미소를 머금었다. 그러나 꿈꾸는 것으로 충분한 모양이었다. 마치 그가 시집을 보며 읽어주는, 현실에서는 일어날 수 없는 아름다운 이야기를 듣는 듯한 표정이었다.

"아, 계속해봐요, 뉴랜드. 당신의 설명을 들으니 참 좋아요."

"하지만 왜 설명으로 그쳐야 한단 말입니까? 우리가 그걸 현실로 만들면 어때요?"

"내 사랑, 물론 우린 그렇게 할 거예요. 내년에 말이에요."

메이의 목소리는 여운에 잠겨 있었다.

"더 빨리 실현되기를 바라지 않나요? 지금 달아나자고 당신을 설득할 수는 없을까?"

메이는 고개를 숙이며 모자챙을 방패 삼아 얼굴을 숨겼다.

"왜 또 한 해를 멍하니 날려야 한단 말예요? 날 좀 봐요! 당신을 아내로 맞이하고 싶은 내 간절한 마음을 모르겠어요?"

메이는 잠시 꼼짝도 하지 않았다. 그러다가 절망이 담긴 사랑스러운 눈으로 그를 쳐다보기에 아처는 메이의 허리를 감싼 팔을 반쯤 풀었다. 그러나 갑자기 메이의 표정이 바뀌며 헤아릴 수 없을 만큼 어두워졌다.

"내가 안다고 해도 되는 건지 잘 모르겠어요. 혹시……혹시 나를 계속 사랑할 자신이 없어서 그러는 거예요?"

메이가 말했다.

아처는 자리에서 벌떡 일어섰다.

"맙소사…… 어쩌면…… 나도 모르겠군요."

그는 화가 나서 소리쳤다.

메이 웰랜드도 일어섰다. 두 사람이 마주 보는 동안, 그 여성스러운 자태와 기품 때문에 메이는 한층 성숙해 보였다. 둘 다 대화가 예상치 못하게 흘러가 당황스럽다는 듯 잠시 침묵을 지켰다. 그러다가 메이가 낮은 목소리로 말했다.

"그게 아니라면…… 다른 사람이 있나요?"

"다른 사람이라니…… 당신과 나 사이에?"

그는 메이의 말을 반쯤만 알아들었기에 스스로에게 그 질문을 되풀이할 시간이 필요하다는 듯이 천천히 그 말을 따라했다. 메이는 그의 목소리에서 반신반의하는 기색을 감지했는지, 더욱 낮은 목소리로 말을 이었다.

"솔직하게 말하기로 해요, 뉴랜드. 가끔 당신이 달라졌다는 느낌이 들었어요. 특히 약혼을 발표한 다음부터."

"그런…… 말도 안 돼!"

그가 정신을 차리고 소리쳤다.

메이는 그의 항의에 희미한 미소로 답했다.

"그렇다면 그 문제에 대해 이야기를 나눠도 나쁠 게 없겠네요."

메이는 잠시 말을 멈추었다가 언제나처럼 기품 있는 동작으로 고개를 들며 덧붙였다.

"아니면 혹시 그게 사실이더라도, 왜 그 이야기를 하면 안 되나요? 당신이 아주 쉽게 실수를 저질렀을지도 모르니까요."

그는 고개를 숙여 그들의 발치를, 햇빛이 비치는 길에 드리운 나뭇잎 그림자를 빤히 바라보았다.

"실수야 늘 저지르기 쉬운 법이지. 하지만 내가 당신이 뜻하는 그런 실수를 저질렀다면, 당신에게 결혼을 서두르자고 애원할 리가 있겠어요?"

메이도 고개를 숙이고 양산 끝으로 나뭇잎 그림자를 가르면서 정확한 표현을 찾으려 애썼다. 마침내 메이가 말했다.

"그럴 수도 있죠. 그렇게 문제를…… 단번에…… 해결하고 싶은 걸지도 모르니까요. 그것도 한 가지 방법이니까요."

아처는 메이의 침착하고 명료한 태도에 깜짝 놀랐지만, 메이가 아무런 감정을 느끼지 않는다고 오해하지는 않았다. 모자챙 밑으로, 창백한 옆얼굴과 굳게 다문 입술 위에서 콧구멍이 파르르 떨리는 모습이 보였다.

"그래서……?"

그는 벤치에 앉아 장난스럽게 보이려고 이맛살을 찌푸린 채 메이를 쳐다보며 물었다.

메이가 털썩 주저앉으며 말을 이었다.

"젊은 아가씨가 부모님 예상처럼 거의 아무것도 모른다

고 믿어선 안 돼요. 우리도 귀가 있고 눈이 있어요…… 감정과 생각이 있단 말이에요. 그리고 물론 당신이 나에게 사랑을 고백하기 한참 전부터, 다른 사람에게 관심을 보였다는 사실을 알고 있었어요. 2년 전에 뉴포트에서는 다들 그 이야기만 했으니까요. 당신과 그 사람이 무도회에서 베란다에 함께 앉은 모습을 본 적도 있어요…… 그 사람이 집 안으로 다시 들어왔을 때 슬픈 표정을 짓고 있어서 안타까운 마음이 들었죠. 나중에, 우리가 약혼했을 때 그 장면이 기억났어요."

목소리는 몹시 낮아서 속삭임에 가까웠다. 메이는 두 손으로 양산 손잡이를 쥐었다 풀기를 반복하며 앉아 있었다. 아처는 메이의 손에 자기 손을 올리고 가볍게 눌렀다. 뭐라 말할 수 없는 안도감으로 가슴이 부풀어 올랐다.

"내 사랑…… 그게 문제였나요? 당신이 진실을 안다면 좋으련만!"

메이는 고개를 획 치켜들었다.

"그럼 내가 모르는 진실이 있단 말인가요?"

아처는 그대로 그 손을 감싸고 있었다.

"내 말은, 당신이 말한 그 옛이야기에 대한 진실 말예요"

"하지만 난 그게 알고 싶어요, 뉴랜드…… 알아야만 하고요. 다른 사람에게 잘못을 저지르면서…… 부당한 행동을 하면서까지…… 행복을 얻고 싶지는 않아요. 당신도 마찬가지일 거라고 믿고 싶어요. 그걸 토대 삼아 우리가 어떤 삶을 꾸려나갈 수 있겠어요?"

메이의 얼굴에 몹시 비장한 용기가 서려 있어, 그는 그 발치에 엎드리고 싶은 심정이었다. 메이가 말을 이었다.

"오래전부터 이 말을 하고 싶었어요. 당신에게 말하고 싶었어요. 두 사람이 진심으로 서로를 사랑한다면, 반드시 여론에 맞서야 하는…… 그래야만 하는 상황이 있을지도 모른다는 걸 이해한다고 말이에요. 당신이 어떤 식으로든 우리가 말한 그 사람에게 맹세를…… 맹세를 했다고 생각한다면…… 그리고 어떤 식으로든…… 그가 이혼을 해서라도…… 어떤 식으로든 당신이 그 맹세를 지킬 방법이 있다면…… 뉴랜드, 나 때문에 그를 포기하지 말아요!"

메이의 두려움이 아주 까마득하고 완전히 옛일이 되어버린 솔리 러시워스 부인과의 연애에 쏠려 있었다는 사실이 놀라웠다. 그러나 메이의 관대한 태도는 놀라움을 넘어 경이로울 정도였다. 그렇게 무모하리만치 이례적인 태도에는 초인적인 면이 있었다. 다른 문제들이 그를 짓누르지 않았다면 옛 연인과 결혼하라고 재촉하는 웰랜드가 따님의 비범함에 놀라 어찌할 바를 몰랐을 것이다. 그러나 그는 두 사람이 가까스로 피한 낭떠러지를 언뜻 본 터라 여전히 아찔한 기분이었고, 소녀의 신비에 대한 새로운 경외감이 마음에 가득 차올랐다.

그는 잠시 아무 말도 하지 못하다가 입을 열었다.

"당신이 생각하는 그런…… 맹세는 하지 않았어요…… 어떤 의무도 없어요. 그런 문제는 항상…… 단순하게 여겨지지는 않지…… 하지만 그건 중요하지 않아요…… 당신의 관대함이 정말 좋아요. 나도 그런 문제에서는 당신과 생각이 같으니까…… 각 상황은 그 고유한 가치에 따라 개별적으로 판단해야 하지…… 어리석은 인습 따위는 무시하고…… 그러니까, 여자는 각자 자유로울 권리가……."

그는 생각이 그쪽으로 흘러가자 깜짝 놀라서 입을 다물었다가, 웃음 띤 얼굴로 메이를 바라보며 말을 이었다.

"당신은 도량이 넓은 사람이니, 조금만 더 나아가, 우리가 또 다른 형태의 어리석은 인습에 굴복하는 게 얼마나 쓸데없는 일인지 이해해줄 순 없겠어요? 우리 사이에 그 누구도, 그 무엇도 없다면, 더 지체하느니 빨리 결혼하는 게 당연한 일이 아닐까요?"

메이는 기쁨으로 얼굴을 붉히며 고개를 들어 그를 바라보았다. 아처는 그쪽으로 고개를 숙이다가 메이의 눈에 그렁그렁 맺힌 행복한 눈물을 보았다. 그러나 다음 순간 메이는 명망 있는 여자에서 무기력하고 마음 약한 아이로 돌아간 듯했다. 아처는 메이가 보인 용기와 결단력이 모두 다른 사람을 위한 것이었으며 자기 자신을 위한 것이 전혀 아니었음을 알 수 있었다. 짐짓 침착한 모습을 보였으나 그보다는 말을 꺼내느라 훨씬 더 많은 노력을 기울인 게 분명했다. 그가 안심시키는 말을 꺼내자마자, 무모한 일을 벌이다가도 어머니 품으로 달아나는 아이처럼 메이는 다시 평소 모습으로 돌아가버렸다.

아처는 계속 애원하고 싶지가 않았다. 메이의 투명한 눈에서, 그렇게 한 차례 그를 깊이 들여다보았던 새로운 존재가 사라졌다는 사실이 몹시 실망스러웠다. 메이는 그의 실망을 눈치챈 듯했지만 달랠 방법을 알지 못했다. 두 사람은 일어나서 말없이 집으로 걸어갔다.

17

"오빠가 없는 동안 오빠 친척인 백작 부인이 어머니를 찾아 왔어."

아처가 돌아온 날 저녁에 제이니 아처가 오빠에게 알렸다.

어머니, 동생과 식사 중이던 아처는 놀라서 고개를 들다가 아처 부인이 점잔을 빼며 자기 접시에 시선을 고정한 모습을 보았다. 아처 부인은 집에서 은둔 생활을 하더라도 세상에서 잊혀야 한다고는 생각하지 않았다. 아처는 자신이 올렌스카 부인의 방문에 놀란 모습을 보여 어머니가 약간 화가 난 모양이라고 생각했다.

"흑옥 단추가 달린 검은 벨벳 폴로네즈(18세기 후반에 유행한 화려하면서도 활동적인 스타일의 드레스로, 허리 부근에 풍성한 퍼프 세 개가 생기도록 바깥 치맛자락을 들어 올려 고정했다-옮긴이)를 입고 녹색원숭이 털로 만든 작은 토시를 끼고 있었어. 그렇게 멋들어지게 차려입은 모습은 처음 봤지 뭐야."

제이니가 말을 이었다.

"일요일 이른 오후에 혼자 왔더라고. 응접실 난로에 불을 지펴둬서 다행이었지. 새로 나온 명함 지갑을 갖고 있던데. 오빠가 무척 친절하게 대해줘서 우리와도 알고 지내고 싶었대."

아처가 웃음을 터뜨렸다.

"올렌스카 부인은 친구들에 대해서는 늘 그런 식으로 말하지. 다시 고향 사람들과 지내게 돼서 무척 즐거워한단다."

"그래, 우리에게도 그렇게 말하더구나. 정말이지 이곳에서 지내는 걸 고맙게 여기는 모양이더구나."

아처 부인이 말했다.

"엘런이 어머니 마음에 드셨으면 좋겠네요."

아처 부인은 입을 오므렸다.

"노인네를 찾아와서도 기분을 맞추려고 최선을 다하긴 했지."

"어머니는 엘런이 순진하지 않다고 생각하셔."

제이니가 눈살을 찌푸려 오빠의 얼굴을 바라보며 참견했다.

"그냥 시대에 뒤떨어진 나 같은 노인의 느낌이지. 하지만 사랑스러운 메이가 내 이상형이다."

아처 부인이 말했다.

"아, 두 사람은 서로 다르죠."

부인의 아들이 대답했다.

아처는 세인트오거스틴을 떠날 때 밍곳 노부인에게 전할 말을 잔뜩 받아왔다. 돌아와서 하루이틀쯤 지나, 그는 밍곳 노부인을 찾아갔다.

노부인은 평소처럼 따뜻하게 그를 맞이했다. 올렌스카 백작 부인이 이혼을 단념하도록 설득해줘서 고맙다고 했다. 단지 메이가 보고 싶어 무단으로 사무실을 벗어나 세인트오거스틴까지 달려갔다고 말하자, 노부인은 능글맞게 킬킬거리며 동글동글한 말불버섯 같은 손으로 무릎을 토닥였다.

"아, 아…… 그러니까 봇줄을 벗어던지고 반항했다는 말이군? 오거스타와 웰랜드가 불안한 표정을 지으면서 세상에 종말이 다가온 것처럼 굴었지? 하지만 귀여운 메이는…… 현명하게 처신했을 거야, 그렇고말고."

"그래주길 바랐지요. 하지만 제가 거기까지 가서 간청했는데도 결국 응해주지 않더군요."

"정말 응해주지 않았다고? 그게 뭐였는데?"

"4월에 결혼하겠다는 약속을 받아내고 싶었습니다. 한 해를 더 허비해봤자 무슨 소용이 있겠습니까?"

맨슨 밍곳 부인은 새침이라도 떠는 양 작은 입을 오므리고 눈꺼풀을 심술궂게 껌빽이며 빛나는 눈으로 그를 바라보았다.

"'엄마에게 물어보세요'라고 했겠지…… 안 봐도 뻔해. 아, 이 밍곳가 사람들은…… 어찌 그렇게들 똑같은지! 천성적으로 판에 박힌 생활에 익숙해서 도무지 그걸 벗어버리지 못해. 내가 이 집을 지었을 때는 다들 내가 캘리포니아로 이주하려는 줄로 생각했다네! 40번가 위쪽으로 집을 지은 사람이 없었으니까…… 그래, 내 말은 크리스토퍼 콜럼버스가 신대륙을 발견하기 전에도 배터리 위쪽에 집을 지은 사람이 없었어. 암, 없고말고. 그들 중 누구도 남과 다르게 살고 싶어하지 않는다네. 그런 걸 천연두처럼 두려워하지. 아, 아처, 나는 내가 천박한 스파이서 가문 사람에 지나지 않는다는 게 얼마나 감사한지 몰라. 하지만 내 후손 중에서 나를 닮은 녀석은 우리 엘런뿐이야."

밍곳 노부인은 갑자기 말을 끊고 변함없이 빛나는 눈으로 아처를 바라보며, 노인들이 으레 그러하듯이 엉뚱한 질문을 던졌다.

"그런데 자네는 대체 왜 우리 엘런과 결혼하지 않았나?"

아처는 웃음을 터뜨렸다.

"우선은, 결혼하려 해도 여기 없었으니까요."

"그랬지…… 그건 그래. 그래서 더 안타까워. 이제는 너무 늦었어. 그 애 인생은 끝났어."

노부인은 젊은 시절의 희망이 묻힌 무덤에 흙을 던져 넣는 노인처럼, 그만하면 됐다는 듯이 냉혹하게 말했다. 아처는 기분이 오싹해져서 서둘러 말했다.

"웰랜드가에 힘을 좀 써주시면 안 되겠습니까? 약혼을 오래 끄는 방식은 저와 맞지 않습니다."

캐서린 밍곳 노부인이 알았다는 듯이 환하게 웃음을 지었다.

"그렇겠지. 알 만하네. 자네는 눈치가 빨라. 어린아이였을 때도 분명 다른 사람보다 먼저 도움을 받고 싶어 했지."

노부인이 고개를 젖히고 웃음을 터뜨리자 턱살이 잔물결처럼 출렁거렸다.

"아, 지금 우리 엘런이 왔군!"

뒤쪽에서 칸막이 커튼이 열리자 노부인이 외쳤다.

올렌스카 부인이 웃으며 다가왔다. 얼굴이 생기발랄하고 행복해 보였다. 그는 몸을 숙이고 할머니에게 입을 맞추면서 아처에게 쾌활하게 한 손을 내밀었다.

"지금 막 이 사람에게 이렇게 말했단다, 아가. '그런데 왜 우리 엘런과 결혼하지 않았나?' 하고 말이야."

올렌스카 부인은 웃는 얼굴 그대로 아처를 바라보았다.

"이 사람이 뭐라고 하던가요?"

"오, 아가. 네가 직접 알아보렴! 애인을 만나러 플로리다까지 다녀왔다는구나."

"네, 알아요."

엘런은 아처에게서 시선을 떼지 않았다.

"당신이 어디 갔는지 여쭤보러 당신 어머님을 뵈러 갔었어요. 편지를 보냈는데 답장이 없어서 혹시 어디 아픈 건지 걱정했거든요."

그는 갑자기 서둘러 떠나느라 어쩔 수 없었고 세인트오거스틴에서 편지를 쓸 생각이었다고 웅얼거렸다.

"물론 그곳에 도착하고 난 뒤에는, 다시 내 생각이 나진 않았을 테고요!"

엘런은 짐짓 대수로운 일이 아닌 체하려는 건지, 쾌활한 태도로 변함없이 웃으며 그를 바라보았다.

'아직 내가 필요하다고 해도, 나에게 내색하지 않기로 결심한 모양이군.'

아처는 그 태도에 괴로워하며 생각했다. 어머니를 만나러 와줘서 고맙다고 말하고 싶었지만, 노부인의 심술궂은 시선 앞에서는 혀가 꼬인 듯 말문이 막혔고 어색하기만 했다.

"저 사람 좀 보렴…… 하루빨리 결혼하고 싶은 마음에 무단으로 자리를 박차고 그 철없는 아가씨에게 달려가 무릎

꿇고 애원했다지 뭐냐! 사랑에 빠진 사람다운 행동이지……
잘생긴 밥 스파이서가 그런 식으로 가여운 내 어머니 마음을
얻었지. 그러고는 내가 젖을 떼기도 전에 싫증을 냈다는구
나…… 나를 위해 여덟 달만 기다려주면 됐는데 말이야! 하
지만 자네는…… 자네는 스파이서 가 사람이 아니지. 자네와
메이에게는 다행스런 일이야. 그 사악한 피를 물려받은 사람
은 우리 불쌍한 엘런뿐이야. 나머지는 모두 전형적인 밍곳이
지."

노부인이 경멸조로 외쳤다.

아처는 할머니 곁에 앉은 올렌스카 부인이 여전히 자신
을 유심히 바라보고 있음을 깨달았다. 그 눈에서는 이미 쾌
활함이 사라지고 없었다. 엘런이 더할 나위 없이 부드럽게
말했다.

"물론, 할머니, 아처 씨의 바람이 이루어지도록 우리가
가족들을 설득할 수 있을 거예요."

아처는 가려고 일어섰다. 올렌스카 부인의 손을 잡았을
때, 엘런이 답신을 받지 못한 편지에 대해 무슨 말이건 듣고
싶어 기다리고 있다는 생각이 들었다.

"언제 만날 수 있을까요?"

응접실 문까지 배웅받는 동안 아처가 물었다.

"당신이 좋다면 언제든지요. 하지만 그 작은 집을 다시

보고 싶다면 서둘러야 해요. 다음 주에 이사할 거예요."

짤막한 못이 박힌 응접실에서 램프를 밝히고 보낸 시간이 떠올라, 그는 갑자기 찢어질 듯 가슴이 아팠다. 얼마 되지 않는 시간이었지만 추억으로 가득했다.

"내일 저녁은 어떻습니까?"

엘런이 고개를 끄덕였다.

"내일, 그래요. 하지만 일찍 와야 해요. 외출할 거니까."

다음 날은 일요일이었고, 엘런이 일요일 저녁에 '외출'한다면 목적지는 당연히 레뮤얼 스트러더스 부인의 집뿐이었다. 그는 가볍게 일렁이는 분노를 느꼈다. 엘런이 그 집에 가기 때문이 아니라(밴 더 라이든 부부의 뜻과 상관없이 그는 엘런이 원하는 곳에 가는 쪽이 좋다고 생각했다), 그곳에 가면 반드시 보퍼트를 만나게 될 텐데 분명 그를 만날 것임을 예상하고도 그 집에 간다는, 어쩌면 그 목적으로 그곳에 가는지도 모른다는 생각이 들었기 때문이다.

"좋습니다. 내일 저녁에 가지요."

그는 엘런의 말을 되풀이하며 마음속으로 일찍 가지는 않겠다고, 집 앞에 늦게 도착해 엘런이 스트러더스 부인의 집에 가지 못하게 하거나 아니면 엘런이 떠난 뒤 도착하겠다고 결심했다. 모든 상황을 고려할 때 의심할 여지없이 그것이 가장 간단한 해결책이었다.

결국 아처가 등나무 밑에서 초인종을 눌렀을 때는 겨우 8시 30분이었다. 계획했던 것보다 30분 이른 시각이었지만, 이상하게도 초조해서 엘런 집으로 찾아갈 수밖에 없었다. 그러나 그는 스트러더스 부인의 일요일 저녁이 무도회와는 다르며 손님들이 그동안 저질렀던 비행을 최대한 만회하려는 듯이 대개 일찍 참석한다는 사실을 떠올렸다.

그는 올렌스카 부인의 현관으로 들어서면서 그곳에서 모자와 외투를 보게 될 줄은 꿈에도 생각하지 못했다. 사람들을 초대해 저녁 식사를 할 예정이었다면 왜 그에게 일찍 오라고 했을까? 나스타시아가 놓아둔 그의 외투 옆에 있는 옷들을 더 자세히 살피자니 분노가 호기심으로 변했다. 사실 거기 놓인 외투들은 점잖은 집에서 본 것들 중에서 가장 이상했다. 언뜻 보아도 그중에 줄리어스 보퍼트의 옷이 없는 건 확실했다. 어떤 옷은 기성복으로 제작된 부스스한 노란 얼스터 외투(어깨 망토가 딸리고 단추가 두 줄 달린 방한용 외투-옮긴이)였고, 다른 옷은 짧은 어깨 망토가 달린 아주 낡고 빛바랜 망토로, 프랑스인들이 '맥팔레인'이라고 부르는 옷과 비슷했다. 이 옷들은 몸집이 큰 사람을 위해 제작된 듯했는데 오랫동안 닳도록 입은 게 분명했고, 녹색이 감도는 검은색 주름에서 젖은 톱밥 냄새가 풍기는 것으로 봐서 술집 벽에 걸려 있었던 모양이었다. 그 외투 위에는 너덜너덜한 회색 목도리와 성직자 모자 같기도 한 이상한 펠트 모자가 놓여 있었다.

아처가 나스타시아를 향해 어찌된 일이냐는 듯이 눈썹을 치켜 올리자, 나스타시아도 눈썹을 치켜 올리며 체념하듯이 '지아!'(già 여러 가지 의미가 있으나 여기에서는 '그러게 말이에요'라는 뜻-옮긴이) 하고 외치며 응접실 문을 활짝 열었다.

아처는 응접실에 주인이 없다는 사실을 한눈에 알아보았다. 놀랍게도 난롯가에 서 있는 다른 숙녀가 금세 눈에 띄었다. 키가 크고 여윈 몸에 마구잡이로 걸친 듯 옷을 입었는데 격자무늬와 줄무늬, 단색 띠가 도무지 의도를 알 수 없는 방식으로 배치된 옷이었고, 가장자리마다 고리 장식과 술 장식이 복잡하게 달려 있었다. 하얗게 세려다가 빛만 바랜 머리카락에 스페인 빗과 검은 레이스 천을 장식으로 올렸으며 류머티즘에 걸린 손에는 꿰맨 자국이 뚜렷한 비단 장갑을 끼고 있었다.

그 옆에, 두 외투의 주인들이 아침부터 내내 입고 다닌 게 분명한 모닝코트 차림으로 자욱한 담배 연기 속에 서 있었다. 아처는 두 사람 중 하나가 네드 윈셋임을 알아보고 놀랐다. 나이가 더 많은 다른 남자는 모르는 사람이지만 큰 체격으로 봐서 '맥팔레인'의 주인이 분명했다. 잿빛 머리털이 헝클어진 머리는 힘없는 사자의 머리 같았고 앞발을 휘두르듯이 팔을 움직이는 모습이 마치 무릎을 꿇은 군중에게 축복을 내려주는 중인 것만 같았다.

이 세 사람은 벽난로 앞 양탄자에 함께 서서 평소에 올렌스카 부인이 앉는 소파에 놓인 유별나게 커다란 진홍색 장미 다발을 응시했다. 장미 다발 아랫부분에는 자주색 팬지들이 한데 모여 있었다.

"이런 계절에는 꽃다발이 엄청 비쌀 텐데…… 물론 중요한 건 마음이지만!"

그 숙녀가 탄식하듯이 내뱉고 있을 때 아처가 방에 들어갔다.

세 사람은 그의 등장에 놀라 몸을 돌렸다. 그 숙녀가 앞으로 나서며 손을 내밀었다.

"친애하는 아처 씨…… 내 조카나 다름없는 뉴랜드! 나는 맨슨 후작 부인이랍니다."

엘런이 말했다.

아처가 고개 숙여 인사했고 엘런은 말을 이었다.

"우리 엘런 집에서 며칠 묵게 됐어요. 쿠바에서 스페인 친구들과 겨울을 보내고 온 참이지요. 정말 유쾌하고 품위 있는 사람들로, 옛 카스티야 왕궁의 고위 귀족들이랍니다. 당신도 그 사람들을 알면 좋을 텐데! 하지만 여기 있는 제 소중한 친구 카버 박사가 저를 불렀어요. '사랑의 계곡 공동체'의 설립자 애거선 카버 박사 모르시나요?"

카버 박사가 사자 머리를 숙여 인사했고 후작 부인은 말을 이었다.

"아, 뉴욕…… 뉴욕…… 영적인 삶이란 걸 맛보지 못한 곳이죠! 윈셋 씨와는 아는 사이죠?"

"네, 알다마다요…… 얼마 전에도 만났죠. 그 단체를 통해서는 아니지만."

윈셋이 특유의 메마른 웃음을 지으며 말했다.

후작 부인이 책망하듯이 고개를 저었다.

"당신이 어찌 알겠어요, 윈셋 씨? 바람은 불고 싶은 대로 불기 마련인데(신약성서 요한복음 3장 8절 인용-옮긴이)."

"그러기 마련이지…… 암, 그러기 마련이야!"

카버 씨가 끼어들어 우렁차게 되풀이했다.

"어쨌든 앉아요, 아처 씨. 우리 넷이서 근사한 저녁 식사를 함께 했는데 그 애는 옷을 갈아입으러 위층으로 올라갔어요. 당신이 찾아올 거라고 하더군요. 곧 내려올 거예요. 우린 그냥 이 엄청난 꽃에 감탄하고 있었답니다. 그 애도 다시 내려오면 놀라겠죠."

윈셋은 그대로 서 있었다.

"유감스럽지만 저는 가봐야 합니다. 올렌스카 부인에게 이 동네를 떠나시면 다들 아쉬워할 거라고 전해주십시오. 이 집은 오아시스나 마찬가지였습니다."

"아, 하지만 그 애는 당신을 버리지 않을 거예요. 그 아이에게 시와 예술은 생명의 숨결이니까요. 시를 쓰시는 거 맞죠, 윈셋 씨?"

"아, 아닙니다. 가끔 읽기는 합니다."

윈셋은 이렇게 말하고 모두에게 고개 숙여 인사한 뒤 조용히 방을 빠져 나갔다.

"신랄한 영혼이야…… 앙 푸 소바주(un peu sauvage, 프랑스어로 '약간 거칠다'는 뜻-옮긴이). 하지만 재치가 넘쳐. 카버 박사님, 저 사람 재치가 넘치지 않아요?"

"저는 재치 따위는 생각하지도 않습니다."

카버 박사가 엄격하게 말했다.

"아, 아…… 재치 따위는 생각하시지도 않는군요! 이분은 우리처럼 연약한 인간들에게 어쩜 이렇게도 무자비하실까요, 아처 씨! 하지만 영적인 삶만을 추구하는 분이니까요. 오늘 밤에는 블렌커 부인 댁에서 곧 열릴 강의를 머릿속으로 준비 중이시랍니다. 카버 박사님, 블렌커가로 출발하시기 전에, 잠시 시간을 내서 '직접 접촉'(강신술의 한 형태-옮긴이)이라는 계몽적인 발견에 대해 설명해주실 수 있을까요? 하지만 안 되겠네요. 9시가 다 되었고 그토록 많은 사람이 강연을 기다리는데, 저희가 박사님을 여기 붙잡아둘 권리는 없으니까요."

카버 박사는 그 결론에 약간 실망한 기색이었지만 자신의 묵직한 금색 시계를 올렌스카 부인의 작은 여행용 시계와 비교해보더니, 커다란 팔다리를 마지못해 일으켜 세우며 떠날 채비를 했다.

"나중에 뵙기로 하지요, 친애하는 친구여."

그가 후작 부인에게 말했고, 부인은 웃음을 지으며 대답했다.

"엘런의 마차가 도착하면 바로 그쪽으로 갈게요. 강연이 시작되지 않았기를."

카버 박사는 생각에 잠긴 표정으로 아처를 바라보았다.

"아마, 이 젊은 신사분이 제 경험에 관심이 있다고 하면, 그곳으로 데려오셔도 블렌커 부인이 괜찮다고 하시겠지요?"

"오, 박사님, 그럴 수 있다면…… 분명 블렌커 부인이 무척 좋아하실 거예요. 하지만 아쉽게도 우리 엘런이 아처 씨를 기다린답니다."

"그것 참 유감이군요…… 그래도 여기 제 명함입니다."

카버 박사는 이렇게 말하며 아처에게 명함을 건넸다. 고딕체로 이렇게 쓰여 있었다.

애거턴 카버

사랑의 계곡

카버 박사는 고개 숙여 인사하고 방을 나갔고, 맨슨 후작 부인은 아쉬움 때문이지 안도감 때문인지 한숨을 내쉬며 아처에게 앉으라고 손짓했다.

"엘런은 금방 내려올 거예요. 그 애가 오기 전에 둘이서 조용히 시간을 가질 수 있어서 기쁘네요."

아처는 뵙게 되어 반갑다는 말을 웅얼거렸고 후작 부인은 특유의 나지막한 탄식조로 말을 미었다.

"나도 다 안답니다, 아처 씨…… 당신이 그 애를 위해 해주신 모든 일을 우리 엘런이 말해주었어요. 현명한 조언에다, 용감하고 단호한 모습까지…… 너무 늦지 않아서 얼마나 다행인지!"

아처는 그 말을 듣고 몹시 당황했다. 올렌스카 부인에게서 그가 엘런 올렌스카의 사적인 일에 개입했다는 말을 듣지 못한 사람이 과연 한 사람이라도 있을까?

"올렌스카 부인이 과장한 모양이군요. 저는 그저 부인이 부탁한 대로 법적인 견해를 들려주었을 뿐입니다."

"아, 하지만 그 행동으로…… 그 행동으로 당신은…… 현대인들은 뭐라고 부르는지 모르겠지만 신의 섭리에…… 무의식적인 도구가 되어주었답니다, 아처 씨!"

후작 부인은 머리를 한쪽으로 기울이고 눈썹을 신비스럽게 내리깔며 외쳤다.

"바로 그 순간…… 대서양 저편에서 누가 나를 찾아와 호소하고 있었는지 당신은 몰랐겠죠!"

엘런은 누가 엿들을까 무섭다는 듯이 등 뒤를 힐끔 돌아보았다. 그러고는 의자를 더 가까이 당겨 작은 상아색 부채로 입술을 가리고 그 너머에서 나지막하게 말했다.

"바로 백작 본인이었답니다…… 불쌍하고 어리석고 정신 나간 올렌스키. 엘런이 제발로 돌아오게만 해달라고 부탁하더군요."

"그럴 수가!"

아처는 벌떡 일어나며 외쳤다.

"깜짝 놀랐나요? 그래요, 당연하죠. 나도 이해해요. 그 불쌍한 스타니슬라스를 옹호하진 않겠어요. 나를 늘 절친한 친구라고 불러주었지만. 그 사람도 변명하지는 않아요. 그 애의 처분만을 바라고 있지."

엘런은 수척한 가슴을 두드리며 말을 이었다.

"내가 직접 여기에 편지를 가져왔죠."

"편지라고요? ……올렌스카 부인이 그걸 읽었습니까?"

아처는 후작 부인의 말을 듣고 충격으로 머리가 어지러워 말을 더듬었다.

맨슨 후작 부인은 부드럽게 고개를 저었다.

"시간이…… 시간이, 나에겐 시간이 필요해요. 우리 엘런은…… 도도하고 고집이 세지. 용서할 기미가 전혀 없다고나 할까?"

"하지만, 맙소사, 용서하는 건 다른 문제입니다. 그 지옥으로 돌아가는 건……."

"아, 그렇죠."

후작 부인이 수긍했다.

"그 애는 그렇게 묘사하죠…… 예민하기도 하지! 하지만 물질적인 측면에 대해서, 아처 씨, 몸을 낮추고 생각해본다면 말이에요. 그 애가 뭘 포기하려고 하는지 알겠어요? 소파에 놓은 저 장미…… 저런 장미들이 니스에 있는 그의 비길 데 없는 계단식 정원에는 온실에나 야외에나 끝없이 펼쳐져 있다오! 보석으로 말하자면…… 역사적으로 유명한 진주에다 소비에스키 에메랄드도 있고…… 검은 담비털까지…… 하지만 그 애는 그런 것들에 전혀 관심이 없어요! 나와 마찬가지로 그 애는 예술과 아름다움을 목숨처럼 아끼고 사랑하죠. 그땐 그런 것들에 둘러싸여 살았지. 그림과 값진 가구, 음악, 멋진 대화…… 아, 그런 것들, 젊은이, 미안한 말이지만, 이곳 사람들은 그런 게 뭔지 전혀 몰라요! 그 애는 그걸 모두 가지고 있었지. 아주 훌륭한 사람들이 그 애를 추앙했고. 그 애가 말하길 뉴욕 사람들은 자기를 아름답게 생각하지 않는다던데…… 맙소사! 그 애의 초상화가 아홉 번이나 그려졌어. 유럽 최고 화가들이 서로 그 애를 그릴 영광을 달라고 애걸했다오. 이런 게 모두 아무것도 아닐까? 그 애를 숭배하는 남편의 참회도?"

맨슨 후작 부인의 감정이 절정에 이르면서, 얼굴에 황홀한 회상에 빠진 듯한 표정이 떠올랐다. 놀라서 망연자실한 상태가 아니었다면 아처도 매우 즐거웠을 것이다.

그가 불쌍한 메도라 맨슨을 처음 만날 때 사탄의 사자로 가장하고 있으리라고 누군가 예언했다면 웃어넘겼을 것이다. 그러나 지금은 웃을 기분이 아니었다. 그에게 맨슨 후작 부인은 엘런 올렌스카가 막 탈출한 지옥에서 곧장 찾아온 사람처럼 보였다.

"올렌스카 부인은 아직 모르고 있습니까…… 이 모든 걸?"

그가 불쑥 물었다.

맨슨 부인은 자줏빛 손가락 하나를 입술에 댔다.

"직접 듣진 않았지만…… 눈치는 챘으려나? 누가 알겠어요? 사실은, 아처 씨, 난 당신을 만나길 줄곧 기다렸어요. 당신이 단호했고 그 애에게 영향을 미쳤다는 사실을 들은 순간부터, 어쩌면 당신의 도움에 기댈 수 있지 않을까…… 당신이 납득해주면……."

"엘런이 돌아가야 한다는 걸 말입니까? 차라리 그가 죽는 걸 보겠습니다!"

아처가 격렬하게 외쳤다.

"아."

후작 부인은 화난 기색 없이 중얼거렸다. 장갑 낀 손으로 우스꽝스러운 상아색 부채를 폈다 접었다 하면서 안락의자에 잠시 앉아 있었다. 그러다 갑자기 고개를 들고 귀를 기울였다.

"그 애가 오나 봐요."

후작 부인이 재빨리 속삭였다. 그런 다음 소파에 놓인 꽃다발을 가리키며 말했다.

"당신은 저쪽이 더 낫다는 말이군요, 아처 씨? 어쨌든 결혼은 결혼이고…… 내 조카는 아직 유부녀예요……."

18

“두 분이 무슨 음모를 꾸미고 계신 거예요, 메도라 숙모?”

올렌스카 부인이 응접실로 들어오며 외쳤다.

무도회에 가는 옷차림이었다. 촛불의 불빛으로 드레스를 짜기라도 한 듯이 곳곳에서 희미한 빛이 어른거리고 반짝거렸다. 엘런은 방 안에 가득한 경쟁자들에게 도전하는 미인처럼 고개를 높이 쳐들고 있었다.

“얘, 네가 보면 놀랄 아름다운 게 도착했다는 말을 나누고 있었단다.”

맨슨 후작 부인이 자리에서 일어나 짓궂게 꽃다발을 가리키며 대답했다.

올렌스카 부인은 우뚝 서서 큰 꽃다발을 바라보았다. 얼굴색은 변하지 않았지만 여름날 번개처럼 새하얗게 번쩍이는 분노가 얼굴을 스치고 지나갔다.

"아."

엘런은 아처가 한 번도 들어보지 못한 날카로운 목소리로 외쳤다.

"저에게 꽃다발을 보내다니 누가 이렇게나 우스꽝스러운 짓을 한 거죠? 왜 꽃다발일까? 그것도 수많은 밤 중에서 하필 오늘? 전 무도회에 가는 게 아니에요. 약혼한 아가씨도 아니고. 하지만 늘 우스꽝스러운 행동을 하는 사람들이 있기 마련이죠."

엘런은 다시 문으로 다가가 문을 열고 소리쳤다.

"나스타시아!"

동에 번쩍 서에 번쩍 하는 하인이 즉시 나타났다. 아처의 귀에 이탈리아어로 "자…… 이걸 쓰레기통에 갖다 버려!"라고 하는 올렌스카 부인의 말이 들렸는데 그가 이해하도록 일부러 천천히 말하는 것만 같았다. 나스타시아는 항의하듯 엘런을 응시했다.

"하지만 안 되겠지…… 불쌍한 꽃들은 잘못이 없으니까. 꽃을 가져온 아이에게 세 집 건너에 있는 윈셋 씨 댁으로 가져다주라고 말하렴. 이곳에서 저녁을 먹은 그 가무잡잡한 신사분 말이야. 부인이 아프다고 하니…… 꽃을 보면 즐거워할지 몰라…… 아이가 떠나고 없다고? 그럼, 착하지, 네가 직접 뛰어가려무나. 자, 내 망토를 걸치고 빨리 가. 저걸 집에서 당장

내보내고 싶으니까! 참, 내가 보냈다는 말은 절대 하면 안 돼!"

올렌스카 부인은 오페라용 벨벳 망토를 하인의 어깨에 둘러주고 응접실로 돌아와 문을 쾅 닫았다. 레이스 밑에서 가슴이 솟아오르고 있어서, 아처는 잠시 엘런이 울음을 터뜨릴 거라고 생각했다. 그러나 엘런은 대신 웃음을 터뜨렸고 후작 부인과 아처를 번갈아 바라보며 불쑥 물었다.

"그런데 두 사람…… 친구가 됐네요!"

"아가, 그건 아처 씨가 말해줄 거야. 네가 옷을 갈아입는 동안에 여기에서 끈기 있게 기다리셨단다."

"맞아요…… 제가 두 분에게 시간을 넉넉히 드렸죠. 머리 모양이 잡히질 않아서."

올렌스카 부인은 이렇게 말하며 뒤로 틀어 올려 높이 쌓은 고불고불한 머리카락을 손으로 만졌다.

"참, 그러고 보니, 카버 박사님은 떠나셨네요. 숙모님이 블렌커 씨 댁에 늦게 도착하겠어요. 아처 씨, 숙모님을 마차에 태워주시겠어요?"

엘런은 후작 부인을 따라 복도로 나가서 후작 부인이 덧신과 숄, 모피 어깨걸이 등을 주섬주섬 신고 걸치는 모습을 보다가 문간에서 외쳤다.

"잊지 마세요! 마차는 10시에 저를 태우러 돌아와야 해요!"

그런 다음 엘런은 응접실로 돌아왔다. 그곳에 다시 들어온 아처는 벽난로 옆에 서서 거울에 비친 자신의 모습을 살피는 엘런을 보았다. 뉴욕 사교계에서 숙녀가 시중드는 하인에게 '착하지'라고 말하며 자기 오페라 망토를 둘러주고 심부름을 보내는 것은 흔한 일이 아니었다. 올림포스 산의 신들처럼 마음 내키는 대로 행동하는 세계에 있다는 사실에, 아처는 마음 깊은 곳에서부터 강렬하게 솟구치는 즐거운 흥분을 느꼈다.

올렌스카 부인은 그가 뒤로 다가가도 움직이지 않았고, 잠시 두 사람의 시선이 거울 속에서 맞부딪쳤다. 곧 엘런이 몸을 돌려 늘 앉는 소파 한쪽에 털썩 주저앉으며 탄식했다.

"담배 피울 시간은 있어요."

아처는 엘런에게 담뱃갑을 건네고 불을 붙여주었다. 불꽃이 번득이며 엘런의 얼굴을 비추었을 때 엘런은 웃음기 어린 눈으로 아처를 힐끗 보며 말했다.

"내가 화내는 모습을 보니 어땠어요?"

아처는 잠시 말이 없다가 갑자기 단호하게 대답했다.

"숙모님이 당신에 대해 하신 말씀이 이해되더군요."

"나에 대해 말씀하셨을 줄 알았어요. 그래서요?"

"당신이 우리가 이곳에서는 결코 줄 수 없는 온갖 다양한 것들…… 화려하고 재미있고 흥미로운 것들에 익숙하다고 말씀하셨습니다."

올렌스카 부인은 입 주변에 둥근 담배 연기를 내뿜으며 희미하게 웃음을 지었다.

"숙모는 어찌할 수 없는 낭만주의자예요. 그래서 여러모로 많은 도움이 됐죠!"

아처는 다시 망설이다가 한 번 더 모험을 해보았다.

"숙모님의 낭만주의가 늘 정확합니까?"

"그러니까, 메도라 숙모가 진실을 말하느냐는 거죠?"

올렌스카 부인은 잠시 생각에 잠겼다.

"글쎄요. 숙모가 말하는 거의 모든 것 중에서 어떤 것은 사실이고 어떤 것은 사실이 아니에요. 하지만 왜 그런 질문을 하죠? 메도라 숙모가 당신에게 무슨 말을 했어요?"

아처는 시선을 돌려 난롯불을 바라보다가 다시 엘런의 빛나는 모습으로 눈을 돌렸다. 이것이 두 사람이 난롯가에서 보내는 마지막 저녁이며 곧 마차가 엘런을 태우러 온다고 생각하자 심장이 조이는 느낌이 들었다.

"숙모님 말씀으로는…… 올렌스키 백작이 숙모님께 당신이 돌아오도록 설득해달라고 부탁했다더군요."

올렌스카 부인은 대답하지 않았다. 반쯤 올린 손에 담배를 든 채 꼼짝하지 않고 앉아 있었다. 표정도 바뀌지 않았다. 아처가 전에 알아차렸듯이 엘런에게는 정말이지 놀라지 않는 능력이 있었다.

"당신도 알고 있었군요?"

그가 버럭 외쳤다.

올렌스카 부인이 오래 침묵을 지키자 담뱃재가 바닥으로 떨어졌다. 그는 재를 바닥에 문질렀다.

"편지가 왔다는 암시를 주시긴 했어요. 딱하기도 하지! 숙모가 넌지시 비친 바로는……."

"여기 갑자기 오신 것도 당신 남편의 부탁 때문입니까?"

올렌스카 부인은 그 질문에 대해서도 한참 생각하는 듯했다.

"그건 아니겠지만, 또 모르죠. 나에게는 카버 박사님에게서 '영적 소환'인가 뭔가를 받았다고 말했어요. 숙모가 카버 박사와 결혼할까 봐 걱정스러워요…… 불쌍한 숙모, 숙모는 늘 누군가와 결혼하고 싶어해요. 하지만 아마 쿠바에 있던 사람들도 숙모에게 진절머리가 났을 거예요! 내 생각엔 숙모가 돈을 받고 친구 노릇을 해주며 그들과 지냈던 것 같아요. 정말이지, 숙모가 왜 왔는지는 모르겠어요."

"하지만 남편이 보낸 편지를 갖고 계신 건 사실일까요?"

이번에도 올렌스카 부인은 말없이 생각을 곱씹었다. 그러다가 입을 열었다.

"어쨌든 예상했던 일이에요."

아처는 벌떡 일어나 걷다가 벽난로에 몸을 기댔다. 갑작스런 불안이 그를 사로잡았고, 시간이 얼마 남지 않았으며 언제라도 돌아오는 마차 바퀴 소리가 들릴 것 같은 느낌에 입이 떨어지지 않았다.

"숙모님은 당신이 돌아갈 거라고 믿으시던데, 알고 있어요?"

올렌스카 부인이 고개를 훽 쳐들었다. 얼굴이 새빨갛게 물들더니 홍조가 목과 어깨로 퍼져나갔다. 엘런은 거의 얼굴을 붉히지 않았지만 얼굴을 붉힐 때면 불에 덴 듯이 고통스러워했다.

"나에 대한 여러 잔인한 이야기를 믿고 있었군요."

엘런이 말했다.

"아, 엘런…… 용서해줘요. 내가 어리석고 잔인하게 굴었군요!"

엘런은 살짝 미소를 지었다.

"당신도 몹시 초조하겠죠. 나름대로 고민이 있으니까요. 당신이 웰랜드가가 결혼에 대해 불합리하게 처신한다고 생각하는 거 알아요. 물론 나도 같은 생각이에요. 유럽 사람들은 우리 미국인들이 약혼 기간을 오래 유지하는 걸 이해하지 못해요. 우리만큼 침착하지 않아서 그런가 봐요."

엘런이 '우리'라는 말을 약간 힘주어 말한 탓에 비꼬는 느낌이 풍겼다.

아처는 빈정거림을 느꼈지만 감히 그 화제를 입에 올리지는 못했다. 어쨌거나 엘런이 일부러 자기 문제에서 다른 이야기로 화제를 돌리려 한 것일지도 모르고, 그의 마지막 말이 분명 엘런에게 고통을 주었기에 엘런이 이끄는 대로 따라갈 수밖에 없었다. 그러나 시간이 줄어들고 있다는 느낌 때문에 그는 절박해졌다. 다시 둘 사이에 언어의 장벽이 세워진다는 생각을 하면 견딜 수가 없었다.

그가 불쑥 입을 열었다.

"그래요. 남부에 가서 메이에게 부활절이 지나면 결혼하자고 부탁했어요. 그때 결혼해서는 안 되는 이유가 없으니까."

"그리고 메이는 당신을 흠모해요…… 그런데도 설득하지 못했나요? 메이는 무척 똑똑해서 그런 터무니없는 미신의 노예가 되지 않을 줄 알았는데."

"정말이지 너무 똑똑하죠…… 미신의 노예는 아닙니다."

올렌스카 부인이 그를 바라보았다.

"음, 그렇다면…… 이해가 되지 않네요."

아처는 얼굴을 붉히며 서둘러 말을 이었다.

"솔직한 대화를 나눴습니다…… 거의 처음이었죠. 메이는 내 초조한 모습을 나쁜 징조로 생각하더군요."

"맙소사…… 나쁜 징조라니요?"

"메이는 내가 자신을 계속 사랑할 자신이 없어서 그런다고 생각해요. 간단히 말해서, 내가…… 더 사랑하는 다른 사람에게서 달아나려고 당장 메이와 결혼하려 한다고 생각하죠."

올렌스카 부인은 이상하다는 듯이 그 말을 곱씹었다.

"하지만 그렇게 생각한다면…… 메이는 왜 서두르지 않는 거죠?"

"그런 사람이 아니니까요. 훨씬 고상한 사람이죠. 오히려 약혼 기간을 길게 잡아야 한다고 주장해요. 나에게 시간을 주기 위해……."

"다른 여자를 포기할 시간을요?"

"내가 원한다면 말입니다."

올렌스카 부인은 난로 쪽으로 몸을 숙이고 그것을 물끄러미 들여다보았다. 조용한 거리를 따라 다가오는 말발굽 소리가 아처의 귀에 들어왔다.

"정말 고상하군요."

엘런이 조금 갈라진 목소리로 말했다.

"맞아요. 하지만 터무니없는 생각이죠."

"터무니없다니요? 당신이 다른 사람을 사랑하지 않으니까요?"

"다른 사람과 결혼할 생각이 없기 때문입니다."

"아."

다시 긴 침묵이 흘렀다. 마침내 엘런은 고개를 들어 그를 바라보며 물었다.

"다른 여자 말인데요…… 엘런은 당신을 사랑하나요?"

"아, 다른 여자는 없습니다. 그러니까, 메이가 생각하는 그 사람은 아닙니다…… 예전에도 아니었고……."

"그렇다면, 어쨌든 왜 그렇게 서두르는 거죠?"

"마차가 왔군요."

아처가 말했다.

엘런은 몸을 반쯤 일으켜 멍한 눈으로 주변을 둘러보았다. 소파 옆자리에 부채와 장갑이 놓여 있었고 엘런은 기계적으로 그 물건들을 집어 들었다.

"맞아요. 가야겠네요."

"스트러더스 부인 댁에 갑니까?"

"네."

엘런은 웃음을 지으며 덧붙였다.

"초대받은 곳에 가야죠. 그렇게 하지 않으면 너무 외로울 테니까요. 함께 갈래요?"

아처는 무슨 일이 있어도 엘런을 곁에 붙잡아두어야겠다고, 남은 저녁을 자기와 보내게 해야겠다고 생각했다. 그는 질문을 무시하고 벽난로 선반에 그대로 몸을 기댄 채, 마치 시선만으로도 물건을 떨어뜨릴 수 있는지 알아내려는 사람처럼 장갑과 부채를 쥔 엘런이 손을 뚫어져라 바라보았다.

"메이의 짐작이 맞아요."

그가 말했다.

"다른 여자가 있어요…… 메이가 생각한 사람은 아니지만."

엘런 올렌스카는 대답하지도 않고 움직이지도 않았다. 잠시 후 그는 엘런 곁에 앉아 그 손을 잡고 부드럽게 펴서 장갑과 부채를 두 사람 사이 소파 위에 떨어뜨렸다.

엘런은 벌떡 일어나 그에게서 벗어나더니 난로의 다른 쪽 끝으로 다가갔다.

"아, 나와 잠자리를 같이할 생각은 말아요! 그런 짓을 한 사람은 셀 수 없이 많았어요."

엘런이 얼굴을 찡그리며 말했다.

아처도 얼굴빛이 변해 일어섰다. 이보다 더 쓰라린 책망은 없을 터였다.

"그런 적은 없어요. 앞으로도 그럴 겁니다. 하지만 우리 둘 중 하나라도 가능한 상황이었다면 당신이야말로 내가 결혼했을 여자예요."

그가 말했다.

"우리 둘 중 하나라도?"

엘런은 놀란 기색을 숨기지 않고 그를 바라보았다.

"그런 말을 잘도 하는군요…… 불가능한 상황으로 만든 사람이 바로 당신인데!"

아처는 엘런을 뚫어지게 바라보았다. 눈부신 빛줄기 하나만 화살처럼 파고들었을 뿐 사방이 캄캄한 어둠 속에서 길을 더듬는 기분이었다.

"내가 불가능하게 만들었다고……?"

"당신, 당신, 당신이 그랬잖아요!"

엘런은 울음을 터뜨리려는 아이처럼 입술을 떨며 소리쳤다.

"내가 이혼을 단념하도록 만든 사람이 당신 아닌가요? 그게 몹시 이기적이고 사악한 행동이라고, 결혼의 존엄성을 지키기 위해…… 그리고 가문이 세간의 입방아에 오르내리지 않고 추문이 돌지 않도록 자신을 희생해야 한다고 가르쳐 주면서 이혼을 포기하게 만든 사람이 당신 아닌가요? 게다가 우리 가족이 곧 당신 가족이 될 테니…… 메이를 위해서 그리고 당신을 위해서…… 나는 당신이 말한 대로, 내가 해야 하는 일이라고 당신이 알려준 대로 했어요. 아!"

엘런은 갑자기 웃음을 터뜨렸다.

"당신을 위해 그렇게 했다는 걸 난 결코 숨기지 않았다고요!"

엘런은 다시 소파에 주저앉아 비탄에 빠진 가면무도회 참석자처럼, 흉겹게 물결치는 드레스 자락에 싸여 몸을 웅크렸다. 아처는 난롯가에 서서 꼼짝 않고 계속 엘런을 응시했다.

"맙소사. 내가 생각했던 건……."

그가 신음했다.

"당신이 생각했던 건?"

"아, 내가 무슨 생각을 했는지 묻지 말아요!"

그가 엘런을 물끄러미 바라보는 동안 아까처럼 불타는 듯한 홍조가 엘런의 목을 타고 올라와 얼굴까지 번졌다. 엘런은 허리를 꼿꼿이 세우고 앉아, 엄숙하고 기품 있게 그를 마주 보았다.

"반드시 물어야겠어요."

"좋아요, 그렇다면. 당신이 나에게 읽어보라던 그 편지에 담긴 내용이……."

"내 남편이 보낸 편지 말인가요?"

"그래요."

"그 편지 내용은 조금도 두렵지 않았어요! 두려워할 게 전혀 없어요! 내가 두려운 건 가족에게 오명을, 추문을 안기는 것이었어요…… 당신과 메이에게도."

"맙소사."

그는 두 손에 얼굴을 묻으며 다시 신음했다.

뒤이어 찾아온 침묵은 돌이킬 수 없는 마지막 순간처럼 무겁게 그들에게 내려앉았다. 아처는 자신의 묘비에 짓눌려 몸이 부서지는 기분이 들었다. 드넓게 펼쳐진 미래를 바라보아도 마음에서 이 짐을 건져올릴 것을 찾을 수가 없었다. 그는 그 자리에서 움직이지 않았고 손바닥에 파묻은 얼굴을 들지도 않았다. 손에 가려진 눈은 칠흑 같은 어둠을 계속 응시했다.

"어쨌든 난 당신을 사랑했어요……."

그가 말을 꺼냈다.

벽난로 바닥 저편, 엘런이 여전히 웅크리고 있으리라 여겨지는 소파 쪽에서 아이의 울음처럼 희미하고 억눌린 울음소리가 들렸다. 그는 깜짝 놀라 고개를 들고 엘런 곁으로 다가갔다.

"엘런! 이 무슨 어리석은 짓이에요. 왜 울어요? 돌이킬 수 없는 일은 일어나지 않았어요. 나는 아직 자유로운 몸이고 당신도 그렇게 될 거예요."

그는 엘런을 안고 젖은 꽃 같은 얼굴에 입을 맞추었다. 그들의 온갖 헛된 두려움이 동틀 녘 유령들처럼 사그라졌다. 엘런을 만지기만 해도 모든 것이 이토록 단순해지는데, 5분 동안이나 방 반대쪽에 멀찍이 서서 말다툼을 벌였다는 사실이 놀라울 따름이었다.

엘런은 그의 입맞춤에 호응했다. 그러나 잠시 후 아처는 품에 안긴 엘런의 몸이 뻣뻣해지는 것을 느꼈다. 엘런은 아처를 옆으로 밀치고 일어섰다.

"아, 가여운 뉴랜드…… 이렇게 될 줄 알았어요. 하지만 그런다고 상황이 조금도 달라지진 않아요."

엘런은 그가 있던 난롯가 자리에 서서 그를 내려다보며 말했다.

"나는 인생이 송두리째 달라졌어요."

"아니, 안 돼요…… 그래서는 안 돼요. 그럴 수는 없어요. 당신은 메이 웰랜드와 약혼했어요. 난 결혼한 몸이고요."

얼굴을 붉히며 단호한 태도로 아처도 일어났다.

"말도 안 돼! 그런 말을 하기엔 너무 늦었어요. 우린 다른 사람들에게나 우리 자신에게 거짓말할 자격이 없어요. 당신 결혼에 대한 이야기는 접어두더라도, 이런 일이 있었는데도 내가 메이와 결혼할 것 같습니까?"

엘런은 야윈 팔꿈치를 벽난로 선반에 얹은 채 말없이 서 있었다. 뒤쪽 거울에 엘런의 옆모습이 비쳤다. 틀어 올린 머리 한 타래가 풀리며 목으로 흘러내렸다. 엘런은 초췌했으며 나이 들어 보이기까지 했다.

"메이에게도 그 질문을 할 수 있을지 모르겠군요. 할 수 있나요?"

마침내 엘런이 말했다.

아처는 개의치 않는다는 듯이 어깨를 으쓱했다.

"다른 방도를 찾기엔 너무 늦었어요."

"이 순간엔 그렇게 말하는 게 가장 쉬우니까 그런 말을 하는 거예요…… 그게 사실이기 때문이 아니라. 사실은 너무 늦었기 때문에 우리 둘 다 이미 결정한 대로 따를 수밖에 없어요."

"아, 당신을 이해할 수가 없군!"

엘런은 애처롭게도 억지로 웃음을 지었지만 얼굴빛이 밝아지기는커녕 더욱 파리해졌다.

"당신이 나를 위해 많은 것을 바꿔놓았다는 사실을 모르기 때문에 이해하지 못하는 거예요. 아, 처음부터 그랬어요…… 당신이 해준 그 모든 일을 내가 알기 한참 전부터."

"내가 한 모든 일들?"

"그래요. 처음에 난 이곳 사람들이 나를 피한다는 사실을 전혀 몰랐어요. 나를 끔찍한 사람처럼 생각한다는 사실을 말이에요. 나와 만나게 될 저녁 만찬도 거부한 모양이더군요. 나중에야 그 사실을 알았어요. 한 가문이 아니라 두 가문이 나를 지지해주도록 당신이 어머니를 설득해 함께 밴 더 라이든 부부를 찾아간 것도, 보퍼트가의 무도회에서 약혼을 발표해야 한다고 주장했다는 것도……."

그 말에 아처가 짧게 웃음을 터뜨렸다.

"내가 얼마나 어리석고 눈치가 없었는지 생각해봐요! 어느 날 할머니가 무심코 흘리기 전까지는 그 모든 일들을 전혀 몰랐어요. 나에게 뉴욕은 그저 평화와 자유를 의미했죠. 고향에 온 거니까요. 나는 고향 사람들 사이에서 지내는 게 무척 행복해서, 만나는 사람들이 모두 친절하고 선량하게만 보였고 나를 만나서 기뻐하는 줄 알았어요."

엘런이 말을 이었다.

"하지만 맨 처음부터, 당신처럼 친절한 사람은 없다고 느꼈어요. 처음에는 아주 어렵고…… 불필요하게 보이던 일들을 왜 해야 하는지, 내가 이해하도록 이유를 알려준 사람은 당신뿐이었어요. 그 선량한 사람들은 나를 설득하지 못했어요. 그러고 싶은 마음도 없다는 느낌이 들었죠. 하지만 당신은 알았어요. 당신은 이해해주었어요. 당신은 바깥세상이 그 화려한 황금 손으로 마음을 잡아당기는 걸 느껴본 사람이었어요…… 그러면서도 세상이 요구하는 것들을 싫어했죠. 불충과 잔인함, 무관심으로 얻어낸 행복을 싫어했어요. 예전에 난 그런 것을 전혀 알지 못했어요. 내가 아는 어떤 것보다도 훌륭해요."

엘런은 눈물을 흘리지 않고 흥분한 기색도 없이 낮고 침착한 목소리로 말했다. 그리고 그 입에서 나온 한마디, 한마디가 불타는 탄환처럼 그의 가슴을 꿰뚫었다. 그는 몸을 굽히고 앉아 두 손으로 머리를 감싼 채 벽난로 앞 깔개를, 드레스 밑으로 보이는 엘런의 공단 구두코를 물끄러미 바라보았다. 그는 갑자기 무릎을 꿇고 그 구두에 입을 맞추었다.

엘런은 그를 향해 몸을 숙여 그의 어깨에 두 손을 얹었다. 바라보는 눈빛이 매우 깊어서, 아처는 그 시선 앞에서 꼼짝할 수가 없었다.

"지금껏 당신이 한 일을 무효로 만들지 말기로 해요! 이제는 다른 식으로 생각할 수가 없어요. 당신을 포기하지 않고서는 당신을 사랑할 수가 없단 말이에요!"

엘런이 외쳤다.

그는 간절하게 엘런을 향해 두 팔을 뻗었다. 그러나 엘런은 뒤로 물러섰고 두 사람은 엘런의 말이 만들어낸 거리만큼 떨어진 채 서로를 마주 보았다. 그러다가 갑자기 분노가 용솟음쳤다.

"그러면 보퍼트요? 나 대신 그 사람입니까?"

그 말이 튀어나온 순간 그는 대답으로 타오르는 분노가 쏟아지리라 각오했다. 자신의 분노를 더욱 부채질해줄 테니 얼마든지 맞아들일 생각이었다. 그러나 올렌스카 부인은 낯빛이 더욱 창백해졌을 뿐, 두 팔을 앞으로 늘어뜨리고 질문에 대해 곰곰이 생각할 때면 늘 그러듯 머리 한쪽을 약간 기울인 채 가만히 서 있었다.

"그 사람이 지금 스트러더스 부인 댁에서 당신을 기다리고 있잖소. 그 사람한테 가지 그래요?"

아처가 빈정거렸다.

엘런은 몸을 돌려 종을 울렸다. 하인이 들어오자 올렌스카 부인이 말했다.

"오늘 저녁에는 외출하지 않을 거야. 마부에게 가서 후작 부인을 모셔오라고 전해주렴."

문이 다시 닫힌 뒤에 아처는 매서운 눈빛으로 계속 엘런을 바라보았다.

"왜 그런 희생을 하는 겁니까? 당신이 외롭다고 말한 이상, 내게는 당신이 친구들을 만나지 못하도록 막을 권리가 없어요."

엘런은 젖은 속눈썹 아래로 살며시 웃음을 지었다.

"이제 난 외롭지 않을 거예요. 예전에는 정말 외로웠죠. 정말 두려웠어요. 하지만 공허함과 어둠은 사라졌어요. 이제 나 자신으로 되돌아왔으니, 밤중에 늘 불이 켜진 방에 들어가는 아이가 된 기분이에요."

그 어조와 표정 때문에 엘런은 여전히 부드럽지만 범접할 수 없는 분위기에 싸여 있었다. 아처는 다시 신음하듯이 말했다.

"이해할 수가 없군요!"

"하지만 당신은 메이를 이해하잖아요!"

그 반박에 얼굴이 붉어졌지만 그는 엘런에게서 시선을 떼지 않았다.

"메이는 기꺼이 나를 포기할 거요."

"무슨 말이에요! 결혼을 서두르자며 당신이 그 애 앞에 무릎 꿇고 애원한 게 고작 사흘 전이잖아요!"

"메이는 거절했습니다. 그러니 나에게는 권리가……."

"아, 그게 얼마나 추악한 말인지 당신이 나에게 가르쳐 줬죠."

엘런이 말했다.

그는 기진맥진한 기분으로 고개를 돌렸다. 몇 시간 동안 기를 써서 가파른 절벽을 오르다가 이제 가까스로 꼭대기에 이르렀는데, 손을 놓쳐 어둠속으로 곤두박질치며 떨어지는 기분이 들었다.

다시 엘런을 품에 안을 수만 있다면 엘런의 주장을 모두 쓸어낼 수 있을 것이다. 그러나 그 헤아릴 수 없이 냉담한 표정과 태도 때문에, 그리고 그 진지함에 두려움을 느꼈기 때문에 그는 여전히 엘런에게 다가가지 못했다. 마침내 그는 다시 애원하기 시작했다.

"우리가 지금 이렇게 하면 나중에는 상황이 더 나빠질

거요…… 모두에게 더 나쁜 상황이…….”

“아니, 아니, 아니에요!”

엘런은 그의 말에 소스라치게 놀란 듯이 거의 비명을 질렀다.

그 순간 찌르릉거리는 초인종 소리가 집 안으로 길게 울려 퍼졌다. 두 사람은 마차가 집 앞에 멈추는 소리를 듣지 못했기에, 깜짝 놀란 눈으로 서로를 바라보며 가만히 서 있었다.

바깥에서 복도를 가로지르는 나스타시아의 발소리가 들렸고 바깥문이 열렸다. 잠시 후에 나스타시아가 전보를 들고 응접실에 들어와 올렌스카 부인에게 건넸다.

“그 댁 부인이 꽃을 보고 무척 좋아하셨어요.”

나스타시아가 앞치마를 매만지며 말했다.

“남편 분이 보낸 줄 알고, 잠깐 울더니 바보 같은 짓이라고 말하더군요.”

올렌스카 부인은 웃음을 지으며 노란 봉투를 받았다. 봉투를 열어 램프 곁으로 가져갔다. 그런 다음 문이 다시 닫히자 아처에게 전보를 건넸다.

세인트오거스틴에서 올렌스카 백작 부인 앞으로 띄운 전보였다. 그가 읽은 내용은 다음과 같았다.

할머니의 전보 성공. 엄마 아빠 부활절 후 결혼식 동의. 뉴랜드에게 전보 예정. 말할 수 없이 기쁘고 언니를 몹시 사랑해. 감사로 가득한 메이.

30분 뒤 아처는 자기 집 현관문을 열다가 복도 탁자에 쌓인 쪽지와 편지 위에서 비슷하게 생긴 봉투를 발견했다. 봉투 속 전갈은 역시 메이 웰랜드에게서 온 것으로, 내용은 다음과 같았다.

부모님이 부활절 후 화요일 그레이스교회에서 12시에 결혼식 동의. 신부 들러리는 여덟 명. 목사님을 만나줘요. 몹시 행복해. 사랑하는 메이.

아처는 그렇게 하면 안에 담긴 내용을 모조리 없애버릴 수 있다는 듯이 노란 편지지를 구겨버렸다. 그런 다음 작은 수첩을 꺼내 떨리는 손으로 종잇장을 넘겼다. 그러나 원하는 것을 찾지 못해 전보를 주머니에 쑤셔 넣고 계단을 올랐다.

제이니가 화장하는 방 겸 침실로 쓰는 작은 문간 방 사이로 빛이 새어나왔다. 오빠가 조급하게 문을 두드렸다. 문이 열리더니, 아주 오래된 자주색 플란넬 실내복을 입고 머리에 '핀을 꽂은' 동생이 나타났다. 창백하고 불안한 표정이었다.

"오빠! 그 전보에 나쁜 소식이 있는 건 아니지? 일부러 기다렸어, 혹시라도……."

(그가 받은 어떤 편지도 제이니의 눈길을 벗어나지 못했다.)

아처는 동생의 질문을 한 귀로 흘려보냈다.

"있잖아…… 올해 부활절이 언제지?"

제이니는 오빠가 기독교인답지 못하게 그 사실을 모른다는 사실에 놀란 표정을 지었다.

"부활절? 오빠! 그거야 당연히 4월 첫째 주지. 왜 그래?"

"첫째 주라고?"

그는 속삭이듯이 말하고는 재빨리 날짜를 따져보며 다시 수첩을 뒤적였다.

"첫째 주라고 했지?"

그는 고개를 젖히고 큰 소리로 한참을 웃었다.

"설마 무슨 문제라도 생긴 거야?"

"문제 따윈 없어. 내가 한 달 안에 결혼한다는 점만 빼면."

제이니는 그의 목을 껴안고 자주색 플란넬 실내복에 싸인 가슴으로 오빠를 꼭 끌어당겼다.

"아, 오빠, 정말 멋진 일이야! 정말 기뻐! 그런데 오빠, 왜 계속 웃는 거야? 조용히 해. 엄마 깨시겠어."

2부

19

흙먼지 실린 봄바람이 활기차게 불어오는 쾌청한 날이었다. 양가 노부인들은 모두 빛바랜 검은담비 모피와 누르스름해진 흰담비 털옷을 걸치고 나왔고, 그 바람에 노부인들이 앉은 교회 앞좌석에 장뇌 냄새가 진동해 재단에 쌓인 백합의 희미한 봄 향기가 묻혀버렸다.

뉴랜드 아처는 교회지기의 신호를 받고 성구 보관실에서 나와, 신랑 들러리와 함께 그레이스 교회의 성단소(예배당에서 성직자와 성가대가 앉은 제단 옆자리-옮긴이) 계단에 섰다.

그 신호는 신부와 신부 아버지를 태운 사륜마차가 보인다는 뜻이었다. 그러나 신부 들러리들이 부활절에 만발한 꽃송이처럼 한참 전부터 로비에서 맴돌고 있었으니, 그곳에서 옷차림을 정돈하고 절차를 상의하느라 분명 상당한 시간이 걸릴 터였다. 어쩔 수 없이 지체되는 그 시간 동안 신랑은 결혼식을 올리고 싶은 간절한 소망을 입증하는 뜻으로, 그 자리에 모인 하객들 시선을 받으며 홀로 서 있어야 했다. 그리고 아처는 19세기 뉴욕의 결혼식을 인류 문명이 싹트던 시기의 의식으로 보이게 하는 갖가지 절차를 견뎌냈듯이 이 절차 또한 체념하는 자세로 치렀다. 그가 걷기로 약속한 길에서는 모든 것이 하나같이 수월했고…… 달리 표현하자면 하나같이 고통스러웠다. 그가 들러리로서 다른 신랑들을 똑같은 미로로 인도했을 때 그들이 그의 말을 순순히 따랐듯이, 아처도 들러리가 허둥거리며 내리는 명령을 경건하게 따랐다.

지금까지 그는 모든 의무를 완수했다고 확신했는데 이는 합당한 생각이었다. 하객 안내원 여덟 명이 쓸 금과 사파이어 커프스단추, 신랑 들러리의 묘안석 넥타이핀, 그리고 흰 라일락과 은방울꽃으로 만든 신부 들러리용 부케 여덟 개까지 모두 제때에 보냈다. 아처는 친구들과 옛 애인들이 보낸 마지막 선물 더미에 다양한 말로 감사 편지를 쓰느라 밤을 반쯤 지새웠다. 교회 감독과 교구 목사에게 줄 사례비는 신랑 들러리의 주머니에 안전하게 맡겨두었다. 그의 짐은 결혼 피로연이 열릴 맨슨 밍곳 노부인의 집에 이미 가 있었고, 갈아입을 여행복도 마찬가지였다. 그리고 미지의 목적지로 젊은 신혼부부를 데려다줄 기차에는 개인 객실이 예약되어 있었다(첫날밤을 보낼 장소를 비밀에 부치는 것은 이 선사 시대 예식에서 매우 신성한 법칙 중 하나였다).

"반지 잘 가지고 있지?"

신랑 들러리라는 자리를 처음 맡아 막중한 책임감에 짓눌린 젊은 밴 더 라이든 뉴랜드가 속삭였다.

아처는 그동안 무수한 신랑들에게서 익히 보아온 몸짓을 보였다. 장갑을 끼지 않은 오른손으로 진회색 조끼 주머니를 더듬어 작은 금반지가 제자리에 있는지 확인했다(반지 안쪽에는 '뉴랜드가 메이에게, 187X년 4월 XX일'이라고 새겨 있었다). 그런 다음에는 왼손에 실크해트와 검은 실로 바느질한 은회색 장갑을 든 채 전과 같은 자세로 서서 교회 문간을 바라보았다.

머리 위에서는 헨델의 행진곡이 둥근 인조석 천장으로 장엄하게 울려 퍼졌고 넘실거리는 그 음률을 타고 수많은 결혼식에 대한 기억이 희미하게 떠올랐다. 그런 결혼식에서 그는 바로 이 성단소 계단에 선 채 다른 신부들이 다른 신랑들을 향해 신도석 사이로 둥실둥실 다가오는 모습을 즐겁지만 무심하게 지켜보았다.

'오페라 공연 첫날과 아주 똑같군!'

그가 보니 똑같은 얼굴들이 똑같은 박스석에(아니, 신도석에) 앉아 있었다. 아처는 최후의 심판 나팔이 울릴 때 셀프리지 메리 부인이 보닛에 지금과 똑같이 높이 솟은 타조 깃털을 꽂고 있을지, 보퍼트 부인이 지금과 똑같은 다이아몬드 귀걸이를 걸고 지금과 똑같은 웃음을 지으며 그 자리를 지킬지…… 그리고 다른 세상에도 그들에게 알맞은 앞좌석이 준비되어 있을지를 생각했다.

그러고 나서도 첫줄에 앉은 친숙한 얼굴들을 하나하나 살펴볼 시간이 있었다. 여자들 얼굴은 호기심과 흥분으로 날카로웠고 남자들 얼굴은 점심 전부터 프록코트를 입은 데다 피로연에서 음식을 놓고 다퉈야 한다는 생각 때문에 부루퉁했다.

신랑은 레기 치버스가 이렇게 말하는 모습을 상상할 수 있었다.

"밍곳 노부인 댁에서 피로연을 열다니 애석한 일이야. 하지만 러벌 밍곳이 자기 집 요리사한테 요리를 맡기자고 우겼다는군. 그러니 음식을 차지할 수만 있으면 괜찮을 거야."

또한 실러턴 잭슨이 권위 있게 덧붙이는 모습도 보이는 듯했다.

"이보게들, 못 들었나? 음식을 새로운 영국식으로 작은 탁자에 차려낼 거라네."

아처의 시선이 잠시 왼쪽 신도석에 머물렀다. 헨리 밴 더 라이든 씨의 팔을 잡고 교회에 들어온 어머니가 자신의 할머니 것이었던 흰담비 털 토시에 두 손을 넣은 채 자리에 앉아, 샹티이(레이스 직물 산업으로 유명한 프랑스 북부의 도시-옮긴이) 레이스 베일 너머에서 조용히 흐느끼고 있었다.

아처는 누이동생을 바라보며 생각했다.

'가여운 제이니! 고개를 이리저리 돌려봐도 앞줄에 앉은 몇 사람밖에 보이지 않을 거야. 그것도 대부분은 볼품없는 뉴랜드가와 대거넷가 사람들이지.'

가족과 친지용 좌석을 구분해주는 흰색 리본 이쪽 편에서 키가 크고 얼굴이 붉은 보퍼트가 거만한 눈길로 여자들을 살피는 모습이 보였다. 옆에는 은색 친칠라 모피와 보랏빛으로 온몸을 휘감은 그의 아내가 앉아 있었다. 리본에서 멀리 떨어진 곳에서는 로런스 레퍼츠의 매끈하게 빗어 넘긴 머리가, 결혼식을 주관하는 '훌륭한 예법'이라는 보이지 않는 신을 위해 보초를 서는 듯했다.

아처는 레퍼츠의 예리한 눈이 이 신성한 예식에서 얼마나 많은 단점을 찾아냈을지 궁금했다. 그러다가 문득 자신도 한때는 그런 문제를 중요하게 여겼다는 생각이 떠올랐다. 일상을 채우는 그런 문제들이 이제는 인생을 유치하고 서투르게 희화한 풍경 또는 중세 철학자들이 누구도 이해하지 못한 형이상학적인 용어를 두고 벌이는 논쟁처럼 보였다. 결혼식을 몇 시간 앞두고, 결혼 선물을 '전시'해야 하느냐는 문제로 격렬한 언쟁이 벌어지는 바람에 분위기가 가라앉았다. 다 큰 어른들이 그런 사소한 문제로 흥분하고, 웰랜드 부인이 성난 눈물을 흘리며 "차라리 기자들을 내 집에 풀어놓는 게 낫겠어요"라고 말하면서 (전시하지 않기로) 결정되는 방식을 아처는 도무지 이해할 수가 없었다. 그러나 아처도 그런 문제들에 명확하고도 다소 적극적인 견해를 가지고 이 작은 부족의 예의범절과 관습에 관련된 모든 것이 세계적인 중요성을 띤다고 생각하던 때가 있었다.

'그리고 그러는 동안, 진짜 사람들이 어딘가에서 살고 있었겠지. 그들에게 진짜 일들이 일어나고 있었겠지…….'

아처는 생각했다.

"저기 도착했나 봐!"

신랑 들러리가 흥분해서 속삭였다. 그러나 신랑이 사정을 더 잘 알고 있었다.

교회 문이 조심스럽게 열렸는데 이는 (틈틈이 교회지기 역할을 하느라 검은 가운을 입은) 마차 대여업자 브라운 씨가 일행을 안내하기 전에 상황을 미리 살펴보는 것뿐이었다. 문이 다시 조용히 닫혔다. 그러다가 잠시 시간이 흐른 뒤에 문이 당당하게 열렸고, "가족들이야!" 하고 속삭이는 소리가 교회 내부에 퍼져 나갔다.

웰랜드 부인이 장남의 팔을 잡고 가장 먼저 들어왔다. 큰 분홍빛 얼굴은 적절하게 엄숙했으며 연한 파란색 천을 세로로 댄 짙은 보라색 공단 드레스와 작은 공단 보닛에 꽂은 파란 타조 깃털은 전반적으로 호응을 얻었다. 웰랜드 부인이 아처 부인의 맞은편에 놓인 신도석에 바스락거리며 위엄 있게 앉기도 전에, 구경꾼들은 다음으로 누가 들어오는지 보려고 목을 길게 뺐다. 바로 전날, 맨슨 밍곳 노부인이 불편한 몸을 이끌고서라도 결혼식에 참여하기로 했다는 취지의 소문이 파다하게 퍼졌다. 밍곳 노부인의 모험적인 성격에 몹시 어울리는 발상이었으므로, 클럽에서는 노부인이 예배당 통로를 걸어가 좌석에 몸을 욱여넣을 수 있느냐를 두고 높은 금액이 걸린 내기가 벌어졌다. 들리는 말에 따르면 노부인은 자기 집 목수를 보내 맨 앞 신도석의 맨 끝 판자를 떼어낼 수 있는지 조사하고 좌석과 제단 앞면의 간격을 측정하라고 고집스럽게 지시했다. 그러나 결과는 실망스러웠고, 노부인이 거대한 배스 의자(바퀴가 세 개 또는 네 개 달린 휠체어의 일종으로 17세기에 영국 배스에서 발명되었다-옮긴이)를 굴려 예배당 통로를 지나가 그 의자에 앉은 채로 성단소 발치에 군림하면 어떨지 생각하는 동안 가족들은 그 모습을 지켜보며 초조한 하루를 보냈다.

밍곳 노부인이 자기 몸을 그렇게 무시무시하게 드러내다니, 친척들에게는 생각만으로도 몹시 괴로운 일이었다. 따라서 그 의자의 폭이 너무 넓어 교회 문에서부터 보도의 연

석까지 이어진 차양의 쇠기둥 사이를 통과할 수 없다는 사실을 갑자기 발견해낸 그 재치 있는 인물의 온몸에 금칠이라도 해주고 싶은 심정이었다. 차양 밖에 선 양재사들과 신문기자들이 죽 연결된 천막으로 조금이라도 가까이 오려 기를 쓸 텐데, 그 차양을 치워 신부를 고스란히 노출시킨다는 생각은 제아무리 용감한 캐서린 노부인일지라도, 물론 그 가능성을 잠시 고려해보기는 했지만 차마 감당할 수 없었다.

"아니, 그 사람들이 우리 딸 사진을 찍어서 신문에 실을지도 모른다고요!"

웰랜드 부인은 어머니가 마지막 계획을 넌지시 내비치자 이렇게 소리쳤다. 상상조차 할 수 없는 그 망측한 상황에 온 집안이 다함께 흠칫하며 몸서리쳤다. 집안의 수장은 굴복할 수밖에 없었다. 그러나 노부인은 한 가지 약속을 받고서야 양보했다. (워싱턴스퀘어에 사는 친척이 말했듯이) 웰랜드가가 지척인 데다 어딘지도 모를 뉴욕의 다른 쪽 끝까지 가기 위해 번거롭게도 브라운 쿠페에 특별 요금을 지불해야 할지언정, 피로연을 자신의 집에서 열기로 한 것이다.

잭슨 씨 남매가 이 모든 거래 과정을 널리 알렸는데도 모험을 즐기는 몇몇 사람들은 여전히 캐서린 노부인이 교회에 나타나리라는 믿음을 버리지 않았고, 며느리인 러벌 밍곳 부인이 그 자리에 대신 앉은 것으로 밝혀지자 분위기가 눈에 띄게 가라앉았다. 러벌 밍곳 부인은 습관이 비슷한 동년배 부인들이 대개 그러하듯이 새 드레스에 몸을 밀어 넣느라 애쓴 탓에 얼굴이 붉게 상기되고 눈빛이 흐릿했다. 그러나 시어머니가 나타나지 않아 발생한 실망감이 잦아들고 나자, 연보라색 공단 드레스 위에 검은 샹티이 레이스를 덧대고 파르마산 제비꽃처럼 밝은 연보랏빛 보닛을 쓴 옷차림이 파란색과 자주색으로 단장한 웰랜드 부인의 차림새와 기분 좋은 대조를 이룬다는 사실을 모두가 인정했다. 그러나 러벌 밍곳의 팔을 잡고 거드름을 피우며 뒤따라온 수척한 여인은 아주 다른 인상을 풍겼으니, 줄무늬와 술 장식과 치렁치렁한 스카프로 자유분방하고 단정치 못한 옷차림을 하고 있었다. 마지막으로 유령처럼 나타난 그 모습이 시야에 스르르 들어왔을 때 아처의 심장이 오그라들며 그대로 멈춰버렸다.

맨슨 후작 부인은 4주 전 조카인 올렌스카 부인을 데리고 워싱턴으로 떠났기에, 아처는 당연히 엘런이 아직 그곳에 있다고 생각했다. 다들 그 두 사람이 갑자기 떠난 것이 애거선 카버 박사의 해로운 달변에게서 숙모를 떼어놓으려는 올렌스카 부인의 의도 때문이라고 생각했다. 그가 맨슨 후작 부인을 '사랑의 골짜기' 신입 회원으로 가입시키는 데 거의 성공한 탓이었다. 그런 상황에서 두 여인 중 한 사람이라도 돌아와서 결혼식에 참석할 줄은 누구도 예상하지 못했다.

아처는 그 뒤로 들어올 사람을 보려 필사적으로 애쓰며 잠시 메도라의 기상천외한 차림새에 시선을 고정했다. 그러나 그 가문의 좀 더 미약한 일원들이 모두 착석한 상태였으므로 그 짧은 행렬은 그렇게 끝났다. 그리고 키가 큰 안내원 여덟 명이 이주 비행을 준비하는 새들이나 곤충들처럼 한데 모여 이미 옆문을 통해 로비로 빠져나가고 있었다.

"뉴랜드…… 저기, 신부가 왔어!"

신랑 들러리가 속삭였다.

아처는 흠칫 놀라며 정신을 차렸다.

그의 심장이 멈춘 뒤로 한참 시간이 지난 게 분명했다. 흰색과 장미색으로 꾸민 행렬이 사실상 통로 절반까지 다가왔고 교회 감독과 목사와 흰 천을 어깨 양쪽으로 늘어뜨린 조수 두 명이 꽃이 쌓인 재단 주위를 맴돌았다. 슈포어(독일 바이올린 연주자이자 작곡가, 지휘자-옮긴이)의 교향곡 첫 화음이 신부 앞에 꽃잎 같은 음표를 흩뿌렸다.

아처는 눈을 떴고(그러나 그가 상상한 대로 눈이 정말 감겨 있었던가?) 심장이 평소대로 다시 일을 시작했음을 느꼈다. 음악과 재단에서 풍기는 백합 향, 구름 같은 망사 베일과 등자 꽃이 둥실거리며 점점 가까이 다가오는 모습, 갑자기 경련을 일으키며 행복하게 흐느끼는 아처 부인의 얼굴, 낮게 중얼거리며 감사 기도를 올리는 목사의 목소리, 분홍색 드레스를 입은 신부 들러리 여덟 명과 검은 옷을 입은 안내원 여덟 명이 질서정연하게 입장하는 풍경. 그 자체로는 무척 친숙하되 자신과 새롭게 관련되면서 형언할 수 없이 낯설고 무의미하게 다가온 그 모든 장면과 소리와 느낌이 아처의 머릿속에서 혼란스럽게 뒤엉켰다.

'맙소사…… 내가 정말 반지를 갖고 있나?'

그는 이렇게 생각하며 다시 한 번 신랑답게 화들짝 놀란 몸짓을 보였다.

그러다 순식간에 메이가 곁에 섰고, 메이에게서 흘러나오는 눈부신 광채가 감각을 잃은 그를 파고들며 어렴풋한 온기를 전해주었다. 그는 다시 허리를 똑바로 세우고 신부의 눈을 들여다보며 웃음을 지었다.

"친애하는 여러분, 우리는 이곳에 함께 모였습니다."

목사의 말이 시작되었다…….

반지가 신부의 손에 끼워졌고 교회 감독이 축도를 했으며 신부 들러리들은 제자리로 돌아가 행진할 준비를 마쳤다. 오르간은 뉴욕에서 신혼부부가 탄생할 때마다 결코 빠지지 않는 멘델스존의 〈결혼 행진곡〉을 터뜨릴 조짐을 보였다.

"팔…… 얼른, 신부한테 팔을 내줘야지!"

젊은 밴 더 라이든 뉴랜드가 신경질적으로 속삭였다. 이번에도 아처는 자신이 머나먼 미지의 세계를 표류하고 있었음을 깨달았다. 무엇이 그를 그곳으로 보냈을까? 어쩌면 교회 건물 옆쪽 자리에 앉은 익명의 관중 사이에서 모자 밑으로 늘어진 검고 곱슬곱슬한 머리카락이 언뜻 보였기 때문일 것이다. 다음 순간 그 모자의 주인인 코가 긴 낯선 숙녀의 모습이 드러났는데, 그 숙녀가 연상시킨 이미지의 주인공과 우스꽝스러울 만큼 달라서 아처는 자신이 환각에 시달리게 된 것은 아닐까, 하고 생각했다.

이제 그와 아내는 경쾌하게 울려 퍼지는 멘델스존의 선율에 맞춰 예배당 통로를 따라 천천히 걸음을 옮기며 나아갔다. 활짝 열린 문 사이로 봄날이 그들에게 손짓했으며, 웰랜드 부인의 밤색 말들이 이마에 큰 흰색 리본을 달고 차양으로 만든 터널 저 끝에서 앞다리를 높이 쳐들며 위용을 과시했다.

옷깃에 훨씬 더 큰 흰색 리본을 단 하인이 메이에게 흰색 망토를 둘러주었고 아처는 사륜마차로 뛰어올라 메이 옆에 앉았다. 메이가 의기양양한 미소를 지으며 아처를 바라보았으며 두 사람은 면사포 밑에서 손을 꼭 붙잡았다.

"여보!"

아처가 말했다. 갑자기 이번에도 검은 심연이 그의 앞에서 입을 쩍 벌렸다. 차분하고 유쾌한 목소리로 말을 늘어놓는 동안에도 그는 그 심연으로 점점 깊이 가라앉는 기분을 느꼈다.

“그래, 당연히 나는 반지를 잃어버린 줄 알았어요. 불쌍한 신랑이 그런 일을 겪지 않는다면 완벽한 결혼식이라고 할 수 없을 테니까. 하지만 정말이지 당신이 나를 아주 오래 기다리게 했잖아요! 시간이 남으니 혹시 모를 온갖 끔찍한 일이 떠오를 수밖에.”

메이가 사람들로 붐비는 5번 대로에서 몸을 돌려 두 팔로 그의 목을 끌어안는 바람에 아처는 깜짝 놀랐다.

“하지만 우리 둘이 함께 있는 한, 이제는 어떤 일도 일어날 리 없겠죠, 뉴랜드?”

그날은 구체적인 사항까지 용의주도하게 계획되었으므로, 이 젊은 부부가 결혼 피로연을 마친 뒤에 여행용 옷으로 갈아입고 웃음을 터뜨리는 신부 들러리들과 눈물을 흘리는 부모님들 사이에서 밍곳가의 넓은 계단을 내려가 전통에 따라 쌀과 공단 슬리퍼 세례를 받으며 사륜마차에 오르기까지 시간이 충분했다. 두 사람은 기차역에 도착하자 노련한 여행객의 분위기를 풍기며 가판대에서 지난 주간지들을 사고 예약 객실에 자리를 잡았다. 그곳에는 비둘기색 여행용 망토와 런던에서 온 화려한 새 옷가방이 있었는데, 메이의 하인이 미리 가져다둔 것이었다. 그러고도 30분이 남았다.

라인벡에 사는 뒤 라크가의 나이 많은 숙모들은 뉴욕에서 아처 부인과 일주일을 보낸다는 생각에 들떠, 신혼부부가 마음대로 쓰도록 기꺼이 집을 내주었다. 아처는 필라델피아나 볼티모어 호텔의 흔한 '신혼부부용 스위트룸'을 피할 수 있다는 사실이 반가워 마찬가지로 선뜻 그 제안을 받아들였다.

메이는 신부 들러리 여덟 명이 시골에 간다는 기대에 부풀어 두 사람의 비밀스러운 은신처가 어디인지 알아내려 했지만 허사였다며 아이처럼 즐거워했다. 시골집을 빌리는 것은 '아주 영국적인' 일으로 여겨졌고 덕분에 그해 가장 훌륭한 결혼식이었다고 모두에게 인정받은 이 행사를 특별하게 마무리짓게 되었다. 그러나 그 집 위치는 신랑신부 부모 외에는 누구에게도 알려져서는 안 되었다. 부모들은 장소를 알지 않느냐는 책망을 받으면 입을 오므리며 "아, 애들이 우리에게 말해주지 않아서요……"라고 모호하게 말했는데, 애초에 그럴 필요가 없었으니 그 말은 분명한 사실이었다.

두 사람이 객실에 자리를 잡은 뒤 기차가 목조 주택이 보이는 근교를 덜컹거리며 희끄무레한 봄 풍경 속으로 들어가자, 아처가 예상한 것보다 대화가 더 순조롭게 이어졌다. 표정과 말투를 보면 메이는 아직도 어제의 그 단순한 소녀였고, 결혼식의 여러 사건에 대해 그와 의견을 나누되 신부 들러리가 하객 안내원과 대화를 나누듯이 공정하게 논의하고 싫어 했다. 처음에 아처는 이런 초연한 태도가 떨리는 마음을 감추기 위한 것이라고 생각했지만, 메이의 맑은 눈동자는 아무것도 모른다는 듯이 차분하기 그지없었다. 메이는 처음으로 남편과 단둘이 있었다. 그러나 남편은 그저 어제와 마찬가지로 매력적인 동무일 뿐이다. 그토록 좋아하는 사람, 완전히 신뢰하는 사람은 아처뿐이고 약혼과 결혼이라는 몹시도 즐거운 모험에서 최고로 '신나는 일'은 어엿한 어른처럼, 뭐랄까, '유부녀'처럼 그와 단둘이 여행을 떠나는 것이다.

그가 세인트오거스틴의 선교회 정원에서 깨달았듯이, 그런 깊은 감정과 상상력 결핍이 공존할 수 있다니 놀라웠다. 그러나 아처는 그때에도 메이가 양심을 짓누르는 짐을 내려놓자마자 금세 무표정한 소녀로 돌아가 그를 놀라게 했다는 사실을 떠올렸다. 메이는 새로운 경험이 다가올 때마다 최선을 다해 대처하며 삶을 헤쳐 나가겠지만, 앞으로 닥칠 일을 흘낏 훔쳐보고 예견하지는 못할 것이다.

어쩌면 무지라는 그 능력 덕분에 메이의 눈동자가 그렇게 투명하며 얼굴도 한 개인이 아닌 어떤 유형을 대변하는 표정을 띠는 것이리라. 마치 시민의 미덕을 표현한 그림이나 그리스 여신의 모습을 그릴 때 모델로 선택된 사람처럼 말이다. 아름다운 피부 바로 밑에서 흐르는 피는 파괴적인 요소가 아니라 보존 용액이었는지도 모른다. 그러나 얼굴에 파괴되지 않을 젊음이 어린 덕분에, 메이는 매정하거나 우둔해 보이지 않고 원시적이면서도 순수해 보였다. 이런 생각에 깊이 잠겼던 아처는 문득 자신이 낯선 사람처럼 놀란 시선으로 메이를 보고 있음을 깨닫고, 결혼 피로연과 그 피로연에 침투했던 거대하고 득의만면한 밍곳 할머니의 존재감에 대해 재빨리 말했다.

메이는 솔직하고 즐거운 태도로 그 화제에 몰두했다.

"하지만 결국 메도라 숙모가 오시다니, 놀랐어요…… 당신은 그러지 않았어요? 엘런은 편지에서 두 사람 다 건강이 좋지 않아 여행을 나서기 어렵다고 했어요. 건강을 회복한 쪽이 엘런이었으면 정말 좋았을 텐데! 엘런이 나에게 보낸 정교하고 고풍스러운 레이스 봤어요?"

아처는 이 순간이 조만간 다가올 것임을 알았지만, 의지력으로 막아낼 수 있으리라 생각했다.

"그래, 난…… 아니야. 맞아요, 아름답더군요."

그는 메이를 멍하니 바라보면서, 두 음절로 된 그 이름을 들을 때마다 신중하게 쌓아 올린 자신의 세계가 카드로 만든 집처럼 주변에서 폭삭 무너지지 않을까, 하고 생각했다.

"피곤하지 않아요? 도착해서 차를 좀 마시면 좋을 거예요. 틀림없이 숙모님들이 모든 걸 멋지게 준비해두셨을 테니."

그는 메이의 손을 잡으며 주절거렸다. 메이의 생각은 즉시 보퍼트 부부가 보내준 화려한 볼티모어산 은제 찻잔과 커피잔 세트로 달려갔다. 그것은 러벨 밍곳 삼촌이 선물한 쟁반과 보조 접시와 완벽하게 '어울렸다'.

기차는 봄날의 석양 속에서 라인벡 역에 멈추었고 두 사람은 승강장을 지나 대기 중인 마차로 향했다.

제복을 입은 차분한 남자가 다가와 하녀에게서 가방을 받아들자 아처가 이렇게 외쳤다.

"아, 밴 더 라이든 부부는 정말 친절하시군요…… 스카이터클리프에서 사람을 보내 우리를 맞아주시다니."

"정말 죄송합니다만, 뒤 라크 양 댁에 작은 사고가 발생했습니다. 물탱크에서 물이 샜지 뭡니까. 어제 벌어진 일인데, 밴 더 라이든 씨께서 오늘 아침에 그 소식을 들으시고는 아침 기차 편으로 하인을 보내 퍼트룬 저택에 준비를 갖추게 하셨습니다. 아마 꽤 편안하게 지내실 수 있을 겁니다. 뒤 라크 양께서 그 댁 요리사를 보내주셨으니 라인벡에서 지내시는 것과 아주 똑같을 겁니다."

아처가 하인을 우두커니 바라보고 있었으므로 하인은 더더욱 미안해하는 말투로 되풀이했다.

"아주 똑같을 겁니다, 장담컨대……."

그때 메이의 열광적인 목소리가 끼어들어 그 당황스러

운 침묵을 깨뜨렸다.

“라인벡과 똑같다고요? 퍼트룬 저택이 말이에요? 오히려 수천 배는 더 좋을걸요…… 그렇지 않아요, 뉴랜드? 그렇게 배려해주시다니 밴 더 라이든 씨는 정말 자상하고 친절한 분이에요.”

하인을 마부 옆에 앉히고 반짝거리는 신부용 가방을 앞쪽 의자에 올려둔 채 출발할 때도 메이는 흥분해서 재잘거렸다.

“얼마나 놀라운지 모르겠어요. 난 그 집에 들어가본 적이 없거든요…… 당신은요? 밴 더 라이든 부부는 그 집을 극소수에게만 보여주시잖아요. 하지만 엘런에게는 열어준 모양이에요. 엘런이 말해줬는데 아주 특별하고 아담한 곳이래요. 미국에서 본 집 중에 완벽히 행복하게 살 수 있을 거라 여겨지는 집은 거기뿐이래요.”

“글쎄…… 우리가 그렇게 되겠지, 안 그래요?”

메이의 남편이 유쾌하게 외쳤다. 메이는 특유의 소년 같은 웃음을 지으며 대답했다.

“아, 우리의 행운은 이제 막 시작됐을 뿐인걸요…… 우리가 언제나 함께 누릴 멋진 행운 말이에요!”

20

"당연히 카프리 부인과 저녁식사를 해야지요, 여보."

아처가 말했다. 아내는 숙소의 아침 식탁에 놓인 거대한 브리타니아 식기 너머에서 얼굴을 걱정스레 찌푸리며 그를 바라보았다.

비 내리는 황무지 같은 가을의 런던에서 뉴랜드 아처 부부가 아는 사람은 단 두 명이었다. 그리고 부부는 외국에서 굳이 지인들을 찾아가는 것이 '품위 있는' 행동이 아니라는 오랜 뉴욕의 전통에 따라, 그 두 사람을 끈덕지게 피해 다녔다.

아처 부인과 제이니는 유럽 여행 중에 그 원칙을 매우 꿋꿋하게 실천해, 친근하게 다가오는 다른 여행자들을 철통같이 냉담한 태도로 대했다. 덕분에 호텔과 기차역에서 일하는 사람들을 제외하면 다른 '외국인'과 한 번도 말을 섞지 않는 신기록을 달성할 뻔했다. 같은 나라 사람들에게는 전부터 아는 사이거나 제대로 인정받은 사람이 아니면 훨씬 더 노골적으로 경멸하는 태도를 보였다. 이런 까닭에 치버스가나 대거넷가 또는 밍곳가의 일원을 우연히 만나지 않는 이상, 해외에서 보내는 몇 달 동안 내내 둘이서만 얼굴을 맞대고 지냈다. 그러나 아무리 조심해도 소용없을 때가 있기 마련이다. 어느 날 밤 보첸(이탈리아 북부 도시 볼차노의 독일어식 지명. 이탈리아어와 독일어를 공용어로 쓴다-옮긴이)에서 복도 맞은편 방에 묵던 두 영국 숙녀 중 한 명이(제이니는 이미 그들 이름과 드레스, 사회적 지위를 상세히 알고 있었다) 문을 두드리며 아처 부인에게 혹시 바르는 약이 있느냐고 물었다. 다른 숙녀, 즉 침입자의 언니인 카프리 부인이 덜컥 기관지염에 걸린 것이었다. 아처 부인은 여행할 때마다 완벽한 가정용 약상자를 준비했기에, 다행히도 필요한 치료약을 내줄 수 있었다.

카프리 부인은 병세가 심각한데다 동생 할 양과 단둘이 여행 중이었으므로, 재치 있게 치료약을 제공해주고 환자가 건강을 회복할 때까지 간호할 유능한 하인을 보내준 아처가 숙녀들에게 몹시 고마워했다.

아처 부인과 제이니는 보첸을 떠날 때 카프리 부인과 할 양을 다시 만날 거라고는 생각하지 못했다. 아처 부인이 생각하기에 우연히 도운 '외국인'을 굳이 만나러 가는 것만큼이나 '품위 없는' 행동은 없었다. 그러나 그런 견해를 알지 못했고 알았더라도 전혀 이해하지 못했을 카프리 부인과 동생은 보첸에서 큰 친절을 베풀어준 '유쾌한 미국인들'과 영원히 지속될 감사의 마음으로 이어졌다고 생각했다. 그들은 아처 부인과 제이니가 유럽 여행을 올 때마다 감동적일 만큼 충실하게, 그들을 만날 기회를 한 번도 놓치지 않았다. 두 사람이 여행 중간에 또는 미국에서 출발한 뒤 언제 런던에 들르는지 귀신처럼 예리하게 알아냈다. 네 사람은 떼려야 뗄 수 없을 만큼 친해졌고 아처 부인과 제이니가 브라운스 호텔에 도착하면 반드시 다정한 두 친구가 기다렸다. 그 친구들은 아처 모녀와 마찬가지로 유리 용기에 양치류를 키우고 마크라메 레이스를 짰으며 분젠 남작부인의 회고록을 읽었고, 런던의 주요 설교단을 장악한 이들에 대해 나름의 의견이 있었다. 아처 부인이 말했듯이, 카프리 부인과 할 양을 알게 된 덕분에 '런던은 특별한 곳'이 되었다. 뉴랜드가 약혼할 무렵에는 두 가족의 유대가 아주 굳건했기에 그 두 영국 숙녀에게 결혼 초대장을 보내는 것이 '마땅한 일'이었다. 두 숙녀는 알프스의 꽃들을 눌러 만든 예쁜 꽃다발을 답례로 보냈다. 그리고 아처가 메이와 함께 영국으로 떠나는 배를 탈 때 그의 어머니가 갑판에서 건넨 마지막 말은 "메이를 데리고 카프리 부인을 뵈러 가야 한다"였다.

뉴랜드 아처 부부는 그 명령에 따를 생각이 없었다. 그러나 카프리 부인은 언제나처럼 정확하게 그들을 찾아내 만찬 초대장을 보냈다. 바로 그 초대장 때문에 메이 아처는 차와 머핀 너머에서 얼굴을 찌푸리고 있었다.

"당신은 아무렇지 않겠죠, 뉴랜드. 그 사람들을 아니까요. 하지만 난 처음 만나는 여러 사람들 사이에 있으면 무척 쑥스러울 것 같단 말이에요. 게다가 무슨 옷을 입죠?"

아처는 의자에 등을 기대며 메이를 향해 웃음을 지었다. 메이는 그 어느 때보다도 아름다웠고 다이애나 여신처럼 보였다. 습한 영국 공기 때문에 뺨 혈색이 더욱 붉어지고 약간 딱딱하던 처녀 시절 이목구비도 더 부드러워진 듯했다. 그 이유가 아니라면, 얼음 밑에서도 그 얼음을 뚫고 빛나는 불빛처럼 마음속에서 타오르는 행복이 환한 빛을 내뿜기 때문일 터였다.

"옷이라니요, 여보? 지난주 파리에서 트렁크 가득 옷이 온 줄 알았는데."

"물론 그랬죠. 내 말은 '어떤' 옷을 입어야 할지 모르겠다는 말이었어요."

메이가 입을 살짝 삐죽거렸다.

"런던에서는 밖에서 식사를 해본 적이 없으니까요. 웃음거리가 되고 싶지도 않고."

아처는 그 당혹감을 이해하려 애썼다.

"하지만 영국 여자들도 저녁에는 다른 사람들처럼 차려 입지 않나?"

"뉴랜드! 어쩜 그런 우스꽝스러운 질문을 할 수가 있어요? 그 사람들은 낡은 무도회용 드레스에다 모자도 쓰지 않고 극장에 가잖아요."

"흠, 집에서는 새 무도회 드레스를 입겠지. 하지만 어쨌든 카프리 양과 할 양은 그러지 않을 거요. 어머니처럼 챙 없는 모자를 쓰고…… 숄도 두를 거요. 아주 부드러운 숄을."

"그렇겠죠. 하지만 다른 여자들은 어떤 옷을 입을까요?"

"당신만큼 멋지진 않을 거예요, 여보."

아처는 왜 갑자기 메이가 제이니처럼 옷에 병적인 관심을 갖게 되었을까 의아하게 여기며 대답했다.

메이가 한숨을 쉬며 의자를 뒤로 밀었다.

"고마운 말이군요, 뉴랜드. 하지만 별 도움이 되지는 않아요."

아처에게 좋은 생각이 떠올랐다.

"웨딩드레스를 입는 게 어떨까? 나쁘지 않을 것 같은데?"

"당신도 참! 그게 여기 있기만 하다면 그렇게 하겠죠! 하지만 다음 겨울에 입도록 수선하려고 파리로 보냈는데 워스(영국의 유명한 패션 디자이너 찰스 프레더릭 워스. 당시 미국 상류층 여성들은 매년 워스가 만든 옷을 구입했다-옮긴이)가 아직 보내주지 않았잖아요.”

그 말에 아처가 일어서며 말했다.

“아, 그렇군……. 저길 봐요…… 안개가 걷히고 있어요. 국립미술관으로 서둘러 가면 그림을 대강이나마 훑어볼 수 있을 거예요.”

뉴랜드 아처 부부는 석 달간 신혼여행을 마치고 귀국하는 길이었다. 메이는 친구들에게 쓴 편지에서 이 신혼여행을 ‘더없이 행복했다’라는 말로 애매하게 요약했다.

두 사람은 이탈리아의 호수에 가지 않았다. 아무리 생각해도 아처는 그 특정한 배경에 있는 아내 모습을 상상할 수가 없었다. 메이는 (파리 여러 양장점을 돌아보며 한 달을 보낸 뒤) 7월에는 등산을, 8월에는 수영을 하고 싶어 했다. 부부는 이 계획을 한 치 오차도 없이 실행에 옮겨, 7월은 인터라켄과 그린델발트에서 보내고 8월에는 노르망디 해안의 에트르타라는 작은 마을에서 지냈다. 누군가가 예스럽고 조용하다며 추천해준 곳이었다. 산에 올랐을 때 아처는 한두 번 정도 남쪽을 가리키며 “이탈리아는 저쪽이에요”라고 말했다. 메이는 용담꽃 밭에 서서 명랑하게 웃음을 지으며 대답했다.

“다음 겨울에 그곳에 가면 멋질 거예요. 당신이 꼭 뉴욕에 있어야 하는 게 아니라면 말이에요.”

그러나 사실 메이는 그가 예상했던 것보다 여행에 훨씬 더 흥미가 없었다. 메이는 여행을 (일단 옷부터 주문한 뒤) 걷거나 마차를 타거나 수영을 하거나 멋지고 새로운 테니스 경기에 참여해볼 기회가 더 많아지는 정도로 생각했다. 마침내 런던으로 돌아왔을 때 (그곳에서 두 사람은 아처가 '자신의' 옷을 주문하는 동안 2주 정도 머무를 예정이었다), 메이는 배를 타고 떠나고 싶은 간절한 마음을 더는 숨기지 않았다.

런던에서 메이는 극장과 상점에만 관심을 보였다. 그에게는 극장보다 차라리 파리의 음악 카페인 '샹탕'이 더 흥미로웠다. 샹젤리제에 활짝 핀 마로니에 꽃 아래에 앉아 메이는 새로운 경험을 했다. 노래를 듣는 '매춘부들'을 식당 테라스에서 내려다보며, 노래 중에서 신부가 듣기에 적당하다고 생각되는 부분만 해석해주는 남편 이야기를 듣는 것이었다.

아처는 결혼에 대해 오래전에 물려받은 생각으로 되돌아갔다. 자유로운 총각 시절에 장난삼아 떠올리던 이론을 실천하려 하느니, 전통에 순응해 다른 친구들이 아내를 대하는 것과 똑같이 메이를 대하는 편이 덜 번거로웠다. 자기가 자유롭지 않다는 생각을 눈곱만큼도 하지 않는 아내를 해방시키려 애써봤자 소용없는 일이었다. 메이가 자신의 것이라고 여기는 자유를 쓸 곳이 있다면 그저 아내답게 남편을 향한 흠모의 제단에 그 자유를 바치는 것뿐임을, 그는 오래전에 깨달았다. 메이에게는 타고난 품위가 있기에 그 선물을 결코 비굴하게 쓰지 않을 것이다. 그리고 어쩌면 그를 위해 필요하다는 생각이 들면 (이미 한 번 그랬듯이) 그 자유를 온전히 되찾으려 용기를 내는 날이 올지도 모른다. 그러나 메이는 단순하고 재미없는 결혼관을 소유했기에, 그의 행동에서 눈에 띄게 무도한 점이 드러나지만 않는다면 그런 위기가 다가올 리 없었다. 메이는 그에게 고상한 감정을 품고 있으니 생각할 수도 없는 일이었다. 무슨 일이 있든지 메이가 늘 충실하고 상냥하며 쉽게 화내지 않을 것임을 그는 알았다. 또한 그런 면 때문에 아처도 똑같은 미덕을 실천하겠노라 맹세할 수밖에 없었다.

이 모든 것이 그를 예전 사고방식으로 돌아가도록 이끌었다. 메이의 단순함이 옹졸한 마음에서 비롯된 것이었다면, 그는 짜증내고 반발했을 것이다. 그러나 메이의 성격은 뚜렷한 특징은 없으나 메이의 얼굴처럼 반듯했고 따라서 메이는 그에게 익숙한 오랜 전통과 경외심의 수호신이 되었다.

그런 자질은 메이를 아주 편안하고 유쾌한 동반자로 만들어주었지만 외국 여행에 활기를 불어넣지는 못했다. 그러나 그는 그런 자질들이 적절한 환경에서 어떻게 자리를 잡을지 즉시 알 수 있었다. 그의 예술적, 지적 생활은 늘 그렇듯 가정이라는 영역 밖에서 지속될 테니 그런 자질 때문에 압박

받을 염려는 전혀 하지 않았다. 가정 안에서 시시하고 갑갑하다고 느낄 일은 없을 것이다. 아내에게 돌아갈 때 야외에서 떠돌다가 답답한 방에 들어가는 기분을 느끼지는 않을 것이다. 그리고 아이들이 생기면 두 사람 삶에 자리한 빈 구석이 채워질 것이다.

메이페어에서부터 카프리 부인과 동생이 사는 사우스켄싱턴까지 오랜 시간 천천히 마차를 타고 갈 때 아처의 머리에 이런 생각이 떠올랐다. 아처 역시 가능하면 친구들 환대를 피하는 쪽을 선택하고 싶었다. 가족 전통에 따라 그는 다른 사람들의 존재를 아랑곳하지 않는 거만한 사람인 체하며 늘 관광객이나 구경꾼으로 여행을 다녔다. 딱 한 번, 하버드를 졸업한 직후에 플로런스에서 유럽인 흉내를 내는 이상한 미국인 무리와 몇 주 동안 흥겨운 시간을 보낸 적이 있었다. 작위가 있는 숙녀들과 궁전에서 밤새 춤을 추고 세련된 클럽에서 난봉꾼들이나 멋 부리기 좋아하는 남자들과 도박에 열중하며 반나절을 보내기도 했다. 그러나 세상 그 무엇보다도 재미있다 해도 이 모든 것이 그에게는 카니발만큼이나 비현실적으로 보였다. 세상을 내 집처럼 여기며 복잡한 연애에 깊이 빠져 누구건 마주치면 그 이야기를 들려주고 싶어 안달인 듯한 그 괴상한 여자들, 그 여자들이 들려주는 비밀스런 이야기의 주인공이거나 그 이야기를 들어주는 젊고 멋진 장교들, 머리를 염색한 나이 지긋한 재담가들은 아처가 자란 사회의 사람들과 너무 달랐고, 비싸지만 심한 악취를 풍기는 온실 속 외래 식물들과 너무 비슷해서 그의 상상력을 오래 사로잡지 못했다. 그런 사람들에게 아내를 소개하는 것은 생각할 수도 없는 일이었다. 여행 중에 그와 어울리고 싶다는 바람을 뚜렷하게 밝힌 사람도 없었다.

런던에 도착한 지 얼마 되지 않아서 아처는 세인트 오스트리 공작과 마주쳤다. 공작은 다정하게도 즉시 그를 알아보고 "한번 들르지 않겠나?"라고 말했다. 그러나 정신이 제대로 박힌 미국인이라면 그 말을 반드시 따라야 할 제안으로 받아들이지 않을 것이므로, 그 만남은 이어지지 않았다. 아처 부부는 은행가와 결혼해 아직도 요크셔에 사는 메이의 영국 이모와 만나는 것마저도 가까스로 피했다. 사실 그들은 사교 활동이 활발한 시기에 들렀다가 잘 알지도 못하는 그 친척들에게 뻔뻔스러운 속물로 비칠까 봐 일부러 가을까지 런던행을 미루었다.

"어쩌면 카프리 부인 댁에 다른 사람들은 없을 거예요…… 이 계절에 런던은 텅 비기 마련이니. 그런데 당신 무척 아름답게 꾸몄군요."

아처가 이륜마차에 나란히 앉은 메이에게 말했다. 가장자리에 백조 솜털을 두른 하늘색 망토를 입은 모습이 티끌 하나 없이 눈부시게 빛났기에, 런던의 검댕 속에 메이를 내놓는 것이 사악한 짓으로 느껴졌다.

“사람들이 우리가 미개인처럼 옷을 입는다고 생각하는 건 싫어요.”

메이는 포카혼타스(아메리카 원주민으로 영국인 존 롤프와 결혼한 다-옮긴이)가 들었다면 분개할 만큼 경멸조로 대답했다. 아처는 티 없이 순진한 미국 여자들조차 옷차림의 사회적 이점을 종교처럼 숭상한다는 사실에 다시금 놀랐다.

‘옷은 그들의 갑옷이야. 낯선 사람들에게 맞서 방어하고 저항하는 수단이지.’

아처는 이렇게 생각했다. 그리고 그에게 매력적으로 보이기 위해서는 머리에 리본 하나 맬 줄 모르는 메이가, 수많은 옷을 고르고 주문하는 엄숙한 의식을 왜 그토록 진지하게 치러냈는지 처음으로 이해했다.

카프리 부인 댁의 파티가 소규모일 거라는 아처의 예상은 옳았다. 길쭉하고 쌀쌀한 응접실에는 여주인과 동생 외에 숄을 두른 다른 숙녀 한 사람과 그 남편인 온화한 교구 목사, 카프리 부인이 조카라고 하는 조용한 청년, 작고 가무잡잡하며 눈빛이 생생한 신사 한 명이 전부였는데, 카프리 부인이 조카의 가정교사라고 소개한 그 신사는 부인처럼 프랑스어 발음으로 자기 이름을 밝혔다.

메이는 희미한 불빛 속에 흐릿하게 앉은 이 사람들 사이로 노을빛을 받은 백조처럼 미끄러지듯이 다가갔다. 메이는 아처가 보았던 그 어느 때보다도 웅장하고 아름다워 보였으며 옷 스치는 소리마저도 더 크게 들렸다. 아처는 그 장밋빛 홍조와 사각거리는 그 소리가 어린아이 같은 수줍음의 표시임을 알아차렸다.

'저 사람들은 대체 내가 어떤 이야기를 하기를 바랄까요?'

메이의 당혹스런 눈이 그에게 물었고 바로 그 순간 메이의 눈부신 출현으로 인해 다른 사람들 가슴에도 똑같은 불안이 싹텄다. 그러나 아름다움은 스스로를 믿지 못할 때에도 남자의 마음에 배짱을 일깨우기 마련이다. 곧 교구 목사와 프랑스 이름을 가진 가정교사가 메이를 안심시키고 싶은 마음을 메이에게 표현했다.

다만 그들이 최선을 다했는데도 저녁 식사 분위기는 차츰 가라앉았다. 아처는 아내가 사랑스러운 외모로 감탄을 불러일으켰으나, 대화중에는 외국인들을 편안하게 대한답시고 자기 고향의 방식을 더욱 강경한 태도로 언급하는 바람에 재치 있는 답변에 찬물을 끼얹는다는 사실을 눈치챘다. 목사는 금세 노력을 포기했다. 그러나 누구보다 유창하고 뛰어난 영어를 구사하는 가정교사는 숙녀들이 응접실로 올라가 모두가 눈에 띄게 안도할 때까지 메이에게 친절하게 계속 말을 걸었다.

목사는 포트와인 한 잔을 마신 뒤에 모임 때문에 서둘러 자리를 떠야 했고 병약해 보이는 내성적인 조카는 잠자리로 내쫓겼다. 그러나 아처와 가정교사는 자리를 지키며 와인을 마셨다. 아처는 문득 네드 윈셋과 마지막으로 토론을 벌인 뒤 처음으로 이런 대화를 나누고 있음을 깨달았다. 알고 보니 카프리 부인의 조카는 폐결핵 징후를 보여 런던 사립학교를 떠나 스위스로 가야 했고, 그곳에서 레만 호수의 더 온화한 공기를 접하며 2년을 보냈다. 책을 좋아하는 젊은이였기에 가정교사인 리비에르 씨에게 맡겨졌고, 그를 다시 영국으로 데려온 리비에르 씨는 그 젊은이가 이듬해 봄에 옥스퍼드에 입학할 때까지 함께 지내게 되었다. 리비에르 씨는 그때가 되면 자신은 다른 일자리를 찾아야 한다고 간단히 덧붙였다.

아처가 생각하기에 리비에르 씨는 관심사가 아주 다양하고 다재다능해서 오랫동안 무직으로 지내지는 않을 듯했다. 그는 서른 즈음의 남자로, 마르고 못생긴 얼굴에다(메이라면 분명 평범한 외모라고 말했을 것이다) 생각이 겉으로 드러나 표정이 몹시 풍부했다. 그러나 그 활기찬 모습에는 경솔하거나 천박한 데가 전혀 없었다.

그의 요절한 아버지는 말단직 외교관이었고, 따라서 아들도 같은 직종에 종사하리라고 생각했다. 그러나 젊은 리비에르 씨는 문학에 대한 끝없는 열망 때문에 언론계에 뛰어들었고 그다음에는 (성공하지 못한 게 분명하지만) 저술 활동에 몰두했다가, 결국에는 아처에게 말하지 않은 이런저런 시도와 우여곡절을 거쳐 마침내 스위스에서 영국 젊은이들을 가르치는 가정교사가 되었다. 그러나 그전에는 파리에서 오래 살면서 문학 살롱인 공쿠르 그르니에에 자주 드나들었고 모파상에게서 글 쓸 생각을 하지 말라는 충고를 들었으며(이조차도 아처가 생각하기에는 눈부신 영예였다!) 어머니 집에서 메리메와 자주 이야기를 나누었다. 그는 말할 필요도 없이 늘 지독한 가난과 불안에 시달렸고(어머니와 미혼인 누이를 부양해야 했다), 문학적 포부도 실패로 돌아간 게 분명했다. 사실 상황은 물질적인 면에서 네드 윈셋보다 나을 것이 없었다. 그러나 그는 스스로 말했듯이 지식을 사랑하는 사람이라면 정신적 허기를 느끼지 않을 세계에서 살아왔다. 불쌍한 윈셋이 바로 그런 사랑을 죽도록 갈망했기에, 아처는 가난 속에서도 그토록 풍요롭게 살아온 이 열정적인 무일푼 청년을 마치 윈셋이 된 듯한 기분으로 부럽게 바라보았다.

"아시겠지만 감상 능력을, 그 비판적인 독립성을 어디에도 구속시키지 않고 지적인 자유를 누리는 것이야말로 가장 가치 있는 일이 아닙니까? 제가 언론계를 떠나 가정교사나 개인 비서처럼 훨씬 따분한 일을 하게 된 이유가 바로 그 겁니다. 물론 상당히 단조롭고 고된 일이기는 합니다. 하지만 도덕적 자유는 지킬 수 있지요. 프랑스어로는 '캉 타 수아 quant a soi'라고 합니다. 좋은 대화를 들으면 어떤 견해와도 타협하지 않고 자신만의 견해를 내세우며 그 대화에 끼어들 수 있어요. 또는 들으면서 마음속으로 대답하기만 해도 됩니다. 아, 좋은 대화라…… 그만큼 좋은 게 어디 있겠습니까? 호흡할 가치가 있는 공기는 오직 지식이라는 공기뿐이지요. 그래서 저는 외교관이나 기자직을 포기하고 후회한 적이 없습니다. 형태는 다르지만 두 가지 다 자기를 포기한다는 점에서는 마찬가지니까요."

그는 다른 담배에 불을 붙이면서 생생한 눈빛으로 아처를 빤히 바라보았다.

"아시겠지만 삶을 정면으로 바라볼 수 있다면, 다락방에서도 살아볼 만하지 않겠습니까? 하지만 어쨌든 다락방에서 살 정도의 돈은 벌어야겠죠. 솔직히 개인 가정교사로, 또는 '개인'이라는 말이 붙은 일만 하며 늙어간다고 생각하면 부쿠레슈티(루마니아 수도-옮긴이)에서 또다시 비서 노릇을 하는 것만큼이나 오싹합니다. 가끔은 도박이라도 해야 할 듯한 기분이 듭니다. 아주 엄청난 도박 말입니다. 이를테면 미국에…… 그러니까 뉴욕에 제가 일할 만한 자리는 없을까요?"

아처는 놀란 눈으로 그를 바라보았다. 공쿠르 형제, 플로베르와 교류했고 지식으로 가득한 삶이야말로 살 가치가 있다고 생각하는 젊은이에게 뉴욕이라니! 아처는 그의 우월함과 장점이 성공에 가장 확실한 걸림돌이 되리란 사실을 어떻게 말해줘야 할지 몰라 당혹스러운 표정으로 리비에르 씨를 바라보았다.

"뉴욕, 뉴욕이라…… 하지만 특별히 뉴욕이어야 할 이유가 있습니까?"

아처는 자신의 고향 도시가 오직 좋은 대화만 필요해 보이는 젊은이에게 과연 수입이 쏠쏠한 일자리를 제공할 수 있을지 떠올릴 수가 없어 말을 더듬었다.

리비에르 씨의 누르스름한 피부에 갑자기 홍조가 떠올랐다.

"제가…… 제가 생각하기에는 미국 대도시인 것 같아서요. 그곳에서는 지적인 활동이 더 활발하게 벌어지지 않습니까?"

그가 대꾸했다. 그런 다음 청탁처럼 보일까 봐 걱정스럽다는 듯이, 서둘러 말을 이었다.

"사람들은 아무 제안이나 해보기 마련이죠…… 다른 사람들이 아니라 자기 자신에게 말입니다. 사실 당장 가능성이 보이지도 않고……."

그는 자리에서 일어나며 어색한 기색 없이 덧붙였다.

"그렇지만 카프리 부인은 제가 선생님을 위층으로 모시고 올 거라고 생각하시겠지요."

집으로 돌아오는 마차 안에서 아처는 이 일을 곰곰이 생각해보았다. 리비에르 씨와 보낸 시간은 그의 가슴에 새로운 공기를 불어넣었고, 우선 그를 저녁 식사에 초대하고 싶은 충동을 느꼈다. 그러나 그는 곧 결혼한 남자들이 처음 느낀 충동에 반드시 따르지는 못하는 이유를 알게 되었다.

"그 젊은 가정교사는 재미있는 친구더군요. 저녁 식사 후에 책과 이런저런 주제에 대해 꽤 즐거운 대화를 나누었어요."

그는 이륜마차 안에서 시험 삼아 말을 던져보았다.

꿈결 같은 침묵에 잠겼던 메이가 정신을 차렸다. 아처는 그 침묵에서 수많은 의미를 읽어내다가 결혼 후 6개월이 지나서야 침묵을 푸는 열쇠를 얻었다.

"그 작은 프랑스인 말이에요? 끔찍하게 저속하지 않았나요?"

메이가 차갑게 물었다. 아처는 메이가 런던에서 초대받아 외출했는데 고작 목사와 프랑스인 가정교사를 만났다는 사실에 남몰래 실망했음을 짐작했다. 그 실망감은 대개 속물근성이라고 규정되는 감정에서 비롯된 것이 아니라, 외국 땅에서 품위를 잃을 위험을 무릅쓴다면 응당 그럴 만한 이유가 있어야 한다는 뉴욕의 오랜 관념에서 비롯된 것이었다. 메이의 부모님이 5번 대로에서 카프리 부인 일행을 대접했다면, 목사나 교사보다는 더 중요한 인물들을 선보였을 것이다.

그러나 아처는 신경이 곤두서서 말을 가로챘다.

"저속하다니…… 어디가 저속하다는 거예요?"

그가 캐물었다. 메이는 평소와 달리 곧바로 응수했다.

"뭐, 공부방 말고는 그 어디에서나 그렇겠죠. 그런 사람들은 사교적인 자리에서 어색하게 굴기 마련이잖아요."

메이는 순진한 태도로 덧붙였다.

"하지만 어쩌면 약삭빠른 사람일지도 모르겠어요."

아처는 메이가 '약삭빠르다'는 표현을 쓴 것이 '저속하다'는 말을 쓴 것 못지않게 싫었다. 그러나 메이에게서 마음에 들지 않는 모습을 발견해 곱씹는 자신의 버릇이 걱정스럽던 차였다. 어쨌거나 메이의 관점은 늘 똑같았다. 그것은 그가 자란 사회의 모든 이가 지닌 관점이었고 그는 늘 그 관점을 필요하지만 무시해도 좋은 것으로 여겼다. 몇 달 전까지 그가 아는 '참한' 여인 중에서 삶을 다르게 바라보는 이는 아무도 없었다. 그리고 남자가 결혼한다면 반드시 참한 여인 중 한 사람이어야만 했다.

"아…… 그러면 저녁 식사에 초대하진 말아야겠군!"

그가 소리 내어 웃으며 결론을 내렸다. 메이는 당황해서 그의 말을 되풀이했다.

"맙소사…… 카프리 가의 가정교사를 초대한다고요?"

"아니, 카프리 가 사람들과 같은 날 초대할 생각은 아니었지만, 당신이 싫다면 하지 말아야지. 하지만 그 사람과 한 번 더 대화를 나눠보고 싶어요. 뉴욕에서 일자리를 찾을 생각이더군요."

메이는 냉담했던 만큼 더욱 놀랐다. 아처는 메이가 남편에게 '외국물'이 들었다고 의심하는 게 아닐까, 하는 생각이 들었다.

"뉴욕에서 일자리를 찾는다고요? 어떤 일자리 말이에요? 뉴욕 사람들은 프랑스인 가정교사를 두지 않아요. 그 사람은 뭘 하고 싶은 거죠?"

"내가 알기로는 주로 좋은 대화를 즐기고 싶어 하더군요."

남편이 삐딱하게 쏘아붙였다. 메이는 이제야 알겠다는 듯이 웃음을 터뜨렸다.

"아, 뉴랜드, 정말 우스워요! 프랑스식 농담인가 봐요?"

전체적으로 봐서 아처는 리비에르 씨를 초대하고 싶다는 말을 메이가 진지하게 받아들이지 않은 덕분에 자신의 문제까지 해결되었다는 사실이 기뻤다. 식후 대화를 또 한 번 나눈다면 뉴욕에 대한 이야기를 피하기 어려웠을 것이다. 그 문제를 생각하면 생각할수록, 그가 아는 뉴욕의 이런저런 모습을 열심히 떠올려 보아도 리비에르 씨에게 걸맞은 곳을 찾기 어려웠다.

앞으로 수많은 문제가 이렇게 자신의 뜻과 반대로 해결되리라는 서늘한 깨달음이 섬광처럼 머리를 스쳤다. 그러나 마차 삯을 치르고 아내의 긴 옷자락을 따라 집으로 들어갔을 때, 그는 결혼생활에서 첫 여섯 달이 가장 힘들기 마련이라는 진부한 말을 위안으로 삼았다.

'그 뒤에는 서로의 모난 부분이 닳고 닳아 둥그스름해지겠지.'

그는 이렇게 생각했다. 그러나 가장 곤란한 사실은 그가 그 어느 곳보다도 날카로움을 지키고 싶은 모난 부분들에 메이가 이미 압력을 가하고 있다는 점이었다.

21

작고 반짝거리는 풀밭이 드넓고 눈부신 바다까지 막힘없이 펼쳐졌다.

진홍색 제라늄과 콜레우스가 풀밭 가장자리를 에워쌌고 초콜릿색으로 칠한 무쇠 꽃병이 바다로 이어지는 구불구불한 길을 따라 드문드문 늘어섰다. 가지런히 갈퀴질한 자갈밭에 놓인 그 꽃병들을 피튜니아와 아이비 제라늄이 화환처럼 둥글게 감쌌다.

절벽 끝과 네모진 목조 주택(역시 초콜릿색이었으나 베란다 양철 지붕에는 차양임을 나타내는 노란색과 갈색 줄무늬가 있었다)의 중간쯤에 관목 숲을 배경으로 커다란 과녁 두 개가 놓여 있었다. 과녁을 마주한 풀밭 다른 쪽에는 진짜 천막이 서 있고 주변에는 벤치와 정원용 의자들이 있었다. 여름 드레스를 입은 숙녀들과 회색 프록코트를 입고 실크해트를 쓴 신사들 여럿이 풀밭에 서거나 벤치에 앉아 있었다. 이따금씩 풀 먹인 모슬린 드레스를 입은 호리호리한 아가씨가 손에 활을 들고 천막에서 걸어 나와 한쪽 과녁을 향해 화살을 날리면, 구경꾼들은 대화를 멈추고 결과를 지켜보았다.

뉴랜드 아처는 목조 주택의 베란다에 서서 호기심을 느끼며 그 광경을 내려다보았다. 페인트를 칠한 번쩍이는 계단 양쪽으로 샛노란 도자기 받침대 위에 크고 파란 도자기 화분이 놓여 있었다. 화분마다 끝이 뾰족한 초록색 식물이 가득했고 베란다 밑으로는 새빨간 제라늄으로 둘러싸인 파란 수국 화단이 넓게 펼쳐졌다. 아처 뒤로는 그가 지나온 응접실의 프랑스식 창문 너머에서 유리처럼 매끄러운 나무 마루와 그 마루 여기저기에 놓인 사라사 무명 쿠션과 소형 안락의자, 은제 소품을 잔뜩 올린 벨벳 테이블 따위가 흔들리는 레이스 커튼 사이로 언뜻언뜻 모습을 드러냈다.

뉴포트 양궁 클럽은 늘 보퍼트가 저택에서 8월 모임을 열었다. 지금까지 크로케 말고는 적수가 없었다고 알려진 양궁은 테니스의 인기에 밀려 하락세에 접어든 참이었다. 그러나 테니스는 아직까지 사교 행사로는 너무 거칠고 우아하지 않은 종목으로 여겨졌고, 활과 화살은 아름다운 드레스와 우아한 자태를 뽐낼 기회를 제공했기에 나름의 입지를 유지했다.

아처는 그 친숙한 광경을 경이롭게 바라보았다. 자신의

반응은 완전히 달라졌건만 삶이 예전 방식 그대로 흘러간다는 사실이 놀라웠다. 그 변화의 정도를 처음 절감한 곳이 뉴포트였다. 지난겨울 그는 뉴욕에서 활 모양 내닫이창과 폼페이식 현관이 딸린 황록색 새집에 정착한 뒤, 안도감을 느끼며 예전처럼 사무실에 출근하는 일상으로 되돌아갔고 이런 일상적인 활동을 다시 시작한 덕분에 자연스럽게 예전 모습을 되찾았다. 그 뒤에는 메이의 사륜마차(웰랜드가에서 준 마차였다)를 끌 근사한 회색 말을 고르며 즐거움과 기쁨을 느꼈고 새 서재를 꾸미는 데 한참 관심을 쏟으며 재미있게 보냈다. 그는 가족들의 의구심과 반대에도, 자신이 꿈꾸었듯이 서재에 양각으로 무늬를 새긴 어두운 벽지를 바르고 이스트레이크 책장과 '진짜' 안락의자와 탁자를 놓았다. 센추리에서 다시 윈셋을 만났고 니커보커(뉴욕 상류층 신사들의 사교 클럽-옮긴이)에서는 자신과 비슷한 상류층 젊은이들을 만났다. 변호사 업무에 몰두하고 외식을 하거나 집에서 친구들을 대접하며 시간을 보내다가 가끔 저녁에 오페라나 연극을 관람하러 다니다 보니, 그가 살고 있는 삶이 역시 매우 현실적이고 필연적으로 치러내야 하는 일이라는 생각이 들었다.

그러나 뉴포트는 의무에서 벗어나 순전히 놀고 즐기는 분위기에 빠져드는 시간을 상징했다. 아처는 메인 주 해안 앞바다에 있는 외딴 섬(적절하게도 '마운트데저트섬'이라고 불렸다[섬 대부분이 아카디아 국립공원이며 여름철 피서지로 인기가 많다-옮긴이])에서 여름을 보내자고 메이를 설득해보았다. 그 섬에서는 무모한 보스턴 사람들과 필라델피아 사람들 일부가 '원주민' 오두막에서 야영 중이었는데, 경치가 매혹적이며 숲과 바다 가운데서 거칠고 거의 사냥꾼 같은 모습으로 지낸다고들 했다.

그러나 웰랜드가는 늘 절벽 위에 네모반듯한 별장이 자리 잡은 뉴포트로 갔다. 그리고 사위인 아처는 자신과 메이가 동행하지 못할 그럴듯한 이유를 제시할 수가 없었다. 웰랜드 부인은 메이가 파리에서 산 여름옷들을 입을 수 없다면 그때 힘들게 옷을 고른 것이 헛수고가 아니냐고 신랄하게 지적했다. 그리고 아처는 이런 주장에 대답할 말을 아직 찾아내지 못했다.

메이에게는 그토록 합리적이고 유쾌하게 여름을 보낼 방법이 있는데 애매하게 주저하며 동조하지 않는 남편의 태도를 이해할 수가 없었다. 메이는 그가 총각 시절에 늘 뉴포트를 좋아했다는 사실을 일깨웠고 이는 부정할 수 없는 사실이었기에, 아처는 함께 가면 그 어느 때보다도 그곳이 마음에 들 거라고 단언할 수밖에 없었다. 그러나 보퍼트가 베란다에 서서 사람들이 모인 눈부신 풀밭을 내다보는 동안, 이곳이 전혀 마음에 들지 않으리란 사실이 분명해지며 오싹한 느낌이 들었다.

가여운 메이의 잘못은 아니었다. 신혼여행 중에는 가끔 의견이 엇갈렸지만 메이에게 익숙한 환경으로 돌아오자 다시 조화를 이루게 되었다. 아처는 메이가 그를 늘 실망시키지 않으리라고 짐작했고 그의 생각이 옳았다. 그는 (대부분 젊은 남자들이 그랬듯이) 목적 없이 이어지던 감상적인 모험에 일찌감치 진저리가 나서 그만두려던 순간 완벽하게 매력적인 아가씨를 만났고 그래서 결혼했다. 그리고 메이는 평화와 안정, 동지애, 벗어날 수 없는 의무가 주는 견고한 느낌을 상징했다.

메이는 그가 기대한 모든 것을 충족시켰기에, 아처는 자신의 선택이 잘못되었다고 말할 수 없었다. 뉴욕에서 매우 아름답고 인기 많은 젊은 기혼 여성으로 손꼽히는 여인의 남편이라는 것은 분명 흐뭇한 일이었다. 게다가 메이는 무척 상냥하고 분별력 있는 아내였다. 아처 또한 그런 장점을 모르지 않았다. 결혼 직전 그를 덮쳤던 순간적인 광기에 대해서는 자신이 포기한 여러 실험 중 마지막 실험으로 여기자고 스스로를 다그쳤다. 제정신으로 올렌스카 백작 부인과의 결혼을 꿈꾸다니, 그것은 거의 상상할 수도 없는 일이 되었고, 엘런은 아처의 기억 속에 줄줄이 이어진 환영 중에서 가장 구슬프고 가슴 아픈 환영으로 남았다.

그러나 모든 것을 이렇게 비현실로 치부하고 제거해버리자 그의 마음은 메아리가 울리는 텅 빈 공간이 되었다. 아마 그런 까닭에 보퍼트가의 풀밭에서 바쁘게 움직이는 사람들이 마치 묘지에서 노는 어린아이들처럼 보여 충격을 받았는지도 모르겠다고, 그는 생각했다.

옆에서 치맛자락이 서걱거리는 소리가 들렸다. 맨슨 후작 부인이 옷자락을 휘날리며 응접실 창문을 지나 나왔다. 늘 그렇듯 치렁치렁한 장식을 두르고 요란하게 치장한 모습이었다. 축 늘어진 밀짚모자에 빛바랜 얇은 천을 여러 번 휘감아 쓰고 조각을 새긴 상아 손잡이가 달린 작고 검은 벨벳 양산을 들고 있었는데, 양산보다 모자챙이 훨씬 커서 우스꽝스럽게 보였다.

"뉴랜드, 자네와 메이가 도착한 줄은 몰랐네! 자네는 어제야 왔다지? 아, 일이라…… 일…… 직업상 의무라…… 이해해. 주말이 아니고서는 아내를 따라 이곳에 오지 못하는 남편들이 많다네."

후작 부인은 머리를 한쪽으로 기울이고 눈을 찌푸리며 서글프게 그를 바라보았다.

"하지만 결혼이란 곧 기나긴 희생이지. 내가 우리 엘런에게 자주 일깨워주듯이……."

전에도 그랬듯이 아처의 심장이 기묘하게 덜컹거리다

멈추었고 그와 외부 세계 사이에 있는 문을 갑자기 쾅 닫아버리는 듯했다. 그러나 그런 단절 상태는 아주 짧았던 모양이다. 그가 분명 목소리를 내서 던졌을 질문에 메도라가 대답하는 소리가 곧 들려왔기 때문이다.

"아니, 난 여기가 아니라 블렌커가에 머물고 있다네. 포츠머스에 있는 한적하고 근사한 집이지. 보퍼트가 친절하게도 오늘 아침에 빠르기로 유명한 자기 마차를 보내줬어. 내가 리자이나의 정원 파티를 한 번이라도 구경하도록 말이야. 하지만 오늘 저녁에는 전원생활로 되돌아갈 거야. 블렌커가 사람들은 참 독특해서 포츠머스에 낡고 원시적인 농가를 빌려 대표 인사들을 불러 모으거든……."

부인은 모자챙을 방패 삼아 고개를 약간 숙이고 얼굴을 붉히며 덧붙였다.

"이번 주에 애거선 카버 박사님이 그곳에서 '내면의 생각' 모임을 연달아 여신다네. 세속적인 즐거움으로 가득한 이 명랑한 풍경과는 참 대조적이지…… 하지만 생각해보면 난 늘 대조적인 상황을 오가며 살았어! 나에게는 단조로움이야말로 곧 죽음이야. 엘런에게 늘 이렇게 말한다네. '단조로움을 경계해라. 그것이 모든 치명적인 죄악의 근원이다.' 하지만 가여운 우리 엘런은 세상에 대한 혐오가 한껏 고조된 단계를 거치고 있지. 자네도 알겠지만, 뉴포트에 와서 지내라는 초대를 모조리 거절했다고 하잖아? 밍곳 할머니와 함께 오라는 초대마저도 말일세. 믿기 어렵겠지만 나와 함께 블렌커가로 가자고 해도 듣지 않더군. 그 애는 우울하고 부자연스러운 삶을 살고 있어. 아, 아직 가망이 있을 때 그 애가 내 말을 듣기만 했어도…… 문이 아직 열려 있을 때…… 그건 그렇고 같이 내려가서 저 흥미진진한 경기나 볼까? 메이도 출전했다던데."

천막에서 나온 보퍼트가 풀밭을 걸어 두 사람에게 다가왔다. 키가 크고 육중한 몸에 단추가 터질 듯 꼭 끼는 런던제 프록코트를 입었는데, 단춧구멍에는 난초가 하나 꽂혀 있었다. 두세 달간 보퍼트를 만나지 못했던 아처는 달라진 외모에 깜짝 놀랐다. 뜨거운 여름 햇살 속에서 불그레한 얼굴은 생기 없고 비대하게 보였으며, 떡 벌어진 어깨를 곧게 펴고 걷는 모습만 아니었다면 음식을 지나치게 많이 먹고 옷을 지나치게 차려입은 노인으로 보였을 것이다.

보퍼트를 두고 온갖 소문이 떠돌았다. 그는 봄에 새로 산 증기 요트를 타고 서인도 제도로 긴 유람을 떠났는데, 들리는 소식에 따르면 그가 들른 여러 장소에서 패니 링 양을 닮은 숙녀가 동행했다고 했다. 그 증기 요트는 클라이드 강에서 건조해 욕실용 타일을 깔고 듣도 보도 못한 여타 호화 시설을 갖춘 것으로, 50만 달러는 족히 들었다는 소문이 돌왔다. 그가 돌아와서 아내에게 선물한 진주 목걸이는 속죄의 선물답게 아주 화려했다. 보퍼트의 재산은 그 정도 부담을 감당할 만큼 막대했다. 그러나 5번 대로는 물론이고 월스트리트에서도 걱정스러운 소문이 끊이지 않았다. 어떤 이들은 보퍼트가 안타깝게도 철도에 투기했다고 말했고, 어떤 이들은 그가 패니 링 같은 배우 중에서도 끝없이 탐욕스러운 여자에게 걸려 돈을 뜯기고 있다고 했다. 파산이 임박했다는 소문이 퍼질 때마다, 보퍼트는 새 난초 화원을 한 줄 짓거나 경주마 한 무리를 새로 사들이거나 자기 화랑에 메소니에(나폴레옹을 회고한 작품으로 유명한 프랑스 화가 장 루이 에르네스트 메소니에-옮긴이)나 카바넬의 신작을 추가하는 등 새로운 사치를 부리며 대응했다.

보퍼트는 평소처럼 반쯤 비웃는 듯한 웃음을 머금고 후작 부인과 아처에게 다가왔다.

"안녕하십니까, 메도라! 말들이 제 일을 잘하던가요? 40분쯤 걸렸죠? ……뭐, 당신이 불안해하지 않을 정도로만 달려야 했다는 걸 고려하면, 나쁘지 않군요."

그는 아처와 악수를 나눈 뒤, 두 사람과 함께 몸을 돌려 맨슨 후작 부인의 옆에 서서 낮은 목소리로 아처가 알아듣지 못한 말을 몇 마디 속삭였다.

후작 부인은 갑자기 특유의 괴상하고 이국적인 몸짓을

보이며 "원하는 게 뭐예요?"라고 프랑스어로 대답했다. 그 대답에 보퍼트의 얼굴이 더욱 일그러졌다. 그러나 그는 아처를 힐끗 보고 짐짓 기분 좋은 표정으로 축하하는 듯한 미소를 지으며 말했다.

"메이가 일등 하겠지?"

"아, 그렇다면 일등은 계속 우리 가문 것이군요."

후작 부인이 속삭였다. 그 순간 세 사람은 천막에 도착했고, 소녀처럼 풍성한 연보랏빛 모슬린 드레스를 입고 하늘거리는 베일을 두른 보퍼트 부인이 그들을 맞이했다.

메이 웰랜드는 천막에서 나오던 참이었다. 흰 드레스에 연녹색 허리띠를 두르고 모자에 담쟁이 화환을 얹은 메이는 약혼하던 날 밤에 보퍼트가의 무도회장으로 들어올 때 그랬듯 다이애나 여신처럼 초연한 모습이었다. 그동안 메이의 눈동자 뒤로 어떤 생각도 스쳐 지나가지 않고 그 어떤 감정도 마음을 꿰뚫지 않은 듯했다. 남편인 아처는 메이가 생각하고 느낄 능력이 있음을 알면서도, 경험이 흔적도 남기지 않고 사라져버린 모습에 새삼 놀라움을 느꼈다.

메이는 손에 활과 화살을 들고 잔디밭에 분필로 그어놓은 자리에 선 다음, 활을 어깨높이로 들어 올리고 과녁을 겨냥했다. 자세에서 고전적인 우아함이 흘러넘쳤으므로, 메이가 나타난 뒤로 감탄하는 속삭임이 끊이지 않았다. 아처는 수시로 그를 속여 잠깐이나마 행복하다고 착각하게 만드는 소유의 기쁨을 느꼈다. 메이의 경쟁 상대인 레기 치버스 부인, 메리가의 딸들, 솔리가의 혈색 좋은 몇몇 사람들, 대거넷가와 밍곳가 사람들이 아름답지만 초조한 기색으로 메이의 뒤에 모여 있었다. 점수판 위로 고개를 숙인 갈색 머리와 금발, 연한 모슬린 드레스, 화환을 두른 모자가 어우러져 은은한 무지개를 연출했다. 모두 젊고 예뻤으며 여름날 꽃처럼 생기발랄했다. 그러나 근육을 긴장시키고 즐겁게 이맛살을 찌푸린 채 요정처럼 자연스러운 모습으로 굉장한 기력이 필요한 일에 집중한 모습을 보여주는 존재는 오직 그의 아내뿐이었다.

아처의 귀에 로런스 레퍼츠의 목소리가 들렸다.

"맙소사, 저 사람들 중에서 메이 뉴랜드처럼 활을 다루는 사람은 없어."

그 말에 보퍼트가 응수했다.

"그래. 하지만 메이 뉴랜드가 맞힐 수 있는 과녁은 딱 저런 것뿐이지."

아처는 터무니없을 만큼 화가 났다. 메이의 '품위'에 대한 보퍼트의 경멸 섞인 찬사는 남편이 아내에 대해 마땅히 듣고 싶어 할 말이었다. 천박한 남자가 메이에게서 매력을 찾지 못했다는 사실은 곧 메이의 뛰어난 자질에 대한 반증이었다. 그러나 그의 말은 아처의 가슴에 희미한 전율을 일으켰다. 최고 수준에 이른 '품위'가 '무無'에 불과하다면, 텅 빈 공간 앞에 드리운 커튼일 뿐이라면? 마지막으로 과녁 정중앙을 맞힌 뒤 붉게 달아오른 얼굴로 침착하게 돌아오는 메이를 바라보는 동안, 아처는 그 커튼을 아직 한 번도 들춰본 적 없다는 느낌이 들었다.

메이는 자신이 지닌, 우아함의 절정이라고 할 만한 순진무구한 태도로 경쟁자들과 그 자리에 있는 다른 사람들의 축하를 받았다. 우승을 놓쳤더라도 지금처럼 차분한 모습을 보였을 거라는 느낌을 주었기에, 누구도 메이의 승리를 시샘할 수가 없었다. 그러나 남편과 눈이 마주쳤을 때, 메이는 그의 얼굴에서 기쁨을 발견하고 얼굴을 환히 빛냈다.

바구니 세공으로 장식한 웰랜드 부인의 조랑말 마차가 그들을 기다렸다. 메이가 고삐를 잡고 아처가 곁에 앉은 채로 두 사람은 곳곳으로 흩어지는 마차 사이를 달렸다.

반짝거리는 풀밭과 관목 위에는 오후 햇살이 아직 남아 있었다. 2인승 사륜마차인 빅토리아와 이륜마차, 랜도 마차(좌석이 마주 보게 놓이고 지붕이 양쪽으로 접히는 사륜마차-옮긴이), 창문이 없고 문이 낮으며 좌석이 마주 놓인 사륜마차가 잘 차려입은 신사숙녀들을 태우고 벨뷰가를 두 줄로 오르내렸다. 보퍼트가의 정원 파티에서 돌아오는 사람들, 아니면 해변 도로를 따라 여느 때처럼 오후 산책을 마치고 집으로 돌아가는 이들이었다.

"할머니를 뵈러 갈까요?"

메이가 불쑥 제안했다.

"우승했다고 직접 말씀드리고 싶어요. 저녁 먹기 전에 시간이 많잖아요."

아처는 선뜻 승낙했고 메이는 조랑말을 내러갠싯 가로 돌려 스프링 가를 가로지른 다음 그 너머 바위투성이 황야 지대 쪽으로 마차를 몰았다. 늘 선례 따위는 무시하고 돈부터 절약하는 캐서린 대제는, 젊은 시절 이 인기 없는 지역에 만이 내려다보이는 값싼 땅을 조금 사서 거기에다 뾰족한 지붕 여러 개와 대들보를 얹은 작은 별장을 직접 지었다. 자라다 만 낮은 떡갈나무 숲에 둘러싸인 그 별장에는 섬들이 점점이 자리 잡은 바다 위쪽으로 넓게 펼쳐지는 베란다가 있었다. 구불구불한 진입로는 제라늄 둔덕에 박힌 철제 수사슴들과 파란 유리 공들 사이를 지나, 줄무늬 베란다 지붕 아래의 반질반질한 호두나무 현관문까지 이어졌다. 현관 너머로 뻗은 좁은 복도에 검은색과 노란색 별무늬 나무 마루가 깔렸고, 이탈리아 도장공이 올림포스의 온갖 신들을 그린 천장 아래로 두꺼운 솜털 무늬 벽지를 바른 작고 네모난 방 네 개가 자리 잡고 있었다. 밍곳 노부인은 감당하기 힘들 만큼 살이 찌자, 방 하나를 침실로 바꾸고 옆방의 열린 문과 창문 사이에 커다란 안락의자를 놓은 뒤 그곳에 앉아 낮 시간을 보냈다. 종려 잎으로 만든 부채를 끊임없이 흔들었지만 불룩 튀어나온 거대한 가슴 때문에 몸의 나머지 부분까지 거리가 너무 멀어, 부채가 일으킨 바람은 의자 팔걸이 덮개의 가장자리만 스쳐갔다.

캐서린 노부인은 아처의 결혼을 앞당기는 데 톡톡한 역할을 했기에, 도움을 베풀었을 때 그 도움을 받은 사람을 향해 생겨나기 마련인 온정을 아처에게 드러냈다. 노부인은 그가 억누를 수 없는 열정 때문에 조급하게 굴었다고 이해했다. (돈 쓸 일만 생기지 않는다면) 충동적인 행동을 열렬히 지지하는 사람이었기에, 공모자로서 다정한 눈빛을 보내며 은근히 말장난을 걸었지만 다행히도 메이는 알아채지 못한 듯했다.

노부인은 경기가 끝났을 때 메이의 가슴에 꽂힌, 다이아몬드 화살촉이 달린 화살 브로치를 매우 흥미롭게 살피며 값을 따져보더니, 자기가 젊었을 때라면 가는 줄 세공 브로치로도 충분했겠지만 보퍼트가 이 행사에 꽤나 인심을 쓴 것은 부인할 수 없다고 말했다.

"가보로 물려줘도 되겠구나, 아가."

노부인이 킬킬 웃었다.

"잘 가지고 있다가 첫딸에게 물려주렴."

노부인은 메이의 흰 팔을 꼬집으며 새빨개지는 얼굴을 바라보았다.

"이런, 이런, 내가 무슨 말을 했다고 그렇게 얼굴을 붉히는 거냐? 딸은 안 낳고 아들만 낳을 생각인 게야, 응? 맙소사, 안 그래도 새빨간 얼굴이 더 붉어지는 모습 좀 봐! 아니, 그런 말도 해서는 안 된단 말이냐? 세상에나…… 자식들이 머리 위에 그려진 저 온갖 신들을 지워버리라고 애걸하면, 나는 언제나 나에 대해 어떤 이유로든 충격받지 않을 이들이 가까이 있어서 얼마나 고마운지 모른다고 대답한단다!"

아처는 웃음을 터뜨렸고 메이도 눈이 빨개지도록 따라 웃었다.

"자, 이제 파티 얘기 좀 자세히 해보렴. 철없는 메도라한테서는 제대로 된 이야기를 한마디도 듣지 못할 테니."

노부인이 말을 이었다. 메이가 "메도라 숙모요? 하지만 포츠머스로 돌아간 줄 알았는데요?"라고 외치자, 밍곳 노부인이 차분하게 대답했다.

"그럴 거야. 하지만 엘런을 태워가려고 우선 여기로 왔단다. 아…… 엘런이 나와 한나절을 보내러 온 줄 몰랐느냐? 여기 와서 여름을 보내지 않다니, 허튼소리야. 하지만 난 젊은 사람들과 입씨름하는 건 50년 전에 그만두었지. 엘런…… 엘런!"

밍곳 노부인은 베란다 너머 풀밭이 보이도록 몸을 한껏 구부리며 노인답게 가늘고 날카로운 목소리로 외쳤다.

대답이 없자 노부인은 초조한 듯이 번들거리는 마루를 지팡이로 두드렸다. 산뜻한 터번을 두른 흑백 혼혈 하녀가 호출을 듣고 와, 주인에게 '엘런 양'이 바닷가로 이어지는 길로 내려가는 모습을 보았다고 보고했다. 밍곳 노부인은 아처를 바라보았다.

"착한 손녀사위답게 달려가서 그 애를 데려오게. 이 예쁜 숙녀가 나에게 파티 이야기를 들려주겠지."

그 말에 아처는 꿈을 꾸는 기분으로 자리에서 일어섰다.

마지막으로 만난 뒤 1년 반 동안 엘런 올렌스카의 이름을 자주 들었고, 그동안 엘런의 삶에 일어난 중요한 사건들도 아주 잘 알았다. 엘런은 작년 여름을 뉴포트에서 보냈으며 그곳에서 사교계에 빈번하게 모습을 드러낸 모양이지만 가을에는 보퍼트가 그토록 어렵게 찾아낸 '완벽한 집'을 갑자기 세놓고 워싱턴에서 지내기로 했다. 겨울 동안 아처는 (워싱턴의 미인들에 대한 이야기는 자연스레 전해지기 마련이므로) 엘런이 행정부의 사교적 단점을 보완해줄 '화려한 외교계'에서 빛을 발한다는 소식을 들었다. 이런 이야기뿐 아니라 엘런의 외모와 대화와 의견과 엘런이 선택한 친구들에 대한 여러 상반된 소식을 들을 때, 그는 오래전에 죽은 누군가에 대한 회고담을 듣는 사람처럼 초연한 태도를 잃지 않았다. 그러나 맨슨 후작 부인이 양궁 경기에서 갑자기 그 이름을 말했을 때, 엘런 올렌스카는 다시 그에게 살아 있는 존재가 되었다. 후작 부인이 바보처럼 혀짤배기소리를 내자 난롯불이 타오르는 작은 응접실 모습과 인적 없는 거리를 따라 돌아오던 마차 바퀴 소리가 머릿속에 되살아났다. 전에 읽은 이탈리아 토스카나 농가의 아이들에 대한 이야기가 떠올랐다. 길가의 동굴에 짚더미를 넣고 불을 붙였더니 채색한 무덤 속에서 오래된 망령들이 말없이 나타났다는…….

집이 자리 잡은 기슭에서 수양버들을 심은 물가 위 산책로로 내려가면 해변으로 이어졌다. 베일처럼 늘어진 가지 사이로 반짝거리는 라임 록 등대가 보였다. 그곳에는 하얗게 칠한 망루와 영웅 같은 등대지기 아이다 루이스(뉴포트 라임 록 등대에서 54년간 등대지기로 일하며 많은 사람들의 목숨을 구해 당대에 '미국에서 가장 용감한 여인'으로 불렸다-옮긴이)가 존경스러운 말년을 보낸 작은 집이 있었다. 그 너머로 평평한 해역과 고트 섬의 흉측한 관공서 굴뚝이 보였고, 낮게 자란 떡갈나무가 있는 프루던스 섬과 희뿌연 저녁노을 속에서 흐릿해진 코네티컷 해변까지 북쪽으로 만이 쭉 펼쳐졌다.

버드나무 산책로에서 뻗어 나온 좁은 나무 부두 끝에, 탑처럼 생긴 정자가 하나 있었다. 한 여인이 해변을 등지고 그 탑 난간에 기대 서 있었다. 그 광경에 아처는 꿈에서 깨어난 듯 걸음을 멈추었다. 과거에서 온 저 모습은 꿈이고 저 위쪽 기슭에 세워진 집에서 그를 기다리고 있는 것이 현실이었다. 웰랜드 부인의 조랑말 마차가 문간에서 타원을 그리며 맴돌고, 메이는 부끄러운 줄 모르는 올림포스 신들 밑에 앉아 은밀한 희망으로 얼굴을 빛내고 있으며, 벨뷰가 저 끝자락에는 웰랜드가의 별장이 있고 이미 만찬용 옷을 차려입은 웰랜드 씨가 손에 시계를 든 채 소화불량에 걸린 사람처럼 초조하게 응접실 바닥을 서성거릴 터였다……. 특정한 시각에 정확히 어떤 일이 일어나고 있는지 안 봐도 뻔한 집안이기 때문이다.

'난 뭐지? 사위…….'

아처는 생각했다.

부두 끝에 선 형체는 움직이지 않았다. 아처는 한참 동안 비탈 중턱에 서서, 만의 풍경을 바라보았다. 범선과 요트, 고기잡이배, 시끄러운 예인선에 끌려가는 검은 석탄 바지선이 물 위를 오가며 긴 항적을 남겼다. 정자에 선 여인도 똑같은 광경을 바라보는 듯했다. 애덤스 요새의 잿빛 성채 너머에서 길게 퍼진 석양이 무수히 많은 불꽃으로 부서졌다. 그 광채가 수로를 따라 라임 록과 해변 사이를 통과하던 작은 배의 돛대에 쏟아졌다. 아처는 그 광경을 바라보며, 〈방랑자〉

에서 몬터규가 에이다 다이어스에게 자신이 방에 있다는 사실을 알리지 않고 연인의 리본을 들어 입 맞추던 장면을 떠올렸다.

'엘런은 모르는 거야…… 짐작도 못했겠지. 엘런이 내 뒤로 다가온다면 나는 알지 않았을까?'

그는 이렇게 생각하다가 갑자기 혼잣말을 중얼거렸다.

"저 돛단배가 라임 록 등대를 지날 때까지 엘런이 뒤돌지 않으면, 돌아갈 거야."

배는 썰물을 타고 미끄러지듯이 멀어졌다. 배가 라임 록 앞에 이르러 아이다 루이스의 작은 집을 가렸다가 등불이 걸린 망루를 지나갔다. 아처는 섬의 마지막 암초와 선미 사이에서 반짝거리는 넓은 바다가 나타날 때까지 기다렸다. 그러나 정자 속 인물은 여전히 꼼짝하지 않았다.

그는 몸을 돌리고 언덕을 걸어 올라갔다.

"엘런을 찾지 못했다니 아쉬워요…… 다시 만나고 싶었는데."

황혼 속에서 마차를 몰고 집으로 돌아가는 길에 메이가 말했다.

"하지만 엘런은 신경 쓰지 않을 거예요…… 많이 변한 것 같아요."

"변했다니?"

아처가 실룩거리는 조랑말 귀에 시선을 고정한 채, 무미건조한 목소리로 말했다.

"친구들에게 무심해졌다는 뜻이에요. 뉴욕과 집을 포기하고, 그렇게 이상한 사람들과 어울린다잖아요. 블렌커가에서 지내는 게 얼마나 끔찍하게 불편할지 생각해봐요! 엘런은 메도라 숙모가 골치 아픈 일에 휘말리지 않도록 그러는 거래요. 형편없는 사람들과 결혼하지 못하도록 말이에요. 하지만 가끔은, 우리가 엘런을 지루하게 했다는 생각이 들어요."

아처는 대답하지 않았고 메이는 아처가 메이의 솔직하고 맑은 목소리에서 한 번도 느껴보지 못했던 냉담한 어조로 말을 이었다.

"어쨌든, 남편과 함께 있으면 더 행복할 텐데 말이에요."

아처는 웃음을 터뜨렸다.

"성스러운 단순함이여(체코 종교개혁가 얀 후스가 화형당할 때 장작불이 약해 고통에 몸부림치자 불이 빨리 타오르도록 불쏘시개를 넣어준 평범한 여인 또는 농부를 보며 외친 말이라고 전해진다-옮긴이)!"

그가 외쳤다. 메이가 당황해서 이맛살을 찌푸리며 바라보자 아처는 이렇게 덧붙였다.

"당신에게서 그런 잔인한 말은 처음 듣는군요."

"잔인하다고요?"

"천사들에게는 지옥에 떨어진 자들의 뒤틀린 모습을 구경하는 게 최고의 오락이겠지. 하지만 천사들도 사람이 지옥에서 더 행복하리라 생각하진 않을 거예요."

"그렇다면 애초에 엘런이 외국에서 결혼한 게 유감이죠."

메이는 웰랜드 부인이 남편의 변덕에 대처할 때 쓰는 차분한 어조로 말했다. 아처는 자신이 불합리하게 구는 남편들과 같은 부류로 은근슬쩍 강등되었다는 기분이 들었다.

두 사람은 벨뷰가를 달려 웰랜드가족의 별장 입구임을 표시하는, 주철 램프가 달린 나무 문설주 사이로 들어갔다. 창문으로 이미 불빛이 환하게 새어 나오고 있었고, 마차가 멈출 때 아처가 짐작한 그대로 장인이 손에 시계를 들고 괴로운 얼굴로 응접실을 서성거리는 모습이 언뜻 보였다. 웰랜드 씨는 화내는 것보다 이런 표정이 훨씬 더 효과적이라는 사실을 오래전에 터득했다.

아처는 아내를 따라 복도에 들어서며, 기이하게도 느낌이 전과 정반대가 되었다는 사실을 깨달았다. 사소한 준수사항 및 강요로 가득한 웰랜드가의 호화스러운 저택과 빡빡한 집안 분위기에는 늘 마취제처럼 그의 전신으로 스며드는 뭔가가 있었다. 무거운 카펫과 조금도 방심하지 않는 하인들, 끊임없이 때를 알려주며 오차 없이 똑딱거리는 시계, 복도 탁자에 끝없이 새로 쌓이는 카드와 초대장들, 빈 시간 없이 모든 가족 구성원들을 서로 옭아매며 이어지는 사소하지만 강제적인 일들 때문에, 이보다 체계적이지 않고 풍요롭지 않은 생활은 모두 비현실적이고 불안정한 듯했다. 그러나 이제 비현실적이고 부적절한 것은 웰랜드 저택과 그가 그 안에서 영위해야 하는 삶이었다. 비탈 중턱에 망설이며 서 있을 때 해변에 펼쳐졌던 그 짧은 장면이 혈관 속을 흐르는 피처럼 가깝게 느껴졌다.

그는 사라사 무명으로 꾸민 커다란 침실에서 메이 옆에 누워 잠을 이루지 못했다. 밤새도록 카펫을 비스듬히 비추는 달빛을 바라보면서, 보퍼트의 빠른 말이 끄는 마차를 타고 빛나는 해변을 가로질러 집으로 돌아가는 엘런 올렌스카를 생각했다.

22

"블렌커가를 위한 파티라니…… 블렌커가?"

웰랜드 씨는 나이프와 포크를 내려놓고 걱정과 의심이 뒤섞인 표정으로 점식 식탁 너머에 앉은 아내를 바라보았다. 아내는 금테 안경을 바로 잡고 고급 희극에 나오는 어투로 소리 내어 초대장을 읽었다.

"에머슨 실러턴 교수 부부가 8월 25일 3시 정각에 열리는 수요 오후 클럽 모임에 웰랜드 부부를 모시고자 합니다. 부디 참석하시어 블렌커 모녀를 만나보시길 청합니다. 캐서린 가, 레드 게이블스. 회신 바람."

"맙소사……."

웰랜드 씨는 두 번 읽고 났더니 그제야 이 말도 안 되는 헛소리가 이해되었다는 듯이 헉, 하고 숨을 내쉬었다.

"불쌍한 에이미 실러턴…… 그 남편이 다음에 무슨 일을 벌일지 도무지 알 수가 없다니까요. 그 사람은 이제 막 블렌커가를 알게 된 모양이에요."

웰랜드 부인이 한숨을 내쉬며 말했다.

에머슨 실러턴 교수는 뉴포트 사교계에서 가시 같은 존재였다. 덕망 있고 추앙받는 가계도에서 자란 가시라 뽑아버릴 수도 없었다. 사람들이 말하듯이 그는 '이점이란 이점을 모두' 갖춘 남자였다. 아버지는 실러턴 잭슨의 숙부였고 어머니는 보스턴의 페일로 가문 사람이었다. 양가 모두 부유하고 지위가 높았으며 서로 어울리기 적합했다. 웰랜드 부인이 자주 말했듯이, 에머슨 실러턴은 굳이 고고학자니 뭐니 하는 교수가 될 이유가 없었고 뉴포트에서 겨울을 지내거나 지금까지 보여준 여러 혁신적인 행동을 할 이유도 전혀 없었다. 그러나 그가 전통을 깨뜨리고 사교계를 정면으로 조롱할 셈이었다면 어쨌든 불쌍한 에이미 대거넷과 결혼해서는 안 되었다. 에이미는 '다른 것'을 기대할 자격이 있었고 개인 마차를 소유할 만큼 재산도 충분했기 때문이다.

밍곳 가문 사람들은 누구도 에이미 실러턴이 왜 남편의 기행을 고분고분하게 받아들이는지 이해하지 못했다. 그는 장발 남자들과 단발 여자들을 집에 잔뜩 데려오고 여행할 때는 아내를 데리고 파리나 이탈리아로 가는 대신 멕시코 유카탄에 있는 무덤을 탐사하러 갔다. 그러나 이 부부는 나름의 방식대로 그곳에서 자리를 지켰고 자기들이 다른 사람들과 다르다는 사실을 인식하지 못하는 게 분명했다. 그리고 그들이 매년 그 지루한 정원 파티를 열 때면, 클리프스에 사는 모든 집안에서는 실러턴-페닐로-대거넷가 사이의 관계 때문에 제비뽑기로 좋든 싫든 대표 한 명을 보내야만 했다.

"요트 경기가 열리는 날을 고르지 않다니 웬일이람! 2년 전에 줄리아 밍곳이 주최한 다과회 겸 무도회 날에 흑인을 위한 파티를 열었던 거 기억나요? 다행히도 이번에는 내가 아는 다른 행사와 겹치지 않네요…… 우리 중 몇 명은 당연히 참석해야 하니까요."

웰랜드 부인이 말했다.

웰랜드 씨는 신경질적으로 한숨을 내쉬었다.

"우리 중 몇 명이라니, 여보…… 한 명 이상 가야 한단 말인가요? 3시면 정말 곤란한 시각인데. 난 약을 먹어야 하니 3시 30분에는 집에 있어야 해요. 벤컴 박사의 새 치료법은 일정한 시각에 약을 복용하지 않으면 아무 소용이 없다고 하니까. 그리고 나중에 합류한다면, 당연히 마차 산책을 놓칠 테고 말이야."

그 생각에 그는 다시 나이프와 포크를 내려놓았고 잔주름이 가득한 뺨이 걱정으로 붉게 달아올랐다.

"당신이 갈 필요는 전혀 없어요, 여보."

아내가 이제는 반사적으로 나오는 명랑한 목소리로 대답했다.

"벨뷰가 반대편에 전할 카드가 몇 장 있으니, 내가 3시 반쯤 그걸 전하고 가여운 에이미가 무시 받았다고 느끼지 않을 정도로만 머물다 올게요."

부인은 망설이듯이 딸을 힐끔 보았다.

"그리고 뉴랜드가 오후에 일정이 있으면 메이가 조랑말 마차로 당신을 태우고 산책을 나갈 수 있을 거예요. 새로 산 황갈색 마구도 시험해보고요."

사람의 하루하루와 모든 시간은 웰랜드 부인이 '일정이 있다'라고 표현하는 일로 채워져야 한다는 게 웰랜드가의 원칙이었다. 자선가들이 실직이라는 망령을 뇌리에서 떨치지 못하듯이, 웰랜드 부인은 (특히 4인용 또는 1인용 카드놀이를 좋아하지 않는 사람이라면) '무료한 시간'을 보내게 될지도 모른다는 우울한 상상에 시달렸다. 부인의 다른 원칙은 부모가 결혼한 자녀의 계획에 결코 (적어도 티 나게) 간섭하지 않는 것이었다. 메이의 독립성을 이렇게 존중하다가도 웰랜드 씨의 긴급한 요구에 맞춰 태도를 적절히 바꾸기란 어려운 일이었으며, 그 어려움을 극복하려면 웰랜드 부인 자신의 시간이 1초도 비지 않도록 정교하게 일정을 짜야 했다.

"당연히 제가 아빠를 모시고 다녀와야죠⋯⋯ 뉴랜드는

분명 할 일을 찾아낼 거예요."

메이는 남편에게 그가 반응을 보이지 않았음을 부드럽게 일깨우는 어조로 말했다. 사위가 미리 계획을 세우는 때가 거의 없다는 사실 때문에 웰랜드 부인은 늘 골머리를 앓았다. 자신의 집에 머문 지난 2주 동안, 오후를 어떻게 보낼 거냐는 질문에 그는 벌써 몇 번이나 "아, 가끔은 시간을 보내기보다는 비축해둘 생각입니다"라고 기이하게 대답했다. 한번은 부인과 메이가 오래 미뤄둔 오후 방문을 다녀와야 했던 날, 그는 집 아래쪽 해변의 어느 바위 밑에 오후 내내 누워 있었다고 고백했다.

"뉴랜드는 앞일을 생각하지 않는 것 같더구나."

웰랜드 부인이 큰맘 먹고 딸에게 불평한 적이 있었다. 메이는 차분하게 대답했다.

"맞아요. 하지만 큰 문제는 아니에요. 특별히 할 일이 없으면 책을 읽으니까요."

"아, 그래…… 자기 아버지처럼 말이지!"

웰랜드 부인은 그 특이함이 유전임을 참작해주겠다는 듯이 맞장구를 쳤다. 그 이후로 뉴랜드가 할 일 없이 시간을 보내는 태도를 문제 삼는 것은 암묵적으로 중단되었다.

그렇기는 해도, 실러턴가의 연회 날짜가 다가오자 메이는 자연스레 노파심을 드러내며 그를 잠시 버려두고 가는 행동을 보상하기 위해, 치버스가에서 열리는 테니스 경기에 가보라거나 줄리어스 보퍼트의 소형 쾌속정을 타보라고 제안하기 시작했다.

"알겠지만 6시까지는 돌아올 거예요, 여보. 아버지는 그보다 더 늦게까지 마차를 타고 다니진 않으시니까요……."

메이는 아처가 작은 마차를 빌려 섬에 있는 말 사육장까지 가서 아내의 사륜마차에 쓸 두 번째 말을 찾아볼 생각이라고 말하자 비로소 안심했다. 그들은 얼마 동안 적당한 말을 찾고 있었고, 따라서 메이는 그 제안이 마음에 쏙 들어 '이 사람이 우리 중 어느 누구 못지않게 시간을 계획적으로 보낸다는 사실을 아시겠죠'라고 말하듯 어머니를 힐끗 보았다.

말 사육장에 가서 마차를 끌 말을 봐야겠다는 생각은 에머슨 실러턴의 초대가 처음 언급되던 날 아처의 머릿속에 떠올랐다. 다만 그 계획에 은밀한 데가 있어 발각되면 실행하지 못할 것처럼, 그는 그 생각을 혼자서 간직했다. 그러나 사전 조치 삼아 소형 마차를 예약해두었고 그 마차를 끄는 늙은 대여용 말 한 쌍은 평평한 도로에서 30킬로미터 정도는 달릴 여력이 있었다. 2시 정각, 아처는 서둘러 점심 식탁에서 일어나 가벼운 마차에 뛰어올라 길을 나섰다.

완벽한 날이었다. 작고 흰 구름들이 북쪽에서 불어온 산들바람에 밀려 군청색 하늘을 지나갔고, 그 밑으로 눈부신 바다가 펼쳐졌다. 그 시각이면 벨뷰가는 대개 텅 비었고 아처는 밀 가의 길모퉁이에 마부를 내려준 다음 올드 비치 로드로 가서 마차로 이스트맨 해변을 가로질렀다.

아처는 학교 오후 수업이 없는 날에 낯선 곳으로 떠날 때 그랬듯이 설명할 수 없는 설렘을 느꼈다. 느긋하게 마차를 몰면서, 3시 이전에 틀림없이 파라다이스 록스에서 멀지 않은 말 사육장에 도착할 거라고 생각했다. 그러니 말을 살펴본 뒤에도 (괜찮아 보여서 타보더라도) 마음껏 쓸 수 있는 황금 같은 시간이 네 시간은 생길 것이다.

실러턴가의 파티 소식을 듣자마자, 그는 맨슨 후작 부인이 분명 블렌커가 사람들과 함께 뉴포트에 올 것이며 올렌스카 부인은 그걸 기회 삼아 할머니와 한 번 더 반나절을 보낼 거라고 짐작했다. 어쨌거나 블렌커가의 집에는 아무도 남지 않을 테고 그는 무분별한 행동을 하지 않고도 그 집에 대한 막연한 호기심을 채울 수 있을 터였다. 올렌스카 백작 부인을 다시 만나고 싶은지는 확실히 알 수 없었다. 그러나 만으로 내려가는 그 길에서 부인을 본 뒤로, 부인의 지내는 곳을 직접 보고 그 정자에서 실제 모습을 보았을 때처럼 상상 속 부인이 움직이는 모습을 눈으로 좇고 싶다는, 터무니없지만 말로 다 설명할 수 없는 마음에 사로잡혔다. 그 갈망이 밤낮 그를 따라다녔다. 병자가 갑자기 변덕을 부려 예전에 맛보았으나 오래전에 잊은 음식이나 술을 달라고 할 때처럼, 끝없이 솟구치는 정체불명의 열망이었다. 그는 그 갈망 너머에 무엇이 있는지 볼 수 없었고 어디로 이어질지 상상할 수도 없었다. 올렌스카 부인에게 말을 걸거나 목소리를 듣고 싶은 마음이 있는지도 확실히 알지 못했기 때문이다. 그저 그 발길이 닿는 땅의 모습, 그리고 하늘과 바다가 그 땅을 에워싼 광경을 마음에 품고 갈 수 있다면 나머지 세상이 덜 공허해 보이리란 생각이 들었다.

말 사육장에 도착했을 때, 잠깐 보았는데도 그 말은 아처가 원하던 것이 아니었다. 그럼에도 그는 서두르지 않는다는 사실을 스스로에게 증명하려고 그 말을 마차에 맨 채 한 바퀴 돌아보았다. 그러나 3시 정각에는 고삐를 채치며 포츠머스로 이어지는 샛길에 들어섰다. 바람은 이미 잦아들었고 수평선에서 어른거리는 아지랑이를 보니 안개가 물때에 맞춰 새커닛 강을 슬슬 뒤덮으려 기다리는 모양이었다. 그러나 주변에 펼쳐진 들판과 숲은 온통 황금빛으로 물들었다.

아처는 회색 판자 지붕을 덮은 과수원의 농가들을 지나고, 건초 밭과 떡갈나무 숲을 지나고, 흐릿해진 하늘로 흰 첨탑이 아찔하게 솟은 마을들을 지났다. 밭에서 일하던 남자들에게 길을 묻느라 잠깐 멈췄다가, 마침내 미역취와 검은딸기가 가득한 높은 강둑 사이의 좁다란 길에 접어들었다. 그 길

끝으로 푸른 강물이 희미하게 어른거렸다. 떡갈나무와 단풍나무가 들어선 숲 앞에 서서 왼쪽을 보니 벽 판자에서 흰 페인트가 벗겨지고 금방이라도 쓰러질 듯한 기다란 집이 한 채 있었다.

정문 쪽 길가에 뉴잉글랜드 사람들이 농기구를 보관하고 손님들이 말을 매어둘 때 쓰는 개방된 헛간이 하나 있었다. 아처는 마차에서 뛰어내려 말들을 헛간으로 데려가 기둥에 붙들어 맨 다음 집 쪽으로 발길을 돌렸다. 집 앞 잔디밭은 거의 건초 더미나 다름없이 황폐했지만, 왼쪽으로는 달리아와 녹병 걸린 장미 덤불로 가득하며 지나치게 웃자란 회양목 정원이 귀신이라도 나올 듯한 격자 형태의 정자를 에워싸고 있었다. 한때 흰색이었던 그 정자 꼭대기에서는 나무 큐피드가 활과 화살을 잃은 채 그대로 헛되이 과녁을 겨냥하고 있었다.

아처는 정문에 잠시 몸을 기댔다. 아무도 보이지 않았고 집의 열린 창문에서 아무 소리도 들리지 않았다. 문 앞에서 꾸벅꾸벅 조는 회색 뉴펀들랜드 종 개도 화살 없는 큐피드만큼이나 집을 지키는 데 쓸모없어 보였다. 이 조용하고 쇠락한 장소가 소란스러운 블렌커가의 집이라니, 이상했다. 그러나 아처는 잘못 찾아온 것은 아니라고 확신했다.

그는 한참 그곳에 서서 풍경을 만족스럽게 바라보며 그

나른한 매력에 점차 빠져들었다. 그러나 결국, 시간이 지났다는 느낌에 정신을 차렸다. 실컷 구경한 다음 마차를 타고 떠나야 할까? 그는 문득 올렌스카 부인이 앉는 방의 모습을 그려볼 수 있도록 집 내부를 보고 싶은 마음이 들어 결정하지 못하고 서 있었다. 문 앞으로 걸어가 종을 울리지 못할 이유는 없었다. 그가 짐작했듯 엘런이 나머지 일행과 함께 떠났다면, 이름을 말하고 허락을 구한 다음 거실로 들어가 메시지를 남기면 그만이었다.

그러나 그렇게 하는 대신 아처는 잔디밭을 가로질러 회양목 정원으로 향했다. 그곳에 들어설 때 정자에 놓인 밝은색 물건이 언뜻 눈에 띄었는데, 그는 곧 그것이 분홍색 양산임을 알아보았다. 그 양산이 자석처럼 그를 끌어당겼다. 엘런의 것이 분명했다. 그는 정자 안으로 들어가, 부서질 듯한 좌석에 앉아 비단 양산을 들어 조각이 새겨진 손잡이를 바라보았다. 은은한 향기를 풍기는 희귀한 나무로 만들어진 것이었다.

치마가 서걱거리며 회양목을 스치는 소리가 들렸다. 그는 꼼짝 않고 앉아, 양산 손잡이를 두 손으로 꼭 쥔 채 서걱거리는 소리가 더 가까워져도 시선을 들지 않았다. 이 일이 반드시 일어나리란 사실을 그는 늘 알고 있었으니…….

"어머, 아처 씨!"

앳되고 우렁찬 목소리가 들려왔다. 고개를 든 아처의 눈앞에 블렌커가 자매 중 가장 몸집이 큰 막내가 흐트러진 금발에 후줄근한 모슬린 차림으로 선 모습이 보였다. 한쪽 뺨에 난 붉은 자국으로 보아 조금전까지 베개에 누워 있었던 듯했다. 반쯤 잠에 취한 눈동자가 반갑지만 어리둥절한 기색으로 그를 응시했다.

"세상에…… 갑자기 어디에서 오신 거예요? 제가 해먹에서 깊이 잠들었던 모양이에요. 다들 뉴포트에 갔어요. 초인종 누르셨어요?"

블렌커 양이 두서없이 물었다.

더 당황한 쪽은 아처였다.

"저는…… 아니…… 그러니까, 이제 누르려던 참이었습니다. 말을 보려고 섬에 들렀다가 블렌커 부인과 손님들을 뵐 수 있을까 싶어 이쪽으로 왔습니다. 하지만 집이 빈 것 같아서…… 앉아서 기다리고 있었습니다."

블렌커 양은 잠기운을 털어 내고 한층 흥미롭게 그를 바라보았다.

"집이 빈 건 맞아요. 어머니는 여기 안 계세요. 후작 부인도…… 저 말고는 아무도 없답니다."

눈에 나무라는 듯한 빛이 희미하게 어렸다.

"실러턴 교수님 내외께서 오늘 오후에 어머니와 저희 가족을 위해 정원 파티를 여신다는 걸 모르셨어요? 운 나쁘게도 저는 가지 못했어요. 목감기에 걸렸는데 어머니는 오늘 저녁에나 마차로 돌아와야 한다며 걱정하셨죠. 이렇게 실망스러운 일이 또 있을까요?"

블렌커 양은 쾌활하게 덧붙였다.

"물론 아처 씨가 오시는 줄 알았으면 그렇게 신경 쓰진 않았겠지만요."

육중한 몸으로 교태를 부리려는 낌새가 뚜렷해졌다. 아처는 용기를 내서 말을 가로챘다.

"그런데 올렌스카 부인은…… 부인도 뉴포트에 갔습니까?

블렌커 양은 놀란 눈으로 그를 바라보았다.

"올렌스카 부인이라니…… 연락을 받고 떠났는데 모르셨어요?"

"연락을 받고 떠나다니요?"

"어머, 내 제일 좋은 양산이! 리본과 색이 잘 어울려서 바보 같은 케이티 언니에게 빌려줬는데, 칠칠치 못하게 여기 떨어뜨렸나 봐요. 우리 블렌커가 식구들은 하나같이 그렇답니다…… 진짜 보헤미안이라니까요!"

억센 손으로 양산을 되찾아간 블렌커 양이 그것을 펴서 둥근 분홍빛 지붕을 머리 위로 들었다.

"맞아요, 엘런은 어제 떠났어요. 우리가 엘런이라고 부르도록 허락해줬답니다. 보스턴에서 전보가 왔어요. 이틀 정도는 자리를 비우겠다고 하더군요. 저는 엘런의 머리 모양이 정말 마음에 들어요. 그렇지 않나요?"

블렌커 양이 재잘거렸다.

아처는 블렌커 양이 투명해진 양 몸 너머를 멍하니 바라보았다. 보이는 것이라고는 킥킥대는 그 머리 위에 분홍 지붕을 드리운 그 싸구려 양산뿐이었다.

잠시 후 그가 조심스럽게 말했다.

"혹시 올렌스카 부인이 왜 보스턴에 갔는지 아십니까? 좋지 않은 일 때문은 아니겠죠?"

블렌커 양은 그 말에 그럴 리 없다는 듯이 명랑한 표정을 지었다.

"아, 그건 아닐 거예요. 전보 내용을 우리에게 말해주진 않았어요. 제 생각엔 후작 부인에게 알리고 싶지 않았던 것 같아요. 엘런은 무척 낭만적으로 생기지 않았나요? 엘런이 「제럴딘 부인의 구애」(엘리자베스 배럿 브라우닝이 1844년에 발표한 시-옮긴이)를 읽을 때면 스콧 시든스 부인(영국 배우 메리 프랜시스 스콧 시든스-옮긴이)이 떠오르지 않나요? 엘런의 시 낭송 들어보셨어요?"

아처는 밀려드는 생각을 다급하게 정리했다. 갑자기 그의 미래 전체가 눈앞에 펼쳐지는 듯했다. 그 끝없이 공허한 길을 따라가다가 어떤 일도 결코 겪지 않은 채 점점 작아지는 한 남자의 모습이 보였다. 아처는 손질하지 않은 정원과 쓰러질 듯한 집, 땅거미가 지는 떡갈나무 숲을 휙 둘러보았다. 그는 이곳이야말로 올렌스카 부인을 찾아낼 만한 장소라고 생각했었다. 그러나 엘런은 멀리 떠났고 분홍색 양산조차 엘런 것이 아니었다…….

아처는 이맛살을 찌푸리며 망설였다.

"모르시겠지만…… 제가 내일 보스턴에 갑니다. 혹시 엘런을 만날 방법이……."

블렌커 양은 여전히 웃음을 머금고 있었으나 그는 자신에 대한 흥미가 사라지고 있음을 느꼈다.

"아, 물론이죠. 참 친절하시네요! 엘런은 파커 하우스에서 묵을 거예요. 이런 날씨에 그곳에서 지내려면 끔찍할 텐데."

그 뒤로 두 사람이 나눈 대화는 아처의 머릿속에 그저 띄엄띄엄 들어왔다. 가족들이 돌아올 때까지 기다렸다가 차와 함께 간단한 요기라도 하고 가라는 블렌커 양의 간청을 완강히 거절한 것만 기억에 남았다. 마침내 그는 옆에 따라붙는 블렌커 양과 함께 나무 큐피드 상의 사정거리를 벗어나, 말을 풀고 마차를 몰아 떠났다. 길모퉁이를 돌며 보니 블렌커 양이 정문에 서서 분홍색 양산을 흔들고 있었다.

23

다음 날 아침, 아처는 폴 리버 기차에서 내려 찌는 듯이 더운 한여름의 보스턴에 모습을 드러냈다. 기차역 인근 거리에는 맥주와 커피와 썩은 과일 냄새가 진동했고, 시민들은 복도를 걸어 욕실로 가는 하숙생들처럼 셔츠 바람으로 거리낌 없이 그 사이를 돌아다녔다.

아처는 승합마차를 잡아타고 아침 식사를 하러 서머셋 클럽으로 갔다. 유럽 도시들은 제아무리 더워도 품위를 떨어뜨리지 않겠지만 이곳은 상류층 동네마저 어수선한 가정집 같은 분위기를 풍겼다. 옥양목 옷을 입은 관리인들이 부잣집 현관 계단에 느긋하게 앉아 있었고, 보스턴 커먼 공원은 비밀 결사 조직인 프리메이슨의 소풍이 막 끝나기라도 한 듯이 지저분했다. 아처가 엘런 올렌스카가 있을 것 같지 않은 장소를 그려보았다면, 무더위로 한산해진 이 보스턴만큼이나 엘런에게 어울리지 않는 곳을 떠올릴 수 없었을 것이다.

아처는 멜론 조각으로 시작해 토스트와 스크램블드에그를 기다리는 동안 조간신문을 꼼꼼히 읽으며 차근차근 맛있게 아침을 먹었다. 전날 밤에 메이에게 보스턴에서 처리할 일이 있어 폴 리버 증기선(폴 리버 노선은 1847년부터 1937년까지 증기선과 철도로 뉴욕과 보스턴을 연결했다-옮긴이)을 타고 다음 날 저녁에 뉴욕으로 가야 한다고 말한 뒤, 줄곧 활력과 활기가 새로 샘솟는 느낌에 사로잡혔다. 다들 그가 주초에는 뉴욕으로 돌아가리란 걸 알고 있었는데, 짧은 여행을 마치고 포츠머스로 돌아와보니 운명이 복도 탁자 한구석에 보란 듯이 놓아두었는지 회사에서 보낸 편지 한 통이 있었다. 갑작스럽게 계획을 변경할 이유로 충분했다. 모든 일이 쉽게 풀려 민망한 마음마저 들었다. 로런스 레퍼츠가 자유롭게 보낼 시간을 확보하려고 능수능란하게 꾸며내던 계략이 떠올라서 잠시 마음이 불편했다. 그러나 자세히 따져볼 기분이 아니었기에 오래 괴로워하지는 않았다.

아침 식사를 마친 뒤에 그는 담배를 피우며 일간지《커머셜 애드버타이저》를 훑어보았다. 그사이에 그가 아는 남자 두세 명이 들어와 여느 때처럼 인사를 주고받았다. 시공간의 그물을 빠져나왔다는 묘한 기분을 느꼈지만 결국 같은 세상이었다.

시계를 보니 9시 30분이었고 아처는 자리에서 일어서서 클럽 서재로 들어갔다. 그곳에서 종이에 몇 줄 적은 다음, 사환에게 승합마차를 타고 파커 하우스로 가서 기다렸다 답장을 받아오라고 지시했다. 그런 다음 다른 신문을 들고 앉아 승합마차가 파커 하우스에 도착하려면 시간이 얼마나 걸릴지 따져보았다.

"부인께서 외출 중이시랍니다."

갑자기 바로 옆에서 클럽 종업원의 목소리가 들렸다. 아처는 그 말이 낯선 언어인 것처럼 더듬거리며 "외출했다니……?" 하고 대답했다.

아처는 자리에서 일어나 복도로 갔다. 착오가 있는 게 분명했다. 엘런이 그 시각에 외출할 리 없었다. 어리석었던 자신에게 화가 나서 얼굴이 붉어졌다. 왜 도착하자마자 전갈을 보내지 않았을까?

그는 모자와 지팡이를 찾은 다음 거리로 나섰다. 먼 나라에서 온 여행자가 된 듯 거리가 갑자기 낯설고 드넓고 황량하게 느껴졌다. 머뭇거리며 잠시 현관 계단에 서 있다가, 파커 하우스에 가보기로 했다. 사환이 잘못 알았고 엘런이 아직 그곳에 있다면 어쩐단 말인가?

그는 커먼 공원을 가로지르기 시작했다. 나무 아래 첫 번째 벤치에 엘런이 앉아 있는 모습이 보였다. 머리 위로 회색 비단 양산을 들고 있었다. 어떻게 분홍색 양산을 든 엘런의 모습을 상상할 수 있었을까? 다가가던 그는 엘런의 무기력한 자세에 흠칫 놀랐다. 엘런이 달리 할 일이 없는 사람처럼 그곳에 앉아 있었다. 그는 고개를 수그린 옆모습과 어두운 색 모자 아래 목덜미 부근에서 낮게 틀어 올린 머리, 양산을 든 손에 낀 길고 주름진 장갑을 보았다. 한두 걸음 더 다가가자 엘런이 고개를 돌려 그를 바라보았다.

"아……."

엘런이 말했다. 올렌스카 부인의 얼굴에서 놀란 표정을 본 것은 처음이었다. 그러나 다음 순간 그 표정은 사라지고 경탄과 만족감이 어린 미소가 얼굴에 서서히 퍼졌다.

"아……."

올렌스카 부인이 달라진 어조로 다시 중얼거렸고 그동안 아처는 그대로 서서 내려다보았다. 엘런은 일어서지 않고 벤치에 그가 앉을 자리를 내주었다.

"일이 있어서 왔습니다…… 이제 막 도착했어요."

아처가 설명했다. 그리고 갑자기 이유도 모른 채 엘런을 만나 놀란 척하기 시작했다.

"하지만 이렇게 황량한 곳에서 당신 같은 사람이 대체 뭘 하고 있는 겁니까?"

사실 그는 자기가 무슨 말을 하는지 몰랐다. 끝없이 먼

곳에서 엘런을 향해 소리치는 기분이 들었고 자신이 따라잡기 전에 엘런이 다시 사라질 것만 같았다.

"나 말이에요? 아, 나도 일 때문에 왔어요."

엘런은 이렇게 대답하며 고개를 돌려 아처와 얼굴을 마주 보았다. 그의 귀에는 엘런의 말이 거의 들어오지 않았다. 그 목소리와 그 목소리에 깃든 울림이 기억 속에 남아 있지 않았다는 놀라운 사실을 절감할 따름이었다. 나직한 목소리와 자음을 약간 거칠게 발음하는 특징조차 잊고 있었다.

"머리 모양이 많이 달라졌군요."

이렇게 말할 때 그는 돌이킬 수 없는 말을 한 것처럼 가슴이 쿵쿵거렸다.

"달라졌다고요? 아니에요…… 나스타시아가 없을 때 내가 할 수 있는 머리 모양이 이것뿐이에요."

"나스타샤와 함께 있지 않아요?"

"그래요, 나 혼자예요. 겨우 이틀인데 굳이 데려올 필요가 없으니까요."

"혼자…… 파커 하우스에서 지냅니까?"

엘런은 순간 예전처럼 적의 어린 눈빛으로 그를 바라보았다.

"위험하다고 생각해요?"

"아니, 위험하진 않지만……."

"그렇지만 관습에 어긋난다는 말인가요? 알아요. 그렇겠죠."

엘런은 잠시 생각에 잠겼다.

"그 생각은 못했어요. 조금 전에 이보다 훨씬 더 관습에 어긋나는 일을 한 터라."

엘런의 눈에 빈정거리는 기색이 아른거렸다.

"조금 전에 거액을 돌려받지 않겠다고 말했거든요…… 원래 내 돈이지만."

아처는 벌떡 일어나 한두 걸음 멀어졌다. 엘런은 양산을 접고 자갈 위에 그림을 그리며 멍하니 앉아 있었다. 그가 곧 돌아와서 엘런 앞에 섰다.

"누군가…… 당신을 만나러 여기에 왔습니까?"

"그래요."

"그 제안을 하려고?"

엘런이 고개를 끄덕였다.

"당신은 거절했고요…… 조건 때문에?"

"거절했어요."

잠시 뒤 엘런이 말했다.

아처는 다시 엘런 옆에 앉았다.

"조건이 뭐였습니까?"

"아, 부담스러운 건 아니었어요. 그냥 가끔 그의 식탁 머리에 앉아달라는 거였죠."

다시 짧은 침묵이 흘렀다. 아처의 심장이 전처럼 기묘하게 쾅 하고 문을 닫았고 그는 자리에 앉아 할 말을 찾으려 애썼지만 허사였다.

"그 사람은 당신이 돌아오기를 바라는군요…… 어떤 대가를 치르더라도?"

"글쎄요…… 상당한 액수였죠. 적어도 나에게는 꽤나 큰 금액이에요."

그는 꼭 던져야 할 질문을 찾느라 잠시 입을 다물었다.

"그 사람을 만나려고 여기 온 겁니까?"

엘런이 그를 물끄러미 바라보다가 웃음을 터뜨렸다.

"그 사람을 만나다니…… 내 남편 말이에요? 여기에서? 이 계절이면 늘 카우스나 바덴에서 지내는 걸요."

"사람을 보냈습니까?"

"맞아요."

"편지와 함께?"

엘런은 고개를 저었다.

"아니에요. 전갈만 보냈어요. 그 사람은 절대 편지를 쓰지 않아요. 내가 받은 편지는 고작 한 통뿐이죠."

그렇게 말하던 엘런의 뺨이 붉게 달아올랐고 아처의 뺨도 뒤따라 붉어졌다.

"왜 편지를 쓰지 않는답니까?"

"쓸 필요가 있겠어요? 비서를 두는 이유가 뭔데요?"

아처의 얼굴이 더욱 붉어졌다. 엘런은 비서라는 단어를 자신이 쓰는 다른 말보다 더 중요할 것도 없다는 듯이 발음했다. '그러면 그가 자기 비서를 보냈습니까?'라는 질문이 잠시 혀끝에 맴돌았다. 그러나 올렌스키 백작이 아내에게 보낸 유일한 편지의 내용이 기억에 너무 생생했다. 아처는 다시 입을 다물었다가 위험을 무릅쓰고 물었다.

"그러면 그 사람은……?"

"사자요? 그 사자 말이군요."

올렌스카 부인은 미소를 머금은 채 대꾸했다.

"나야 알 바 아니지만, 이미 떠났을 거예요. 하지만 오늘 저녁까지 기다리겠다고 말하긴 했어요…… 혹시라도…… 만약……."

"그 만약을 생각해보려고 여기 나왔습니까?"

"바람 좀 쐬려고 나왔어요. 호텔은 너무 답답해요. 오후 기차를 타고 포츠머스로 돌아갈 거예요."

두 사람은 말없이 앉아 서로를 외면하고 길을 지나가는 사람들만 똑바로 바라보았다. 마침내 엘런이 다시 그의 얼굴로 시선을 옮기며 말했다.

"당신은 변하지 않았네요."

그는 '변했었소. 당신을 다시 만나기 전까지는'이라고 대답하고 싶었다. 그러나 대신 벌떡 일어나 지저분하고 후덥지근한 공원을 휙 훑어보았다.

"여긴 정말 끔찍하군요. 만으로 잠시 나가보면 어떻겠소? 미풍이 불어 더 시원할 거요. 증기선을 타고 포인트 알리까지 갈 수도 있고."

엘런이 망설이며 그를 힐끔 쳐다보았고 그는 말을 이었다.

"월요일 아침이니 배에 아무도 없을 겁니다. 내가 탈 기차는 저녁에나 출발해요. 난 뉴욕으로 돌아갈 거예요. 안 될 이유라도 있어요?"

그는 엘런을 내려다보며 고집스레 말하다가 갑자기 외쳤다.

"우린 우리가 할 수 있는 일을 다하지 않았나요?"

"아……."

올렌스카 부인이 다시 중얼거렸다. 엘런은 자리에서 일어나 양산을 다시 펴면서 주변 풍경에서 조언을 받아 그곳에 머물 수 없음을 확인하려는 듯이 두리번거렸다. 그런 다음 다시 그의 얼굴로 시선을 돌렸다.

"나한테 그런 말을 하면 안 돼요."

엘런이 말했다.

"당신이 좋아하는 말을 하겠습니다. 아니면 아무 말도

하지 않겠어요. 당신이 허락하지 않으면 입을 열지도 않을 겁니다. 이게 누구에게 무슨 해를 끼칠 만한 일입니까? 난 그저 당신 말을 듣고 싶을 뿐이에요."

그가 더듬거리며 말했다.

엘런은 에나멜을 칠한 시곗줄이 달린 작은 금시계를 꺼냈다.

"아, 시간은 계산하지 말아요."

그가 외쳤다.

"나에게 하루만 시간을 줘요! 그 남자에게서 당신을 떼어놓고 싶어요. 그가 몇 시에 온다고 했습니까?"

부인의 얼굴이 다시 붉어졌다.

"11시예요."

"그러면 당장 가야겠군."

"염려할 필요 없어요…… 내가 가지 않더라도."

"당신도 염려할 필요 없어요. …… 나와 함께 가더라도. 맹세컨대 당신 이야기를 듣고 지금까지 무얼 하며 지냈는지 알고 싶을 뿐입니다. 우리가 만난 뒤로 백 년은 흐른 것 같군요…… 다시 만날 때까지 또 백 년은 걸릴 겁니다."

엘런은 불안한 눈빛으로 그의 얼굴을 바라보며 계속 망설였다.

"내가 할머니 댁에 있던 날, 왜 나를 데리러 해변으로 오지 않았어요?"

부인이 물었다.

"당신이 뒤를 돌아보지 않았으니까…… 내가 거기 있는 걸 당신이 몰랐으니까. 당신이 돌아보지 않으면 나도 데리러 가지 않겠다고 맹세했지."

유치한 고백이라는 생각이 들어 그는 웃음을 터뜨렸다.

"하지만 난 일부러 돌아보지 않았어요."

"일부러?"

"당신이 거기 있다는 걸 알았어요. 당신이 탄 마차가 들어올 때 조랑말을 보고 알았죠. 그래서 해변으로 간 거예요."

"나에게서 되도록 멀리 달아나려고 말입니까?"

부인은 낮은 목소리로 따라 말했다.

"당신에게서 되도록 멀리 달아나려고요."

그는 다시 웃음을 터뜨렸다. 이번에는 소년처럼 만족스러운 웃음이었다.

"글쎄, 알다시피 소용없는 일입니다. 아무래도 당신에게 말하는 편이 좋겠군요."

그가 덧붙였다.

"여기에서 볼일이란 그저 당신을 찾는 것이었어요. 그런데 이것 참, 지금 출발하지 않으면 우리가 탈 배를 놓치겠는걸."

"우리가 탈 배라니요?"

부인은 당혹스럽다는 듯이 얼굴을 찌푸렸다가 웃음을 지었다.

"아, 하지만 우선 호텔로 돌아가야 해요. 쪽지라도 하나 남겨둬야……."

"쪽지야 원하는 만큼 남기도록 해요. 여기에서 써도 되니까."

그는 지갑과 새로운 잉크 주입식 만년필을 하나 꺼냈다.

"봉투도 하나 있어요…… 모든 게 이렇게 예정되어 있지 않습니까! 자…… 이걸 무릎에 반듯이 놔요. 내가 얼른 펜을 준비해줄 테니. 비위를 맞춰줘야 합니다. 기다려요……."

그는 펜을 쥔 손으로 벤치 등받이를 힘껏 때렸다.

"수은이 내려오도록 체온계를 흔들 때와 똑같아요. 눈속임에 불과하지만. 이제 써봐요……."

부인은 웃음을 터뜨렸고 그가 지갑 위에 놓아둔 종이 위로 몸을 숙이고 글을 쓰기 시작했다. 아처는 몇 발자국 떨어져서 빛나는 눈으로 행인들을 바라보았지만, 아무것도 눈에 들어오지 않았다. 행인들도 걸음을 멈추고 멋지게 차려입은 숙녀가 커먼 공원 벤치에서 무릎에 종이를 놓고 뭔가를 쓰는 이례적인 광경을 바라보았다.

올렌스카 부인은 종이를 봉투에 넣고 겉면에 이름을 써

서 주머니에 넣었다. 그런 다음 자리에서 일어났다.

그들은 비컨가 쪽으로 되돌아갔다. 클럽 근처에서 아처는 플러시 천으로 안감을 댄 '허딕 마차'(뒤쪽에서 올라타는 작은 이륜마차-옮긴이)를 보았다. 파커 하우스에 쪽지를 전해준 마차였다. 마부가 심부름을 마치고 길모퉁이 수도에서 이마를 씻으며 쉬고 있었다.

"모든 게 예정되어 있다고 내가 말했잖아요! 우리가 탈 승합마차가 있어요. 봐요!"

두 사람은 마차 승강장이 아직 '외국의' 진기한 문물로 여겨지는 도시에서 그 시각에, 게다가 그 뜻밖의 장소에서 승합마차를 발견한 기적에 깜짝 놀라 웃음을 터뜨렸다.

아처는 시계를 보고, 파커 하우스에 들렀다가 증기선 승선장으로 가도 여유가 있다고 생각했다. 두 사람은 무더운 거리를 덜컹덜컹 달려 호텔 문 앞에 섰다.

아처가 편지를 달라고 손을 내밀었다.

"내가 가져다 놓고 올까요?"

그가 물었다. 그러나 올렌스카 부인은 고개를 저으며 마차에서 뛰어내려 유리문 사이로 사라졌다. 10시 반도 되지 않은 시각이었다. 그러나 그 사자가 부인의 대답을 초조하게 기다리다 달리 시간을 때울 방법을 알지 못해, 부인이 들어갈 때 아처의 눈에 언뜻 보였듯이 시원한 음료를 옆에 둔 여행객들 사이에 이미 자리 잡고 있다면 어쩐단 말인가?

그는 마차 앞을 서성거리며 기다렸다. 나스타시아와 눈이 닮은 시칠리아 젊은이가 구두를 닦아주겠다고 했고, 나이 지긋한 아일랜드 여인이 그에게 복숭아를 팔려고 했다. 수시로 문이 열리며, 더위 먹은 남자들이 밀짚모자를 한껏 젖혀 쓴 채 밖으로 나와 그를 힐끔거리며 지나갔다. 아처는 문이 그토록 자주 열린다는 사실과, 그 문에서 나온 사람들이 죄다 비슷하게 생겼다는 사실, 그러니까 그 시각에 이 나라 곳곳에서 앞뒤로 흔들리는 호텔 문을 끝없이 드나드는 여느 더위 먹은 남자들과 아주 비슷하게 생겼다는 사실에 놀랐다.

그러다 갑자기, 다른 얼굴들과 관련 없어 보이는 얼굴이 하나 나타났다. 서성거리던 구역의 가장 먼 지점에 서 있던 터라 아처의 시야에 그저 스치듯 들어온 얼굴이었다. 호텔 쪽으로 다시 발길을 돌릴 때야 비로소 아처는 전형적인 얼굴들, 즉 야위고 지친 얼굴들과 둥글고 놀란 표정을 한 얼굴들, 턱이 튀어나온 온화한 얼굴들 사이에서 그 얼굴을 보았다. 한꺼번에 아주 많은 것을 담고 있는 얼굴, 아주 다른 얼굴이었다. 그것은 어느 젊은이의 얼굴로 창백하기도 했으며 더위 때문인지 근심 때문인지 또는 그 두 가지 다 때문인지 반쯤 탈진한 표정이었지만, 어쩐지 더 예민하고 더 생생하며 자의식이 더 강해 보였다. 그러나 다른 얼굴들과 매우 달라서 그렇게 보였을지도 모른다. 아처는 잠시 기억이라는 가느다란 실에 매달렸지만 실이 뚝 끊어지며 사라진 얼굴과 함께 날아가버렸다. 그것은 분명 외국인 사업가의 얼굴이었고 주위 환경 탓에 두 배로 이질적인 느낌을 풍겼다. 그 얼굴은 행인들의 물결 속으로 사라졌고 아처는 다시 서성거렸다.

아처는 호텔 근처에서 손에 시계를 들고 있는 모습을 보이고 싶지 않았다. 시계 없이 시간이 얼마나 흘렀는지를 따져보다가, 올렌스카 부인이 다시 나타나기까지 시간이 오래 걸린다면 그 이유는 오직 남편이 보낸 사자를 만나 붙들렸기 때문이리라고 결론을 내렸다. 그렇게 생각하자 우려를 넘어 괴로움이 찾아왔다.

"곧 돌아오지 않으면 내가 들어가서 찾아봐야겠어."

그가 말했다.

문이 다시 활짝 열리더니 엘런이 그의 곁에 섰다. 두 사람은 허딕 마차를 탔고 마차가 달리는 동안 시계를 꺼낸 아처는 엘런이 없었던 시간이 고작 3분이었음을 깨달았다. 헐거운 창문이 대화를 나눌 수 없을 만큼 덜거덕거렸고 그들은 울퉁불퉁한 자갈길을 덜컹덜컹 달려 부두로 갔다.

반쯤 빈 증기선의 벤치에 나란히 앉은 두 사람은 서로에게 할 말이 거의 없다는 사실을 깨달았다. 아니면 외따로 떨어져 행복한 침묵을 지킬 때 하고 싶은 말이 가장 잘 전달되는 것 같기도 했다.

외륜이 돌며 부두와 다른 배들이 무더운 장막 사이로 차츰 멀어지자, 아처는 친숙한 관습의 세계에 있는 모든 것이 함께 멀어지는 느낌이 들었다. 올렌스카 부인에게 똑같은 기분인지 묻고 싶은 마음이 간절했다. 그는 결코 돌아오지 않을 긴 여행을 떠나는 기분이었다. 그러나 그 말을 꺼내기가 두려웠고 자신을 향해 엘런이 위태롭게 유지하고 있는 믿음을 어지럽힐 만한 그 어떤 말도 꺼낼 수가 없었다. 사실 그 믿음을 저버리고 싶지 않았다. 두 사람이 키스를 나누던 때의 기억으로 그의 입술이 쉬지 않고 뜨겁게 타오르던 날들이 있었다. 바로 전날에 포츠머스로 달려갈 때도, 엘런을 생각하자 온몸으로 불길이 퍼져 나갔다.

그러나 엘런이 곁에 있고 함께 미지의 세계 속으로 서서히 떠내려가는 지금, 그들은 손만 대도 깨질 더 깊은 친밀감에 도달한 것만 같았다.

배가 항구를 떠나 바다로 향하자 산들바람이 주변으로 불어왔고 해안의 바닷물이 길고 매끄럽게 넘실대더니 잔물결로 변해 물보라를 일으켰다. 후텁지근한 안개가 여전히 도시를 뒤덮었지만 저 앞으로 물결이 일렁이는 새로운 세상이 펼쳐졌고, 멀리 보이는 곳에는 등대들이 햇빛을 받으며 서 있었다. 올렌스카 부인은 배의 난간에 몸을 기댄 채 입을 벌리고 시원한 공기를 들이마셨다. 모자에 긴 베일을 둘렀지만 베일이 얼굴을 가리지는 않았고 아처는 엘런의 평온하고도 유쾌한 표정에 놀랐다. 엘런은 그들의 모험을 당연한 일로 받아들이는 듯했고 뜻밖에 누군가를 마주칠까 봐 두려워하거나 (더 나쁜 일이지만) 그럴지도 모른다는 생각에 지나치게 들뜬 것 같지도 않았다.

아처는 여인숙 식당에 엘런과 단둘이 있고 싶었지만 식당은 순진해 보이는 젊은 남녀들로 떠들썩했다. 주인 말로는 휴가 나온 학교 선생들이라고 했다. 그렇게 시끄러운 와중에 대화를 나눠야 한다고 생각하니 아처는 마음이 무거워졌다.

"도저히 안 되겠군…… 별실을 달라고 해야겠소."

그가 말했다. 올렌스카 부인은 전혀 반대하지 않고 그가 별실을 찾으러 간 동안 기다렸다. 별실은 긴 나무 베란다가 딸리고 창문으로 바다가 보이는 방이었다. 가구가 거의 없고 시원했으며 거친 체크무늬 천이 덮인 식탁은 새장 밑에 놓인 피클 병과 블루베리 파이로 장식되어 있었다. 비밀리에 만나는 남녀에게 이토록 순수해 보이는 사실私室이 은신처로 제공된 적은 없었을 것이다. 아처는 올렌스카 부인이 맞은편에 앉으며 보일 듯 말 듯 즐거운 미소를 지을 때 그 모습에서 안도감을 엿본 느낌이 들었다. 남편에게서 달아난 여자…… 게

다가 소문대로 다른 남자와 함께 달아난 여자라면 이런저런 상황을 당연하게 받아들이는 기술을 터득했을지 모른다. 그러나 엘런의 평온함에는 그의 얄궂은 생각을 누그러뜨리는 어떤 특징이 있었다. 그토록 조용하고 침착하고 단순한 태도로 엘런은 본의 아니게 관습을 떨쳐냈고 덕분에 그는 서로 나눌 이야기가 아주 많은 두 옛 친구가 단둘이 있을 곳을 찾는 것이 자연스러운 일이라고 느꼈다…….

24

두 사람은 말을 쏟아냈다가 침묵하기를 반복하며, 생각에 잠겨 천천히 점심을 먹었다. 일단 마법이 풀리자 많은 이야기가 오갔지만 말이 침묵이라는 긴 대화의 부속물에 불과한 순간도 있었다. 아처는 대화중에 개인사는 꺼내지 않았다. 어떤 의도가 있어서가 아니라 엘런이 그동안 겪은 일을 이야기할 때 한마디도 놓치고 싶지 않았기 때문이다. 올렌스카 부인은 탁자에 몸을 기대고 깍지 낀 손에 턱을 괸 채로 두 사람이 마지막으로 만난 뒤 1년 반 동안 있었던 일을 들려주었다.

엘런은 이른바 '사교계'에 진절머리가 났다. 뉴욕은 친절했고 숨이 막힐 정도로 호의를 베풀었다. 뉴욕이 돌아온 엘런을 어떻게 환영해주었는지 결코 잊지 못할 것이다. 그러나 처음에 느꼈던 새로운 흥분이 가시고 나자, 엘런의 표현에 따르면 자신은 너무 '달라서' 뉴욕이 신경 쓰는 것에 관심을 가질 수가 없었다. 그래서 더 다양한 사람들과 더 다채로운 의견을 접할 수 있을 듯한 워싱턴에서 지내보기로 했다. 전체적으로 말해 워싱턴에 정착해 그곳에 불쌍한 메도라를 위해 가정을 꾸릴 생각도 있었다. 메도라를 돌보며 위험한 결혼에게서 보호해줄 존재가 가장 필요한 그때에, 다른 친척들은 모두 메도라에 대한 인내심이 바닥난 상태였다.

"하지만 카버 박사는…… 카버 박사 때문에 걱정되지 않소? 블렌커가에서 함께 지냈다고 들었는데."

엘런이 웃음을 지었다.

"아, 카버 박사님은 이제 위험하지 않아요. 아주 영리한 사람이거든요. 그 사람은 자기 계획에 자금줄이 되어줄 부유한 아내를 원하는데, 메도라 숙모는 개종자로서 좋은 광고 수단일 뿐이에요."

"무엇으로 개종한단 말입니까?"

"새롭고 무분별한 온갖 사회 계획을 믿는 거죠. 하지만 우리 친구들이 보이는 전통에 대한, 그것도 다른 누군가의 전통에 대한 맹목적인 순응보다는 그쪽이 나에게 더 흥미롭다는 거 알아요? 아메리카 대륙을 발견해놓고 고작 그걸 다른 나라의 복사판으로 만들다니, 어리석은 짓 같아요."

엘런은 식탁 너머에서 웃음을 지었다.

"크리스토퍼 콜럼버스가 고작 셀프리지 메리가 사람들

과 오페라 극장에 가려고 그렇게 온갖 고초를 겪었다고 생각해요?"

아처의 얼굴빛이 달라졌다.

"그러면 보퍼트는…… 보퍼트에게도 이런 이야기를 해요?"

그가 불쑥 물었다.

"안 만난 지 오래됐어요. 하지만 예전에는 그랬죠. 그 사람은 이해하니까요."

"아, 내가 당신에게 늘 하던 말 그대로군요. 당신은 우리를 좋아하지 않아요. 보퍼트를 좋아하는 건 그가 우리와 매우 다르기 때문이고."

그는 휑한 방을 둘러보고 사람이 없는 해변과 해안을 따라 죽 늘어선 새하얀 시골집들을 내다보았다.

"우리는 지독하게 지루하지. 개성도 없고 색깔도 없고 다양성도 없고요. ……그런데."

그가 갑자기 목소리를 높였다.

"왜 돌아가지 않는지 궁금하군요!"

엘런의 눈빛이 어두워졌고, 그는 엘런이 분개해서 맞받아칠 거라고 생각했다. 그러나 엘런은 그가 한 말을 곱씹듯 말없이 앉아 있었고, 그는 엘런이 자기도 그 이유가 궁금하다고 대답할까 봐 점점 겁이 났다.

마침내 올렌스카 부인이 말했다.

“당신 때문인 것 같아요.”

고백을 이보다 더 냉정하게, 또는 듣는 사람의 허영심을 거의 부추기지 않는 말투로 하기란 불가능할 것이다. 아처는 관자놀이까지 새빨개졌지만, 감히 움직이거나 입을 열지 못했다. 엘런의 말은 희귀한 나비 같았다. 살짝 움직이기만 해도 놀라 날개를 팔랑이며 날아가버릴 테지만 건드리지 않고 놓아두면 주변으로 나비 떼를 불러 모을 것만 같았다.

엘런이 말을 이었다.

“적어도, 그 지루함 밑에 아주 품위 있고 섬세하고 우아한 것들이 있어서, 내가 다른 삶에서 가장 좋아하던 것들조차 그에 비하면 하찮게 보인다는 사실을 깨닫게 해준 사람이 바로 당신이었죠. 내 마음을 어떻게 설명해야 할지 모르겠어요…….”

엘런은 심란한 듯 이맛살을 찌푸렸다.

“하지만 최상의 기쁨을 얻기 위해 그 대가로 힘들고 초라하고 상스러운 것들을 얼마나 많이 감당해야 하는지 전에는 결코 알지 못했다는 생각이 들어요.”

‘최상의 기쁨이라…… 그런 걸 누렸다니 대단하군!’

그는 날카롭게 대꾸하고 싶었다. 그러나 엘런의 호소하는 듯한 눈빛 때문에 침묵을 지켰다.

엘런이 말을 이었다.

"당신에게는 온전히 솔직해지고 싶어요…… 나 자신에게도. 오랫동안 이런 기회가 오기를 바랐어요. 당신이 나를 어떻게 도왔는지, 나를 어떻게 바꾸었는지 말할 수 있도록……."

아처는 이마를 찡그리고 자리에 앉은 채로 그를 빤히 바라보았다. 그는 웃음을 터뜨리며 말을 가로챘다.

"그러면 당신이 나를 어떻게 바꿔놓았는지는 모르겠어요?"

엘런은 얼굴이 조금 창백해졌다.

"당신을요?"

"그래요. 당신이 나 때문에 변한 것보다 내가 당신 때문에 변한 점이 훨씬 많아요. 나는 한 여자가 그러라고 했기 때문에 다른 여자와 결혼한 남자요."

엘런의 창백한 얼굴이 순간 붉어졌다.

"난…… 당신이 약속한 줄 알았는데…… 오늘은 그런 말을 하지 않기로."

"아…… 여자들이란! 당신들은 불리한 상황에서는 꼭 발을 빼버리더군!"

엘런의 목소리가 낮아졌다.

"이게 불리한 상황 맞지 않나요…… 메이에게?"

그는 창가에 서서 위로 밀어젖힌 창을 두드리며, 사촌의 이름을 말할 때 그 목소리에 깃든 아쉬움과 다정함을 온몸으로 느꼈다.

"우린 늘 바로 그 점을 생각해야 하니까요…… 그렇지 않나요…… 당신이 설명했듯이?"

엘런이 고집스레 말했다.

"내가 설명했다고요?"

그가 멍한 눈을 바다에서 떼지 않고 따라 말했다.

엘런은 고통스럽지만 최선을 다해 생각을 밀고 나가며 말을 이었다.

"그게 아니라면, 다른 사람들을 환멸과 불행에서 구하려고 많은 것을 포기하고 흘려보낸 게 헛된 일이라면…… 그렇다면 나를 고향으로 돌아오게 만든 그 모든 것, 그곳에서는 누구도 신경 쓰지 않는 것들이라 상대적으로 내가 몹시 공허하고 빈약한 삶을 살았다고 느끼게 한 그 모든 것이…… 그 모든 것이 가짜이거나 꿈이 되어버려요……."

아처는 자리에서 움직이지 않고 고개를 돌렸다.

"그렇다면 당신이 돌아가지 않을 이유가 전혀 없지 않나요?"

그가 대신 결론을 내려주듯이 말했다.

엘런의 눈이 필사적으로 그에게 매달리고 있었다.

"이유가 전혀 없다고요?"

"당신이 내 결혼을 성사시키려고 모든 걸 걸었다면 말입니다."

그가 잔인하게 말했다.

"내 결혼생활을 보려고 여기 머물 필요는 없어요."

엘런은 대답하지 않았고 그는 말을 이었다.

"그게 무슨 소용이란 말입니까? 당신은 진짜 삶이 무엇인지 내게 처음으로 엿보게 해주고 동시에 나에게 가짜 삶을 지속하라고 부탁했지. 그건 인간이 견딜 수 있는 일이 아닙니다. ……그게 전부예요."

"아, 그렇게 말하지 말아요. 난 견디고 있는데!"

엘런은 눈물이 그렁그렁한 눈으로 소리쳤다.

엘런은 두 팔을 탁자로 늘어뜨리고, 절망적인 위기가 닥쳐도 상관없다는 듯한 태도로 그의 시선을 얼굴로 받아내며 앉아 있었다. 그 얼굴은 마치 엘런이라는 사람 자체인 듯이, 그 뒤에 숨은 영혼과 함께 그 모습을 고스란히 드러냈다. 아처는 그 얼굴이 갑자기 전하는 말에 압도되어 말문이 막힌 채 서 있었다.

"당신도…… 아, 지금까지 내내, 당신도?"

그 질문에 대한 대답으로, 엘런의 눈꺼풀에 가득 차오른 눈물이 천천히 흘러내렸다.

두 사람은 여전히 방의 절반에 이르는 거리만큼 떨어져

있었고 어느 쪽도 움직이려는 기색을 전혀 보이지 않았다. 아처는 자신이 엘런의 신체적인 부분에 이상할 만큼 무심하다는 사실을 깨달았다. 23번가의 그 작은 집에서 그 얼굴을 보지 않으려 그 손에 눈길을 고정했을 때처럼, 엘런이 지금 탁자 위로 뻗은 한 손이 그의 시선을 끌지 않았다면 그 손을 거의 의식하지도 않았을 것이다. 이제 그의 상상력은 소용돌이의 가장자리를 맴돌 듯 그 손 주변을 맴돌았다. 그러나 여전히 더 가까이 가려 하지는 않았다. 애무하면 사랑이 타오르고 그럴수록 더 애무하고 싶어진다는 사실을 그는 알고 있었다. 그러나 몸속 깊이 자리 잡은 이 열정은 표면적인 접촉으로 충족되는 것이 아니었다. 그는 까딱 잘못했다가 엘런의 말에서 비롯된 소리와 인상이 지워질까 봐 두렵기만 했다. 다시는 혼자라는 기분이 들지 않으리라는 생각만 들 따름이었다.

그러나 잠시 뒤, 그는 이 순간을 허비하고 망치고 있다는 느낌에 사로잡혔다. 그곳에서 두 사람은 사방이 막힌 공간에서 안전하게 가까이 있었다. 그러나 서로 다른 운명에 단단히 묶여 있었기에, 세상의 절반에 이르는 거리만큼 떨어져 있는 것이나 다름없었다.

"이게 다 무슨 소용이란 말입니까…… 당신이 돌아갈 거라면?"

그가 소리쳤다. 그 말 밑에는 '대체 어떻게 내가 당신을 붙잡을 수 있단 말입니까?'라는 몹시 절망적인 절규가 깔려 있었다.

엘런은 눈을 내리깐 채 꼼짝 않고 앉아 있었다.

"아…… 아직은 가지 않을 거예요!"

"아직은? 그럼 언젠가는 가겠단 말입니까? 언제 갈지 이미 예측했단 말입니까?"

그 말에 엘런은 티 없이 맑은 눈을 들었다.

"약속할게요. 당신이 버티는 한은 가지 않을 거예요. 우리가 이렇게 서로를 똑바로 바라볼 수 있는 한은 가지 않아요."

그는 의자에 털썩 주저앉았다. 엘런의 대답은 사실 이런 뜻이었다.

'당신이 손가락 하나만 까딱해도 나를 다시 내몰게 될 거예요. 당신이 아는 온갖 혐오스러운 것들로, 당신이 반도 짐작하지 못하는 온갖 유혹으로.'

그는 엘런이 소리 내어 말한 듯 분명하게 알아들었고 그 생각 때문에 감동에 젖어 신성하게 굴복한 채 탁자 이쪽에서 꼼짝하지 못했다.

"당신의 삶은 대체!"

그가 신음하듯이 말했다.

"아…… 내 삶이 당신 삶의 일부인 이상은 가지 않을게요."

"그리고 내 삶이 당신 삶의 일부인 한은?"

엘런이 고개를 끄덕였다.

"그거면 되겠군요…… 우리 둘 다에게?"

"음, 그거면 되죠. 그렇지 않아요?"

그 말에 아처는 엘런의 사랑스러운 얼굴 외에는 모든 것을 잊고 벌떡 일어났다. 엘런도 그를 맞이하거나 달아나려 하지 않고 조용히, 마치 가장 힘든 임무를 마쳤으니 기다리기만 하면 된다는 듯이 자리에서 일어섰다. 너무나 조용해서, 그가 가까이 다가갔을 때 엘런이 뻗은 두 손은 그를 막는 것이 아니라 오히려 이끄는 느낌이 들었다. 손은 그의 손에 붙잡혔지만, 쭉 뻗고 있으나 완고함이 느껴지지 않는 두 팔은 저항을 포기한 엘런의 얼굴이 나머지 말을 전하도록 그와 적당한 거리를 벌렸다.

두 사람은 그런 모습으로 한참 서 있었다. 또는 아주 잠깐 동안이었는지도 모른다. 그러나 엘런의 침묵이 하고 싶은 말을 모두 전하고 그가 중요한 것이 하나뿐임을 느끼기에는 충분한 시간이었다. 그는 이 만남을 마지막 만남으로 만들어 버릴 어떤 행동도 해서는 안 되었다. 그들의 미래를 엘런에게 맡기되 그저 꽉 붙들어달라는 부탁만 해야 했다.

"절대…… 절대 불행해지지 말아요."

엘런이 손을 빼며 갈라진 목소리로 말했다. 그는 그가

견딜 수 없는 미래는 그것뿐이라는 듯한 태도로 대답했다.

"돌아가지 않을 거죠…… 돌아가지 않을 거죠?"

"돌아가지 않을게요."

엘런이 말했다. 그러고는 몸을 돌려 문을 연 다음 공용 식당으로 이어지는 길로 앞장섰다.

시끌벅적한 학교 선생들이 제각기 부둣가로 달려가기 전에 소지품을 챙기고 있었다. 해변 저편 부두에는 하얀 증기선이 떠 있었다. 그리고 햇빛이 가득한 바다 위, 아지랑이 사이로 어렴풋이 보스턴이 보였다.

25

다시 배에 올라 다른 사람들 틈에 자리 잡았을 때, 아처는 평온한 마음을 느꼈고 덕분에 기운이 났지만 그만큼 놀랍기도 했다.

일반적인 판단 기준으로 그날은 터무니없는 실패였다. 올렌스카 부인의 손에 입을 맞추지도 못했고 다음 기회를 약속하는 말 한마디 얻어내지 못했다. 그런데도, 이루지 못한 사랑으로 가슴앓이하고 열정의 대상과 기약 없이 이별하는 남자치고 그는 면목 없을 만큼 차분하고 평온한 느낌이 들었다. 그가 그토록 동요하다가도 평정을 찾는 이유는 엘런이 다른 사람들에 대한 성실함과 서로를 향한 솔직함 사이에서 완벽하게 균형을 잡아주기 때문이었다. 엘런의 눈물과 더듬거리는 말이 보여주듯이, 그 균형은 교묘하게 계산된 것이 아니라 부끄러움 없는 진실함에서 자연스럽게 비롯된 것이었다. 덕분에 그의 마음은 애정 어린 경외감으로 가득 찼다. 이제 위험은 끝났고, 그는 개인적인 허영심이나 세련된 관객들 앞에서 연기하는 듯한 느낌에 빠져 엘런을 유혹하지 않게 해준 운명에 감사했다. 폴 리버 역에서 작별의 악수를 나누고 혼자 돌아선 뒤에도, 이 만남으로 자신이 치러야 했던 대가보다 훨씬 더 큰 것을 얻었다는 확신이 아처의 마음에 남아 있었다.

그는 어슬렁거리며 클럽으로 돌아가 사람이 없는 클럽 서재에 홀로 앉아, 엘런과 함께 보낸 순간순간을 머릿속으로 몇 번이고 곱씹었다. 엘런이 마침내 유럽으로 돌아가기로, 남편에게 돌아가기로 결심한다면, 그것은 엘런에게 새로운 조건이 제시되었을지언정 과거 삶에 마음에 홀려서가 아님을 그는 분명히 알 수 있었고 생각할수록 그 사실이 더욱 분명해졌다. 그렇다. 엘런은 자신이 아처에게 유혹이 된다고 느낀다면, 두 사람이 세운 기준에서 벗어나고 싶은 유혹이 된다고 느끼는 때에만 돌아갈 것이다. 그가 더 가까이 다가오라고 부탁하지 않는 한 그의 곁에 머물겠다는 것이 엘런의 선택이었다. 그가 엘런을 그곳에, 안전하지만 외따로 떨어진 곳에 그대로 놔둘 수 있느냐에 따라 결정되는 문제였다.

기차 안에서도 이런 생각이 그를 떠나지 않았다. 그 생각이 황금빛 실안개처럼 그를 에워쌌고 주변 얼굴들은 그 안개 너머로 멀고 흐릿하게 보였다. 다른 여행자들에게 말을 걸어도 그가 하는 말을 이해하지 못할 듯했다. 다음 날 아침, 이렇게 멍한 상태로 잠에서 깨니 뉴욕의 답답한 9월이라는 현실에 어느새 도착한 상태였다. 긴 기차 안에서 더위에 지친 얼굴들이 쉴 새 없이 그를 지나쳤고, 그는 여전히 금빛 안개 너머로 그들을 물끄러미 응시하고 있었다. 그러나 그가 역을 떠날 때 갑자기, 어느 한 얼굴이 다른 얼굴들에서 떨어져 나와 가까이 다가오더니 의식을 파고들었다. 그는 그것이 전날 본, 파커 하우스에서 나오던 젊은이의 얼굴이라는 사실을 깨달았다. 어떤 유형에도 부합되지 않고 미국 호텔에서 흔히 보이는 얼굴이 아니라는 인상을 주던 바로 그 얼굴이었다.

지금도 똑같은 느낌이 그를 덮쳤다. 이번에도 어렴풋하지만 전에 만난 적이 있는 듯한 느낌이 들었다. 그 젊은이는 미국 여행이라는 가혹한 행운에 뛰어든 어리숙한 외국인의 분위기를 풍기며 자리에 서서 주변을 둘러보았다. 그러다가 아처를 향해 다가와서 모자를 들어 올리며 영어로 말했다.

"선생님, 분명 런던에서 뵌 적이 있지 않습니까?"

"아, 그럼요. 런던에서!"

아처는 호기심과 연민을 느끼며 그 손을 꽉 잡았다.

"결국 정말로 여기 왔군요?"

아처는 이렇게 외치며, 카프리 가에서 일하는 프랑스인

가정교사의 영민하고 초췌한 작은 얼굴에 의아한 시선을 던졌다.

"아, 여기로 왔죠…… 맞습니다."

리비에르 씨가 입술을 끌어당기며 웃음을 지었다.

"하지만 오래 머물지는 못합니다. 모레 돌아갑니다."

그는 깔끔하게 장갑을 낀 한 손으로 가벼운 여행 가방을 단단히 들고 서서, 아처의 얼굴을 걱정스럽고 당혹스럽게 거의 애원하듯이 응시했다.

"혹시나, 선생님, 다행스럽게도 선생님을 마주쳤으니, 혹시 제가……."

"그렇지 않아도 말씀드리려던 참이었습니다. 점심을 드시러 오시겠습니까? 그러니까, 시내에서 말입니다. 제 사무실로 찾아오시면 그 동네에 있는 아주 괜찮은 식당으로 모시겠습니다."

리비에르 씨의 얼굴에 놀라고 감동한 기색이 역력했다.

"무척 친절하시군요. 하지만 저는 그저 탈것을 찾으려면 어떻게 해야 하는지 여쭤볼 생각이었습니다. 짐꾼도 없고, 여기 사람들이 제 말을 들어줄 것 같지 않아서……."

"알아요. 미국 기차역에 놀라셨을 겁니다. 짐꾼을 불러 달라고 하면 껌을 주죠. 저를 따라오시면 이곳에서 빠져나가게 해드리겠습니다. 그리고 꼭 점심 드시러 오셔야 합니다."

젊은이는 약간 망설이더니 감사해 마지않으며 그다지 설득력이 없는 어조로 선약이 있다고 대답했다. 그러나 거리로 나와서 꽤 마음이 놓이자, 그날 오후에 잠깐 들러도 되겠느냐고 물었다.

한여름이라 사무실이 한가했기에 아처는 안심하고 시간을 정한 다음 주소를 휘갈겨 써주었고, 프랑스인은 과장된 몸짓으로 모자를 벗으며 몇 번이나 감사인사를 하면서 그 쪽지를 주머니에 넣었다. 그는 철도마차(말이 철로 위에서 끄는 방식의 교통수단으로, 승객 삼사십 명을 태울 수 있는 마차였다–옮긴이)를 탔고 아처는 걸음을 옮겼다.

정확히 제 시각에 나타난 리비에르 씨는 면도한 얼굴에다 옷차림도 단정했지만 여전히 긴장감이 뚜렷이 느껴지는 진지한 모습이었다. 아처는 사무실에 혼자 있었다. 그 젊은이는 아처가 내민 의자에 앉기도 전에 불쑥 입을 열었다.

"어제 보스턴에서 선생님을 본 것 같습니다."

대수롭지 않은 말이었다. 맞장구치려던 아처는 손님의 집요한 시선에서 정체는 알 수 없지만 계시 같은 뭔가를 발견하고 말을 삼켰다.

리비에르 씨가 말을 이었다.

"이런 상황에서 선생님을 만나다니, 놀랍습니다. 정말 놀라워요."

"어떤 상황 말입니까?"

아처는 다소 무례하지만 그에게 돈이 필요한 건 아닌가, 하고 생각하며 물었다.

리비에르 씨는 머뭇거리는 눈빛으로 관찰하듯이 그를 계속 바라보았다.

"지난번에 뵈었을 때 말씀드렸듯이, 저는 일자리를 구하기 위해서가 아니라 특별한 임무를 수행하러 왔습니다……."

"아……!"

아처가 외쳤다. 머릿속에서 순간적으로 두 번의 만남이 연결되었다. 그는 이렇게 갑자기 밝혀진 상황을 받아들이느라 잠시 입을 다물었고, 리비에르 씨도 이 정도면 충분히 말했다는 사실을 깨달은 것처럼 침묵을 지켰다.

"특별한 임무라."

마침내 아처가 따라 말했다.

젊은 프랑스인은 양 손바닥을 펴서 살짝 들어 올렸고 두 사람은 사무실 책상 너머로 서로를 계속 바라보았다. 그러다가 아처가 일어서며 "앉으시죠"라고 말했다.

그 말에 리비에르 씨는 고개 숙여 인사한 다음 멀찍이 놓인 의자에 앉아 다시 기다렸다.

"저와 상의하시려는 내용이 그 임무에 관한 것입니까?"

마침내 아처가 물었다.

리비에르 씨가 고개를 숙였다.

"저 자신을 위해서는 아닙니다. 그 점에 대해서는 제가…… 저 스스로 완전히 해결했습니다. 괜찮으시다면…… 올렌스카 백작 부인에 대해 선생님과 이야기를 나누고 싶습니다."

아처는 몇 분 전부터 그 말이 나오리란 사실을 알고 있었다. 그러나 막상 그 말이 나오자 덤불 속에서 구부러진 나뭇가지에 걸리기라도 한 듯이 관자놀이로 피가 쏠렸다.

"그러면 누구를 위해서 이 일을 하려는 겁니까?"

아처가 물었다.

리비에르 씨는 꿋꿋하게 그 질문에 답했다.

"글쎄요…… 외람된 말씀이 아니라면 '부인'을 위해서라고 대답할 텐데 말입니다. 대신 추상적인 정의를 위해서, 라고나 할까요?"

아처는 빈정거리는 표정으로 그를 빤히 바라보았다.

"다시 말해, 당신은 올렌스키 백작이 보낸 사자라는 말이군요?"

리비에르 씨의 창백한 얼굴이 더욱 음울하게 붉어지는 모습이 보였다.

"선생님께 보낸 사자는 아닙니다. 제가 선생님을 찾아온 건, 아주 다른 이유 때문입니다."

"이런 상황에서, 무슨 권한이 있어 다른 이유로 찾아온단 말입니까? 사자는 그냥 사자일 뿐이지요."

아처가 쏘아붙였다.

젊은이는 잠시 생각에 잠겼다.

"제 임무는 끝났습니다. 올렌스카 백작 부인에 관한 한, 실패로 끝났지요."

"제가 도울 수는 없습니다."

아처가 조금 전처럼 비꼬는 말투로 대꾸했다.

"맞습니다. 하지만 선생님께서는 도와주실 수 있……."

리비에르 씨는 말을 멈추고 아직도 신중하게 장갑을 끼고 있던 두 손으로 모자를 뒤집어 안감을 들여다보다가 아처의 얼굴로 다시 시선을 돌렸다.

"부인의 가족들에 대한 임무 역시 실패하도록 틀림없이 도와주실 수 있을 겁니다."

아처는 의자를 밀치며 일어섰다.

"그래요…… 내가 잘도 그렇게 하겠군요!"

아처가 외쳤다. 그는 주머니에 손을 넣고 선 채, 그 작은 프랑스인을 성난 눈빛으로 내려다보았다. 리비에르 씨도 일어섰지만 그의 얼굴은 아처의 눈보다 조금 더 아래에 있었다.

리비에르 씨의 얼굴이 평소처럼 창백해졌다. 더 창백해질 수 없을 만큼 낯빛이 파리했다.

아처가 말을 이었다.

"대체 왜 그런 생각을…… 올렌스카 부인과 내 관계를 근거로 호소하는 모양입니다만…… 내가 왜 부인의 가족들과 의견이 다를 거라고 생각하는 겁니까?"

잠시 리비에르 씨는 달라진 표정으로만 답했다. 그의 얼굴은 겁이 나는 표정에서 완전히 괴로운 표정으로 바뀌었다. 평소 재치 있게 처신하는 젊은이인 만큼, 그 이상 무방비한 상태를 드러내기 힘겨웠을 것이다.

"아, 선생님……."

"백작 부인과 가까운 사람들이 그렇게나 많은데 왜 나를 찾아왔는지 모르겠군요. 당신이 전하기로 되어 있는 그 주장을 내가 더 쉽게 이해하리라 생각하는 이유는 더더욱 모르겠소."

아처가 말했다.

리비에르 씨는 이 맹공격을 당황스러울 만큼 겸손하게 받아들였다.

"선생님께 말씀드리려는 내용은 제 생각이지, 제가 전달하도록 지시받은 내용은 아닙니다."

"그렇다면, 그 생각을 들어야 할 이유를 더더욱 알 수가 없군요."

리비에르 씨는 그 마지막 말이 모자를 쓰고 물러가라는

노골적인 암시는 아닌지 따져보기라도 하듯이 다시 모자를 들여다보았다. 그러다가 갑자기 단호하게 말했다.

"선생님…… 한 가지만 말씀해주시겠습니까? 선생님께서 문제 삼으시는 것이 제가 여기 있을 권리입니까? 아니면 혹시 그 모든 사태가 이미 종결되었다고 생각하시는 겁니까?"

그가 침착하게 주장하자 아처는 자신이 졸렬하게 고함을 쳤다는 생각이 들었다. 리비에르 씨는 뜻을 관철시키고야 말았다. 얼굴이 약간 붉어진 아처가 다시 의자에 주저앉으며 그에게도 자리에 앉으라고 손짓했던 것이다.

"미안하지만, 왜 그 문제가 종결되지 않았다는 겁니까?"

리비에르 씨는 괴로운 눈빛으로 마주 보았다.

"그렇다면, 선생님께서도 나머지 가족들처럼, 올렌스카 부인이 제가 가져온 새로운 제안을 접하면 남편에게 돌아갈 가능성이 아주 높다고 생각하십니까?"

"맙소사!"

아처가 외쳤다. 손님은 사실이라는 듯이 나직하게 중얼거렸다.

"부인을 만나기 전에, 올렌스키 백작의 요청에 따라 러벌 밍곳 씨를 뵙고 몇 차례 대화를 나눈 다음에 보스턴으로 갔습니다. 그분은 맨슨 밍곳 노부인의 의견을 대변할 뿐이며, 노부인께서 가문 전체에 막강한 영향력을 행사하시는 것으로 압니다."

아처는 미끄러운 절벽 끄트머리에 매달린 기분으로 말없이 앉아 있었다. 자신이 이 협상에서 완전히 배제되었고 협상이 진행 중이라는 사실조차 몰랐다는 사실에 충격을 받았고, 지금 알게 된 내용 때문에 더더욱 놀랐지만 그렇다고 충격이 완화되지는 않았다. 그는 순식간에 깨달았다. 그 가문에서 이제 그와 상의하지 않기로 했다면 부족 특유의 깊은 본능이 그가 더는 자기들 편이 아님을 경고한 탓이었다. 그리고 양궁 모임이 있던 날에 맨슨 밍곳 노부인의 집에서 돌아오는 동안 "어쨌든 엘런은 남편과 지내는 게 더 행복할 거예요"라고 하던 메이의 말이 기억났고, 그 말이 무슨 뜻인지 이제 이해가 되었다.

새로 알게 된 사실 때문에 혼란스러운 와중에도, 아처는 그때 자신이 분개해서 소리친 것과 그 뒤로 아내가 그에게 올렌스카 부인의 이름을 꺼낸 적이 없다는 사실을 떠올렸다. 아내가 무심한 듯이 꺼낸 말은 분명 그의 속마음을 떠보려는 미끼였다. 그 결과가 가문에 전달되었고 이후로 아처는 이 협의에서 조용히 제외된 것이다. 아처는 메이가 그런 결정에 굴복하도록 만든 가문의 규율에 감탄했다. 메이가 양심의 가책을 느꼈다면 그런 짓을 하지 않았을 것임을 그는 알았다. 그러나 아마 메이도 올렌스카 부인이 별거하느니 불행한 아내로 사는 편이 더 나으며, 갑자기 가장 기본적인 문제를 당연시하지 않고 거추장스럽게 구는 아처와 이 문제를 상의해 봤자 아무 소용이 없다는 가족들 견해에 동감했을 것이다.

고개를 든 아처는 손님의 걱정스러운 시선과 눈이 마주쳤다.

"아시지 않습니까, 선생님? 모르실 리 없을 텐데요…… 이 가족들이 백작 부인에게 남편의 마지막 제안을 거절하라고 조언해도 될지 의문을 품기 시작했다는 사실을 말입니다."

"당신이 가져온 제안 말입니까?"

"제가 가져온 제안 말입니다."

아처는 내가 뭘 알건 모르건 당신이 신경 쓸 일이 아니라고 외치고 싶어 입이 근질거렸다. 그러나 리비에르 씨의 시선에서 겸손하지만 대담한 고집이 담긴 뭔가가 보여 그렇게 끝내지 않기로 했다. 아처는 젊은이의 질문에 다른 질문으로 답했다.

"나에게 이런 이야기를 하는 목적이 뭡니까?"

말이 떨어지기 무섭게 대답이 들렸다.

"간청하기 위해서입니다, 선생님…… 온 힘을 다해 간청드립니다…… 부인이 돌아가도록 내버려두지 마십시오. 아, 제발 그러지 않게 해주십시오!"

리비에르 씨가 외쳤다.

아처는 더더욱 놀라 그를 바라보았다. 그는 분명 진심으로 괴로워했고 단호한 결의가 엿보였다. 모든 일이 실패하도록 내버려두기로 결심했지만 이렇게 절실히 입장을 밝혀야만 했던 것이다.

마침내 아처가 입을 열었다.

"이것이 올렌스카 백작 부인의 상황에 대한 입장인지 물어봐도 되겠습니까?"

리비에르 씨는 얼굴을 붉혔지만 시선에는 흔들림이 없었다.

"아닙니다, 선생님. 저는 제가 맡은 일이 옳다고 믿고 받아들였습니다. 굳이 이유를 말씀드릴 필요는 없겠지만, 저는 정말로 올렌스카 부인이 자신의 위치와 재산, 남편의 지위로 얻게 되는 사회적 존중을 회복하는 편이 나을 거라 믿었습니다."

"그러셨을 테지요. 그렇지 않았다면 그런 임무를 받아들이지 않았을 테니까요."

"받아들이지 말았어야 했습니다."

"흠, 그렇다면……?"

아처는 다시 말을 멈추었고, 두 사람은 다시 한참 동안 상대방을 탐색하듯이 시선을 마주했다.

"아, 선생님, 부인을 만나고 나서, 부인의 말씀을 듣고 나서, 저는 부인께서 여기 머무시는 편이 더 낫다는 사실을 알게 되었습니다."

"알게 되었다……?"

"선생님, 저는 제 임무를 성실히 수행했습니다. 제 의견은 조금도 덧붙이지 않고 백작님의 주장을 전달했으며 그분의 제안을 말씀드렸습니다. 백작 부인은 너그러운 분이라 끈기 있게 들어주셨습니다. 저를 두 번이나 만나주셨지요. 제가 전달한 내용을 모두 공정하게 숙고하셨습니다. 그리고 그렇게 두 번 대화를 나누는 동안 제 생각이 바뀌었고, 상황을 달리 보게 된 것입니다."

"무엇 때문에 생각이 달라졌는지 말씀해주실 수 있습니까?"

"그저 부인의 변화를 보았기 때문입니다."

리비에르 씨가 대답했다.

"부인의 변화라고요? 그러면 전부터 알던 사이였습니까?"

젊은이의 얼굴이 다시 붉어졌다.

"백작님 댁에서 그분을 뵙곤 했습니다. 올렌스키 백작님과는 오래전부터 친분이 있었어요. 짐작하시겠지만 이런 일을 낯선 사람에게 맡겨 보내실 리는 없잖습니까."

아처의 시선은 사무실의 빈 벽을 떠돌다가 미국 대통령의 다부진 얼굴이 위쪽에 박힌 벽걸이 달력에 머물렀다. 그가 통치하는 수백만 평방미터의 땅 어딘가에서 이런 대화가 오간다는 게, 도무지 상상하기 어려울 만큼 이상한 일로 느껴졌다.

"변화라면…… 어떤 변화 말입니까?"

"아, 선생님, 뭐라 말씀드리면 좋을지!"

리비에르 씨가 잠시 입을 다물었다.

"그게…… 전에 생각하지 못했던 것을 발견했다고나 할까요. 백작 부인이 미국인이라는 사실 말입니다. 그리고 부인과 같은 부류의 미국인은…… 그러니까 선생님과 같은 분들은…… 다른 사회에서 받아들이는 것들, 적어도 대부분 편리한 타협의 일환으로 감수하는 것들을 상상하지 못한다는, 그냥 상상도 하지 못한다는 사실도 알게 됐지요. 이런 상황을 올렌스카 부인의 친척들이 알았다면, 분명 백작 부인 본인만큼이나 돌아가는 것을 무조건 반대했을 겁니다. 그러나 그분들은 부인이 돌아오기를 바라는 백작의 모습이 가정을 간절히 지키고 싶어 한다는 증거라고 여기는 모양입니다."

리비에르 씨는 잠시 말을 멈추었다가 덧붙였다.

"그렇지만 그렇게 단순한 상황이 아닙니다."

아처는 미국 대통령에게 다시 시선을 던졌다가 책상과 그 위에 흩어진 서류들을 내려다보았다. 잠시 뭐라 말해야 할지 고민했다. 그러는 동안 리비에르 씨가 의자를 뒤로 미는 소리가 들렸고 아처는 그 젊은이가 자리에서 일어섰다는 것을 깨달았다. 다시 눈을 들어 쳐다보니, 손님은 아처 자신만큼이나 마음이 뭉클한 듯했다.

"감사합니다."

아처는 간단히 말했다.

"저에게 감사하실 필요는 없습니다, 선생님. 제가 오히려……."

리비에르 씨는 자기 얘기마저도 말하기 힘겹다는 듯이 갑자기 입을 다물었다. 그러다가 더 단호한 목소리로 말을 이었다.

"그래도 한 가지 더 말씀드리고 싶습니다. 선생님께서는 제가 올렌스키 백작에게 고용되어 있느냐고 물으셨습니다. 지금은 그렇습니다. 몇 달 전, 부양해야 하는 가족, 늙고 병든 가족이 딸린 사람이라면 누구나 겪는 개인적이고 피치 못할 사정 때문에 백작에게 되돌아갔습니다. 그러나 선생님께 이런 말씀을 드리려 이곳에 와서 계단을 밟는 순간, 저는 자리에서 물러난 셈입니다. 돌아가면 백작님께도 그렇게 말씀드리고 이유를 설명할 겁니다. 이게 전부입니다, 선생님."

리비에르 씨는 고개 숙여 인사하고 한 걸음 물러섰다.

"감사합니다."

악수를 나누며 아처가 또 한 번 말했다.

26

해마다 10월 15일이면 5번 대로는 덧문을 열고 양탄자를 깔고 창문에 세 겹 커튼을 달았다.

이 의례적인 집안일은 11월 1일이면 끝났고 사교계는 주변을 둘러보며 스스로를 점검했다. 15일 무렵에는 사교철이 절정을 맞이해, 오페라하우스와 다른 극장들이 새로운 볼거리를 선보였고 저녁 약속이 쌓였으며 무도회 날짜가 정해졌다. 그리고 아처 부인은 으레 이 무렵이면 뉴욕이 정말 많이 변했다고 말했다.

아처 부인은 방관자로서 높은 관점에서 사교계를 관찰했기에 실러턴 잭슨 씨와 소피 양의 도움을 받아 표면에 새로 금이 갈 때마다 추적해냈고, 질서정연하게 줄지어 선 사교계의 식물들 사이로 이상한 잡초가 솟았다 하면 모조리 찾아냈다. 젊은 시절 아처는 어머니의 이런 연례 발표를 기다렸다가 자신이 무심한 시선으로 놓친 분열의 미세한 징후를 하나하나 듣는 것을 즐거워했다. 아처 부인이 생각하기에 뉴욕은 달라져도 나쁜 쪽으로만 달라졌다. 이 의견에 소피 잭슨 양은 진심으로 동의했다.

실러턴 잭슨 씨는 세상 물정에 밝은 사람답게 판단을 보류하고 숙녀들의 개탄에 즐겁고도 공정한 태도로 귀를 기울였다. 그러나 그조차도 뉴욕이 달라졌다는 사실을 부정하지 않았다. 그리고 결혼 후 두 해째 겨울에, 아처 또한 뉴욕이 그동안은 실제로 변한 게 아니었을지언정 이제는 분명 변하고 있음을 인정할 수밖에 없었다.

아처 부인의 추수감사절 만찬 때도 평소처럼 이런 문제가 자연스럽게 거론되었다. 한 해의 축복에 공식적으로 감사해야 하는 날, 악감정은 없으나 침통하다는 듯이 자신이 속한 세계를 살펴보고 대체 무엇에 감사해야 할지 모르겠다고 말하는 것이 아처 부인의 습관이었다. 어쨌든 사교계의 상태에 감사할 일은 없었다. 사교계가 존재한다고 한들 성경에 나오는 저주를 내려달라고 빌어야 할 형편이었다. 그리고 사실 목사인 애시모어 박사가 추수감사절 설교 본문으로 「예레미야서」(2장 25절["내가 또 말하기를 네 발을 제어하여 벗은 발이 되게 하지 말며 목을 갈하게 하지 말라 하였으나 오직 너는 말하기를 아니라 이는 헛된 말이라 내가 이방 신들을 사랑하였은즉 그를 따라 가겠노라 하도다"-옮긴이])를 선택했을 때 무슨 뜻인지 모르는 사람이 없었다. 애시모어 박사는 매우 '진보적'이었기에 성 마태 교회의 새 교구 목사로 선택되었다. 그의 설교는 사상이 대담하고 표현이 참신하다고 여겨졌다. 상류 사회를 격렬히 비난할 때 그는 반드시 그 '추세'를 언급했다. 아처 부인은 자신이 추세를 따르는 집단의 일부라는 생각에 두려워하면서도 황홀해했다.

"정말이지 애시모어 박사님의 말씀이 옳아요. 두드러진 추세가 있긴 있으니까."

아처 부인은 그것이 집에 생긴 금처럼 눈에 보이고 측정할 수 있는 것이라는 듯이 말했다.

"하지만 추수감사절에 그런 설교를 하시니 이상했어요."

잭슨 양이 의견을 말했다. 그러자 집주인이 무미건조하게 응수했다.

"아, 남아 있는 것에 감사하라는 뜻이죠."

그동안 아처는 어머니가 매년 되풀이하는 이런 예언에 웃음 짓곤 했다. 그러나 올해에는 아처도 조목조목 언급되는 변화를 들으며 가시적인 '추세'가 존재한다고 인정할 수밖에 없었다.

잭슨 양이 말을 꺼냈다.

"드레스가 얼마나 사치스러운지…… 오라버니가 오페라 개막일 저녁에 저를 데려갔는데, 작년에 입은 드레스를 또 입은 사람은 제인 메리뿐이었다니까요. 그 옷마저도 앞쪽에 다른 천을 댔고 말이에요. 하긴 제가 알기로 그 드레스를 워스에서 맞춘 지 2년밖에 안 됐어요. 제인 메리가 파리에서 사온 드레스를 입기 전에 늘 우리 재봉사가 가서 고쳐주거든요."

"아, 제인 메리는 우리 중 하나죠."

아처 부인이 한숨을 쉬며 말했다. 숙녀들이 자기 때와는 달리 파리에서 산 드레스를 옷장에 안전하게 묵혀두지 않고 세관을 통과하자마자 보란 듯 입고 다니는 시대가 된 것이 그리 부러운 일이 아니라는 듯한 말투였다.

잭슨 양이 대답했다.

"맞아요. 몇 안 되는 사람 중 하나지요. 제가 젊었을 적에는 최신 유행에 맞춰 옷을 입는 걸 천박하게 여겼어요. 에이미 실러턴은 늘 저에게 보스턴에서는 2년 동안 파리에서 사온 드레스를 묵혀두는 게 원칙이라고 말했답니다. 백스터 페닐로 노부인은 매사에 씀씀이가 큰 분이라 1년에 벨벳 드레스 두 벌, 공단 드레스 두 벌, 실크 드레스 두 벌에다 포플린과 최고급 캐시미어 여섯 벌까지 모두 열두 벌을 주문해서 받았죠. 계속 똑같이 주문하신데다 돌아가시기 전 두 해 동안 병석에 계셨으니 박엽지에서 꺼내지도 않은 워스 드레스가 48벌이나 됐다지 뭐예요. 그 딸들이 애도 기간을 끝낸 뒤에 물려받은 드레스를 교향악 연주회에 처음으로 입고 나왔는데도 유행을 앞선 것처럼 보이지 않았다고 하잖아요."

"아, 그렇죠, 보스턴이 뉴욕보다 더 보수적이니까요. 하지만 난 늘 숙녀가 프랑스 드레스를 한 철 정도는 묵혀두는 게 안전한 관례라고 생각해요."

아처 부인이 수긍했다.

"새 옷이 도착하자마자 아내에게 재빨리 입혀서 새 유행을 일으킨 사람은 보퍼트예요. 가끔은 리자이나가 누구와 다르게 보이려고 유별나게 군다는 생각이 들어요. 그러니까…… 그게……."

잭슨 양은 식탁을 둘러보다가 금방이라도 튀어나올 듯한 제이니의 눈을 보자 이해할 수 없는 말을 중얼거리며 적당히 마무리했다.

"리자이나의 경쟁자들 말이지."

실러턴 잭슨 씨가 경구를 들려주듯이 말했다.

"아……."

숙녀들이 웅얼거렸다. 아처 부인은 금지된 주제에서 딸의 관심을 돌릴 겸 말을 덧붙였다.

"불쌍한 리자이나! 추수감사절이 그리 즐겁진 않았을 거예요. 보퍼트의 투기에 대한 소문 들었어요, 실러턴?"

잭슨 씨는 무심하게 고개를 끄덕였다. 문제의 소문을 듣지 않은 이가 없었고, 그는 이미 모두가 아는 이야기를 새삼 확인해주는 행동을 경멸했다.

식탁에 우울한 침묵이 내려앉았다. 보퍼트를 진심으로 좋아하는 사람은 없었고 그가 개인적으로 최악의 곤경을 겪고 있더라도 마냥 안타깝지는 않았다. 그러나 그가 경제적인 면에서 처가의 명예를 실추시켰다는 사실이 너무 충격적이어서, 그의 원수라도 즐거워할 수가 없었다. 아처가 아는 뉴욕은 사적인 관계에서 위선을 용인했다. 그러나 사업 문제에서는 투명하고 흠 없는 정직성을 요구했다. 유명한 은행가가 불명예스럽게 파산한 것은 오래전 일이었다. 그러나 그런 일이 마지막으로 일어났을 때 회사의 중역들이 사회적으로 매장당했다는 사실을 모두 잊지 않았다. 보퍼트에게 능력이 있고 리자이나의 인기가 높더라도 그 집에 똑같은 일이 벌어질 것이다. 보퍼트가 불법으로 투기했다는 소문에 조금이라도 진실이 섞여 있다면 댈러스 가의 친척들이 모두 힘을 합쳐도 가여운 리자이나를 구하지 못할 터였다.

화제가 덜 불길한 것으로 바뀌었다. 그러나 어떤 이야기를 화제로 삼건, 가속화되는 추세가 있다는 아처 부인의 생각은 더욱 굳어지는 듯했다.

"물론, 뉴랜드, 메이가 스트러더스 부인의 일요 저녁 모임에 가도록 놔둔다는 건 알지만……."

아처 부인이 말을 꺼냈다. 메이가 명랑하게 끼어들었다.

"아, 아시다시피 요즘엔 다들 스트러더스 부인 댁에 가니까요. 할머니의 지난번 환영회에 스트러스 부인도 초대받았는걸요."

이것이 뉴욕이 변화를 감당하는 방식이라고 아처는 생각했다. 변화가 완전히 끝날 때까지 다 함께 결탁해서 무시하다가, 그 변화가 이전 세대에 일어난 것이라고 굳게 믿어버렸다. 성채에는 늘 반역자가 있었다. 상대가 이미 열쇠를 넘겨줬는데 그 성채가 난공불락인 척해봤자 무슨 소용이란 말인가? 스트러더스 부인이 일요일에 베푸는 편안한 환대를 맛보고 나면, 부인이 내놓는 샴페인이 구두약을 팔아 마련한 것임을 기억하며 집에 앉아 있기가 쉽지 않았다.

아처 부인이 한숨을 쉬었다.

"나도 안다, 아가, 나도 알아. 사람들이 '재미'를 얻으려고 애쓰는 한 그럴 수밖에 없겠지. 하지만 네 사촌 올렌스카 부인이 가장 먼저 스트러더스 부인에게 동조한 건 도무지 용서가 되지 않는구나."

젊은 아처 부인의 얼굴이 갑자기 붉어졌다. 그 모습에 아처는 식탁에 앉은 다른 손님들만큼이나 놀랐다.

메이는 자신의 부모가 "아, 블렌커가 사람들……"이라고 말할 때와 아주 똑같이, 비난과 멸시가 섞인 말투로 "아, 엘런……" 하고 중얼거렸다.

올렌스카 부인이 남편이 내민 화해의 손길을 고집스럽게 거부해서 가족들을 불편하고 거북하게 만든 뒤, 그들이 그 이름을 입에 올릴 때마다 으레 쓰는 말투였다. 그러나 메이의 입으로 듣자 그것은 생각해볼 문제가 되었다. 아처는 메이가 가족들과 똑같은 어조로 말할 때 가끔 밀려드는 낯설음을 느끼며 아내를 바라보았다.

아처 부인은 평소와 달리 분위기를 감지하지 못하고 계속 주장했다.

"귀족 사회에서 살아온 올렌스카 백작 부인 같은 사람들이 우리 사교계의 특징을 무시할 게 아니라 그게 계속 이어지도록 도와줘야 한다는 게 내 지론이야."

메이의 새빨개진 얼굴은 변함없이 그대로였다. 올렌스카 부인의 사교적인 불성실함을 인정하는 것 이상의 의미를 담고 있는 듯했다.

"외국인들에게는 우리가 모두 똑같아 보이는 모양이에요."

잭슨 양이 신랄하게 말했다.

"엘런은 사교계를 좋아하는 것 같지 않아요. 하지만 엘런이 뭘 좋아하는지 정확히 아는 사람은 없어요."

메이는 애매한 대답을 내놓으려고 애쓴 듯이 말했다.

"아, 그래……."

아처 부인이 다시 한숨을 내쉬며 말했다.

올렌스카 백작 부인이 더는 가문의 총애를 받지 않는다는 사실을 모두 알고 있었다. 부인을 헌신적으로 옹호하던 맨슨 밍곳 노부인조차 남편에게 돌아가기를 거부한 행동을 변호하지 못했다. 밍곳가는 소리 높여 반감을 표명하지는 않았다. 유대감이 너무 강한 탓이었다. 웰랜드 부인이 말했듯이 그저 "불쌍한 엘런이 자기에게 맞는 곳을 찾도록" 내버려 두었다. 굴욕적이고 이해할 수 없었지만 그곳은 블렌커가가 위세를 떨치고 '글쟁이들'이 지저분한 관습을 칭송하는 어두침침한 구렁텅이였다. 엘런이 그 모든 기회와 특권을 누리지 않고 고작 '보헤미안'이 되어버린 것은 믿을 수 없었지만 사실이었다. 그 사실 때문에, 올렌스키 백작에게 돌아가지 않는 것이 치명적인 실수라는 주장이 대두되었다. 결국 젊은 여자가 있을 자리는 남편의 지붕 아래인 것을, 특히 그런 상황에서 떠나다니…… 그러니까…… 누구든 관심을 갖고 살펴보았다면…….

"올렌스카 부인은 신사들에게 인기가 대단해요."

소피 양이 비수를 꽂는 말이란 걸 알지만 표현만큼은 부드럽게 해보겠다는 듯이 말했다.

"아, 올렌스카 부인 같은 젊은 여인은 늘 그런 위험에 노출되기 마련이죠."

아처 부인이 구슬프게 동의했다. 그 말을 마지막으로 숙녀들은 옷자락을 모아 쥔 채 응접실용 카셀 램프를 찾으러 갔고, 아처와 실러턴 잭슨 씨는 고딕풍 서재에 틀어박혔다.

잭슨 씨는 난로 앞에 자리 잡고 저녁 식사의 미흡함을 담배의 완벽함으로 달랜 뒤에야 점잔을 빼며 대화를 나눌 태세를 취했다.

"보퍼트가 파산하면 여러 가지 이야기가 폭로될 걸세."

잭슨 씨가 선언하듯이 말했다.

아처는 고개를 홱 쳐들었다. 보퍼트의 이름을 들을 때마다, 스카이터클리프에서 육중한 몸을 호화스러운 모피와 신발로 감싼 채 눈밭을 헤치며 다가오던 그 모습이 선명하게 떠올랐다.

잭슨 씨가 말을 이었다.

"분명 지저분하기 짝이 없는 방식으로 마무리되겠지. 그 많은 돈을 리자이나에게만 쓴 건 아니니까."

"뭐, 글쎄요…… 설마 그 정도겠습니까? 어쨌든 빠져나가겠지요."

아처는 화제를 바꾸려고 이렇게 말했다.

"그럴지도…… 그럴지도 모르지. 오늘 영향력 있는 인사들을 몇 명 만날 예정이라더군."

잭슨 씨가 마지못해 수긍했다.

"그 사람들 덕분에 잘 넘어가길 바라야지…… 어쨌거나 이번에는. 불쌍한 리자이나가 파산자들이 지내는 외국의 초라한 피서지에서 여생을 보낼 거라고 생각하긴 싫으니까."

아처는 아무 말도 하지 않았다. 아무리 비참하더라도 부정한 수단으로 번 돈이라면 가혹하게 죗값을 치러야 마땅했기 때문에, 그의 생각은 보퍼트 부인의 운명에 거의 머물지 않고 더 가까운 문제로 다시 흘러갔다. 올렌스카 부인의 이름이 나왔을 때 메이가 얼굴을 붉힌 것은 무슨 뜻이었을까?

그가 올렌스카 부인과 함께 보낸 그 한여름 날 이후로 넉 달이 지났다. 그 뒤로는 만난 적이 없었다. 엘런이 워싱턴으로, 메도라 맨슨과 함께 지내는 그 작은 집으로 돌아갔다는 사실은 알았다. 언제 다시 만날 수 있느냐고 몇 마디 적어 딱 한 번 편지를 보냈고, 엘런은 훨씬 더 짧게 "아직은 아니에요"라고 답했다.

그 뒤로 두 사람 사이에 더는 연락이 오가지 않았다. 그는 마음속에 일종의 성소를 지었고 엘런은 거기 담긴 비밀스러운 생각과 갈망 사이에 군림했다. 그것은 조금씩 그의 진정한 삶이 있는 장소, 그가 이성적으로 활동하는 유일한 장소가 되었다. 그는 그곳에 읽은 책들과 자양분인 생각과 감정, 판단과 상상을 가져다 두었다. 그 바깥인 실제 삶의 현장에서 움직일 때는 비현실적이고 부족하다는 느낌이 커져갔고, 넋이 나간 사람이 자기 방 가구에 계속 부딪치듯이 친숙한 편견이나 전통적인 관점과 마찰을 일으켰다. 넋이 나간 사람…… 바로 그의 상태였다. 주변 사람들에게는 피부에 와 닿을 만큼 현실적이고 가까이 있는 모든 것에서 멀리 넋이 나간 탓에, 그는 그들이 아직도 자기가 거기 있다고 생각한다는 사실에 깜짝 놀라곤 했다.

그는 잭슨 씨가 목청을 가다듬으며 폭로를 좀 더 이어갈 준비를 하고 있음을 깨달았다.

"물론, 사람들이 하는 말을…… 그러니까, 올렌스카 부인이 남편의 마지막 제안을 거부한 일을 두고 하는 말을 자네 처가에서 얼마나 아는지는 모르네만."

아처는 침묵을 지켰고 잭슨 씨는 에둘러 말했다.

"애석한 일이야…… 정말 애석한 일이지…… 그걸 거절하다니."

"애석하다니요? 대체 왜요?"

잭슨 씨는 자기 다리부터 주름 없는 양말과 반지르르한 펌프스까지 눈으로 쭉 훑어내렸다.

"글쎄…… 가장 저차원적인 문제를 말하자면…… 이제 뭘로 먹고산단 말인가?"

"이제……?"

"만약 보퍼트가……."

아처는 벌떡 일어나 주먹으로 책상의 검은 호두나무 테두리를 내리쳤다. 두 칸짜리 청동 잉크스탠드에 놓인 잉크병들이 받침 위에서 춤을 추었다.

"대체 무슨 말씀을 하시는 겁니까?"

잭슨 씨는 의자에서 자세를 약간 바꾸며 아처의 붉게 달아오른 얼굴을 조용히 응시했다.

"그러니까…… 꽤 확실한 소식통에게 들은 말인데…… 사실은 캐서린 노부인에게서 직접 들었지…… 올렌스카 백작 부인이 남편에게 돌아가는 것을 확실히 거부하자 가문에서는 부인에게 주던 생활비를 대폭 삭감해버렸다네. 그리고 그렇게 거절한 탓에, 결혼했을 때 물려받은 돈도 잃게 됐다는군…… 올렌스키 백작은 부인이 돌아오면 그 돈을 기꺼이 내주려 했는데 말이야…… 아니, 이보게, 무슨 말이냐니, 자네야 말로 대체 무슨 뜻으로 하는 말인가?"

잭슨 씨가 호쾌한 태도로 응수했다.

아처는 벽난로 선반으로 다가가 몸을 굽히고 난로에 담뱃재를 털었다.

"저는 올렌스카 부인의 사생활에 대해서는 아무것도 모릅니다. 하지만 제가 알 필요는 없지요. 아까 암시하신 내용이 확실한지……."

"아, 나도 마찬가지라네. 그건 특히 레퍼츠의 생각이지."

잭슨 씨가 끼어들었다.

"레퍼츠…… 올렌스카 부인에게 수작을 걸다가 코가 납작해진 주제에!"

아처가 경멸스럽다는 듯이 외쳤다.

"아…… 그랬단 말이지?"

잭슨 씨가 바로 이 사실을 알아내려 덫을 놓았다는 듯이 날카롭게 말했다. 그는 여전히 난롯가에 비스듬히 앉은 채 그 냉정하고 노련한 시선으로 강철 용수철처럼 아처의 얼굴을 붙들고 있었다.

"이런, 이런. 보퍼트가 추락하기 전에 부인이 돌아가지 않다니 애석한 일이야."

잭슨 씨가 똑같은 말을 꺼냈다.

"올렌스카 부인이 '지금' 간다면, 그리고 보퍼트가 실패한다면, 사람들이 짐작하는 내용을 확인해줄 뿐이야. 어쨌든 레퍼츠만 그런 생각을 하는 건 아니라네."

"아, 부인은 지금 돌아가지 않을 겁니다. 그 어느 때보다도 더!"

그 말을 내뱉자마자 아처는 또다시 잭슨 씨가 내내 기다리던 말이 바로 그것이었다는 느낌을 받았다.

노신사는 그를 유심히 바라보았다.

"그게 자네 의견이란 말이지, 응? 그래, 자네는 분명 알겠지. 하지만 다들 메도라 맨슨이 남긴 동전 몇 푼까지도 죄다 보퍼트의 수중에 있다고 말할 걸세. 그리고 그 두 여자가 보퍼트의 도움 없이 어떻게 어려운 살림을 꾸려나갈지 도무지 상상이 안 된단 말이야. 물론 올렌스카 부인이 캐서린 노부인의 마음을 누그러뜨릴 가능성은 아직 있지. 부인이 여기 남는다는 사실에 가장 냉혹하게 반대한 사람이 그 노부인이긴 하지만. 캐서린 노부인이 올렌스카 부인이 달라고 하는 만큼 생활비를 줄 수도 있어. 하지만 우리 모두 알다시피 노부인은 큰돈을 쓰기 싫어해. 나머지 가족은 올렌스카 부인을 이곳에 붙잡아두는 데 딱히 관심이 없고."

아처의 마음에 덧없는 분노가 타올랐다. 어리석은 짓이라는 것을 알면서도 그 짓을 저지르고야 마는 상태, 그가 바로 그런 상태였다.

아처는 올렌스카 부인이 할머니나 다른 친척들과 불화를 겪고 있음을 그가 모른다는 사실에 잭슨 씨가 놀랐으며, 가족회의에서 아처가 배제된 이유에 대해 잭슨 씨 나름대로 결론을 내렸다는 것을 깨달았다. 이는 아처에게 신중해지라는 경고나 마찬가지였으나 보퍼트를 암시하는 말 때문에 무모한 행동을 저지르고 말았다. 그러나 그는 자신의 위험에는 신경 쓰지 못했을지언정 잭슨 씨가 자기 어머니의 지붕 아래 있으며 따라서 자신의 손님이라는 사실만큼은 잊지 않았다.

옛 뉴욕에서는 손님 접대 예절을 깐깐하게 준수했고, 손님과의 대화가 말다툼으로 악화되는 일은 결코 있을 수 없었다.

"올라가서 어머니와 함께 시간을 보내시겠습니까?"

잭슨 씨가 마지막 담뱃재를 옆에 있던 청동 재떨이에 떨어뜨리자 아처가 무뚝뚝하게 제안했다.

집으로 오는 길에 메이는 이상할 만큼 말이 없었다. 캄캄한 중에도 아처는 메이의 얼굴이 그 위협적인 홍조로 뒤덮였음을 느낄 수 있었다. 그 위협이 어떤 의미인지 짐작이 가지 않았다. 그러나 올렌스카 부인의 이름 때문에 그렇게 얼굴이 붉어졌다는 사실만으로도 그에게는 충분한 경고가 되었다.

두 사람은 계단을 올랐고 그는 서재로 들어갔다. 메이는 대개 그를 따라왔다. 그러나 아처의 귀에 메이가 복도를 지나 침실로 들어가는 소리가 들렸다.

"메이!"

그가 조급하게 외쳤다. 메이가 그 어조에 약간 놀란 눈으로 되돌아왔다.

"램프에서 다시 연기가 나고 있어요. 심지가 제대로 다듬어졌는지 하인들에게 계속 확인하라고 해야겠어."

그가 신경질적으로 투덜거렸다.

"정말 미안해요. 다시는 이런 일이 없을 거예요."

메이가 어머니에게서 배운 안정적이고 밝은 어조로 대답했다. 아처는 메이가 벌써부터 자신을 젊은 웰랜드 씨처럼 대하며 비위를 맞춘다는 느낌에 몹시 화가 났다. 메이는 심지를 낮추려 몸을 굽혔고, 불빛이 메이의 하얀 어깨와 얼굴의 선명한 곡선을 비출 때 아처는 이렇게 생각했다.

'정말 젊구나! 이런 삶이 얼마나 오랜 세월 계속되어야 한단 말인가!'

그는 자신의 강인한 젊음과 혈관에서 펄떡이는 피를 자각하며 일종의 두려움을 느꼈다. 그가 불쑥 말했다.

"참, 며칠간 워싱턴에 다녀와야 할 것 같아요. ……조만간. 아마 다음 주에."

메이는 램프의 심지 감개를 손에 든 채로 천천히 그를 향해 몸을 돌렸다. 램프 불꽃의 열기에 다시 붉어졌던 메이의 얼굴이, 고개를 들면서 창백해졌다.

"일 때문에요?"

메이가 물었다. 다른 이유는 생각도 할 수 없지만 그저 그가 하던 말을 마무리해주려는 듯 자기도 모르게 묻는 듯한 말투였다.

"일 때문이지, 당연히. 대법원에 올릴 특허 건이 하나 있어서……."

그는 발명가의 이름을 대며 로런스 레퍼츠처럼 노련하

게 세부 내용을 줄줄 늘어놓았고 그동안 메이는 주의 깊게 귀를 기울이며 사이사이에 "그래요, 알겠어요"라고 말했다.

"기분 전환을 하는 편이 당신에게도 도움이 될 거예요."

그가 말을 마치자 메이는 이렇게만 말했다.

"그리고 꼭 엘런을 찾아가봐요."

메이는 해맑은 미소와 함께 그의 눈을 똑바로 바라보며, 가족에 대한 귀찮은 의무를 소홀히 하지 말라고 설득할 때 쓸 법한 말투로 이렇게 덧붙였다.

그 문제에 대해 두 사람 사이에 오간 말은 그게 전부였다. 그러나 그것은 두 사람 모두에게 숙달된 암호일 뿐, 속뜻은 다음과 같았다.

'당연히 당신도 알겠지만 나는 사람들이 엘런에 대해 무슨 말을 해왔는지 다 알아요. 그리고 우리 가족이 엘런을 남편에게 돌려보내려 기울인 노력을 진심으로 지지해요. 또 당신이 나에게는 말하지 않기로 결정한 어떤 이유 때문에, 엘런에게 할머니는 물론이고 우리 가문의 남자 어른들이 모두 동의하며 받아들인 방침을 거스르라고 조언했다는 사실도 알아요. 당신이 부추긴 탓에 엘런이 우리 모두를 거부하고 오늘 저녁에 실러턴 잭슨 씨가 당신에게 암시했고 당신을 그토록 화나게 한 그런 비난에 노출되었다는 사실도 알고요. 정말이지 암시는 충분히 줬다고 생각해요. 하지만 당신은 다른 사람들이 주는 암시를 받아들일 의향이 없는 것 같으니, 이번에는 우리처럼 품위 있는 사람들이 서로 불쾌한 말을 전할 때 쓰는 유일한 형식으로 내가 직접 제안하는 거예요. 당신이 워싱턴에서 엘런을 만날 생각이고 어쩌면 그러려고 일부러 간다는 사실을 내가 안다고 이렇게 알려주는 방식으로 말이죠. 당신은 분명 엘런을 만날 테지만 내가 분명하고 완전하게 찬성한 상태에서 만나는 거예요. 이번 기회에 당신이 엘런에게 부추긴 행동의 결과가 어떤 식으로 진행되고 있는지도 알려주면 좋겠어요.'

이 무언의 메시지 중 마지막 단어가 그에게 닿았을 때, 메이는 여전히 램프 심지 감개를 손에 들고 있었다. 메이는 심지를 내리고 유리 덮개를 든 다음 시들해진 불을 입으로 불었다.

"불어서 끄면 냄새가 덜 난답니다."

메이는 여느 때처럼 명랑한 주부의 말투로 설명했다. 문간에서 아내는 몸을 돌리고 잠시 그의 키스를 받았다.

27

다음 날, 월스트리트에 보퍼트의 상황과 관련해 더 다행스러운 소식이 전해졌다. 확실하지는 않았지만 희망적이었다. 긴급한 상황이 발생하면 그가 유력가들을 찾아갈 수 있으며 그렇게 해서 목적을 달성했다는 사실을 다들 알았다. 그리고 그날 저녁, 보퍼트 부인이 변함없이 미소 띤 얼굴로 새 에메랄드 목걸이를 걸고 오페라하우스에 나타나자 사교계는 안도의 한숨을 내쉬었다.

뉴욕은 사업적 부정행위를 냉혹하게 단죄했다. 정직이라는 행동 원칙을 어긴 사람은 대가를 치러야 한다는 암묵적 규칙에 지금까지 예외는 없었다. 보퍼트와 아내 또한 이 규칙에 가차 없이 제물로 바쳐지리라는 사실을 모르는 사람이 없었다. 그러나 그들을 제물로 바치는 것은 고통스러울 뿐 아니라 불편한 일이었다. 보퍼트가가 사라지면 이 작고 조밀한 집단에 제법 큰 구멍이 뚫릴 터였다. 그리고 너무 무지하거나 만사태평해 도덕적 재난에도 부들부들 떨지 않는 이들은 뉴욕에서 가장 훌륭한 무도회장을 잃을까 봐 벌써부터 슬퍼했다.

아처는 워싱턴에 가기로 굳게 마음먹었다. 메이에게 말한 법률 소송이 개시되어 방문일과 날짜가 맞기만을 기다리고 있었다. 그러나 그다음 화요일에 레터블레어 씨에게서 그 소송이 몇 주 연기될지 모른다는 말을 들었다. 그럼에도 그는 그날 오후에 집으로 돌아오면서 무슨 일이 있어도 다음 날 저녁에는 떠나기로 결심했다. 메이는 그의 직장 생활에 대해 아무것도 모르며 관심을 보인 적도 없으니 아마 소송이 연기되었다는 사실을 알지 못할 것이고, 소송이 진행되어 메이 앞에서 소송인들 이름을 말하더라도 기억하지 못할 것이다. 어쨌거나 올렌스카 부인과의 만남을 더는 미룰 수가 없었다. 해야 할 말이 너무나도 많았다.

수요일 아침에 아처가 사무실에 도착했을 때, 레터블레어 씨가 근심 어린 얼굴로 그를 맞이했다. 보퍼트는 결국 '위기를 넘기지' 못했다. 그러나 위기를 넘겼다는 소문을 퍼뜨려 예금주들을 안심시켰고 그래서 전날 저녁까지 은행으로 거액이 쏟아져 들어왔으나, 부정적인 소문이 다시 우세하기 시작했다. 결국 예금 인출 소동이 벌어져 오늘이 가기 전에 은행은 문을 닫을 듯했다. 보퍼트의 비열한 책략과 관련된 추잡한 이야기들이 사람들의 입에 오르내렸고 그 실패는 월스트리트 역사에서도 매우 수치스러운 것으로 손꼽힐 것이 분명했다.

이 대참사 때문에 레터블레어 씨는 얼굴이 하얗게 질린 데다 속수무책 상태였다.

"살면서 험악한 꼴을 많이 봤네. 하지만 이 정도로 심각한 상황은 처음이야. 우리가 아는 모든 사람들이 어떤 식으로든 타격을 입을 거야. 게다가 보퍼트 부인에게 무슨 일이 일어나겠나? 부인에게 뭘 해줄 수 있겠나? 맨슨 밍곳 노부인이 딱하지. 연세가 연세이니만큼, 이 일로 어떤 영향을 받으실지 알 수 없는 노릇이야. 노부인은 늘 보퍼트를 믿었지…… 그를 친구로 삼아주셨건만! 댈러스 가 전체와도 관련이 있어. 불쌍한 보퍼트 부인은 선생 집안 모두와 친척 관계가 아닌가. 남편을 떠나는 것만이 유일한 가망인데…… 하지만 누가 그렇게 하라고 부인에게 말할 수 있단 말인가? 남편 곁을 지키는 게 그 부인의 본분이야. 다행히도 남편의 사적인 결함을 내내 모르는 눈치였지."

문을 두드리는 소리가 들렸다. 레터블레어 씨는 고개를 홱 돌렸다.

"무슨 일인가? 방해하지 말게."

직원이 아처 앞으로 온 편지를 전해주고 물러났다. 아처는 아내 필적을 알아보고 봉투를 열어 편지를 읽었다.

> 되도록 빨리 시내로 와줄래요? 어젯밤에 할머니께서 가벼운 뇌졸중으로 쓰러지셨어요. 어찌된 일인지 은행에 대한 그 끔찍한 소식을 누구보다도 먼저 아셨어요. 러벨 삼촌은 먼 곳에서 사냥 중이고, 아버지는 수치스럽다는 생각에 신경과민으로 열이 올라 방에서 나오시질 못해요. 어머니가 간절히 당신을 찾으시니 즉시 출발해서 할머니 댁으로 와주면 좋겠어요.

아처는 상사에게 편지를 건넸고, 몇 분 뒤에는 혼잡한 철도마차에 몸을 싣고 천천히 북쪽으로 가고 있었다. 14번가에서 내려 5번 대로를 다니는 높고 비틀거리는 승합마차로 갈아탔다. 힘겹게 달리는 이 마차가 그를 캐서린 노부인 댁 앞에 내려주었을 때는 12시가 지난 시각이었다. 평소 노부인이 왕처럼 앉아 있던 1층 거실 창가를 딸인 웰랜드 부인이 어울리지 않는 모습으로 대신 차지하고 있다가, 아처를 발견하고는 초췌한 모습으로 어서 오라고 손짓했다. 문간에서 메이가 그를 맞이했다. 현관에는 평소 단정하게 가꾸었으나 갑자기 병마에 습격당한 집 특유의 부자연스러운 모습이 고스란히 드러났다. 의자 위에 겉옷과 모피가 겹겹이 포개지고 의사의 가방과 외투가 식탁에 놓여 있었으며, 그 옆으로 무관심 속에 수북이 쌓인 편지와 카드가 보였다.

메이는 창백한 얼굴로 웃음을 지었다. 이제 막 두 번째 왕진을 온 벤컴 박사는 더 희망적인 의견을 내놓았고, 살아서 건강을 회복하겠다는 밍곳 노부인의 굽힐 줄 모르는 의지가 이미 가족들에게 영향을 미치고 있었다. 메이는 아처를 노부인의 거실로 안내했다. 침실 안으로 이어지는 미닫이문은 닫히고 그 위로 두꺼운 노란색 다마스크 칸막이 커튼이 드리워 있었다. 그곳에서 웰랜드 부인이 겁에 질린 목소리로 나지막하게 이 재난을 상세히 설명했다. 전날 밤에 끔찍하고 불가사의한 일이 벌어진 모양이었다. 8시 무렵 밍곳 노부인이 저녁 식사 후에 늘 즐기는 일인용 카드놀이를 막 끝냈을 때 초인종이 울렸고, 하인들이 곧바로 알아보지 못할 만큼 두툼하게 베일을 두른 어느 숙녀가 들여 보내달라고 말했다.

귀에 익은 목소리를 알아들은 집사가 거실 문을 열며 "줄리어스 보퍼트 부인입니다"라고 알렸고 방에 두 사람만 남겨둔 채 다시 문을 닫았다. 집사가 생각하기에 두 사람은 한 시간쯤 함께 있었다. 밍곳 노부인이 종을 울렸을 때 보퍼트 부인은 이미 눈에 띄지 않게 빠져나간 뒤였고, 새하얗게 질려 심기가 매우 불편한 얼굴로 홀로 앉아 그 커다란 몸으로 거대한 의자를 차지하고 있던 노부인은 집사에게 침실로 들어가도록 도와달라고 손짓했다. 그때 노부인은 괴로운 기색이 역력했지만 몸과 두뇌를 완벽하게 통제할 수 있는 상태로 보였다. 하인이 부인을 침대에 눕히고 평소처럼 차 한 잔을 대령한 뒤 방 안을 샅샅이 정돈하고 나갔다. 그러나 새벽 3시쯤 다시 종이 울렸고, (캐서린 노부인은 보통 아기처럼 잠을 곤히 잤기에) 이 이례적인 호출에 두 하인이 서둘러 달려가보니, 주인이 얼굴에 일그러진 웃음을 짓고 거대한 팔에 달린 작은 손을 축 늘어뜨린 채 베개에 몸을 기대고 앉아 있었다.

발음이 또렷하고 의사를 전달할 수 있는 모습으로 봐서 분명 심각한 발작은 아니었다. 그리고 의사가 첫 왕진을 다녀간 뒤 얼마 지나지 않아 부인은 안면 근육을 다시 원하는 대로 움직이기 시작했다. 그러나 가족들이 느낀 놀라움은 어마어마했다. 그리고 놀라움 못지않게 분노를 느꼈으니, 밍곳 노부인이 조금씩 내뱉는 말을 조합한 결과 리자이나 보퍼트가 부탁하러 왔다는 사실(믿을 수 없을 만큼 뻔뻔한 짓이 아닌가!)을 알게 되었기 때문이다. 자기 남편을 지원해주고 그들이 위기를 넘기게 해달라고…… 리자이나가 표현한 대로라면 그들을 '버리지' 말아달라고 말했으니 사실상 가문 전체가 그 극악무도한 불명예를 덮어주고 묵인하도록 설득해달라고 부탁한 셈이었다.

"내가 그 아이에게 말했다. 맨슨 밍곳의 집에서 명예는 늘 명예였고 정직은 늘 정직이었다. 내가 죽어 이 집에서 실려 나갈 때까지 그럴 거다."

노부인은 마비된 느낌이 남은 탁한 목소리로 딸의 귀에 더듬더듬 말했다.

"그리고 그 애가 '하지만 고모님…… 제 이름은 리자이나 댈러스예요'라고 했을 때 난 '보퍼트가 너를 보석으로 휘감아주던 때에 네 이름이 보퍼트였으니, 그 사람이 불명예로 너를 휘감아준 지금도 여전히 보퍼트여야지'라고 말했다."

웰랜드 부인은 눈물을 글썽이고 두려움에 헐떡이며 이런 이야기를 들려주었다. 불쾌하고 수치스러운 것들을 마침내 직시해야만 하는 이례적인 상황 앞에서 창백하고 피폐해진 모습이었다.

"자네 장인에게 비밀에 부칠 수만 있다면 얼마나 좋겠나. 그이는 늘 이렇게 말한다네. '오거스타, 제발 내 마지막 환상을 깨뜨리지 말아요.' 어떻게 하면 이 끔찍한 일을 그이가 모르게 할 수 있을까?"

불쌍한 여인이 흐느꼈다.

"어쨌거나 어머니, 아버지가 그 사람들을 보실 일은 없을 거예요."

메이의 말에 웰랜드 부인은 한숨을 쉬었다.

"아, 그래야지. 그이가 침대에 안전하게 누워 있으니 천만다행이지 뭐니. 게다가 가여운 어머니의 건강이 회복될 때까지 벤컴 박사님이 그이를 침대에 붙잡아두기로 약속하셨고 리자이나는 어딘가로 달아나버렸으니까."

아처는 창가에 앉아 사람 없는 거리를 멍하니 내다보고 있었다. 그는 구체적으로 도울 수 있어서가 아니라 비탄에 빠진 숙녀들에게 정신적인 버팀목이 되도록 불려온 게 분명했다. 러벌 밍곳 씨에게는 전보를 보냈고 뉴욕에 사는 친인척들에게는 인편으로 소식을 보내는 중이었다. 그러는 동안에는 보퍼트가 당한 수치와 그의 아내가 저지른 당치않은 행동이 불러올 결과에 대해 조용한 목소리로 의견을 나누는 것 말고는 딱히 할 일이 없었다.

다른 방에서 편지를 쓰던 러벌 밍곳 부인이 곧 나타나서 대화를 한몫 거들었다. 나이든 숙녀들은 자기들 때에 사업상 수치스러운 짓을 저지른 남자의 아내는 몸을 숨기고 남편과 함께 사라질 생각만 했다고 입을 모았다.

"불쌍한 스파이서 할머니가 그랬지. 네 증조할머니 말이다, 메이."

웰랜드 부인은 서둘러 덧붙였다.

"물론 네 증조할아버지께서 겪으신 금전적 어려움은 개인적인 것이었지…… 카드 게임에서 돈을 잃는다거나 다른 사람을 위해 어음을 써준다거나. 어머니가 그런 말씀을 꺼내신 적이 없어서 난 아예 몰랐단다. 하지만 원인이 뭐였건 할머니가 망신을 당한 뒤 뉴욕을 떠나셔야 했기 때문에 어머니는 시골에서 자라셨어. 열여섯 살이 될 때까지 겨울과 여름을 허드슨에서만 보내셨지. 스파이서 할머니는 리자이나가 그랬듯이 가족들에게 자신을 '너그럽게 봐달라'고 부탁할 생각은 눈곱만큼도 하지 않으셨을 거야. 무고한 사람 수백 명을 망가뜨린 수치스러운 짓에 비하면 개인적인 불명예는 아무것도 아닌데 말이다."

"맞아요, 다른 사람들에게 봐달라고 말하는 것보다 자신의 얼굴이나 숨기는 편이 리자이나에게는 더 적절한 행동일 텐데."

러벌 밍곳 부인이 맞장구를 쳤다.

"지난 금요일에 오페라하우스에서 걸고 있던 그 에메랄드 목걸이는 마음에 들면 산다는 조건으로 오후에 보석상 '볼 앤드 블랙'에서 받은 거랍니다. 그쪽에서 과연 돌려받을 수 있을지 모르겠네?"

아처는 숙녀들이 한목소리로 내뱉는 무자비한 이야기를 무덤덤하게 들었다. 금전적인 면에서의 절대적인 정직이 신사가 지켜야 할 제1법칙이라는 생각이 그에게 뿌리 깊게 박혀 있었기에, 감상적인 생각으로 그 신념이 약화될 일은 없었다. 레뮤얼 스트러더스와 같은 모험가는 무수한 부정 거래로 수백만 달러짜리 구두약 회사를 세웠을지 모르지만, 흠 없는 정직성은 옛 뉴욕 재계의 노블레스 오블리주였다. 보퍼트 부인의 운명도 아처의 마음을 크게 움직이지 못했다. 분명 분개한 친척들보다 더 큰 동정심을 느끼긴 했다. 그러나 그가 보기에 남편과 아내의 관계는 번영을 누릴 때는 깨질 수 있어도 불행을 당했을 때는 확고해야 했다. 레터블레어 씨가 말했듯이, 남편이 곤경에 처했을 때 아내가 있을 자리는 남편 곁이었다. 그러나 사교계는 보퍼트의 옆에 있지 않았고 보퍼트 부인은 그걸 모르고 뻔뻔스럽게 굴었다가 거의 공범처럼 보이는 지경에 이르렀다. 여자가 남편의 사업적 불명예를 감싸달라고 친정에 호소하다니, 생각만으로도 용인할 수 없는 일이었다. 이 명망 높은 가문에서 할 수 없는 단 한 가지가 바로 그것이기 때문이다.

러벌 밍곳 부인이 하인의 요청을 받아 복도로 나가더니 잠시 후에 이마를 찌푸린 채 돌아왔다.

"엘런 올렌스카에게 전보를 보내라고 하시네요. 물론 엘런에게도, 메도라에게도 편지를 보냈죠. 하지만 이제 그 정도로 충분하지 않은 모양이에요. 지금 당장 엘런에게 전보를 보내 혼자 오라고 전해야겠어요."

그 말에 누구도 입을 열지 않았다. 웰랜드 부인은 체념한 듯 한숨을 내쉬었고 메이는 자리에서 일어나 바닥에 흩어진 신문들을 주워모았다.

"그래야만 할 것 같아요."

러벌 빙곳 부인이 반론이 나오기를 바라는 듯이 말을 이었다. 메이는 방 가운데로 다시 돌아왔다.

"당연히 그렇게 해야죠. 할머니는 원하시는 게 뭔지 알고 계세요. 우리는 뭐든 할머니가 바라시는 대로 해드려야 해요. 제가 대신 전보를 쓸까요, 숙모님? 곧장 보낸다면 엘런은 아마 내일 아침 기차를 탈 수 있을 거예요."

메이는 은종 두 개를 두드리듯 이상할 정도로 또렷하게 그 이름 음절을 하나하나 발음했다.

"글쎄, 곧장 보낼 수는 없어. 제스퍼와 주방 심부름꾼 아이 둘 다 편지와 전보를 들고 나갔단다."

메이가 웃음을 지으며 남편을 바라보았다.

"하지만 뭐든 기꺼이 해줄 뉴랜드가 여기 있잖아요. 당신이 전보를 보내줄래요, 뉴랜드? 점심 전까지 시간 맞춰 갈 수 있을 거예요."

아처는 기꺼이 그러겠다고 중얼거리며 일어섰고, 메이는 캐서린 노부인의 자단 책상에 앉아 크고 미숙한 손으로 내용을 적었다. 다 쓴 뒤에는 압지로 깔끔하게 잉크를 빨아들이고 아처에게 건넸다.

"당신과 엘런이 서로 엇갈리게 되다니 안타깝네요!"

메이는 이렇게 말하고 어머니와 숙모에게 고개를 돌리며 덧붙였다.

"뉴랜드는 대법원에 올라갈 특허권 소송 때문에 워싱턴에 가야 해요. 내일 밤까지 러벨 삼촌이 돌아오실 테고 할머니는 많이 나아지셨으니 뉴랜드에게 회사 업무상 중요한 일정을 취소해달라고 할 수는 없잖아요…… 그렇죠?"

메이는 답을 기다리는 듯이 잠시 말을 멈추었고 웰랜드 부인이 서둘러 단언했다.

"아, 물론 안 되지, 아가. 누구보다도 할머니가 절대 원하지 않으실 거다."

아처는 전보를 들고 방을 떠나면서 웰랜드 부인이 아마도 러벨 밍곳 부인에게 건네는 듯한 말을 들었다.

"하지만 대체 어머니는 왜 엘런 올렌스카에게 전보를 치라고 하시는 건지……."

그러자 메이가 맑은 목소리로 대답했다.

"아마 결국 남편과 함께 있는 것이 엘런의 본분이라고 다시 한번 강조하시려는 거겠죠."

아처의 뒤에서 바깥문이 닫혔고 그는 서둘러 전신국을 향해 걸었다.

28

"올…… 올…… 철자를 뭐라고 쓰신 거죠?"

아처가 웨스턴 유니온 전신국의 놋쇠 선반 너머로 전보를 내밀자 젊은 여자가 쏘아붙이듯이 말했다.

"올렌스카입니다…… 올, 렌, 스카."

아처는 메이가 휘갈겨 쓴 글자 위에 외국어 음절을 읽기 좋게 표기하려 종이를 다시 가져오며 되풀이해 말했다.

"뉴욕 전신국에서는 듣기 어려운 이름이지. 적어도 이 동네에서는."

예상치 못한 목소리가 들려왔다. 아처가 몸을 돌리니, 옆에서 로런스 레퍼츠가 전보를 보지 않는 체하며 언제나 차분한 콧수염을 쓰다듬고 있었다.

"이보게, 뉴랜드. 자네를 여기서 마주칠 줄 알았어. 밍곳 노부인의 뇌졸중 소식을 이제 막 들었다네. 집에 가던 중에

이 거리로 들어서는 자네를 보고 재빨리 따라왔지. 그 집에서 나온 길인가?"

아처는 고개를 끄덕이고 격자 창 아래로 전보를 밀어 넣었다.

"아주 심각한 모양이지?"

레퍼츠가 말을 이었다.

"친지들에게 전보를 보내는 모양이군. 올렌스카 백작 부인에게도 보내는 걸 보니 정말 심각한가 봐."

아처는 입을 앙다물었다. 옆에 있는 그 길고 허영심 가득하며 잘생긴 얼굴에 주먹을 날리고 싶은 격렬한 충동이 일었다.

"왜 그러나?"

레퍼츠가 물었다.

논쟁을 회피하기로 유명한 레퍼츠는 격자 창 뒤에서 지켜보는 아가씨를 조심하라는 뜻으로, 비꼬듯이 얼굴을 찡그리며 눈썹을 치켜 올렸다. 그 표정을 본 아처는 공공장소에서 분노를 표출하는 것만큼이나 '예법'에 어긋나는 행동은 없다는 사실을 떠올렸다.

처음으로 아처는 예법에 걸맞은 행동이 무엇이건 상관없다고 생각했다. 그러나 로렌츠 레퍼츠에게 신체 부상을 입히고 싶은 마음은 순간적인 충동에 불과했다. 어느 때건 그리고 그 어떤 까닭에서건 레퍼츠와 함께 엘런 올렌스카의 이름을 거론한다는 것은 상상할 수 없는 일이었다. 아처는 전보 요금을 치렀고 두 젊은이는 함께 거리로 나왔다. 자제력을 되찾은 아처가 말을 이었다.

"밍곳 부인께서는 한결 나아지셨어. 의사 선생님도 전혀 걱정하지 않으시네."

그 말에 레퍼츠는 안심했다는 듯이 과장된 표정을 지어 보이더니 보퍼트에 대해 끔찍하고 지저분한 소문이 다시 돌고 있다는 소식을 들었느냐고 물었다…….

그날 오후에 보퍼트의 파산을 알리는 기사가 신문이란 신문에 모두 실렸다. 덕분에 맨슨 밍곳 노부인의 뇌졸중에 대한 소식이 묻혔고 그 두 사건에 은밀한 관계가 있다는 말을 들은 극소수만이 캐서린 노부인의 병이 결코 비만과 고령 때문은 아니라고 생각했다.

보퍼트의 불명예스러운 사건에 대한 이야기로 뉴욕 전체에 먹구름이 내려앉았다. 레터블레어 씨가 말했듯이 그가 기억하는 한 이 정도로 고약한 사건은 없었고 그 점에서는 이 회사에 자기 이름을 붙인 그 옛날 레터블레어 씨의 기억을 더듬어도 마찬가지였다. 파산이 확실해진 뒤에도 보퍼트의 은행은 꼬박 하루 동안 계속 예금을 받았다. 그리고 고객

상당수가 이런저런 유력 가문의 일원이었기에 보퍼트의 이중성은 두 배 더 계산적인 행동으로 보였다. 보퍼트 부인이 그런 불운(본인의 표현이었다)이 '우정의 시험대'라는 식으로 말하지 않았다면, 부인에 대한 동정심 때문에 남편에 대한 공분이 누그러졌을지도 몰랐다. 사실은 그 반대였고 특히 보퍼트 부인이 밤중에 맨슨 밍곳 노부인을 찾아간 목적이 알려진 뒤에는 남편보다 더 계산적인 사람으로 여겨지게 되었다. 게다가 부인은 '외국인'임을 내세워 변명할 수 없었기에 부인에 대한 비방도 그칠 줄을 몰랐다. (자신의 유가증권이 위험에 빠지지 않은 사람들에게는) 보퍼트가 역시 외국인이었음을 깨달을 수 있었다는 사실이 어느 정도 위로가 되었다. 그러다 결국 사우스캐롤라이나의 댈러스 가 사람이 이 사건에 대한 보퍼트의 견해를 받아들여 그가 곧 '재기'할 것이라며 번지르르한 말을 나불거렸지만 그 주장에는 설득력이 없었고, 다들 결혼이라는 것이 얼마나 질긴 끈인지를 보여주는 이 끔찍한 증거를 받아들이는 수밖에 별 도리가 없었다. 사교계는 보퍼트가 없이도 잘 굴러가야 했기에 이 일은 그렇게 막을 내렸다. 다만 메도라 맨슨과 불쌍한 래닝 자매, 그리고 그릇된 길로 빠진 좋은 가문의 몇몇 숙녀들처럼 이 재난의 운 나쁜 희생자들은 예외였으니, 헨리 밴 더 라이든 씨의 말에 귀를 기울였다면 좋았을 것이다…….

"보퍼트 부부가 할 수 있는 최선의 선택은 노스캐롤라이나에 있는 리자이나의 작은 집으로 가서 사는 거야."

아처 부인이 사건을 요약할 겸, 진단을 내리고 치료법을 처방하듯이 말했다.

"보퍼트는 늘 경주마용 마구간을 두고 혈통 좋은 경주마를 소유했지. 말장수로 성공할 자질은 모두 갖춘 셈이야."

모두 그 말에 동의했지만, 보퍼트 부부가 정말 어쩔 작정인지 굳이 묻는 사람은 없었다.

다음 날, 맨슨 밍곳 부인은 상태가 많이 호전되었다. 다시는 보퍼트 부부의 이름을 자기 앞에서 꺼내지 말라는 지시를 내릴 만큼 목소리를 되찾았다. 또 벤컴 박사가 나타나자, 대체 가족들이 무슨 생각으로 자신의 건강 때문에 그렇게 법석을 떨었느냐고 물었다.

"나 같은 늙은이들이 저녁으로 닭고기 샐러드를 먹으면 탈이 안 나고 배기겠나?"

밍곳 노부인이 물었다. 때마침 의사가 노부인의 식단을 부분적으로 변경했던 터라 뇌졸중은 곧 갑작스러운 소화불량으로 바뀌었다. 그러나 단호한 어조와 달리 캐서린 노부인은 삶에 대한 예전 태도를 온전히 회복하지 못했다. 이웃에 대한 호기심은 줄지 않았지만, 고령으로 사람들과 점점 멀어지면서 그들의 어려움에 대해 원래도 미지근하게 느끼던 동정심이 이미 오래전에 무뎌졌던 것이다. 노부인은 보퍼트의 재난을 머릿속에서 쉽게 떨쳐버린 듯했다. 그러나 자신의 증세에 처음으로 마음을 쏟게 되었고 지금까지 경멸하며 무심하게 대했던 일부 가족들에게 감상적인 관심을 갖기 시작했다.

특히 웰랜드 씨가 노부인의 관심을 한껏 받는 특권을 누렸다. 사위 중에서도 그는 시종일관 노부인이 가장 무시하는 대상이었다. 웰랜드 부인은 남편을 (그가 '원하기만' 했다면 되었을) 강인한 성격과 뛰어난 지적 능력을 갖춘 사람으로 포장하려 열심히 노력했지만 돌아오는 반응은 조롱 섞인 웃음뿐이었다. 그러나 병약하다는 명성 덕분에 이제 그는 집중적인 관심 대상이 되었고, 체온이 괜찮아지면 곧바로 와서 식단을 비교해보라는 노부인의 엄중한 명령이 떨어졌다. 이제 캐서린 노부인은 체온이 건강을 유지하는 데 무척 중요하다는 사실을 깨달았기 때문이다.

올렌스카 부인에게 전보를 보낸 지 꼬박 하루가 지났을 때 부인이 워싱턴에서부터 다음 날 저녁에 도착할 것이라는 소식이 전해졌다. 뉴랜드 아처 부부는 마침 웰랜드가에서 점심을 먹고 있었는데, 누가 올렌스카 부인을 맞이하러 저지시티로 나갈 것이냐가 즉시 문제로 떠올랐다. 웰랜드가가 국경의 전초지라도 된 듯, 저마다 사투 중인 중대한 어려움 때문에 뜨거운 논쟁이 벌어졌다. 웰랜드 부인은 그날 오후에 남편과 캐서린 노부인 댁에 가야 하므로 마중 나갈 수 없고 웰랜드 씨가 장모의 뇌졸중 발작 이후 처음으로 그 모습을 보았다가 '당황'한다면 즉시 집으로 와야 하기 때문에 사륜마차도 내줄 수 없다는 데 모두가 동의했다. 웰랜드가의 아들들은 당연히 '시내'에 갈 테고, 러벌 밍곳 씨는 이제야 사냥을 마치고 서둘러 돌아오는 중일 테니 밍곳가의 마차는 그를 맞이하러 가야 했다. 메이에게는 개인 마차가 있지만 겨울날 해 질 녘에 혼자 배를 타고 저지시티로 가라고 할 수는 없었다. 그럼에도 엘런 올렌스카가 기차역에 도착했을 때 맞이하러 나온 가족이 하나도 없다면 엘런을 박대하는 것처럼 비쳐질 테고, 캐서린 노부인의 분명한 바람을 거스르는 행동이 될 터였다. 웰랜드 부인의 지친 목소리가 암시하듯이, 가족을 이런 진퇴양난에 빠뜨리다니 정말 엘런다운 짓이었다.

"산 넘어 산이라니까."

불쌍한 부인이 오랜만에 신세를 한탄했다.

"마중 나가기가 이렇게 번거로운데도 엘런을 당장 불러오라고 이상하게 고집을 부리시니 어머니 상태가 벤컴 박사님이 알려주신 것보다 나쁜 건 아닌지 모르겠구나."

참지 못하고 내뱉은 말이 흔히 그렇듯이, 경솔한 말이었다. 그리고 웰랜드 씨는 잽싸게 말꼬리를 잡았다.

그는 창백해진 얼굴로 포크를 내려놓고 말했다.

"오거스타, 벤컴 박사님을 예전처럼 신뢰하지 못할 다른 이유라도 있단 말이오? 나나 장모님의 병세를 관리할 때 박사님이 평소보다 불성실하게 행동한 부분이 보였소?"

자신의 실수가 몰고 온 끝없는 파장이 눈앞에 펼쳐지자 이번에는 웰랜드 부인의 얼굴이 창백해졌다. 그러나 부인은 가까스로 웃으며 오븐에 구운 굴 요리를 한 번 더 접시에 담고는 갑옷처럼 늘 두르고 다니던 쾌활한 태도를 되찾으려 애썼다.

"여보, 어쩜 그런 생각을 할 수가 있어요? 제 말은, 어머니가 엘런이 마땅히 남편에게 돌아가야 한다고 단호하게 하신 뒤에 갑자기 이렇게 변덕을 부려 엘런을 만나겠다고 하시니 이상하다는 거예요. 불러들일 다른 손주가 여섯이나 되는데도 말이에요. 하지만 우린 어머니가 놀랄 만큼 원기 왕성한 분이기는 해도 연세가 아주 많다는 사실을 잊으면 안 돼요."

웰랜드 씨의 이마에서는 근심이 가시지 않았고 불안에 빠진 상상력은 즉시 아내의 마지막 말에 고집스레 집착했다.

"맞아. 장모님은 연세가 아주 많지. 게다가 어쩌면 벤컴 박사님은 고령 환자를 잘 치료하지 못할지도 몰라. 여보, 당신 말대로 산 너머 산이구려. 10년이나 15년 뒤에는 새 의사를 찾아다녀야 하는 즐거운 임무가 생길지도 모르겠군. 필요가 절실해지기 전에 그런 변화를 주는 게 나은 법이라오."

웰랜드 씨는 스파르타인처럼 이렇게 용감하게 결론을 내린 뒤, 단호한 태도로 포크를 집었다.

웰랜드 부인은 점심 식탁에서 일어나, 자주색 공단과 공작석을 넉넉히 써서 장식한 안쪽 응접실로 가족들을 이끌며 다시 입을 열었다.

"내일 저녁에 어떻게 엘런을 여기로 데려오면 좋을지 모르겠구나. 정말이지 적어도 하루 전에는 문제를 해결해두고 싶은데 말이다."

둥근 오닉스를 박아 넣은 팔각형 흑단 액자 안에 흥겹게 술을 마시는 두 추기경을 그린 작은 그림이 있었다. 아처는 홀린 듯 그 그림을 응시하다가 시선을 돌렸다.

"제가 데리고 올까요?"

그가 제안했다.

"메이가 선착장으로 사륜마차를 보내주면, 제가 시간 맞춰 사무실에서 나가 맞이할 수 있습니다."

이렇게 말할 때 그의 심장이 흥분으로 두근거렸다.

웰랜드 부인은 고맙다는 듯이 한숨을 내쉬었고, 창가에 가 있던 메이가 고개를 돌려 찬성한다는 뜻으로 그를 향해 환하게 웃었다.

"그것 보세요, 어머니, 모든 게 하루 전에 다 해결될 거라니까요."

메이는 이렇게 말하며 몸을 굽혀 어머니의 근심 어린 이마에 입을 맞추었다.

메이의 마차가 문 앞에서 대기 중이었다. 메이는 아처가 브로드웨이 철도마차를 타고 사무실로 가도록 유니온 광장까지 데려다줄 예정이었다. 마차에서 자리에 앉은 메이가 말했다.

"새로운 문제를 꺼내서 어머니에게 걱정을 끼치고 싶지 않았어요. 하지만 당신은 워싱턴에 갈 텐데, 어떻게 내일 엘런을 마중 나가 뉴욕으로 데려올 수 있다는 거죠?"

"아, 안 갈 거예요."

아처가 대답했다.

"안 간다고요? 왜요, 무슨 일이 있었나요?"

메이의 목소리는 종소리처럼 맑았고 아내다운 심려로 가득했다.

"소송이 중지되었어요…… 연기되었지."

"연기되었다고요? 참 이상하네요! 오늘 아침에 레터블레어 씨가 어머니에게 보낸 편지를 보았는데, 대법원에서 처리할 중요한 특허 소송 때문에 내일 워싱턴에 가신다는 내용이었어요. 당신이 말한 것도 특허 소송 아니었어요?"

"그게⋯⋯ 맞아요. 사무실 전체가 갈 수는 없지. 오늘 아침에 레터블레어 씨가 가기로 했어요."

"그럼 연기된 건 아니군요?"

집요하게 대꾸하는 모습이 메이답지 않아서, 아처는 평소와 달리 전통적인 조신함을 모두 벗어던진 그 모습이 보기 민망하다는 듯 얼굴을 붉혔다.

"아니, 내가 가는 것만 연기되었어요."

그는 이렇게 대답하면서, 워싱턴에 가야겠다고 말하면서 불필요한 설명을 덧붙였던 자신을 저주했다. 똑똑한 거짓말쟁이들은 자세한 내용을 말하지만 가장 똑똑한 거짓말쟁이는 그런 말조차 하지 않는다는 내용을 어디에서 읽었는지 머릿속을 더듬어보았다. 메이에게 거짓말하느라 괴로웠지만 눈치채지 않은 척 애쓰는 그 모습을 보는 쪽이 두 배는 더 괴로웠다.

"나는 나중에 갈 거예요. 처가 식구들 편의를 위해서는 잘된 일이지."

그는 비겁하지만 빈정거리는 말을 도피처로 삼았다. 그 말을 내뱉을 때 자신을 바라보는 시선이 느껴졌다. 그는 그 시선을 피하는 것처럼 보이지 않도록 고개를 돌려 그 눈을 마주 보았다. 두 시선이 잠시 마주쳤다. 어쩌면 서로가 원하는 정도보다 더 깊이 상대의 속내를 들여다보았을 것이다.

“맞아요. 어쨌든 당신이 엘런을 맞이하기로 한 덕분에 정말 굉장히 편해졌어요. 당신이 나서줘서 어머니가 얼마나 고마워했는지 봤잖아요.”

메이가 명랑하게 맞장구쳤다.

“아, 나도 그럴 수 있어서 기뻐요.”

마차가 멈췄고 아처가 뛰어내리자 메이가 그를 향해 몸을 내밀며 그의 손에 손을 얹었다.

“잘 가요, 여보.”

메이가 말했다. 눈동자가 너무나 푸르러서 나중에 아처는 눈물 때문에 반짝였던 게 아니었을까, 하고 생각했다.

그는 몸을 돌리고 서둘러 유니온 광장을 가로지르며, 마음속으로 노래를 부르듯이 몇 번이고 중얼거렸다.

“저지시티에서 캐서린 노부인 댁까지는 두 시간이 걸려. 총 두 시간이야…… 어쩌면 더 걸릴지도 모르지.”

29

(결혼식용으로 바른 광택제가 고스란히 남은) 아내의 검푸른 마차가 선착장에서 아처를 맞이해 저지시티의 펜실베이니아 종착역까지 매우 편안하게 데려다주었다.

눈이 내리는 음울한 오후였고 떠나갈 듯 시끄러운 넓은 기차역을 가스등이 밝히고 있었다. 아처는 워싱턴 발 급행열차를 기다리느라 승강장을 서성이며, 언젠가는 허드슨 강 밑으로 터널이 뚫려 펜실베이니아 철도 기차가 뉴욕까지 곧장 달릴 것이라고 생각하는 사람들을 떠올렸다. 그들은 닷새 안에 대서양을 횡단하는 배를 짓게 되리라거나 하늘을 날아다니는 기계와 전등과 무선 전화 통신이 발명될 거라거나 그 밖에 『아라비안나이트』에 나올 법한 놀라운 물건들이 나타나리라고 예언하는 사람들처럼 몽상가였다.

"아직 터널도 만들어지지 않았으니 그런 몽상 중에 어느 것이 실현될지 관심 없어."

아처는 생각에 잠겨 중얼거렸다. 그는 무분별한 학생처럼 행복한 마음으로 상상에 빠졌다. 올렌스카 부인이 기차에서 내리면 그는 의미 없는 무수한 얼굴들 사이로 멀리에서 그 얼굴을 발견할 것이다. 그가 마차로 안내하는 동안 엘런은 그의 팔을 꼭 붙잡을 것이다. 미끄러지듯 지나가는 말들과 짐을 실은 수레들, 고함을 지르는 마부들을 헤치며 천천히 부두로 다가갈 것이다. 놀랄 만큼 조용한 나룻배에 올라, 가만히 서서 눈을 맞는 마차 속에 나란히 앉아 있을 것이다. 그동안 땅은 그들 밑에서 미끄러져 태양 반대쪽으로 굴러가는 듯 보일 것이다. 엘런에게 하고 싶은 수많은 말들, 그 말들이 놀랍게도 입술에서 순서대로 술술 흘러나올 것이다…….

땡땡 소리와 삐거덕 소리가 더 가까워지더니, 먹이를 짊어지고 굴로 들어오는 괴물처럼 기차가 몸을 흔들며 천천히 역으로 들어왔다. 아처는 높이 달린 객차 창문을 무턱대고 하나하나 들여다보면서 팔꿈치로 사람들을 밀치며 앞으로 나아갔다. 그러가 갑자기, 올렌스카 부인의 창백하고 놀란 얼굴이 바로 앞에 보였다. 그는 엘런이 어떤 모습이었는지 잊어버렸다는 사실에 또다시 당혹감을 느꼈다.

두 사람은 서로에게 다가가 손을 맞잡았고 그는 엘런의 팔을 당겨 팔짱을 끼게 했다.

"이쪽으로…… 마차가 있어요."

그가 말했다.

그 뒤로는 모든 일이 그가 꿈꾸던 대로 일어났다. 그는 엘런이 가방을 마차에 싣도록 도왔고, 훗날 어슴푸레 기억하기로는 할머니의 상태에 대해 적절히 안심시켜주고 보퍼트의 상황을 요약해 들려주었다(그는 엘런이 관대하게도 "가여운 리자이나!"라고 말하는 모습에 놀랐다). 그러는 동안 마차는 혼잡한 역 주변을 빠져나왔고 두 사람은 흔들리는 석탄 마차와 당황해서 갈피를 못 잡는 말들, 물건이 흐트러진 운송 마차, 텅 빈 영구차의 위협을 받으며 부두를 향해 미끄러운 비탈길을 살살 내려갔다. 아, 그 영구차! 엘런은 영구차가 지나갈 때 눈을 질끈 감고 아처의 손을 꽉 쥐었다.

"제발 그런 뜻은 아니길…… 불쌍한 할머니!"

"아, 아니, 아니에요…… 훨씬 나아지셨어요…… 괜찮아요, 정말. 봐요…… 이제 지나갔어요!"

아처는 이제 상황이 전부 달라졌다는 듯이 외쳤다. 엘런은 여전히 그의 손을 잡고 있었다. 마차가 배에 걸쳐진 판자를 휘청거리며 지나 나룻배에 오르자 그는 몸을 굽혀 엘런의 꽉 끼는 갈색 장갑의 단추를 풀고, 유물에 입을 맞추듯이 엘런 손바닥에 입을 맞추었다. 엘런은 희미한 웃음을 지으며 손을 뺐고 그는 이렇게 말했다.

"오늘 내가 나올 줄 몰랐습니까?"

"아, 그래요."

"당신을 만나러 워싱턴에 갈 생각이었어요. 준비를 마쳤는데…… 하마터면 기차에서 당신과 길이 엇갈릴 뻔했어요."

"아……."

그렇게 간신히 위기를 모면했다는 사실이 오싹한 듯 부인이 외쳤다.

"알고 있나요? 내가 당신을 거의 기억하지 못했다는 걸?"

"날 거의 기억하지 못했다고요?"

"내 말은, 어떻게 설명하면 좋을까? 난…… 항상 그래요. 당신이 내 앞에 나타날 때마다 처음부터 다시 시작하는 기분입니다."

"아, 그렇군요. 알아요! 나도 알아요!"

"그게…… 나도 그런가요? 당신에게?"

그가 고집스레 물었다.

엘런은 고개를 끄덕이며 창밖을 내다보았다.

"엘런…… 엘런…… 엘런!"

대답이 없었다. 그는 말없이 앉아, 창 너머 눈발이 날리는 황혼을 배경으로 점점 흐릿해지는 그 옆모습을 바라보았다. 넉 달이라는 긴 시간 동안 엘런은 무엇을 하며 지냈을까?

결국 두 사람은 서로에 대해 아는 게 거의 없지 않은가! 소중한 순간이 슬금슬금 사라지고 있었지만, 그는 엘런에게 하려던 말을 모조리 잊어버렸고, 가까우면서도 먼 이 수수께끼 같은 관계를 하릴없이 곱씹을 따름이었다. 두 사람이 아주 가까이 앉아 있되 서로 얼굴을 보지 못한다는 사실이 그 수수께끼의 상징인 것만 같았다.

"마차가 참 예쁘군요! 메이 것인가요?"

엘런이 갑자기 창문에서 얼굴을 돌리며 물었다.

"그래요."

"그럼 나를 데려오라고 보낸 사람이 메이였군요? 친절하기도 해라!"

그는 잠시 대답하지 않았다. 그러다 폭발하듯이 내뱉었다.

"우리가 보스턴에서 만난 다음 날, 당신 남편의 비서가 나를 만나러 왔어요."

엘런에게 보낸 짧은 편지에서 그는 리비에르 씨의 방문을 전혀 언급하지 않았고 그 사건을 가슴에 묻어둘 생각이었다. 그러나 엘런이 두 사람이 아내의 마차에 타고 있음을 일깨우자 보복하고 싶은 충동이 일었다. 메이의 이름을 꺼내 그의 기분을 망쳤으니 리비에르 씨의 이름을 듣고 얼마나 즐거워할지 보리라! 그러나 평소 그 침착한 태도에 파문을 일으킬 줄 알았던 때에 늘 그랬듯이, 올렌스카 부인은 놀란 기색을 보이지 않았다. 그는 곧바로 '그렇다면 그가 편지를 보낸 모양이군' 하고 결론을 내렸다.

"리비에르 씨가 당신을 만나러 갔다고요?"

"그래요. 몰랐습니까?"

"몰랐어요."

엘런이 간단히 대답했다.

"그런데도 놀라지 않는단 말이에요?"

엘런이 머뭇거렸다.

"왜 놀라야 하죠? 보스턴에서 그 사람이 나에게 당신을 안다고 말했어요. 영국에서 만났다고 한 것 같아요."

"엘런…… 한 가지 물어볼 말이 있습니다."

"네."

"그 사람을 만난 뒤에 물어보고 싶었지만, 편지에 쓸 수가 없었어요. 당신이 남편을 떠날 때…… 달아나도록 도와준 사람이 리비에르 씨인가요?"

그는 숨이 막힐 만큼 가슴이 두근거렸다. 엘런은 이 질문에도 똑같이 침착하게 대응할까?

"맞아요. 아주 큰 빚을 졌죠."

흔들림 없이 차분한 목소리로 엘런이 대답했다.

어조가 몹시 자연스러운 데다 거의 무심할 정도였기에, 아처의 요동치던 마음이 가라앉았다. 이번에도 엘런은 무심하게 행동해서, 그가 인습을 아예 내던졌다고 생각한 순간에도 어리석게 인습에 사로잡혀 있었음을 깨닫게 해주었다.

"당신은 내가 만난 여자 중에 가장 솔직한 사람입니다!"

그가 외쳤다.

"아, 아니에요…… 하지만 아마 그리 까탈스럽지 않은 여자 중 하나일 거예요."

엘런이 웃음기 어린 목소리로 대답했다.

"원하는 대로 불러요. 당신은 사물을 있는 그대로 보니까."

"아…… 그래야만 했죠. 난 고르곤(그리스신화에 등장하는 흉측한 세 괴물 자매. 여기에서는 그 자매 중에서도 눈이 마주치면 누구든 돌로 바꿔 버리는 메두사를 가리키는 말로 쓰였다-옮긴이)을 봐야만 했어요."

"그래도…… 그것 때문에 눈이 멀진 않았잖습니까! 당신은 그게 다른 악귀들과 똑같이 늙은 악귀에 불과하다는 사실을 알게 된 거죠."

"고르곤은 눈을 멀게 하지 않아요. 눈물을 말려버리죠."

그 대답에, 아처의 입에서 나오려던 애원이 멈칫했다. 그가 닿을 수 없는 아주 깊은 경험에서 우러난 말 같았다. 천천히 나아가던 나룻배가 멈추며 뱃머리가 정박지의 말뚝과 세차게 충돌하는 바람에 마차가 흔들렸고, 아처와 올렌스카 부인의 몸이 부딪쳤다. 아처는 자신의 몸을 짓누르는 그 어깨를 느끼고 바르르 떨며 엘런을 팔로 감쌌다.

"당신 눈이 멀지 않았다면, 이 상태로 오래갈 순 없다는 걸 알겠죠."

"무엇이 말인가요?"

"우리가 함께 있는 것…… 그러면서도 함께 있지 않은 것."

"맞아요. 당신은 오늘 오지 말았어야 해요."

엘런이 달라진 목소리로 말했다. 그리고 갑자기 몸을 돌려 두 팔로 그를 껴안고 입을 맞추었다. 그 순간 다시 마차가 움직이기 시작했고, 정박지 맨 앞의 가스등이 창문 안으로 불빛을 비추었다. 엘런이 몸을 뺐고 두 사람은 마차가 선착장 주변에 몰려든 다른 마차들 사이를 빠져나오는 동안 말없이 꼼짝 않고 앉아 있었다. 거리에 들어섰을 때 아처가 다급하게 말을 꺼냈다.

"나를 두려워하지 말아요. 그렇게 그쪽 귀퉁이에 움츠리고 있을 필요 없어요. 도둑 키스는 내가 바라는 게 아닙니다. 봐요. 난 당신 겉옷 소매도 스치지 않으려 애쓰고 있어요. 당신이 우리 사이에 오가는 이 감정을 평범한 비밀 연애로 전락시키고 싶어 하지 않는 이유를 내가 모른다고 생각하지 말아요. 어제였다면 이렇게 말하지 못했을 겁니다. 우리가 서로 떨어져 있었고 당신을 만나기를 고대하는 동안에는 모든 생각이 커다란 불꽃처럼 활활 타오르고 있었으니까. 하지만 이제 당신이 왔죠. 내가 기억하던 모습을 훨씬 뛰어넘는 모습으로. 내가 당신에게 바라는 건 갈급한 기다림에 시간을 허비하면서 가끔 한두 시간씩 함께하는 정도를 훨씬 뛰어넘는 것입니다. 마음속에 다른 꿈을 품고 그것이 실현될 것임을 은밀히 믿기에 이렇게 당신 옆에 지극히 고요하게 앉아 있는 겁니다."

잠시 엘런은 아무런 대답도 하지 않았다. 그러다가 거의 속삭이듯이 물었다.

"그게 실현될 것을 믿는다니, 무슨 뜻인가요?"

"그건…… 당신도 그렇게 되리란 걸 알지 않나요?"

"당신과 내가 함께하게 되리라는 당신 꿈 말인가요?"

엘런이 갑자기 미친 듯이 웃음을 터뜨렸다.

"그런 말을 할 장소를 잘도 골랐군요!"

"아내의 마차 안이라서 그래요? 그럼 내려서 걷는 게 어때요? 눈을 조금 맞아도 괜찮겠지요?"

엘런은 좀 더 부드럽게 다시 소리 내어 웃었다.

"아뇨. 내려서 걷진 않겠어요. 되도록 빨리 할머니에게 가는 게 내가 할 일이니까요. 그리고 당신도 내 옆에 앉아 있도록 해요. 우린 꿈이 아니라 현실을 보게 될 테니."

"현실이라니, 무슨 말인지 모르겠군요. 나에게 유일한 현실은 이것뿐입니다."

그 말에 엘런은 긴 침묵으로 답했고, 그사이에 마차는

어두컴컴한 골목길을 달려 불빛이 날카롭게 빛나는 5번 대로에 들어섰다.

"그럼, 내가 정부가 되어 함께 살아야 한다는 게 당신 생각인가요? 당신 아내는 될 수 없으니?"

엘런이 물었다.

그 노골적인 질문에 그는 깜짝 놀랐다. 그가 속한 상류층 여성이라면 대화가 그런 주제로 바짝 다가가게 되더라도 애써 피하는 말이었다. 그는 올렌스카 부인이 마치 자신의 어휘 속에 당당히 자리 잡은 말처럼 소리 내어 그 말을 꺼냈음을 깨달았다. 엘런이 달아난 그 끔찍한 삶에서는 면전에서 스스럼없이 오가던 말이 아니었을까? 엘런의 질문에 그는 멈칫하다가 허둥거리며 말했다.

"내가…… 내가 바라는 건 그런 말들이…… 그런 부류가 존재하지 않는 세계로 어떻게든 당신과 떠나는 겁니다. 우리가 그저 서로를 사랑하고 서로에게 삶의 전부가 되는 두 인간일 수 있는 곳으로. 그러면 세상 그 무엇도 중요하지 않을 거예요."

올렌스카 부인은 깊은 한숨을 내쉬다가 다시 소리 내어 웃었다.

"아, 이봐요…… 그 나라가 어디에 있어요? 그곳에 가본 적 있나요?"

그가 언짢은 얼굴로 침묵을 지키자 엘런이 말을 이었다.

"내가 아는 많은 이들이 그곳을 찾으려 애썼죠. 그리고 정말로, 그 사람들은 모두 실수로 중간에 있는 역에서 내렸어요. 불로뉴나 피사, 아니면 몬테카를로 같은 곳에서 말이에요…… 거긴 그들이 떠난 예전 세상과 전혀 다르지 않은 곳이었어요. 더 작고 더 지저분하고 더 난잡할 뿐."

그는 엘런이 그런 어조로 말하는 것을 들어본 적이 없었다. 그는 조금 전에 엘런이 썼던 표현을 떠올렸다.

"그렇군. 고르곤이 당신의 눈물을 모두 말려버렸군요."

그가 말했다.

"뭐, 내 눈을 열어주기도 했는걸요. 고르곤이 사람들 눈을 멀게 한다는 생각은 오해예요. 사실은 그 반대죠…… 눈꺼풀을 고정해 눈을 뜨게 만들고 다시는 축복받은 어둠에 잠기지 않게 하죠. 중국에 그런 고문이 있지 않았나요? 있을 거예요. 아, 정말이지 거긴 딱하기 짝이 없는 나라예요!"

마차가 42번가를 건넜다. 메이의 마차를 끄는 튼튼한 말은 켄터키 경주마처럼 북쪽으로 그들을 데려가고 있었다. 아처는 헛된 말로 시간을 낭비하고 있다는 느낌에 숨이 막혔다.

"그러면, 우리를 위한 당신의 계획은 정확히 뭡니까?"

그가 물었다.

"우리를 위한 것이라고요? 하지만 그런 의미에서의 우

리는 없잖아요! 우린 멀리 떨어져 지낼 때만 서로 가까이 있죠. 그럴 때는 우리 자신일 수 있어요. 그런 때가 아니면 우린 그저 우리를 신뢰하는 사람들의 등 뒤에서 행복해지려 애쓰는, 엘런 올렌스카의 사촌의 남편인 뉴랜드 아처와 뉴랜드 아처의 아내의 사촌인 엘런 올렌스카일 뿐이에요."

"아, 난 그걸 뛰어넘었어요."

그가 신음하듯이 내뱉었다.

"아니, 그렇지 않아요! 당신은 한 번도 뛰어넘은 적이 없어요. 난 해봤어요. 그리고 그곳이 어떤 모습인지 알아요."

엘런이 낯선 목소리로 말했다.

그는 형언할 수 없는 고통에 망연해져 말없이 앉아 있었다. 그러다가 어두운 마차 안을 더듬으며 마부에게 지시를 내릴 때 쓰는 작은 종을 찾았다. 메이가 멈추고 싶을 때 종을 두 번 울리던 게 생각났다. 그가 종을 울리자 마차가 길가에 멈춰 섰다.

"왜 멈추는 거죠? 여긴 할머니 댁이 아니잖아요."

올렌스카 부인이 외쳤다.

"그래요. 난 여기에서 내리겠습니다."

그는 더듬더듬 말한 뒤 문을 열고 서둘러 인도에 내려섰다. 가로등 불빛에 엘런의 놀란 얼굴과 반사적으로 그를 붙잡으려는 몸짓이 보였다. 그는 문을 닫고 잠시 창을 향해 몸을 기울였다.

“당신 말이 맞아요. 난 오늘 오지 말았어야 했어요.”

그는 마부 귀에 들리지 않도록 목소리를 낮추어 말했다. 엘런은 몸을 앞으로 구부렸고 뭔가 말하려는 듯했다. 그러나 그는 이미 출발하라고 외쳤고, 마차가 멀어지는 동안 길모퉁이에 서 있었다. 눈이 그치고 얼얼할 만큼 싸늘한 바람이 불어와 멍하니 선 그의 얼굴을 후려쳤다. 갑자기 속눈썹에 뻣뻣하고 차가운 것이 느껴졌다. 아처는 자신이 울고 있었으며 바람에 눈물이 얼어붙었다는 사실을 깨달았다.

그는 주머니에 손을 찔러 넣고, 5번 대로를 잰걸음으로 걸어 집으로 향했다.

30

그날 저녁에 아처가 저녁 식사를 하러 내려와보니 거실이 텅 비어 있었다.

맨슨 밍곳 노부인의 발병 이후로 가족 모임이 모두 연기된 탓에 그와 메이는 둘이서 식사를 했다. 둘 중 메이가 시간을 더 잘 지켰기 때문에 아처는 아내가 먼저 와 있지 않아 놀랐다. 그가 옷을 갈아입는 동안 메이가 자기 방에서 움직이는 소리가 들렸기 때문에 집에 온 것은 알고 있었다. 왜 늦는지 의아할 따름이었다.

그는 현실에 생각을 단단히 붙잡아둘 방법으로 이런 추측에 골몰하게 되었다. 가끔은 왜 장인이 사소한 일에 몰두하는지 알 것 같다는 생각이 들었다. 어쩌면 웰랜드 씨도 오래전에 탈출과 몽상을 경험한 적 있고 그것들에서 자신을 지키기 위해 온갖 가정사에 신경을 썼는지도 몰랐다.

메이가 나타났을 때 아처는 아내가 피곤해 보인다고 생각했다. 밍곳가의 의례에 따르면 가장 편안한 자리에서만 입게 되어 있는, 목이 파이고 허리를 바짝 졸라맨 만찬용 드레스를 입고 평소처럼 금발을 둥글게 틀어 올린 모습이었다. 이와 대조적으로 얼굴은 창백해서 핏기가 거의 없었다. 그러나 여느 때처럼 다정한 태도로 그에게 웃음을 지었고 눈동자는 전날처럼 눈부시게 푸르렀다.

"어떻게 된 거예요, 여보?"

메이가 물었다.

"할머니 댁에서 기다리고 있었는데 엘런이 혼자 도착해서는 당신에게 급한 용무가 있어 도중에 내려줬다고 하잖아요. 문제라도 생겼어요?"

"그냥 깜빡 잊은 편지 몇 통이 있어서 저녁 식사 전에 부치고 싶었어요."

"아……."

메이는 이렇게 말하고 잠시 뒤 덧붙였다.

"할머니 댁에 왔다면 좋았을 텐데요…… 급한 편지가 아니었다면요."

"급한 편지였어요."

아처가 아내의 집요한 태도에 놀라며 대꾸했다.

"게다가 내가 왜 할머님 댁에 갔어야 한다고 말하는지

모르겠군. 당신이 거기 있는 줄 몰랐는데."

메이는 몸을 돌려 벽난로 선반에 놓인 거울로 다가갔다. 그곳에 서서 긴 팔을 올려 복잡하게 감아 올린 머리에서 빠져나온 머리칼 한 가닥을 제자리로 밀어 넣었다. 아처는 힘없이 축 처진 그 태도에 놀라면서, 메이 역시 무섭도록 단조로운 이 생활에 짓눌리고 있는지도 모르겠다고 생각했다. 그 순간, 그날 아침에 집을 나설 때 메이가 계단 위에서 그에게 할머니 댁에서 만나 함께 마차를 타고 집으로 가자고 외쳤다는 사실이 떠올랐다. 그는 "그러지!" 하고 유쾌하게 대답하고는 그 뒤로 다른 공상에 빠져 약속을 잊어버렸다. 이제야 양심의 가책으로 괴로웠지만, 결혼한 지 거의 2년이 지났는데 그렇게 사소한 것을 잊었다고 마음에 담아둔 채 불만을 갖다니 짜증이 나기도 했다. 뜨거운 열정 없이 오직 의무를 강요하는 미지근하기만 한 신혼생활이 지긋지긋했다. 메이가 불만을 소리 내서 말했다면(그는 메이에게 불만이 아주 많으리라 생각했다) 웃어넘겼을 것이다. 그러나 메이는 실체 없는 상처를 스파르타인 같은 웃음 뒤에 숨기는 데 능숙했다.

아처는 짜증을 감추려고 할머니 용태가 어떤지 물었고 메이는 계속 호전되는 중이지만 최근에 들려온 보퍼트 부부의 소식 때문에 약간 심란해하신다고 대답했다.

"소식이라니?"

“그 부부가 뉴욕에 머물 생각인가 봐요. 보험 사업 같은 걸 시작한다던데요. 작은 집을 찾고 있대요.”

터무니없는 일이라 논의할 필요도 없었기에, 두 사람은 저녁 식사를 하러 식당으로 갔다. 식사를 하는 동안 대화는 평소처럼 제한된 범위를 맴돌았다. 그러나 아처는 아내가 올렌스카 부인의 이름을 입에 올리지 않고 캐서린 노부인이 엘런을 어떻게 맞이했는지도 전혀 언급하지 않는다는 사실을 눈치챘다. 그 점이 다행스럽게 여겨지면서도 막연히 불길한 느낌이 들었다.

두 사람은 커피를 마시러 서재로 올라갔고 아처는 담뱃불을 붙이고 미슐레(프랑스 역사가-옮긴이)의 저서를 한 권 뽑았다. 그가 시집을 읽는 모습을 볼 때마다 메이가 소리 내어 읽어달라고 하기 일쑤였기에, 이제 그는 저녁마다 역사서를 읽었다. 자기 목소리가 싫어서가 아니라 그가 읽은 내용에 대해 메이가 어떤 의견을 밝힐지 빤히 보였기 때문이다. 약혼 기간 동안, (이제야 깨달았지만) 메이는 그가 들려준 말을 그대로 따라 하기만 했다. 그러나 그가 더는 의견을 말해주지 않자 메이는 과감하게 의견을 말하기 시작했고, 결국 메이의 비평 탓에 작품을 읽는 즐거움이 사라지고 말았다.

아처가 역사서를 고른 것을 보고, 메이는 바느질 바구니를 가져와 녹색 갓을 씌운 독서용 램프 옆으로 안락의자를 끌고 온 다음, 그의 소파에 두려고 수를 놓는 중인 쿠션을 하나 꺼냈다. 바느질 솜씨가 썩 좋지는 않았다. 그 큼직하고 유능한 손은 말을 타고 노를 젓는 등 야외 활동을 하기에 적합했다. 그러나 다른 아내들이 남편을 위해 쿠션에 수를 놓았으므로, 메이는 헌신적인 아내로서 이 마지막 조각 하나를 빠뜨리고 싶지 않았다.

메이가 자리에 가만히 앉아 있었기에, 아처는 눈을 들기만 해도 수틀 위로 몸을 굽힌 자세와 주름 장식을 단 짧은 소맷자락이 단단하고 통통한 팔에서 흘러내린 모습, 왼손에서 빛나는 사파이어 약혼반지와 그 아래 굵은 금제 결혼반지, 힘겹게 느릿느릿 천에 바늘을 꽂는 오른손을 볼 수 있었다. 메이가 깨끗한 이마에 램프의 불빛을 가득 받으며 그렇게 앉아 있는 동안, 그는 저 이마 너머에 있는 생각을 자신이 빤히 알 것이고 다가올 모든 세월 동안 메이가 예기치 못한 기분이나 새로운 생각, 약점, 잔혹함이나 어떤 감정으로 그를 놀라게 할 일이 없으리라 생각하며 남몰래 낙담했다. 메이는 자신의 시와 연애 감정을 두 사람의 짧은 연애에 다 써버렸다. 더는 필요 없기에 그 효용성도 바닥나버렸다. 이제 메이는 점점 더 어머니와 닮아갈 뿐이었고, 기이하게도 바로 그 과정으로 그를 웰랜드 씨로 바꾸려 하고 있었다. 아처는 책을 내려놓고 초조한 태도로 일어섰다. 메이가 즉시 고개를 들었다.

“왜 그래요?”

“방이 답답해서. 바람 좀 쐬어야겠어요.”

그는 서재 커튼을 거실 커튼처럼 금박 몰딩에 못으로 천을 박고 레이스 여러 겹 위에 고리 모양으로 고정하는 대신, 저녁이면 닫을 수 있도록 봉에 끼워 앞뒤로 움직이게 해야 한다고 고집했었다. 아처는 커튼을 열어젖히고 내리닫이 창을 밀어 올린 뒤 차가운 밤공기 속으로 몸을 내밀었다. 그의 탁자 옆에서 램프 불빛을 받으며 앉은 메이를 보지 않고 다른 집들과 지붕과 굴뚝을 바라보기만 해도, 자신의 삶 바깥에 다른 삶이 있고 뉴욕 너머에 다른 도시들이 있으며 그의 세상 너머에 온 세상이 있음을 느껴보는 것만으로도, 머리가 맑아졌고 숨쉬기가 더 편해졌다.

어둠 속으로 몸을 내민 지 몇 분쯤 지났을 때 메이의 목소리가 들렸다.

“뉴랜드! 창문 닫아요. 그러다 독감에 걸려 죽겠어요.”

그는 창을 내려 닫은 다음 몸을 돌렸다.

“독감에 걸려 죽는다니!”

그가 따라서 말했다. 이렇게 덧붙이고 싶었다.

‘하지만 이미 걸렸어. 난 사실 죽었다오…… 오래전에 죽은 몸이야.’

갑자기 그 말장난에 터무니없는 생각이 머리를 스치고 지나갔다. 죽는 사람이 '메이'라면! 메이가 죽는다면…… 머지않아 죽는다면…… 그래서 그를 자유롭게 해준다면! 그 따뜻하고 친숙한 방에 그렇게 서서 메이를 바라보며 메이의 죽음을 바라는 기분이란 몹시 기묘하고 매혹적이며 저항하기 어려운 것이었기에, 그는 그것이 얼마나 엄청난 생각인지 곧바로 깨닫지 못했다. 그저 그의 병든 영혼이 매달릴 새로운 가능성이 생겼다는 느낌뿐이었다. 그렇다, 메이가 죽을지도 모른다…… 사람은 죽기 마련이다. 메이처럼 젊은 사람들, 건강한 사람들도 죽는다. 메이가 죽어 갑자기 그를 자유롭게 해줄지도 모른다.

메이가 쳐다보았고, 그는 아내의 휘둥그레진 눈을 보고 자신의 눈빛이 이상했으리란 사실을 깨달았다.

"뉴랜드! 어디 아파요?"

그는 고개를 젓고 안락의자를 향해 다가갔다. 메이가 수틀 위로 몸을 구부렸고 그는 지나가며 아내의 머리에 손을 얹었다.

"가여운 메이!"

그가 말했다.

"가엽다고요? 뭐가 가여워요?"

메이가 억지로 웃으며 그 말을 따라했다.

"내가 창문을 열 때마다 당신이 걱정할 테니까."

그도 웃으며 대꾸했다.

메이는 잠시 말이 없었다. 그러다가 수틀 위로 고개를 숙이고 아주 낮은 목소리로 말했다.

"당신이 행복하다면 걱정하지 않을 거예요."

"아, 여보. 창문을 열 수 없는데 내가 어떻게 행복하겠어요!"

"이런 날씨에 말이에요?"

메이가 항의했다. 그는 한숨을 쉬며 책에 머리를 파묻었다.

시간이 일주일쯤 흘렀다. 아처는 올렌스카 부인에게서 어떤 소식도 듣지 못했고 가족 중 누구도 자기 앞에서 엘런 올렌스카의 이름을 꺼내지 않는다는 사실을 깨달았다. 그는 엘런을 만나려 애쓰지 않았다. 엘런이 캐서린 노부인의 침대 곁에서 보호받는 동안에는 거의 불가능한 일이었다. 불확실한 상황 속에서 그는 서재 창문을 통해 추운 밤공기 속으로 몸을 내밀었을 때 찾아온 결심을 떠올리며, 생각의 표면 아래 어딘가를 표류하도록 자신을 내버려두었다. 그 결심이 단단했기에 아무 내색 없이 기다리기 쉬웠다.

그러던 어느 날, 메이가 맨슨 밍곳 노부인이 그를 만나고 싶어 한다고 말했다. 노부인은 꾸준히 회복 중이었고 손녀사위 중에 아처가 가장 마음에 든다고 공공연하게 말해왔기에 놀랄 만한 요청은 아니었다. 그 소식을 전하는 메이는 기뻐하는 기색이 역력했다. 캐서린 노부인이 남편의 진가를 인정해주자 뿌듯했던 것이다.

잠시 침묵이 흘렀고, 곧 아처는 의무감 때문에 이렇게 말했다.

"좋아요. 오늘 오후에 함께 가겠어요?"

아내는 얼굴이 환해졌지만 즉시 다음과 같이 대답했다.

"아, 당신 혼자 가는 게 좋겠어요. 똑같은 사람들을 너무 자주 보면 할머니가 지루해하실 거예요."

맨슨 밍곳 노부인 댁 초인종을 누를 때, 아처의 가슴이 격렬하게 쿵쿵거렸다. 이번 방문으로 올렌스카 부인과 단둘이 한마디라도 나눌 기회가 생길 것이 확실했기에, 무슨 일이 있어도 혼자 오고 싶었다. 그는 기회가 자연스럽게 찾아오기를 기다리기로 결심했었다. 그리고 이렇게 기회가 왔고, 그는 이렇게 문 앞에 서 있었다. 문 뒤에서, 현관 옆방의 노란색 다마스크 커튼 뒤에서 분명 엘런이 그를 기다릴 것이다. 곧 엘런을 만날 것이고 병실로 엘런이 그를 안내하기 전에 이야기를 나눌 수 있을 것이다.

딱 한 가지만 묻고 싶었다. 그 뒤에는 어떤 길로 가야 하는지 분명해질 터였다. 그가 묻고 싶은 것은 엘런이 워싱턴으로 돌아가는 날짜뿐이었다. 그 질문이라면 대답을 거부하지 못할 것이다.

그러나 노란 응접실에서 기다리는 사람은 하인이었다. 하인은 흰 이를 피아노 건반처럼 빛내며 미닫이문을 열어 캐서린 노부인이 있는 곳으로 그를 안내했다.

노부인은 침대 옆, 왕좌처럼 보이는 커다란 안락의자에 앉아 있었다. 옆에 놓인 작은 마호가니 탁자에는 조각이 새겨진 둥근 유리를 얹은 청동 램프가 놓여 있었고 그 위에 녹색 종이 갓이 달려 있었다. 가까이에 책이나 신문은 없었고 여자들이 자주 하는 소일거리의 흔적도 보이지 않았다. 맨슨 밍곳 부인의 유일한 취미는 대화였고 수예에 관심 있는 척하는 행동 따위는 경멸했을 터였다.

아처가 보니 노부인에게는 뇌졸중으로 얼굴이 일그러졌던 흔적이 전혀 없었다. 단지 얼굴이 더 창백했고 비대한 몸에서 살이 접혀 들어간 부분의 그늘이 더 짙어졌을 따름이었다. 노부인은 주름 장식이 달린 실내용 모자를 쓰고 풀을 먹인 모자 끈을 첫째 턱과 두 번째 턱 사이에 나비 모양으로 묶은 채, 벙벙한 자주색 실내복 위로 모슬린 스카프를 두르고 있었다. 덕분에 식탁이 주는 즐거움에 서슴없이 몸을 맡겼을지 모를, 약삭빠르고 인정 많은 어느 선조처럼 보였다.

노부인이 거대한 허벅지의 우묵한 곳에 애완동물처럼 아늑하게 자리 잡았던 작은 손을 내밀며 하인을 불렀다.

"다른 사람은 들이지 마라. 딸이 찾으면, 내가 잔다고 해."

하인은 사라졌고 노부인은 손녀사위에게 고개를 돌렸다.

"이봐, 내 꼴이 심히 흉측한가?"

노부인은 쾌활하게 물으며 한 손을 뻗어 방대한 가슴을 덮은 모슬린의 주름을 찾아 더듬거렸다.

"딸들은 내 나이에 그게 뭐 그리 중요하느냐고 말하지…… 흉측한 꼴을 숨기기 어려워진 마당이니 그런 건 중요하지 않다는 듯이 말이야!"

"할머님, 전보다 더 아름다우신걸요!"

아처가 같은 어조로 대꾸했다. 노부인은 고개를 젖히고 껄껄 웃었다.

"아, 하지만 엘런만큼 아름답진 않겠지!"

노부인이 심술궂게 눈을 빛내며 불쑥 내뱉었다. 그리고 그가 대답하기도 전에 덧붙였다.

"자네가 나룻배에서 마차로 데려오던 날, 그 애가 그렇게나 예쁘던가?"

아처는 소리 내어 웃었고 노부인은 말을 이었다.

"자네가 그 애한테 그런 말을 해서 그 애가 자네를 도중에 내려놓고 와버린 건가? 내가 젊을 적에는, 쫓겨나지 않은 이상 젊은 남자가 예쁜 여자를 버려두고 가진 않았다네!"

노부인은 또다시 킬킬거리다가 웃음을 그치고 거의 불

만을 토로하듯이 말했다.

"그 애가 자네와 결혼하지 않은 게 애석할 따름이야. 그 애에게 늘 하는 말이라네. 그랬다면 지금 이런 걱정은 하지 않았을 텐데. 하지만 할머니에게 걱정을 끼치지 않겠다는 생각 따위를 누가 하겠어?"

아처는 노부인이 병환으로 정신이 흐려진 게 아닌가, 하고 생각했다. 그러나 노부인은 불쑥 외쳤다.

"뭐, 어쨌거나 이제 해결됐네. 다른 가족들이 뭐라고 하건 그 애는 나랑 지낼 걸세! 그 애가 여기 온 지 5분도 안 됐는데, 무릎이라도 꿇고 그 애를 붙잡아두고 싶더군…… 지난 20년 동안 바닥이 어디 있는지 볼 수만 있었다면 말이야!"

아처는 말없이 듣기만 했고 부인은 말을 이었다.

"자네도 알겠지만 다들 날 설득하려 했지. 러벌, 레터블레어, 오거스타 웰랜드에다 나머지 가족 모두 그 애가 올렌스키에게 돌아가는 게 도리라는 걸 알게 될 때까지 나더러 버티면서 그 애에게 주는 생활비를 끊으라고 다그쳤어. 그 비서인지 뭔지 하는 사람이 마지막 제안서를 들고 왔을 때, 다들 내가 설득된 줄 알더군. 솔직히 꽤 괜찮은 제안이었어. 어쨌든 결혼은 결혼이고 돈은 돈이니까…… 둘 다 나름대로 쓸모가 있지…… 뭐라 대답해야 할지 알 수가 없었지……."

노부인은 갑자기 말을 멈추고, 말하기가 힘들었다는 듯

이 숨을 깊이 들이쉬었다.

"하지만 그 아이를 본 순간, 이렇게 말했다네. '이 예쁜 새 같은 것아! 그 새장에 다시 널 가둔다고? 안 될 말이다!' 그래서 이제는 돌봐야 할 할머니가 있는 한 그 애가 여기 머물면서 돌봐주기로 했다네. 즐거운 생활은 아니겠지만 그 애는 개의치 않아. 물론 레터블레어에게도 그 애에게 적절한 생활비를 지급하라고 말해뒀지."

그 말을 듣는 젊은이의 피가 흥분으로 뜨겁게 달아올랐다. 그러나 머릿속이 혼란스러워서 그 소식에 마음이 기쁜 건지 괴로운 건지 갈피를 잡을 수가 없었다. 어느 방향으로 밀고 나갈지 아주 확실하게 정해둔 터라, 아처는 잠시 정신을 차리지 못했다. 그러나 어려움이 밀려나고 기적적으로 기회가 찾아왔다는 기분 좋은 느낌이 서서히 스며들었다. 엘런이 여기에 와서 할머니와 함께 지내는 데 동의했다면, 분명 그를 포기할 수 없음을 깨달았기 때문일 것이다. 이것은 며칠 전 그 마지막 호소에 대한 엘런의 대답이었다. 그가 간청했던 극단적인 방법을 택하지는 않더라도 결국 임시방편이나마 써보기로 한 것이다. 그는 모든 것을 걸기로 각오했다가 갑자기 안전이라는 위험한 달콤함을 맛본 사람처럼 무의식적으로 안도하며 생각에 잠겼다.

"엘런은 돌아갈 수 없습니다…… 있을 수 없는 일입니다!"

그가 외쳤다.

"아, 그래, 난 자네가 그 애 편이란 걸 늘 알고 있었지. 그런 까닭에 오늘 자네를 부른 거라네. 그래서 자네의 어여쁜 처가 함께 오겠다고 하기에 '아니야, 아가, 나는 뉴랜드를 만나고 싶구나. 우리의 즐거운 시간에 다른 사람이 끼어드는 건 싫다' 하고 말했지."

노부인은 사슬처럼 달라붙은 턱이 허락하는 한 한껏 고개를 젖히며 그를 똑바로 바라보았다.

"자네도 알다시피…… 알다시피, 우린 한바탕 다투게 될 걸세. 가족들은 그 애가 여기 있기를 바라지 않으니, 내가 병을 앓고 마음 약한 노인네가 돼서 그 애가 나를 구슬렸다고 말할 거야. 난 아직 한 사람씩 상대할 만큼 회복되지 않았으니, 자네가 나 대신 해줘야겠네."

"제가요?"

그가 더듬거리며 말했다.

"자네가 말이야. 어떤가?"

노부인은 동그란 눈을 갑자기 주머니칼처럼 날카롭게 치켜뜨며 내뱉듯이 말했다. 노부인의 손이 파르르 떨며 의자 팔걸이를 떠나 그의 손에 내려앉더니 새의 발톱처럼 작고 창백한 손톱으로 그의 손을 꽉 쥐었다.

"어떤가?"

노부인이 꿰뚫어 보는 듯한 표정으로 다시 말했다.

그 시선을 받은 아처는 침착성을 되찾았다.

"아, 저는 중요한 위치가 아닙니다…… 너무 미약합니다."

"아니, 자네는 레터블레어의 동료가 아닌가? 레터블레어를 통해 그들에게 연락하게. 다른 이유가 없다면."

노부인이 고집했다.

"아, 할머님, 제 도움이 없어도 홀로 다른 가족들에게 꿋꿋이 맞서시도록 제가 뒷받침하겠습니다. 하지만 제 도움이 필요하시다면 도와드릴 겁니다."

그가 노부인을 안심시켰다.

"그럼 우린 안전하군!"

노부인이 한숨을 내쉬었다. 그리고 쿠션 사이에 머리를 기대고 노인 특유의 교묘한 눈빛으로 그를 향해 웃으며 덧붙였다.

"난 자네가 우릴 지지해주리란 걸 늘 알고 있었지. 다들 집으로 돌아가는 게 그 애 도리라고 말하면서도 자네 의견은 한 번도 전달하지 않았거든."

아처는 노부인의 섬뜩한 통찰력에 약간 움찔했고 '그럼 메이는요…… 메이의 의견은 전달하던가요?'라고 묻고 싶은 마음이 간절했다. 그러나 다른 질문을 던지는 쪽이 더 안전하다고 판단했다.

"그러면 올렌스카 부인은요? 언제 만날 수 있습니까?"

그가 말했다.

노부인은 눈꺼풀이 자글자글해지도록 킬킬 웃다가 짓궂게 손짓했다.

"오늘은 안 돼. 한 번에 한 명씩만 만나게. 올렌스카 부인은 외출했어."

아처는 실망으로 얼굴을 붉혔고 노부인은 말을 이었다.

"그래, 외출했지. 마차를 타고 리자이나 보퍼트를 만나러 갔다네."

노부인은 이 말의 효과가 나타나도록 잠시 말을 끊었다.

"그 문제에 대해서 진작 나를 굴복시켰지. 여기 온 다음날 가장 좋은 보닛을 쓰고 천연덕스러운 얼굴로 나에게 리자이나 보퍼트를 찾아갈 예정이라고 말하더군. '그 여자가 누군지 모르겠구나. 누구냐?' 내가 말했지. '할머니 조카의 딸이자 더없이 불행한 여자죠'라고 그 애가 말했어. '무뢰한 같은 놈의 아내지.' 내가 대답했다네. 그 애가 그러더군. '그래요, 저도 마찬가지죠. 그런데도 제 가족들은 모두 제가 그 사람에게 돌아가기를 바라고요.' 허, 그 말에 난 한 방 먹은 듯했지. 그래서 그 애를 보내줬네. 결국에는 어느 날 비가 너무 많이 내려 걸어갈 수 없으니 내 마차를 빌려달라는 거야. '무슨 일로?' 내가 물었지. 그 애가 말하더군. '사촌 리자이나를 만나러 가려고요.' 사촌이라니! 그런데, 이보게, 내가 창밖을 내다보니 비가 한 방울도 내리지 않았네. 하지만 그 애의 말을 이해하고 마차를 빌려줬지…… 어쨌거나 리자이나는 용감한 여자고 그 애도 마찬가지야. 난 언제나 무엇보다도 용감한 모습을 좋아했다네."

아처는 몸을 굽혀 여전히 그의 손을 잡고 있는 그 작은 손에 입을 맞추었다.

"어, 어, 어! 지금 누구 손인 줄 알고 입을 맞추는 건가, 젊은 양반…… 자네 처의 손인 줄 아는 모양이지?"

노부인은 이렇게 쏘아붙이며 놀리듯이 깔깔 웃어댔다. 그리고 그가 가려고 일어서자 등에 대고 외쳤다.

"자네 처에게 할머니가 안부를 전하더라고 말해주게. 하지만 우리가 나눈 이야기에 대해서는 아무 말도 하지 않는 게 좋겠네."

31

아처는 캐서린 노부인이 전해준 소식에 어안이 벙벙했다. 올렌스카 부인이 할머니의 부름에 응해 워싱턴에서 서둘러 달려온 것은 당연한 일이었다. 그러나 그 집에서 지내기로 했다니, 특히 밍곳 노부인이 건강을 거의 되찾은 지금 그런 결정을 내렸다니 이해하기 어려웠다.

아처는 달라진 경제 상황이 올렌스카 부인의 결정에 영향을 미친 것은 아니라고 확신했다. 별거 중 엘런이 남편에게서 받은 변변찮은 수입이 정확히 얼마인지 그는 알고 있었다. 할머니가 주는 생활비를 보태지 않으면, 먹고산다는 말이 밍곳가 사람들에게 어떤 의미이건 충분한 액수가 아니었다. 게다가 함께 사는 메도라 맨슨이 파산한 탓에 그렇게 쥐꼬리만 한 수입으로 두 사람의 의식 문제를 해결하기 힘들터였다. 그러나 아처는 올렌스카 부인이 불순한 동기로 할머니의 제안을 받아들인 것이 아니라고 확신했다.

부인은 많은 재산에 익숙해진 사람답게 부주의할 만큼 관대했고 가끔 낭비하기도 했으며 돈에 무관심했다. 그러나 부인은 친척들이 꼭 필요하게 여기는 많은 것들이 없어도 잘 지냈고, 러벌 밍곳 부인과 웰랜드 부인은 올렌스키 백작의 집에서 국제적인 수준의 사치를 누려본 사람이 '일이 돌아가는 상황'에 어쩌면 그렇게 무심할 수 있느냐고 종종 한탄하곤 했다. 게다가 아처가 아는 대로, 생활비가 끊긴 지도 몇 달이 지났다. 그러나 그사이에 엘런은 할머니의 호의를 되찾으려 노력하지 않았다. 따라서 엘런이 방침을 바꾸었다면 분명 다른 이유 때문일 것이다.

아처는 그 이유를 멀리에서 찾지 않았다. 나룻배에서 내려 노부인 댁으로 가던 길에, 엘런은 두 사람이 떨어져서 지내야 한다고 말했다. 그러나 그 말을 하면서 그의 가슴에 머리를 기대고 있었다. 그는 말에 계산된 교태가 전혀 없음을 알았다. 그가 운명과 싸우는 것처럼 엘런도 운명과 싸웠고 그들을 신뢰하는 사람들의 믿음을 깨뜨려서는 안 된다는 결심에 필사적으로 매달리고 있었다. 그러나 뉴욕에 돌아온 뒤 열흘이 지나는 동안 어쩌면 엘런은 그의 침묵에서, 그리고 그가 자신을 만나려 전혀 애쓰지 않는다는 사실에서, 그가 돌이킬 수 없는 어떤 결정적인 조치를 취할 생각임을 짐작했을 것이다. 거기에 생각이 미치자 엘런은 자신의 나약함에 대한 두려움에 더럭 사로잡혔을 것이고, 아마 결국 이런 때 대개 그러듯 타협을 받아들이고 저항을 최소화할 길을 선택하는 쪽이 낫다고 생각했을 것이다.

한 시간 전 밍곳 노부인 댁의 초인종을 울렸을 때, 아처는 자신이 갈 길이 선명하게 펼쳐졌다고 생각했다. 올렌스카 부인과 단둘이 대화를 나눌 계획이었고 그게 안 되면 엘런이 언제, 어느 기차를 타고 워싱턴으로 돌아가는지를 할머니에게서 알아낼 생각이었다. 그 기차에서 엘런을 만나 함께 워싱턴으로, 또는 엘런이 기꺼이 간다면 더 먼 곳으로 갈 작정이었다. 그가 생각하기에는 일본이 좋을 듯했다. 어쨌거나 엘런은 어디를 가든지 그가 함께 갈 것임을 즉시 깨달을 터였다. 메이에게는 다른 가능성을 아예 생각하지도 않도록 편지를 남길 예정이었다.

그는 자신이 이런 무모함을 실행할 용기가 있을 뿐 아니라 간절히 원한다고 생각했다. 그럼에도 상황의 추이가 달라졌다는 말을 들었을 때 가장 먼저 찾아온 감정은 안도감이었다. 그러나 지금 밍곳 부인 댁에서 집으로 걸어가면서, 그는 자기 앞에 펼쳐진 상황에 대해 혐오감이 점점 커지는 것을 느꼈다. 앞으로 걷게 될 길에 잘 모르거나 친숙하지 않은 것은 없었다. 그러나 전에 그 길을 밟았을 때는 자유로운 몸이었기에 그가 한 행동 때문에 누구에게도 책임질 필요가 없었고, 그 역할이 요구하는 대로 경계하고 발빼하며 숨기고 순종하는 게임에 초연하고도 즐겁게 가담할 수 있었다. 그 과정은 이른바 '여성의 명예를 보호'하는 일이었고, 그는 최고의 소설이나 연장자들과 저녁식사 이후에 나누는 대화로 그 규정의 구체적인 내용을 오래전에 모조리 전수받았다.

이제 그 문제를 새로운 관점에서 보니, 그의 역할이 몹시 작았던 것처럼 여겨졌다. 사실 그는 솔리 러시워스 부인이 아무것도 모르는 다정한 남편에게 가식적으로 하는 행동을, 그러니까 웃음을 짓고 조롱하고 농담을 던지고 관찰하면서 끝없이 거짓말을 늘어놓는 모습을 어리석게도 남몰래 지켜보았다. 부인은 낮에도 밤에도 거짓말을 했고 모든 손길과 모든 눈빛에도 거짓이 깃들었다. 애무할 때도 다툴 때도 거짓투성이였다. 말을 하건 침묵을 지키건 언제나 거짓이 섞여 있었다.

아내가 남편에게 그렇게 구는 것은 대체로 더 쉽고 덜 비겁한 행동으로 여겨졌다. 진실함에 대한 기준이 여자들에게는 암묵적으로 더 낮게 적용되었다. 여자는 종속된 존재고 종속된 자들이 부리는 요령에 정통한 존재였다. 따라서 여자들은 늘 기분이나 신경과민을 핑계 삼을 수 있었고 이유를 너무 엄밀하게 설명하지 않을 권리도 있었다. 아무리 엄격한 사회에서도 비웃음을 사는 쪽은 늘 남편이었다.

아처의 작은 세계에서 기만당한 아내를 비웃는 사람은 없었고, 결혼 이후에도 계속 바람을 피우고 다니는 남자들은 어느 정도 경멸을 받았다. 윤작(한 경작지에 두 가지 이상의 작물을 해마다 바꿔가며 재배하는 농법-옮긴이)을 하다 보면 야생 귀리를 심어야 하는 때도 있기 마련이다. 그러나 한 번 이상 심어서는 안 될 일이다.

아처도 늘 그런 관점에 동의했다. 그는 마음속으로 레퍼츠를 가증스럽게 여겼다. 그러나 엘런 올렌스카를 사랑한다고 해서 레퍼츠 같은 남자가 되는 것은 아니었다. 아처는 상황을 개별적으로 봐야 한다는 무시무시한 주장을 처음으로 정면으로 마주하게 되었다. 엘런 올렌스카는 다른 여자와 달랐고 그는 다른 남자와 달랐다. 따라서 그들 상황은 다른 누구와도 비슷하지 않았고 그들은 자신들 판단이 아닌 다른 어떤 판결에도 응할 필요가 없었다.

그렇다. 그러나 10분이 지나면 그는 자기 집 계단을 오를 것이다. 그곳에는 메이와 관습과 명예, 그리고 그와 주변 사람들이 언제나 믿어왔던 오랜 예절이 모두 있었다…….

그는 모퉁이에서 망설이다가 5번 대로를 따라 걸음을 옮겼다.

겨울밤, 그의 앞에 불 꺼진 대저택이 어렴풋이 모습을

드러냈다. 가까이 다가가며 그는, 그 집에서 불빛이 번쩍거리고 차양이 드리운 계단에 카펫이 깔리고 마차들이 도로 경계석에서 두 줄로 기다리던 광경을 얼마나 많이 보았던가 생각했다. 메이와 처음 입을 맞춘 곳도 거대한 그림자를 골목길로 길게 드리운 저 온실 안이었다. 메이가 젊은 다이애나 여신처럼 큰 키에 은빛을 내뿜는 자태로 나타나는 모습을 본 곳도 저 무도회장의 수많은 촛불 아래였다.

이제 그 집은 지하실에서 새어 나오는 희미한 가스등 불빛과 햇빛 가리개를 내리지 않은 위층 어느 방에 켜진 불을 제외하고는 무덤처럼 캄캄했다. 아처는 모퉁이에 이르렀을 때 그 집 문 앞에 선 마차가 맨슨 밍곳 부인의 것임을 알아보았다. 실러턴 잭슨이 우연히 지나갔더라면 얼마나 좋은 기회로 여겼을까! 아처는 올렌스카 부인이 보퍼트 부인을 대하는 태도에 대해 캐서린 노부인이 들려준 이야기에 큰 감동을 받았다. 덕분에 뉴욕이 퍼붓는 정당한 비난이 어려운 사람을 못 본 체하는 행동처럼 느껴졌다. 그러나 그는 클럽과 응접실에서 엘런 올렌스카가 사촌을 찾아간 행동을 어떻게 해석할지 잘 알고도 남았다.

아처는 걸음을 멈추고 불 켜진 창문을 올려다보았다. 두 여인이 그 방에 함께 앉아 있는 게 분명했다. 보퍼트는 아마 다른 곳에서 위안을 찾고 있을 것이다. 그가 패니 링과 뉴욕을 떠났다는 소문까지 돌았다. 그러나 보퍼트 부인의 태도로 보아 그 소문은 사실이 아닌 모양이었다.

아처는 5번 대로의 밤풍경을 거의 독차지하고 있었다. 그 시각에 대부분은 집 안에서 저녁 식사를 하려고 옷을 갈아입었다. 그는 엘런이 나올 때 다른 사람 눈에 띄지 않을 것 같아 남몰래 기뻐했다. 그 생각이 머리를 스쳤을 때 문이 열리더니 엘런이 나왔다. 길이 보이도록 계단을 비추는 듯 엘런 뒤로 희미한 불빛이 보였다. 엘런이 몸을 돌려 누군가에게 말을 건넸다. 그런 다음 문이 닫혔고 엘런이 계단을 내려왔다.

"엘런."

엘런이 보도에 이르자 그가 낮은 목소리로 말했다.

엘런은 약간 놀라며 걸음을 멈추었고, 바로 그때 멋지게 차려입은 젊은 남자 두 명이 길을 가로질러 다가오는 모습이 보였다. 외투도 그렇고 흰색 타이 위에 세련된 실크 목도리를 두른 차림새가 익숙한 분위기를 풍겼다. 아처는 상류층 젊은이들이 어쩌다 이렇게 이른 시간에 저녁을 먹으러 나왔는지 의아하게 생각했다. 그러다가 몇 집 건너에 있는 레기 치버스가에서 그날 저녁 〈로미오와 줄리엣〉에 출연한 애들레이드 닐슨을 만날 수 있도록 큰 파티를 열었다는 사실이 떠올랐다. 그 두 사람은 초대받은 손님인 모양이었다. 그 두 남자가 가로등 밑을 지나갈 때, 아처는 그들이 로런스 레퍼츠와 치버스가의 어느 청년임을 알아보았다.

올렌스카 부인의 손에서 온몸에 스며드는 온기를 느끼자, 보퍼트 저택의 문 앞에 있는 그 모습을 아무도 보지 않았으면 좋겠다는 비겁한 바람이 사라져버렸다.

"이제 당신을 만날 거예요…… 우린 함께 있을 겁니다."

아처는 무슨 말을 하는지도 모르는 채 불쑥 말했다.

"아, 할머니에게서 들었군요?"

엘런이 대답했다.

엘런을 바라보는 동안, 그는 레퍼츠와 치버스가 길모퉁이 저편에 이르자마자 신중하게 5번 대로를 가로질러 사라졌음을 깨달았다. 아처도 실천으로 옮기곤 했던, 남자들끼리의 연대 같은 것이었다. 이제는 잘못을 묵인하는 그런 행동에 구역질이 났다. 엘런은 두 사람이 정말 이렇게 살 수 있으리라고 생각하는 걸까? 그렇지 않다면, 달리 어떤 생각을 하는 걸까?

"내일 당신을 만나야겠어요…… 단둘이 있을 수 있는 어딘가에서."

자신이 듣기에도 거의 화난 듯한 목소리로 그가 말했다.

엘런은 망설이다가 마차 쪽으로 걸음을 옮겼다.

"하지만 난 할머니 댁에 있을 거예요…… 당분간은요."

엘런은 계획을 바꾼 이유를 설명해야 한다고 느꼈는지 그렇게 덧붙였다.

"단둘이 있을 수 있는 어딘가에서."

그가 고집스레 말했다.

엘런은 희미하게 웃었고 그 웃음소리가 그의 신경을 건드렸다.

"뉴욕에서요? 하지만 교회도 없고…… 유적도 없잖아요."

"미술관이 있어요…… 센트럴파크에."

엘런이 곤혹스러운 표정을 짓자 그가 설명했다.

"2시 반에 만나요. 문 앞에서 기다릴게요……."

엘런은 대답 없이 몸을 돌리고 재빨리 마차에 올라탔다. 마차가 멀어질 때 엘런이 몸을 내밀었고 어둠 속에서 손을 흔드는 듯했다. 그는 상반된 감정으로 혼란에 빠져, 엘런이 떠나는 모습을 응시했다. 사랑하는 여자가 아니라 다른 사람, 그에게 쾌락을 안겨주었지만 진작 싫증나버린 여자와 이야기를 나눈 듯한 기분이 들었다. 이런 진부한 어휘에 갇힌 자신의 모습이 혐오스러웠다.

"엘런은 올 거야!"

그는 거의 경멸조로 중얼거렸다.

무수한 주철과 채색 타일이 기묘하게 어우러진 메트로폴리탄 미술관에서는 흥미로운 사건을 표현한 그림으로 가득한 '울프 전시회(미국 자선가이자 미술품 수집가인 캐서린 울프는 1870년 초에 소장품 상당수를 미술관에 기증했다-옮긴이)'가 주요 전시실 한 곳에서 성황리에 열리고 있었다. 두 사람은 그곳을 피해 통로를 배회하다가 '체스놀라 유물(이탈리아 태생의 키프로스 미국 영사이자 아마추어 고고학자인 루이지 디 체스놀라가 1860년대와 1870년대에 키프로스 섬에서 발굴한 고대 유물로, 메트로폴리탄 미술관에서 이 유물의 상당수를 구입했다-옮긴이)'이 방문객도 없이 외롭게 허물어져 가는 방에 들어섰다.

이 우울한 피난처를 차지한 사람은 그들뿐이었다. 두 사람은 중앙의 증기 난방기 주위로 둥글게 배치된 긴 의자에 앉아, 흑단처럼 검게 칠한 나무 받침대 위에 놓인 유리 진열장을 말없이 응시했다. 진열장에는 복원된 트로이 유물 파편이 들어 있었다.

"이상하네요. 내가 전에 여기 오질 않았다니."

올렌스카 부인이 말했다.

"아, 그래요…… 아마도, 언젠가는, 훌륭한 미술관이 될 거예요."

"맞아요."

엘런이 무심코 동의했다.

엘런은 자리에서 일어나 방을 서성거렸다. 아처는 그대로 앉아, 무거운 모피를 걸치고서도 소녀처럼 가볍게 움직이는 자태와 털모자에 맵시 있게 꽂은 백로 깃털, 귀 위의 양쪽 볼에 납작한 나선형 덩굴처럼 늘어진 검은 고수머리를 유심히 바라보았다. 두 사람이 처음 만난 때처럼, 그는 엘런을 다른 사람이 아닌 엘런답게 해주는 그 우아한 모습 하나하나에 언제나 송두리째 마음을 빼앗겼다. 곧 그는 자리에서 일어나 엘런이 서 있는 진열장 앞으로 다가갔다. 진열장의 유리 선반에는 유리와 진흙, 변색된 청동과 세월이 흐른 탓에 구별이 잘 안 되는 물질들로 만들어진 작은 파편들이 가득했다. 거의 알아보기 힘든 가정용품들과 장신구, 개인 소지품 등이었다.

"잔인하게 느껴져요. 얼마 후면 아무것도 중요해지지 않고…… 이렇게 작은 조각에 불과한 것이 되다니. 잊힌 이들에게는 반드시 필요하고 중요한 물건이었을 텐데, 이제는 '용도 불명'이라는 딱지가 붙어 확대경 밑에 넣어 추측해야만 하는 대상이 되었네요."

"그래요. 하지만 반면에……."

"아, 반면에……."

물개 모피로 만든 긴 코트를 입은 엘런은 작고 둥근 토시에 두 손을 넣고 투명한 가면처럼 코끝까지 베일을 늘어뜨린 채 그곳에 서 있었다. 빠르게 내쉬는 엘런의 숨결에 그가 준 제비꽃 다발이 파르르 떨렸다. 그 모습을 보니 선과 색이 이토록 순수하게 조화를 이룬 존재가 변화라는 어리석은 법칙에 시들어가리란 걸 믿을 수가 없었다.

"반면에 모든 것이 중요해요…… 당신과 관련된 것은."

그가 말했다.

엘런은 생각에 잠겨 그를 바라보다가 다시 긴 의자로 걸어갔다. 그는 엘런 곁에 앉아 기다렸다. 그러다 갑자기 저 멀리에서 빈 방들을 울리는 발소리가 들려오자, 시간이 촉박하다는 느낌이 들었다.

"나에게 하고 싶은 말이 뭐예요?"

똑같은 경고를 받았는지 엘런이 물었다.

"내가 하고 싶은 말? 아, 난 당신이 두려워서 뉴욕에 왔다고 생각해요."

그가 대꾸했다.

"두려워서요?"

"내가 워싱턴으로 갈까 봐."

엘런은 토시를 내려다보았고 그는 엘런의 손이 토시 안에서 불안하게 떠는 모습을 보았다.

"그런가요……?"

"그게…… 맞아요."

엘런이 말했다.

"정말 두려웠나요? 알고 있었고……?"

"그래요. 알고 있었어요……."

"그럼, 그래서?"

그가 집요하게 물었다.

"그러니까, 이게 더 낫지 않나요?"

엘런이 왜 그러느냐는 듯 긴 한숨을 내쉬며 대답했다.

"더 낫다니……?"

"다른 사람들에게 입힐 상처가 줄어들 테니까요. 어쨌든 당신이 늘 원하던 게 아닌가요?"

"그러니까 당신이 여기 있는데…… 가까이에 있지만 닿을 수 없는 상황 말입니까? 이런 식으로 은밀히 만나는 것 말이에요? 그건 내가 원하는 것과 정반대요. 전에 내가 무엇을 원하는지 말했잖습니까."

엘런이 머뭇거렸다.

"그러면 아직도 이 상황이…… 더 나쁘다고 생각하는 건가요?"

"수천 배는 더 나쁘지!"

그가 잠시 말을 멈추었다.

"당신에게 얼마든지 거짓말을 할 수도 있겠죠. 하지만 솔직히 말해서 난 이런 상황이 너무나 싫습니다."

"아, 나도 그래요!"

엘런은 안도의 한숨을 깊게 내쉬며 외쳤다.

그는 조바심이 나서 벌떡 일어섰다.

"그럼 이제…… 내가 질문할 차례군요. 도대체 당신 생각에 더 나은 상황은 무엇입니까?"

엘런은 고개를 숙이고 토시 속에서 두 손을 맞잡았다 풀기를 반복했다. 발소리가 더 가까워지더니, 모자에 장식 끈을 두른 관리인이 공동묘지 사이를 스르르 지나가는 유령처럼 힘없이 방으로 들어왔다. 두 사람은 동시에 맞은편 진열장에 시선을 고정했다. 관리인 모습이 미라와 석관이 보이는 풍경을 따라 사라지자, 아처가 다시 입을 열었다.

"당신 생각에 더 나은 건 무엇인가요?"

엘런은 대답 대신 이렇게 중얼거렸다.

"여기 있는 쪽이 더 안전한 것 같아서 할머니에게 함께 지내겠다고 약속했어요."

"나에게서 안전해서?"

엘런은 그를 보지 않고 고개를 약간 숙였다.

"나를 사랑하는 것에서 안전해서?"

엘런의 옆모습은 미동도 없었지만 속눈썹에서 흘러넘친 눈물이 베일의 망사에 맺히는 모습이 보였다.

"돌이킬 수 없는 해를 끼칠 가능성에서 더 안전하니까요! 우리 다른 사람들처럼 되지 말아요!"

엘런이 항변했다.

"다른 사람들이라니 누구 말입니까? 내가 내 주변 사람들과 다르다고 주장하진 않겠습니다. 똑같은 결핍과 똑같은 갈망에 사로잡혀 있으니까."

엘런은 두려움이 서린 표정으로 그를 힐끔 보았다. 뺨에 희미한 홍조가 번졌다.

"그럼…… 당신을 만나고 말았으니, 이제 집으로 가야 하나요?"

갑자기 엘런이 낮고 또렷한 목소리로 과감하게 말했다.

아처의 이마로 피가 확 쏠렸다. 그는 꼼짝하지 않고 "내 사랑!" 하고 외쳤다. 조금만 움직여도 물이 넘쳐버릴 잔처럼 자신의 심장을 두 손으로 든 기분이었다.

그러다 엘런의 마지막 말이 귓전을 때리는 바람에 그의 얼굴이 어두워졌다.

"집에 간다니? 집에 간다는 게 무슨 말입니까?"

"남편이 있는 집 말이에요."

"그럼 그 말에 내가 그러라고 할 줄 알았나요?"

엘런은 근심 어린 눈을 들어 그를 바라보았다.

"다른 방법이 있나요? 이곳에 머물면서, 나에게 친절을 베풀어준 사람들에게 거짓말을 할 수는 없어요."

"하지만 바로 그 이유 때문에 당신에게 떠나자고 하는 겁니다!"

"내가 새 삶을 살도록 도와준 사람들의 삶을 망가뜨리면서 말이에요?"

아처는 벌떡 일어나 형언할 수 없는 절망 속에서 엘런을 내려다보았다. "그래요, 갑시다. 일단 떠납시다"라고 얼마든지 말할 수 있었을 것이다. 그는 엘런이 동의해준다면 자신에게 크나큰 힘이 되리란 걸 알았다. 그러면 남편에게 돌아가지 말라고 엘런을 설득하기가 전혀 어렵지 않을 터였다.

그러나 무엇 때문인지 그 말이 나오지 않았다. 엘런이 지닌 일종의 열렬한 정직성 때문에, 그 익숙한 함정으로 엘런을 끌어들여야겠다는 생각을 감히 떠올릴 수가 없었다.

'엘런을 내게 오게 하더라도, 다시 놓아줘야겠지.'

그는 혼자서 생각했다. 상상하기도 싫은 일이었다.

그러나 엘런의 젖은 뺨에 드리운 속눈썹 그림자를 보자 망설일 수밖에 없었다.

그는 다시 입을 열었다.

"어쨌거나 우리에게는 우리 나름의 삶이 있어요…… 불가능한 일을 시도해봐야 소용없는 일이고. 당신은 어떤 일에는 편견이 전혀 없고, 당신이 말한 대로 고르곤을 보는 데도 아주 익숙한데, 어째서 우리 문제를 직시하고 현실 그대로 보기를 두려워하는지 모르겠습니다…… 희생할 가치가 없다고 생각한다면 모르지만."

엘런은 잔뜩 찌푸린 얼굴로 입을 꾹 다문 채 일어섰다.

"그럼 그렇게 생각해요…… 난 가야겠어요."

엘런이 품속에서 작은 시계를 꺼내며 말했다.

엘런은 몸을 돌렸고 그는 따라가서 그의 손목을 잡았다.

"좋아요, 그럼, 한 번만 더 만나줘요."

그가 말했다. 엘런을 잃을지도 모른다는 생각에 갑자기 머리가 어지러웠다. 두 사람은 잠시 거의 원수처럼 서로를 노려보았다.

"언제가 좋겠습니까? 내일?"

그가 고집을 부렸다.

엘런은 망설였다.

"모레요."

"내 사랑……!"

그가 다시 말했다.

엘런은 손목을 빼냈다. 그러나 두 사람은 잠시 서로의 눈을 계속 응시했고 그는 핏기 하나 없이 창백해진 엘런의 얼굴에 내면 깊은 곳에서 솟은 광채가 흘러넘치는 모습을 보았다. 가슴이 경외감으로 두근거렸다. 사랑이 이렇게 눈에 보이는 형태로 나타나는 광경을 한 번도 본 적이 없다는 생각이 들었다.

"아, 늦겠어요…… 잘 가요. 아니, 이 이상 따라오지 말아요."

엘런은 이렇게 외치고, 그의 눈동자에 반사된 광채에 깜짝 놀란 듯 긴 방을 따라 걸음을 재촉했다. 문간에 이르자 엘런은 잠시 몸을 돌리고 손을 흔들어 재빨리 작별 인사를 보냈다.

아처는 혼자 집으로 걸어갔다. 집으로 들어갔을 때는 어둠이 깔리고 있었고, 그는 현관에 놓인 익숙한 물건들을 무덤 저편에서 바라보는 듯한 기분으로 둘러보았다.

발소리를 들은 하인이 계단을 뛰어올라가 위층 층계참에 있는 가스등에 불을 밝혔다.

"마님은 집에 계시나?"

"아뇨. 점심 식사 후에 마차를 타고 나가셔서 아직 돌아오지 않으셨어요."

아처는 안도감을 느끼며 서재로 들어가 안락의자에 몸을 던졌다. 하인이 독서용 램프를 들고 따라와 꺼져가는 난롯불에 석탄을 조금 넣었다. 하인이 나갈 때도 그는 꼼짝 않고 앉아 팔꿈치를 무릎에 대고 깍지 낀 손에 턱을 괸 채 시뻘건 난로 쇠살대를 물끄러미 바라보았다.

그는 특별한 생각을 하지 않고 시간의 흐름도 느끼지 못한 채, 삶을 활기차게 만들기보다는 정지시키는 것만 같은 깊고 진지한 놀라움에 잠겨 그렇게 앉아 있었다.

"그렇게 할 수밖에 없었어, 그때는…… 그럴 수밖에 없었어."

그는 운명의 손아귀에 붙들린 사람처럼 혼자서 계속 되풀이해 말했다. 그가 꿈꿨던 것이 너무나 독특했기에 그가 느끼는 황홀감에는 치명적인 냉기가 서려 있었다.

문이 열리며 메이가 들어왔다.

"너무 늦었네요…… 걱정한 건 아니죠?"

메이가 평소답지 않게 한 손으로 그의 어깨를 애무하듯 어루만지며 물었다.

그가 놀란 표정으로 고개를 들었다.

"시간이 늦었나요?"

"7시가 넘었어요. 잠들었던 모양이군요!"

메이가 소리 내어 웃으며 벨벳 모자에서 고정용 핀을 뽑고 모자를 소파 위로 던졌다. 평소보다 더 창백해 보였지만 보통 때 보기 힘든 활기에 차 있었다.

"할머니를 뵈러 갔다가 막 나오려는 참에 엘런이 산책에서 돌아왔지 뭐예요. 그래서 거기 남아 한참 이야기를 나눴어요. 우리가 대화다운 대화를 나눈 게 얼마 만이었는지 몰라요……."

메이는 평소에 앉던 안락의자에 털썩 앉아 아처의 얼굴을 마주 보며 흐트러진 머리를 손가락으로 빗겨 넘겼다. 그가 말하기를 기다리는 듯했다.

"정말 즐거운 대화였어요."

메이는 웃음을 지으며 아처가 보기에 부자연스러울 만큼 발랄하게 말을 이었다.

"참 상냥했어요…… 딱 옛날의 엘런 같았죠. 요새 엘런을 공정하게 대해주지 못했던 게 아쉬워요. 가끔 그런 생각을 했는데……."

아처는 자리에서 일어나 램프의 불빛이 닿지 않는 벽난로 선반에 몸을 기댔다.

"응, 생각을 했는데……?"

메이가 말을 멈추자 그가 아내의 말을 되풀이했다.

"그게, 어쩌면 내가 엘런에 대해 공정한 판단을 내리지 않았을지도 모르겠어요. 엘런은 정말 달라요…… 적어도 겉보기에는요. 굉장히 이상한 사람들과 어울리고…… 남의 이목을 끄는 걸 좋아하는 것 같아요. 방탕한 유럽 사교계에서 그렇게 살았겠죠. 틀림없이 엘런에게는 우리가 몹시 따분하게 보였을 거예요. 하지만 부당하게 판단하고 싶지는 않아요."

메이는 평소와 달리 말을 길게 늘어놓느라 숨이 조금 가쁜지 다시 말을 멈추었다. 입을 약간 벌리고 뺨이 새빨개진 채로 앉아 있었다.

아처는 아내를 바라보며 세인트오거스틴의 선교회 정원에서 아내의 얼굴을 뒤덮던 홍조를 떠올렸다. 아내가 그때처럼 막연하게 노력하고 있음을, 평소 아내에게 보이지 않던 뭔가를 향해 그때처럼 손을 뻗고 있음을 알 수 있었다.

'엘런을 미워하는군. 그 감정을 극복하려 애쓰면서 그럴 수 있도록 나에게 도움을 구하는 거야.'

그는 생각했다.

그 생각에 마음이 뭉클해, 순간 그는 둘 사이의 침묵을 깨뜨리고 아내의 자비에 몸을 맡길 뻔했다.

"가족들이 왜 가끔 짜증을 냈는지, 당신도 알지 않나요? 처음에 우린 엘런을 위해 할 수 있는 일을 했어요. 하지만 이해하지 못하는 것 같더군요. 그런데 이제는 보퍼트 부인을 만나러 갈 생각을, 그것도 할머니의 마차를 타고 갈 생각을 하다니! 엘런 때문에 밴 더 라이든 부부와 사이가 멀어질까 봐 걱정스러워요……."

"아."

아처는 초조하게 웃으며 말했다. 둘 사이에 열렸던 문이 다시 닫혀버렸다.

"옷을 갈아입을 시간이에요. 밖에서 식사해야겠지?"

그가 난롯가를 떠나며 물었다.

메이도 일어섰지만 난로 부근에서 꾸물거렸다. 아처가 곁을 지나쳐갈 때, 메이는 그를 붙잡으려는 듯 충동적으로 다가섰다. 두 사람은 눈이 마주쳤고, 그가 메이를 두고 저지 시티로 가던 날처럼 메이의 눈은 그렁그렁 맺힌 눈물로 푸르게 빛났다.

메이는 두 팔로 그의 목을 끌어안고 그의 뺨에 자신의 뺨을 댔다.

"오늘 키스해주지 않았잖아요."

메이가 속삭이듯이 말했다. 품에서 메이가 떨고 있는 것이 느껴졌다.

32

"튀일리궁에서는 그런 문제를 꽤나 노골적으로 용인해줬는데 말입니다."

실러턴 잭슨 씨가 추억에 잠긴 듯 웃음을 지으며 말했다.

장소는 매디슨가에 있는 밴 더 라이든 저택의 검은 호두나무로 꾸민 식당이었고, 때는 뉴랜드 아처가 미술관을 다녀온 다음 날 저녁이었다. 밴 더 라이든 부부는 보퍼트의 파산 소식에 다급히 스카이터클리프로 피신했다가 그곳에서 며칠을 보내고 뉴욕으로 온 참이었다. 사교계가 이 개탄스러운 사건으로 혼란에 빠졌으니 그들이 그 어느 때보다도 반드시 뉴욕에 있어야 한다는 사실을 납득한 것이다. 아처 부인의 말대로, 지금은 그들이 오페라하우스에 모습을 드러내고 심지어는 자기 집 문을 개방함으로써 '사교계에 그 의무를 다해야 하는' 특별한 때 중 하나였다.

"루이자, 레뮤얼 스트러더스 부인 같은 사람들이 리자이나의 자리를 차지하도록 내버려둬서는 안 돼요. 이런 때에 새로운 사람들이 밀고 들어와 기반을 잡기 마련이잖아요. 스트러더스 부인이 처음 나타난 겨울에도 뉴욕에 수두가 퍼져 아내들이 아이들을 간호하는 동안, 결혼한 남자들이 그 집으로 몰래 빠져나간 것 아니겠어요? 루이자, 당신과 헨리가 늘 그랬듯 이 난국에 대처해줘야 해요."

밴 더 라이든 부부는 그런 요청을 못 들은 체할 수 없었고, 내키지 않았지만 영웅 같은 모습으로 뉴욕에 돌아와 집 안의 덮개를 모두 걷어내고 두 번의 만찬회와 한 번의 저녁 환영회를 위한 초대장을 발송했다.

이 특별한 저녁에 그들은 실러턴 잭슨 씨와 아처 부인, 뉴랜드 아처와 그의 아내를 초대해 함께 오페라하우스를 찾았다. 그곳에서는 그 해 겨울 들어 처음으로 〈파우스트〉를 상연하고 있었다. 밴 더 라이든가에서는 모든 것이 격식에 맞게 이루어졌고 손님은 넷뿐이었지만 정확히 7시에 식사가 시작되었다. 나중에 신사들이 둘러앉아 담배를 즐길 수 있도록 적절한 순서에 따라 여유롭게 요리를 제공하기 위해서였다.

아처는 그 전날 저녁부터 메이를 보지 못했다. 아침 일찍 사무실로 출근해 잔뜩 쌓인 사소한 일거리에 뛰어들었다. 오후에는 어떤 상사가 뜻밖에도 시간을 내달라고 했다. 집에 너무 늦게 도착하는 바람에, 메이가 밴 더 라이든가로 먼저 갔다가 그에게 마차를 보냈다.

지금 스카이터클리프의 카네이션과 커다란 접시 너머로 보이는 메이는 창백하고 기력이 없었다. 그러나 눈을 빛내며 지나칠 만큼 활기차게 대화를 나누었다.

실러턴 잭슨 씨가 즐겨 쓰는 비유를 꺼낸 이유는 여주인이 내놓은 화제 때문이었다(아처가 보기에는 의도적인 행동이었다). 이 응접실의 도덕가에게 보퍼트의 파산이나 파산 이후 보퍼트가 보이는 태도는 여전히 보람 있는 주제였다. 다 함께 그 문제를 낱낱이 해부하며 지탄하고 난 뒤, 밴 더 라이든 부인이 메이 아처에게 엄중하고 깐깐한 시선을 던졌다.

"설마 내가 들은 게 사실이니? 네 할머니인 밍곳 부인의 마차가 보퍼트 부인 집 문 앞에 서 있는 걸 누가 봤다더구나."

그 불쾌한 여인의 이름을 더는 입에 올리고 싶지 않다는 태도가 분명히 드러났다.

메이의 얼굴이 붉어졌고, 아처 부인이 서둘러 끼어들었다.

"그랬다면, 틀림없이 밍곳 부인이 모르는 사이에 거기 갔겠지요."

"아, 그럴까요……?"

밴 더 라이든 부인은 말을 멈추고 한숨을 쉰 다음 남편을 힐끔 보았다.

"안타깝지만 올렌스카 부인은 마음이 고우니 경솔하게 도 보퍼트 부인을 찾아가고 말았을 거요."

밴 더 라이든 씨가 말했다.

"아니면 특이한 사람들을 좋아하는 취향 때문이겠죠."

아처 부인이 악의 없는 눈빛으로 아들을 바라보며 딱딱하게 말했다.

"올렌스카 부인이 그러다니 유감이에요."

밴 더 라이든 부인이 말했다. 그러자 아처 부인이 중얼거렸다.

"아, 정말이지…… 스카이터클리프로 두 번이나 초대해 주셨는데 말이에요!"

잭슨 씨가 즐겨 쓰는 비유를 끄집어낼 기회를 포착한 것이 바로 이때였다.

"튀일리궁에서는 말입니다."

좌중의 기대에 찬 시선이 자신에게 쏟아지는 모습을 보며 그가 또다시 그 말을 꺼냈다.

"어떤 면에서는 기준이 지나치게 느슨했습니다. 모르니(나폴레옹 3세가 황제로 등극하도록 보좌한 이부형제 샤를 드 모르니-옮긴이)의 돈이 어디에서 나왔는지 물어본다면……! 아니면 일부 궁정 미녀들 빚을 누가 갚아줬는지……."

"실러턴, 설마 우리도 그런 기준을 받아들여야 한다고

제안하는 건 아니겠지요?"

아처 부인이 말했다.

실러턴 잭슨 씨는 동요하지 않고 대답했다.

"그런 제안을 하는 건 아닙니다. 그러나 올렌스카 부인이 외국에서 자란 탓에 까다롭지가 않아서……."

"아."

나이가 더 많은 두 부인이 한숨을 쉬었다.

"그렇다 해도, 채무를 불이행한 자의 문 앞에 할머님 마차를 세워두다니요!"

밴 더 라이든 씨가 반대 의사를 밝혔다. 아처는 그가 23번가의 그 아담한 집에 보냈던 카네이션 바구니를 떠올리며 분개하는 것이라고 생각했다.

"역시나 내가 늘 말했듯이 그 애는 상황을 바라보는 관점이 깨나 다르다니까요."

아처 부인이 간단히 정리했다.

메이의 이마가 붉어졌다. 메이가 식탁 너머에 앉은 남편을 바라보며 불쑥 말했다.

"엘런은 분명 친절한 마음에서 그랬을 거예요."

"경솔한 사람들이 보통 친절하지."

아처 부인은 정상을 참작할 사유가 되지 못한다는 듯이 말했다. 밴 더 라이든 부인이 중얼거렸다.

"누군가와 상의라도 했다면……."

"아, 그럴 리가요!"

아처 부인이 대꾸했다.

이때 밴 더 라이든 씨가 아내를 힐끔 보자, 부인은 아처 부인 쪽으로 고개를 살짝 기울였다. 빛이 얼른거리는 세 숙녀의 치맛자락이 바닥을 쓸며 문을 빠져나가는 동안, 신사들은 담배를 피우려고 자리를 잡았다. 밴 더 라이든 씨는 오페라가 열리는 밤이면 담배를 조금만 내놓았는데, 아주 품질 좋은 담배였기에 손님들은 그가 시간에 맞춰 가차 없이 일어서는 모습에 아쉬움을 금치 못했다.

1막이 끝난 뒤 아처는 일행에게서 벗어나 클럽 박스석 뒤편으로 이동했다. 그곳에서 그는 치버스가와 밍곳가, 러시워스가 등 여러 신사들 어깨 너머로, 2년 전 엘런 올렌스카를 처음 만나던 밤에 본 것과 똑같은 장면을 보았다. 엘런이 밍곳 노부인의 박스석에 다시 나타나지 않을까, 반쯤 기대했지만 그 자리는 텅 비어 있었다. 아처가 그 박스석에 시선을 못 박은 채 꼼짝 않고 앉아 있는데, 갑자기 닐손 부인이 청아한 소프라노로 "마마, 논 마마……" 하고 노래하기 시작했다.

아처는 무대로 시선을 돌렸다. 거대한 장미와 잉크 닦개 무늬를 닮은 팬지로 장식된 낯익은 배경에서, 그때처럼 몸집이 큰 금발의 희생자가 그때와 같이 몸집이 작은 갈색 머리

유혹자의 꼬임에 넘어가고 있었다.

무대를 떠난 아처의 눈이 U자 형 관람석 끝으로 향했다. 그곳에는 메이가 러벌 밍곳 부인과 새로 도착한 '외국' 사촌 사이에 앉아 있던 2년 전 그날 저녁처럼 두 부인 사이에 앉아 있었다. 그날 저녁처럼, 메이는 온통 새하얀 차림이었다. 메이가 무슨 옷을 입었는지 눈치채지 못했던 아처는 그것이 푸른빛 도는 흰색 공단과 고풍스러운 레이스로 꾸민 웨딩드레스임을 알아보았다.

옛 뉴욕에서는 신부들이 결혼 후 한두 해 동안 이 값비싼 옷을 입고 나타나는 것이 관례였다. 그가 알기로 어머니는 언젠가 제이니가 입기를 바라는 마음에서 자신의 웨딩드레스를 박엽지로 감싸 보관했다. 다만 제이니는 신부 들러리 없이 은회색 포플린 드레스를 입는 편이 더 '적절하다'라고 여겨지는 나이가 되어가고 있었다.

아처는 유럽에서 돌아온 뒤 메이가 공단으로 만든 웨딩드레스를 거의 입지 않았다는 사실을 깨달았고, 그 옷을 입은 모습에 놀라움을 느끼며 2년 전에 그가 더없이 행복한 기대감에 가득 차 지켜보던 아가씨의 모습과 비교해보았다.

메이는 전체적으로 약간 살이 붙었지만, 여신 같은 체구를 보고 예상했던 운동선수처럼 곧은 자세와 소녀처럼 해맑은 표정은 여전히 그대로였다. 최근에 아처의 눈에 띈 약간 무기력한 모습만 아니라면, 약혼한 날 저녁에 은방울꽃 다발을 만지작거리던 그 소녀와 똑같은 모습이었을 것이다. 그 사실에 그는 메이가 더더욱 안쓰러워 보였다. 그런 순수함은 아이가 상대방을 온전히 믿고 손을 꼭 잡는 것처럼 감동적이었다. 그 순간, 호기심 없는 그 침착한 태도 밑에 숨은 열정적인 관대함이 기억났다. 그가 보퍼트가의 무도회에서 약혼을 발표하자고 설득할 때 메이가 보여주던 이해심 가득한 눈빛이 떠올랐다. 선교회 정원에서 "다른 사람에게 잘못을 저지르면서…… 행복을 얻고 싶지는 않아요"라고 말하던 그 목소리가 귓전에 생생했다. 메이에게 진실을 털어놓고 그 관대함에 자신을 맡기며, 한때 그가 거절했던 자유를 달라고 말하고 싶은 갈망에 걷잡을 수 없이 사로잡혔다.

뉴랜드 아처는 조용하고 자제력이 뛰어난 젊은이였다. 좁은 사교계의 규율에 순응하는 것이 거의 제2의 천성이 된 지 오래였다. 너무 감정적이거나 남의 이목을 끄는 행동, 밴 더 라이든 씨가 반대하고 클럽 회원들의 박스석에서 예법에 어긋난다고 비난받을 행동을 하는 것을 혐오스럽게 여겼다. 그러나 언제부터인지 클럽 회원들과 밴 더 라이든 씨, 그리고 관습이라는 따뜻한 피난처로 그토록 오랫동안 그를 에워싸던 모든 것들을 갑자기 의식하지 않게 되었다. 그는 오페라하우스 뒤쪽의 반원형 통로를 걸어가, 미지의 세계로 통하는 문인 듯 밴 더 라이든가의 박스석 문을 열었다.

"마마!"

의기양양한 마르그리트의 목소리가 울려 퍼졌다. 아처가 들어오자 박스석에 앉은 사람들이 놀라서 쳐다보았다. 가수가 독창을 들려주는 동안에는 박스석 입장을 금지하는 것이 관례였으니, 그는 자기가 속한 세계의 규칙 하나를 이미 어긴 셈이었다.

그는 밴 더 라이든 씨와 실러턴 잭슨 씨 사이로 살짝 들어가 아내를 향해 몸을 기울였다.

"머리가 깨질 듯이 아프군요. 아무에게도 말하지 말고 집으로 가는 게 어때요?"

그가 속삭였다.

메이는 눈짓으로 알았다는 뜻을 전했고 메이가 시어머니에게 속삭이자 아처 부인이 다 이해한다는 듯이 고개를 끄덕였다. 메이는 밴 더 라이든 부인에게도 작은 소리로 양해를 구하고 마르그리트가 파우스트의 품에 털썩 안기는 순간에 자리에서 일어섰다. 아처는 메이가 오페라 관람용 망토를 입도록 도와주면서, 나이 많은 두 부인이 의미심장한 웃음을 교환하는 모습을 보았다.

마차를 타고 가는 동안, 메이는 그의 손에 수줍게 자기 손을 포갰다.

"몸이 좋지 않다니 너무 안타까워요. 사무실에서 또 당신을 혹사시키는 모양이군요."

"아니…… 그게 아니에요. 창문을 열어도 되겠어요?"

그는 당황스럽게 대답하고 옆에 있는 창을 내렸다. 앉아서 거리를 물끄러미 바라보며, 옆자리의 아내가 질문하듯 말없이 지켜보는 것을 느끼며 지나가는 집들에서 줄곧 시선을 떼지 않았다. 집 앞에서 메이는 마차 계단에서 치맛자락을 밟고 넘어지며 그에게 부딪쳤다.

"다치지 않았어요?"

그가 팔로 아내를 붙잡으며 물었다.

"아니에요. 하지만 딱하게도 드레스가…… 찢어진 것 좀 봐요!"

메이가 외쳤다. 아내는 몸을 굽혀 진흙으로 더러워진 치마폭을 모아 쥐고 그를 따라 계단을 올라 현관으로 들어섰다. 하인들은 두 사람이 이렇게 일찍 올 줄 몰랐고 그래서 위층 층계참의 가스등 하나만 희미하게 깜빡거리고 있었다.

아처는 계단을 올라가 불을 더 환히 밝히고 서재 벽난로 선반 양쪽에 놓인 촛대에 성냥으로 불을 붙였다. 커튼을 치자, 따뜻하고 친숙한 방의 풍경이 솔직하게 밝힐 수 없는 짓을 저지르다 마주친 익숙한 얼굴처럼 그를 괴롭혔다.

그는 아내의 얼굴이 창백하다는 사실을 알아차리고 브

랜디를 좀 가져다주면 좋겠느냐고 물었다.

"아, 아니에요."

메이는 망토를 벗다가 순간 얼굴을 붉히며 외쳤다.

"하지만 곧바로 잠자리에 드는 게 낫지 않겠어요?"

그가 탁자에 놓인 은상자를 열고 담배를 하나 꺼내자 메이가 덧붙였다.

아처는 담배를 내려놓고 늘 서 있던 난롯가로 걸어갔다.

"아니야. 두통이 그 정도로 심하진 않아요."

그는 잠깐 말을 멈추었다.

"그리고 하고 싶은 말이 있어요. 중요한 말이…… 당장 당신에게 해야 할 말이에요."

안락의자에 앉아 있던 메이가 그의 말에 고개를 들었다.

"네, 여보?"

메이는 매우 부드럽게 대답했고, 이런 서두에도 전혀 놀라지 않고 대응하는 모습에 그가 오히려 놀랐다.

"메이……."

그는 아내가 앉은 의자에서 몇 발자국 떨어진 곳에 서서, 둘 사이의 짧은 거리가 메울 수 없는 심연이라도 되는 듯이 아내를 바라보았다. 목소리가 아늑한 정적을 가르며 기이하게 울려 퍼졌다. 그는 똑같은 말을 되풀이했다.

"당신에게 해야 할 말이 있어요…… 나에 대한……."

메이는 속눈썹 하나 떨지 않은 채 꼼짝 않고 조용히 앉아 있었다. 얼굴은 여전히 매우 창백했지만 비밀스런 내면의 원천에서 이끌어낸 듯 기묘할 정도로 차분한 표정이 서려 있었다.

아처는 혀끝까지 올라온 진부한 자책의 말을 다시 삼켰다. 헛된 비난이나 변명 없이, 단도직입적으로 상황을 설명하기로 마음먹었다.

"올렌스카 부인이……."

그가 말했다. 그러나 그 이름이 나오자 아내가 그의 말을 막으려는 것처럼 손을 들었다. 그 몸짓에 금으로 만든 결혼반지가 가스등 불빛을 받아 번쩍였다.

"아, 오늘 밤에 왜 엘런 이야기를 해야 하죠?"

메이가 초조한지 입을 약간 삐죽거리며 물었다.

"진작 했어야 하는 이야기니까."

메이의 얼굴은 여전히 차분했다.

"정말 그럴 가치가 있어요, 여보? 내가 가끔 엘런을 부당하게 대했다는 건 알아요…… 아마 우리 모두 그랬겠죠. 물론 당신은 우리보다 엘런을 더 잘 이해했어요. 늘 친절하게 대해줬고요. 하지만 이제 다 끝났으니 아무려면 어때요?"

아처는 멍하니 아내를 바라보았다. 설마 비현실적인 느낌에 갇혀 사는 것만 같았던 자신의 심정이 저절로 아내에게 전달된 것일까?

"다 끝났다니…… 무슨 말이에요?"

그가 들릴 듯 말 듯 더듬거리며 물었다.

메이는 여전히 투명한 눈으로 그를 바라보았다.

"그게…… 곧 유럽으로 돌아갈 테니까요. 할머니도 이해하고 찬성하셨고, 남편에게서 독립하도록 조치를 취해주셨어요."

메이는 입을 다물었고, 아처는 떨리는 손으로 벽난로 선반 모서리를 꽉 잡고 몸을 지탱한 채 어지럽게 휘몰아치는 생각도 그렇게 다스리려 헛되이 애썼다.

아내의 침착한 목소리가 이어졌다.

"당신은 오늘 저녁에 일을 처리하느라 사무실에 붙잡혀 있었겠죠. 아마 오늘 아침에 결정되었을 거예요."

메이는 멍하게 바라보는 그의 시선을 피해 눈을 내리깔았다. 홍조가 또다시 얼굴을 잠깐 스치고 지나갔다.

아처는 자신의 눈빛이 견디기 어려울 만큼 강렬했음을 깨닫고 고개를 돌려 벽난로 선반에 팔꿈치를 괸 채 두 손으로 얼굴을 감쌌다. 사납게 쿵쿵거리고 땡땡거리는 소리가 귓전을 때렸다. 피가 혈관을 흐르며 내는 맥박 소리인지, 벽난로 선반에 놓인 시계의 초침 소리인지 알 수가 없었다.

시곗바늘이 천천히 움직여 5분이 지나는 동안 메이는

말없이 꼼짝 않고 앉아 있었다. 쇠살대 안에서 석탄 덩어리가 앞으로 굴러떨어졌고 아처는 메이가 일어나 그것을 도로 밀어 넣는 소리를 듣고 마침내 고개를 돌려 얼굴을 마주 보았다.

"말이 안 돼."

그가 외쳤다.

"말이 안 된다니요……?"

"어떻게 알았어요…… 지금 나에게 한 그 이야기를?"

"어제 엘런을 만났어요…… 할머니 댁에서 만났다고 말했잖아요."

"그때 당신에게 그 말을 한 건 아니겠지?"

"아니에요. 오늘 오후에 엘런이 보낸 편지를 받았어요…… 볼래요?"

아처는 목소리가 나오지 않았다. 메이는 방에서 나갔다가 거의 곧바로 되돌아왔다.

"당신이 아는 줄 알았어요."

메이는 그렇게만 말했다.

메이가 탁자에 종이 한 장을 내려놓았고, 아처는 손을 뻗어 종이를 집었다. 편지는 고작 몇 줄이었다.

사랑하는 메이, 내 방문이 방문으로 끝날 수밖에 없다는 사실을 드디어 할머니가 납득하셨어. 늘 그랬듯이 친절하고 관대하게 대해주셨지. 내가 유럽으로 돌아간다면 혼자 살거나 불쌍한 메도라 숙모와 지내야 한다는 걸 할머니도 이제는 이해하신단다. 메도라 숙모는 나와 함께 갈 거야. 난 서둘러 워싱턴으로 돌아가서 짐을 쌀 거고 다음 주에 배를 탈 거야. 내가 떠나도 네가 할머니께 잘해드리겠지…… 나에게 늘 잘해주었듯이. 엘런.

마음을 바꾸라고 나를 설득하려 하는 친구가 있다면, 아무 소용없다고 전해주렴.

아처는 편지를 두세 번 더 읽었다. 그러다가 종이를 내던지고 갑자기 웃음을 터뜨렸다.

그는 자신의 웃음소리에 깜짝 놀랐다. 결혼 날짜가 앞당겨졌다는 메이의 전보를 받고 이해할 수 없는 웃음을 터뜨리며 몸을 흔드는 그의 모습을 제이니가 한밤중에 발견하고 두려워하던 때가 떠올랐다.

"왜 이런 편지를 쓴 거지?"

그가 온 힘을 다해 웃음을 억누르며 물었다.

메이는 동요하지 않고 솔직한 태도로 그 질문에 답했다.

"어제 우리가 나눈 이야기 때문인가 봐요……."

"무슨 이야기?"

"그동안 내가 부당하게 대한 게 마음이 걸린다고 말했거든요…… 엘런이 여기에서 지내기 얼마나 힘들었을지 제대로 이해하지 못했다고 말이에요. 친척이지만 낯선 사람들, 사정을 다 알지 못하면서 비난할 권리가 있다고 생각하는 많은 사람들 틈에서 혼자 지내기가 얼마나 힘들었을지."

메이가 잠시 말을 멈추었다.

"난 엘런이 항상 의지할 수 있는 친구가 당신뿐이었다는 사실을 알고 있었어요. 그리고 엘런에게 당신과 내가 똑같다고…… 모든 면에서 같은 생각이라고 알려주고 싶었어요."

메이는 아처가 말하기를 기다리는 듯 잠시 머뭇거리다가 천천히 덧붙였다.

"그 말을 전하고 싶은 제 마음을 이해하더군요. 아마 전부 이해할 거예요."

메이는 일어나서 아처에게 다가가서 차가운 그의 손 하나를 잡아 재빨리 자신의 뺨에 대고 눌렀다.

"나도 머리가 아프네요. 잘 자요, 여보."

메이는 이렇게 말하고 문으로 몸을 돌렸다. 찢어진 진흙투성이 웨딩드레스 자락을 질질 끌며 방을 가로질렀다.

33

아처 부인이 웃음을 지으며 웰랜드 부인에게 말했듯이, 젊은 부부가 처음으로 큰 만찬회를 여는 것은 대단한 일이었다.

뉴랜드 아처 부부는 살림을 차린 뒤 약식으로 많은 손님을 맞아들였다. 아처는 친구 서너 명을 저녁 식사에 초대하기를 좋아했고 메이는 어머니가 결혼생활에서 보여준 모범에 따라 밝은 얼굴로 기꺼이 손님을 맞이했다. 아처는 메이에게 맡겼다면 과연 집에 누군가를 초대했을지 의문스러웠다. 그러나 전통과 훈련이 빚어낸 모습에서 메이의 진짜 자아를 분리해내려는 노력을 포기한 지 오래였다. 뉴욕에서는 부유한 젊은 부부들이 약식으로 많은 손님을 접대하는 것이 당연했고 아처가와 결혼한 웰랜드가의 딸이라면 그 전통을 따를 의무가 갑절로 늘어나는 셈이었다.

그러나 요리사를 고용하고 하인 둘을 빌려와서 로만 펀

치와 핸더슨 꽃집의 장미와 금테 두른 카드로 만든 메뉴판을 갖춰야 하는 대규모 만찬회는 다른 문제였고 경솔하게 나설 일이 아니었다. 아처 부인이 말했듯이, 로만 펀치는 그 자체로서가 아니라 거기 함축된 다양한 의미 때문에 결정적인 요소였다. 들오리나 식용 거북 중 하나, 수프 두 종류, 따뜻한 디저트와 차고 달콤한 디저트, 소매가 짧고 어깨가 드러나는 드레스, 이에 어울리는 중요한 손님들을 뜻했다.

제삼자로서는 젊은 부부의 첫 초대가 흥미로운 행사였기에, 경험이 많고 빈번히 초대를 받는 사람도 거절하는 일이 드물었다. 그럼에도 메이의 부탁에 밴 더 라이든 부부가 올렌스카 백작 부인을 위한 송별 만찬회에 참석하려고 뉴욕에 더 머물기로 한 것은 누가 보아도 대단한 성공이었다.

이 중요한 날 오후, 사돈 지간인 두 어머니는 메이의 응접실에 앉아 있었다. 아처 부인은 티파니 보석상에서 파는 금테 두른 두꺼운 판지에 메뉴를 적었고 그동안 웰랜드 부인은 야자나무와 바닥에 세워두는 램프의 자리 배치를 감독했다.

사무실에서 늦게 퇴근한 아처가 집에 가보니 두 부인이 아직 그곳에 있었다. 아처 부인은 식탁에 놓을 이름 카드로 관심을 돌렸고 웰랜드 부인은 커다란 금색 소파를 꺼내 와 피아노와 창문 사이에 '구석 자리'를 하나 더 만들면 어떨지 궁리하고 있었다.

그들이 말하길 메이는 식당에서 긴 식탁 중앙에 놓은 자크미노 장미 더미와 공작고사리를 점검하고 나뭇가지 모양 촛대 사이에 놓은 투각(불필요한 부분을 뚫거나 도려내어 무늬를 만드는 조형 기법-옮긴이) 은제 바구니에 마야르 제과회사의 사탕이 제대로 담겼는지 확인하고 있었다. 피아노 위에는 밴 더 라이든 씨가 스카이터클리프에서 보낸 커다란 난초 바구니가 놓여 있었다. 간단히 말해, 모든 것이 매우 중요한 행사에 걸맞은 모습으로 거의 준비된 상태였다.

아처 부인은 손님 명단을 신중하게 훑으며, 날카로운 금색 펜으로 이름을 하나하나 대조하고 표시했다.

"헨리 밴 더 라이든…… 루이자…… 러벌 밍곳 부부…… 레기 치버스 부부…… 로런스 레퍼츠와 거트루드……(그래, 메이의 말대로 이 사람들을 초대하길 잘했어) 셀프리지 메리 부부, 실러턴 잭슨, 밴 뉴랜드 부부. (세월 참 빠르지! 이 애가 네 신랑 들러리였던 때가 엊그제 같은데 말이다, 뉴랜드)…… 올렌스카 백작 부인…… 그래, 이제 다 된 것 같구나……."

웰랜드 부인은 다정한 눈으로 사위의 얼굴을 살폈다.

"뉴랜드, 누구도 자네와 메이가 엘런에게 멋진 송별회를 열어주지 않았다고 말할 수 없을 걸세."

"아, 그럼요. 사촌이 외국인들에게 우리가 야만인이 아니라고 말해주기를 바라는 메이의 마음을 잘 알지요."

아처 부인이 말했다.

"엘런이 고마워할 거예요. 오늘 아침에 도착했을 텐데. 가장 근사한 마지막으로 기억하겠죠. 배 타기 전날 저녁은 대개 쓸쓸하기 마련이니까요."

웰랜드 부인이 쾌활하게 말을 이었다.

아처가 문으로 다가가자 장모가 그를 불렀다.

"들어가서 식탁 좀 살짝 보고 오게. 메이가 너무 무리하지 않게 해줘."

그러나 그는 못 들은 체하고 계단을 뛰어올라 서재로 갔다. 서재가 예의를 차리며 인상을 쓰고 있는 생경한 얼굴처럼 그를 바라보았다. 그는 그곳이 인정사정없이 '정돈'되었고 신사들이 담배를 피우도록 재떨이와 삼나무 상자를 신중하게 배치해 준비를 마쳤음을 깨달았다.

'아, 어쨌든 오래 걸리진 않을 테니…….'

그는 이렇게 생각하고 옷 방으로 갔다.

올렌스카 부인이 뉴욕을 떠난 지 열흘이 지났다. 그 열흘 동안 아처가 엘런에게서 받은 소식이란 박엽지에 싼 열쇠를 봉투에 밀봉해 직접 주소를 써서 그의 사무실로 보낸 것 정도였다. 그의 마지막 호소에 이런 식으로 응수하는 행동은 익숙한 게임에서라면 전형적인 수법으로 해석되었을지 모른다. 그러나 아처는 다른 의미를 부여하기로 했다. 엘런은 여전히 운명과 싸우고 있다. 그러나 유럽으로 가되 남편에게 돌아가지는 않을 것이다. 따라서 엘런이 따라가지 못하도록 그를 막을 수 있는 것은 없다. 일단 돌이킬 수 없는 조치를 취해, 이제 돌이킬 수 없음을 엘런에게 증명하면 엘런은 분명 그를 보내려 하지 않을 것이다.

미래를 이렇게 확신했기에 그는 현재 맡은 역할을 침착하게 수행할 수 있었다. 엘런에게 편지를 쓰거나 어떤 신호나 행동으로 비참하고 원통한 마음을 드러내지도 않았다. 그가 보기에 그들 사이에 벌어지는 지독한 침묵 게임에서 승리는 여전히 그의 손에 있었다. 그래서 기다렸다.

그렇기는 해도 몹시 견디기 어려운 순간들이 있었다. 올렌스카 부인이 떠난 다음 날, 레터블레어 씨가 그를 불러 맨슨 밍곳 노부인이 손녀에게 주고 싶어 하는 신탁 재산의 구체적인 사항을 검토하자고 말했다. 아처는 두 시간 동안 상사와 함께 증서에 적힌 조건을 검토했고, 그러는 동안 사촌이라는 명백한 이유가 아닌 다른 이유 때문에 자기에게 상의하자는 요청이 들어왔으며 회의가 끝나면 그 이유가 밝혀지리라는 느낌이 어렴풋이 들었다.

"자, 당사자도 후한 처사라는 걸 부정하지 못하겠지."

레터블레어 씨가 결정된 내용의 개요를 중얼거리듯이 읽은 다음에 한마디로 정리했다.

"사실 어느 모로 보나 상당히 후한 대우를 받았다고 말할 수밖에 없어."

"어느 모로 보나요?"

아처가 비웃는 기색으로 따라 말했다.

"부인에게 돈을 돌려주겠다는 남편의 제안 말입니까?"

레터블레어 씨의 텁수룩한 눈썹이 살짝 올라갔다.

"선생, 법은 법이네. 자네 처의 사촌은 프랑스 법에 따라 결혼했어. 그게 무슨 뜻인지 본인도 알았을 걸세."

"그랬더라도, 그 뒤에 일어난 일은……."

그러나 아처는 입을 다물었다. 레터블레어 씨는 펜 손잡이를 크고 주름진 코에 댄 채, 노신사들이 후배들에게 미덕과 무지가 동의어가 아님을 알려주고 싶어 할 때 으레 짓는 표정으로 내려다보고 있었다.

"선생, 백작의 죄를 변명해주고 싶진 않네. 하지만…… 하지만 다른 한편으로…… 나라면 손을 불에 집어넣지는 않을 걸세…… 그러니까, 앙갚음 따위는 하지 않았을 거야…… 두둔해주는 그 젊은 남자와……."

레터블레어 씨는 서랍을 열고 접힌 종이 한 장을 꺼내 아처 쪽으로 밀었다.

"이 보고서는, 신중하게 조사한 결과라네……."

아처가 그 종이에 눈길을 주려 하지도 않고 그렇다고 제안을 거부하지도 않자, 그는 다소 단호하게 말을 이었다.

"선생도 알겠지만 이걸로 결론이 났다고 말하진 않겠네. 어림도 없는 소리지. 하지만 실마리 정도는 되니까…… 그리고 전체적으로, 이렇게 점잖은 해결책에 도달했으니 당사자들 모두에게 대단히 만족스러운 일이야."

"아, 대단히 말이죠."

아처가 종이를 제자리로 밀며 동의했다.

하루이틀 뒤 맨슨 밍곳 노부인의 호출에 응했을 때 그의 영혼은 더욱 극심한 시련에 부딪쳤다.

노부인은 우울하고 불만으로 가득한 모습이었다.

"그 애가 날 버린 걸 아는가?"

노부인이 다짜고짜 입을 열었다. 그리고 대답을 기다리지도 않고 말했다.

"아, 이유는 묻지 말게! 그 애가 너무 많은 이유를 갖다 붙이는 바람에 다 잊어버렸으니까. 개인적인 생각으로는 그 애가 지루함을 견디지 못한 것 같네. 어쨌거나 오거스타와 며느리들 생각도 그래. 전부 그 애 탓은 아니야. 올렌스키는 완벽한 악당일세. 하지만 5번 대로에서 지내는 것보다 그 사람과 살았던 때가 훨씬 더 재미있었겠지. 가족들은 인정하지 않아. 다들 5번 대로를 뤼 드 라 페까지 갖춘 천국으로 생각하니까. 물론 불쌍한 엘런은 남편에게 돌아갈 생각이 전혀 없어. 그 어느 때보다도 단호하게 저항하더군. 그래서 그 어리석은 메도라와 파리에 정착하기로 했다네…… 어쨌든, 파리는 파리야. 그곳에서는 마차를 거의 공짜로 빌려 쓸 수 있지. 하지만 그 앤 새처럼 명랑했어. 그 애가 보고 싶을 거야."

눈물 두 방울이, 노인의 메마른 눈물이 통통한 뺨을 타고 흘러내려 심연과도 같은 가슴 사이로 사라졌다.

노부인이 말을 이었다.

"내가 바라는 건 가족들이 더는 나를 괴롭히지 않는 걸세. 정말이지 죽이라도 제대로 소화하게 가만 내버려두면 좋겠어……."

노부인은 안타까움이 깃든 시선으로 아처를 바라보며 눈을 반짝거렸다.

바로 그날 저녁, 아처가 집에 돌아오자마자 메이가 사촌을 위해 송별 만찬회를 열 계획이라고 말했다. 올렌스카 부인이 워싱턴으로 떠나던 날 밤 이후로 두 사람 사이에서 그 이름이 거론된 적은 없었다. 아처는 놀라서 아내를 바라보았다.

"만찬회라니…… 어째서?"

그가 캐물었다.

메이는 얼굴을 붉혔다.

"하지만 당신은 엘런을 좋아하잖아요…… 기뻐할 줄 알았는데."

“정말 고마운 일이군…… 그렇게 말하다니. 하지만 정말 모르겠어요…….”

“그렇게 할 생각이에요, 뉴랜드.”

메이는 이렇게 말하고 조용히 일어나 책상으로 다가갔다.

“여기 초대장을 모두 써두었어요. 어머니가 도와주셨죠…… 어머니도 찬성하신대요.”

메이는 쑥스러워하면서도 웃음을 지으며 말을 멈추었다. 아처는 문득 ‘가족’이 구체적인 형태로 눈앞에 나타난 듯한 기분이 들었다.

“아, 알겠어요.”

그는 아내가 손에 쥐여준 손님 명단을 멍한 눈으로 응시하며 말했다.

만찬 시작 전에 그가 응접실로 들어갔을 때, 메이가 난로 위로 몸을 숙이고 얼룩 한 점 없는 타일로 구성된 낯선 환경에서 통나무들이 잘 타도록 구슬리고 있었다.

키 큰 램프들이 모두 불을 밝혔고 밴 더 라이든 씨가 보낸 난은 현대적인 자기와 울퉁불퉁한 은제품 같은 다양한 용기에 담겨 눈에 띄도록 배치되어 있었다. 다들 뉴랜드 아처 부인의 응접실이 아주 멋지다고 입을 모았다. 돌출된 창으로 이어지는 통로에는 앵초와 시네라리아를 적절한 때에 갈아

꽂는 금박 대나무 화병이 자리 잡았다(구식인 사람들은 그보다는 밀로의 비너스 상을 축소한 청동상을 놓아두었을 것이다). 소파와 흰 양단으로 만든 안락의자가 플러시 천을 씌운 작은 탁자들 주변으로 솜씨 좋게 배치되었고, 그 탁자들 위에는 은제 장식품과 도자기 동물들, 꽃이 핀 사진을 넣은 액자가 오밀조밀 놓여 있었다. 장밋빛 갓을 씌운 키 큰 램프들이 야자나무 사이에서 열대 꽃들처럼 고개를 내밀고 있었다.

"엘런은 이 방에 불이 켜진 모습을 본 적이 없을 거예요."

메이가 애를 쓰느라 붉어진 얼굴로 몸을 일으키며 뿌듯함을 감추지 못하고 방을 둘러보았다. 메이가 난로 옆에 세워둔 놋쇠 부젓가락이 요란한 소리와 함께 쓰러지면서 남편의 대답을 삼켜버렸다. 그가 부젓가락을 제자리에 돌려놓기도 전에, 밴 더 라이든 부부의 도착을 알리는 목소리가 들려왔다.

밴 더 라이든 부부가 제 시각에 식사하기를 좋아한다는 사실을 다들 알았기에, 곧 다른 손님들도 속속 도착했다. 방이 거의 꽉 찼고, 아처는 웰랜드 씨가 크리스마스에 메이에게 선물한 작고 윤기가 흐르는 페르베크호번(벨기에 출신 동물 화가-옮긴이)의 〈양 습작〉을 셀프리지 메리 부인에게 보여주느라 열중하던 중, 곁에 와 있는 올렌스카 부인을 발견했다.

엘런은 얼굴이 몹시 창백했고 그 핼쑥한 안색 때문에 검은 머리가 그 어느 때보다도 빽빽하고 무거워 보였다. 그 모습 때문이었는지 아니면 목에 휘감은 여러 줄의 호박 구슬 목걸이 때문이었는지, 아처는 문득 메도라 맨슨이 올렌스카 부인을 처음 뉴욕으로 데려왔을 때 아이들 파티에서 자신과 함께 춤을 추던 어린 엘런 밍곳을 떠올렸다.

호박 구슬 목걸이가 안색에 부적합했거나 드레스가 어울리지 않았는지도 모른다. 그 얼굴은 윤기가 없고 거의 흉할 정도였으나, 그는 그 순간만큼 그 얼굴을 사랑한 적이 없었다. 두 사람이 손을 맞잡았을 때 '그래요, 우린 내일 러시아 호를 타고 떠날 거예요……'라고 말하는 그 목소리가 귓가에 들리는 것만 같았다. 그러나 다음 순간 문이 열리는 무의미한 소리가 들렸고, 잠시 후 메이의 목소리가 따라왔다.

"뉴랜드! 만찬이 시작되었어요. 엘런을 안으로 안내해줄래요?"

올렌스카 부인이 그의 팔에 손을 얹었고, 그는 엘런이 장갑을 끼지 않았음을 알고 23번가의 작은 응접실에 함께 앉아 있던 저녁에 그 손에서 눈을 떼지 못했음을 떠올렸다. 엘런의 얼굴을 떠난 모든 아름다움이 그의 소매 위에 놓인 길고 창백한 손가락과 약간 패인 손가락 마디로 달아난 것만 같았다. 그는 마음속으로 생각했다.

'이 손을 다시 보려면 엘런을 따라가야만 해…….'

밴 더 라이든 부인이 집주인의 왼쪽 자리로 밀려나는 것을 감내하는 때는 명목상 '외국인 손님'을 위해 베푸는 연회 때뿐이었다. 이 작별 선물만큼이나 교묘하게 올렌스카 부인이 '외국인'이라는 사실을 강조할 방법은 없었을 것이다. 밴 더 라이든 부인은 자신이 허락했음을 분명히 나타내는 온화한 태도로 달라진 자리 배치를 받아들였다. 반드시 해야 하는 일들, 어차피 해야 한다면 훌륭하고 철저하게 실행해야 하는 일들이 있었다. 옛 뉴욕의 관례에서는 그런 일 중 하나가 일족에서 곧 제명될 여자의 주위로 구성원들이 집결하는 것이었다. 엘런이 유럽으로 떠나기로 한 지금, 올렌스카 백작 부인을 향한 변치 않을 애정을 공표하기 위해 웰랜드가와 밍곳가가 못할 일은 아무것도 없었다. 그리고 식탁 상석에 앉은 아처는 엘런의 인기를 되살려주고 엘런에 대한 불만을 가라앉히고, 엘런의 과거를 묵인하고, 가족들의 인정으로 엘런의 현재를 빛나게 해주고자 지칠 줄 모르는 무언의 활동이 펼쳐지는 광경에 놀라움을 금치 못했다. 밴 더 라이든 부인은 나름대로는 다정함이라고 할 만한 어렴풋한 선의를 올렌스카 부인에게 내비쳤고, 메이의 오른쪽에 앉은 밴 더 라이든 씨는 식탁 너머에서 엘런에게 몇 번이고 시선을 던졌는데, 이는 분명 그동안 스카이터클리프에서 카네이션을 보냈던 자신의 행동이 옳았음을 보여주기 위함이었다.

아처는 샹들리에와 천장 사이 어딘가를 떠돌기라도 하듯이 기묘하고도 속을 헤아릴 수 없는 상태가 되어 그 상황에 일조하는 것처럼 보였지만, 무엇보다도 이 행사에 자신이 함께하고 있다는 사실에 놀라움을 느끼고 있었다. 차분하고 통통한 얼굴들을 하나하나 살피다 보니 메이의 들오리 요리에 열중한 이 순진해 보이는 사람들이 모두 말 없는 공모자들로 보였고 자신과 오른편에 앉은 창백한 여인은 그 공모의 표적인 듯한 기분이 들었다. 다음 순간, 하늘을 여러 갈래로 가르며 번쩍이는 거대한 번개처럼, 어떤 깨달음이 머리를 스쳤다. 그 자리에 참석한 모두에게 그와 올렌스카 부인은 연인이었다. 그것도 '외국인'들이 쓰는 어휘에만 있는 극단적인 의미에서의 연인이었다. 몇 달 동안, 말없이 주시하는 수많은 눈과 끈기 있게 엿듣는 귀가 자신을 에워쌌을 것이다. 아처는 알 수 있었다. 이들은 그가 아직 모르는 방법으로 그와 불륜 상대를 갈라놓는 데 성공했다. 그리고 이제는 일족 전체가 다들 아무것도 모르고 어떤 것도 짐작한 적 없으며, 이 만찬 행사는 그저 친구 겸 사촌과 정답게 작별하려는 메이 아처의 자연스러운 소망이라는 암묵적인 전제하에 그의 아내 곁으로 결집한 것이었다.

이것은 '피를 흘리지 않고' 목숨을 빼앗는 옛 뉴욕의 방식이었다. 질병보다 추문을 더 두려워하고 용기보다 품위를 우선시하며 '난동'보다 더 교양 없는 것은 오직 난동을 일으킨 사람들의 행동뿐이라고 여기는 사람들의 방식이었다.

이런 생각이 꼬리에 꼬리를 물고 떠오르자, 아처는 무장 군대 한복판에 갇힌 죄수가 된 기분이 들었다. 그는 식탁을 둘러보며, 플로리다산 아스파라거스를 앞에 두고 보퍼트 부부를 거론하는 어조에서 그를 사로잡은 이들의 냉혹함을 짐작했다.

'나에게 보여주려는 거야. 나에게도 일어날 수 있는 일을…….'

아처는 이렇게 생각했다. 직접적인 행동보다 암시와 비유가, 경솔한 말보다 침묵이 더 뛰어난 수법이라는 무시무시한 느낌이 가족 납골당의 문처럼 그를 옥죄었다.

그는 웃음을 터뜨리다가 밴 더 라이든 부인의 놀란 눈과 시선이 마주쳤다.

"그게 웃을 일이라고 생각하나?"

부인이 냉소를 머금고 말했다.

"물론 뉴욕에 남겠다는 불쌍한 리자이나의 생각에 우스꽝스러운 면이 있긴 하지만."

"그럼요."

아처가 중얼거렸다.

그 순간, 그는 올렌스카 부인의 오른쪽에 앉은 사람이

부인과 얼마 동안 대화에 열중하고 있었음을 깨달았다. 동시에 밴 더 라이든 씨와 셀프리지 메리 씨 사이에 차분하고 위엄 있게 앉은 메이가 재빨리 식탁을 둘러보는 모습이 보였다. 집주인과 오른쪽에 앉은 숙녀가 식사 시간 내내 아무 말 없이 앉아 있을 수는 없었다. 고개를 돌려 올렌스카 부인을 바라보자 창백한 웃음이 그를 맞이했다. 그 웃음은 '아, 끝까지 잘 버텨보기로 해요'라고 말하는 듯했다.

"오는 길이 피곤하지는 않았습니까?"

그는 스스로도 놀랄 만큼 자연스러운 목소리로 물었다. 엘런은 오히려 그 어느 때보다도 편안한 여행길이었다고 대답했다.

"물론, 아시다시피 기차 안이 끔찍하게 덥긴 했어요."

엘런이 덧붙였다. 그는 엘런이 가려는 나라에서는 그 문제로 고생할 일이 없을 거라고 말했다.

"4월에 칼레와 파리를 오가는 기차에서 거의 얼어 죽을 뻔한 적이 있었지요."

엘런은 놀라운 일이 아니라면서, 어쨌거나 항상 여분의 무릎 담요를 챙겨 다니면 되고 어떤 여행이건 나름대로 어려운 점이 있기 마련이라고 말했다. 그 말에 아처는 떠날 수 있다는 행운에 비하면 그런 문제는 모두 대수롭지 않게 여겨진다고 불쑥 대답했다. 엘런의 안색이 변했다. 그는 갑자기 목소리를 높이며 덧붙였다.

"저도 곧 여행을 많이 다닐 작정입니다."

전율이 엘런의 얼굴을 스치고 지나갔다. 그는 레기 치버스 쪽으로 몸을 기울이며 외쳤다.

"레기, 세계일주를 해보면 어떻겠나? 그러니까, 다음 달쯤? 자네만 좋다면 나야 얼마든지……."

그 말에 치버스 부인이 부활절 주간에 부인이 시각 장애인 보호소를 후원하려고 여는 마사 워싱턴 무도회가 있으니 그 행사가 끝날 때까지는 레기를 보낼 수 없다고 소리를 높였다. 남편은 그때쯤이면 국제 폴로 경기 대회 때문에 연습해야 할 거라고 차분하게 말했다.

그러나 셀프리지 메리 씨는 '세계일주'라는 말을 붙들고 늘어졌다. 증기 요트로 세계일주를 한 적이 있었기에, 이때다 싶어 식탁에 앉은 이들에게 지중해 항구의 얕은 수심과 관련된 몇 가지 인상적인 특징을 이야기했다. 하지만 어쨌든 그게 중요한 문제는 아니라고, 그가 덧붙였다. 아테네와 스미르나와 콘스탄티노플을 보았으면 그것으로 충분하지 않은가? 메리 부인은 그들에게 열병이 걱정되니 나폴리에 가지 않겠다고 약속하라던 벤컴 박사가 얼마나 고마운지 모르겠다고 말했다.

"하지만 인도를 제대로 보려면 3주는 있어야 합니다."

자신이 경솔하게 세계를 떠도는 사람이 아님을 알아주길 바라며 부인의 남편이 마지못해 덧붙였다.

그 말을 끝으로 숙녀들은 응접실로 올라갔다.

서재에서는 더 비중 있는 인물들이 있는데도 로런스 레퍼츠가 대화를 주도했다.

대화는 여느 때처럼 보퍼트가에 대한 이야기로 흘러갔고, 밴 더 라이든 씨와 셀프리지 메리 씨도 그들을 위해 암묵적으로 비워둔 명예로운 안락의자에 앉아, 말을 멈추고 더 젊은 신사가 퍼붓는 격렬한 비난에 귀를 기울였다.

레퍼츠가 그렇게 감정에 북받쳐 기독교적인 남자다움을 미화하고 가정의 신성함을 찬미한 적은 없었다. 그는 분개한 나머지 인정사정없이 열변을 토했다. 다른 사람들이 그를 본받아 그가 말하던 대로 행동했다면 사교계가 보퍼트 같은 외국인 졸부를 받아들일 정도로 약해질 일은 결단코 없었을 것이다. 그렇다, 그 작자가 댈러스 가의 딸 대신 밴 더 라이든 가나 래닝가의 딸과 결혼했을지라도 어림없는 일이었을 것이다. 또한 보퍼트의 전철을 밟아 약삭빠르게 파고든 레뮤얼 스트러더스 부인 같은 사람을 봐도 알 수 있듯이, 보퍼트가 교묘하게 몇몇 집안의 환심을 미리 사두지 않았다면 과연 댈러스 가 같은 가문과 혼인할 가능성 자체가 있었겠느냐고 레퍼츠는 분노하며 질문했다. 사교계가 천박한 여자들에게 문을 열기로 한다면 무엇을 얻을지 미지수지만 피해는 크지 않다. 그러나 출신이 불분명하고 불법으로 재산을 축적한 남자들을 용인하기 시작한다면, 그 결과 사교계는 완전히 붕괴될 것이다…… 그것도 머지않아.

"상황이 이런 식으로 계속된다면, 우리 자녀들이 협잡꾼들 집에 초대받으려 다투고 보퍼트의 사생아들과 결혼하는 꼴을 보게 될 겁니다."

레퍼츠는 풀(나폴레옹 3세를 포함해 상류층 남성 고객들에게 인기가 많았던 런던의 재단사 헨리 풀-옮긴이)이 만든 옷을 입고서 아직 돌에 맞지 않은 젊은 예언자 같은 모습으로 소리쳤다.

"아, 이보게…… 말조심 하자고!"

레기 치버스와 젊은 뉴랜드가 항의했고 그동안 셀프리지 메리 씨는 진심으로 놀란 표정이었으며 밴 더 라이든 씨의 예민한 얼굴에는 고통과 혐오가 어렸다.

"사생아가 있긴 있나?"

실러턴 잭슨 씨가 귀를 쫑긋 세우며 외쳤다. 레퍼츠가 그 질문을 웃어넘기려 하는 사이에 노신사는 아처의 귀에 대고 이렇게 속삭였다.

"이상도 하지. 사태를 반드시 바로 잡고 싶어 하는 저런 부류 말일세. 실력이 형편없는 요리사를 둔 사람들이 꼭 외식하면 식중독에 걸린다는 말을 하잖아. 하지만 우리 친구 레퍼츠가 통렬한 비난을 퍼붓는 건 절박한 이유가 있어서라는군…… 이번에는 타자수랑 그런다지, 아마…….”

멈춰야 한다는 사실을 모르기에 마냥 흘러가는 무심한 강물처럼, 대화는 아처를 스치고 지나갔다. 주위 얼굴들을 둘러보니 관심과 즐거움에다 환희까지 가득한 표정을 짓고 있었다. 더 젊은 남자들의 웃음소리가 들렸고 밴 더 라이든 씨와 메리 씨가 생각에 잠겨 감탄 중이던 아처가의 마데이라 와인을 칭찬하는 목소리도 들려왔다. 그러는 동안 아처는 모두가 포로인 그를 위해 감금 생활의 불편을 덜어주려 애쓰는 간수가 된 듯 친근한 태도를 보이고 있음을 어렴풋이 느꼈다. 그 사실을 알아채자 자유의 몸이 되어야겠다는 결의가 더욱 강해졌다.

신사들은 곧 응접실에 있던 숙녀들과 합류했고 아처는 메이의 의기양양한 눈을 마주하며 그 눈빛에서 모든 일이 아주 멋지게 ‘진행되었다’는 확신을 읽었다. 메이가 올렌스카 부인의 옆에서 일어서자, 그 즉시 밴 더 라이든 부인이 올렌스카 부인을 향해 자신이 차지하던 금색 소파에 와서 앉으라고 손짓했다. 셀프리지 메리 부인이 방을 가로질러 가서 합석했는데, 아처에게는 이곳에서도 재건과 말살을 위한 음모가 진행 중이라는 사실이 뚜렷이 보였다. 그의 작은 세계를 지탱하는 이 암묵적인 조직은 올렌스카 부인의 단정한 행실이나 아처의 가정생활이 완벽하게 행복했다는 점을 한순간도 의심하지 않았음을 공적으로 표명하기로 한 것이다. 이 상냥하면서도 냉혹한 사람들은 하나같이 결연한 태도로 그 반대를 암시하는 이야기는 눈곱만큼도 들어본 적 없고 의심한 적도 없으며, 그 가능성을 생각조차 해보지 않은 척하느라 바빴다. 공들여 서로 시치미를 떼는 이 조직의 모습에서, 아처는 뉴욕이 그를 올렌스카 부인의 연인으로 믿는다는 사실을 또 한 번 절감했다. 아내의 눈에서 반짝이는 승리감을 보고 처음으로 아내도 그렇게 믿는다는 것을 알 수 있었다. 그렇게 깨닫고 나자, 레기 치버스 부인과 젊은 뉴랜드 부인과 함께 마사 워싱턴 무도회에 대해 이야기를 나누려고 기를 써봐도 마음속에 악마의 웃음소리가 울려 퍼졌다. 그날 저녁은 멈출 줄 모르는 무심한 강물처럼 흐르고 흘러 빠르게 지나갔다.

마침내 올렌스카 부인이 일어나서 작별 인사를 건네는 모습이 눈에 들어왔다. 그는 엘런이 곧 떠날 것임을 알고 저녁 식사 때 엘런에게 했던 말을 떠올려보았다. 그러나 두 사람이 나눈 이야기가 단 한마디도 기억나지 않았다.

엘런은 메이에게 다가갔고 걸음을 옮기는 엘런 주위로 모두가 둥그렇게 모여들었다. 두 젊은 여인은 손을 굳게 맞잡았다. 메이가 몸을 굽혀 사촌에게 입을 맞추었다.

"물론 둘 중에서는 여주인이 훨씬 아름답죠."

아처는 레기 치버스가 젊은 뉴랜드 부인에게 나직하게 건네는 말을 들었다. 보퍼트가 메이의 무익한 아름다움을 천박하게 비웃던 때가 떠올랐다.

잠시 뒤 그는 복도에서 올렌스카 부인의 어깨에 망토를 둘러주었다.

머릿속이 혼란스러웠지만 엘런을 놀라게 하거나 불안하게 할 말은 하지 않기로 굳게 결심한 터였다. 이제 어떤 힘도 자신을 목표에서 돌려 세울 수 없음을 확신했기에 상황이 돌아가는 대로 내버려둘 용기를 얻게 되었다. 그러나 올렌스카 부인을 따라 복도에 들어설 때, 갑자기 마차 문 앞에서 잠시라도 단둘이 있고 싶다는 갈망이 찾아왔다.

"마차가 여기 있습니까?"

그가 물었다. 그 순간, 시중을 받으며 위풍당당하게 흑담비 모피를 입던 밴 더 라이든 부인이 부드럽게 대답했다.

"우리가 엘런을 집으로 데려다줄 거라네."

아처는 가슴이 철렁했다. 올렌스카 부인이 망토와 부채를 한 손으로 쥐고 그에게 다른 손을 내밀었다.

"잘 있어요."

엘런이 말했다.

"잘 가요…… 하지만 곧 파리에서 만날 겁니다."

그가 큰 소리로 대답했다. 자신이 크게 외친 것 같은 느낌이 들었다.

"아, 메이와 함께 올 수 있다면요……!"

엘런이 중얼거렸다.

밴 더 라이든 씨가 올렌스카 부인에게 팔을 내밀었고 아처는 밴 더 라이든 부인에게로 몸을 돌렸다. 커다란 사륜마차 안의 소용돌이치는 어둠 속에서 갸름한 얼굴과 쉬지 않고 빛나는 눈동자가 흐릿하게 보였다. 그리고 엘런이 떠났다.

계단을 오르던 아처는 아내 거트루드와 함께 내려오는 로런스 레퍼츠를 마주쳤다. 레퍼츠는 아내가 내려가도록 집주인의 소매를 붙잡아 뒤로 당겼다.

"이보게, 친구, 내일 밤 클럽에서 자네와 함께 저녁을 먹기로 했다고 말해둬도 괜찮겠나? 정말 고맙네, 친구! 잘 있게!"

"정말 멋지게 치러냈어요, 그렇지 않아요?"

메이가 서재 입구에서 물었다.

아처는 깜짝 놀라 일어섰다. 마지막 마차가 떠나자마자, 그는 아직 아래층에 남은 아내가 곧장 아내의 방으로 가기를 바라며 서재로 올라와 틀어박혔다. 그러나 아내는 창백하고 일그러진 얼굴로, 그러나 지칠 대로 지친 사람이 억지로 끌어낸 활력을 발산하며 그곳에 서 있었다.

"들어가서 얘기 좀 나눠도 될까요?"

메이가 물었다.

"물론이죠, 원한다면. 하지만 몹시 졸릴 텐데……."

"아니, 졸리지 않아요. 잠깐 당신과 앉아 있고 싶어요."

"좋소."

그가 아내의 의자를 난롯가로 밀며 말했다.

메이는 자리에 앉았고 그도 다시 자리에 앉았다. 그러나 둘 다 한참 동안 아무 말도 꺼내지 않았다. 마침내 아처가 불쑥 입을 열었다.

"피곤하지 않고 얘기를 나누고 싶다고 하니, 당신에게 해야 할 말이 있어요. 며칠 전 밤에 하려던……."

메이가 재빨리 그를 바라보았다.

"그래요, 여보. 당신에 대한 이야기인가요?"

"나에 대한 이야기예요. 당신은 피곤하지 않다고 했지. 하지만, 난 피곤해요. 끔찍하게 피곤해……."

순간 메이가 한없이 다정하고도 걱정스러운 표정을 지었다.

"아, 그럴 줄 알았어요, 뉴랜드! 심각할 정도로 과로를 해왔으니……."

"어쩌면 그래서일지도. 어쨌든, 좀 쉬고 싶어요……."

"쉰다고요? 변호사 일을 그만두고 말이에요?"

"어쨌든 멀리 떠나고 싶어요…… 당장. 긴 여행을 가고 싶어요. 아주 먼 곳으로…… 모든 것에서 벗어나……."

그는 변화를 갈망하지만 너무 지쳐 그 변화마저 달갑지 않은 남자처럼 무심하게 말하려 했으나 실패했음을 깨닫고 말을 멈추었다. 하고 싶은 말을 하라고, 간절한 마음이 파르르 떨며 재촉했다.

"모든 것에서 벗어나……."

그가 다시 말했다.

"아주 먼 곳으로요? 예를 들면 어디로요?"

아내가 물었다.

"아, 모르겠어요. 인도…… 또는 일본."

메이는 자리에서 일어났다. 아처는 고개를 숙이고 양손으로 턱을 괸 채 앉아, 아내가 따뜻한 몸으로 향기를 풍기며 위쪽에서 맴도는 것을 느꼈다.

"그렇게 멀리요? 하지만 그럴 수는 없을 것 같아요, 여보……."

메이가 떨리는 목소리로 말했다.

"나를 함께 데려가면 모를까."

그가 아무 대답도 하지 않자 아내가 말을 이었다. 목소리가 매우 또렷하고 음정이 가지런해서, 음절 하나하나가 작은 망치처럼 뇌를 두드리는 듯했다.

"그러니까, 의사들이 나더러 가도 좋다고 한다면 말이에요…… 하지만 그러진 않을 거예요. 왜냐하면, 뉴랜드, 오늘 아침에 내가 그토록 바라고 애타게 기다리던 일이 이루어졌다고 확신하게 되었어요……."

그는 서글픈 눈빛으로 아내를 쳐다보았다. 아내는 눈물을 글썽이며 발그레한 얼굴로 털썩 주저앉아 그의 무릎에 얼굴을 묻었다.

"아, 여보."

아처는 메이를 끌어안고 차가운 손으로 아내의 머리를 쓰다듬으며 말했다.

긴 침묵이 흘렀고 마음속의 악마가 귀에 거슬리는 웃음소리로 그 정적을 가득 채웠다. 곧 메이가 품에서 빠져나와 일어섰다.

"짐작하지 못했어요……?"

"짐작했어요…… 아니, 못했어요. 물론 바라고 있었지만……."

두 사람은 잠시 서로를 응시하며 다시 침묵에 빠졌다. 그러다가 그가 메이에게서 시선을 돌리며 불쑥 물었다.

"다른 사람에게 말했나요?"

"양가 어머니께만요."

메이는 말을 멈추었다가 이마를 붉게 물들이며 서둘러 덧붙였다.

"그리고…… 엘런에게도요. 며칠 전 오후에 우리가 긴 대화를 나눴다고 당신에게 말했잖아요…… 엘런이 얼마나 상냥하게 대해주었는지도."

"아……."

아처가 말했다. 심장이 멎는 듯했다.

자신을 유심히 바라보는 아내의 시선이 느껴졌다.

"엘런에게 먼저 말한 게 신경 쓰여요, 뉴랜드?"

"신경이 쓰인다고? 내가 왜?"

그는 죽을힘을 다해 정신을 가다듬었다.

"하지만 그건 2주 전이 아닌가요? 당신이 오늘에야 확실해졌다고 말한 것 같은데."

아내는 얼굴이 더욱 빨갛게 달아올랐지만 그에게서 시선을 떼지 않았다.

"맞아요, 그때는 확실하지가 않았어요…… 하지만 엘런에게 확실하다고 말했죠. 그리고 내 말이 옳았잖아요!"

푸른 눈에 승리의 눈물을 가득 담고 아내가 외쳤다.

34

뉴랜드 아처는 이스트 39번가에 있는 자신의 서재 책상에 앉아 있었다.

메트로폴리탄 미술관의 새 전시실 개관을 축하하는 성대한 공식 연회에서 돌아온 참이었다. 먼 옛날의 유물로 가득한 그 넓은 공간에서 상류층 무리가 과학적으로 분류된 일련의 보물들 사이를 돌아다니는 광경을 보니, 문득 옛 기억이 녹슨 용수철처럼 튀어나왔다.

"어머, 여기는 전에 체스놀라 전시실로 쓰였는데."

누군가가 말하는 소리가 들렸다. 즉시 주변의 모든 것이 사라졌고, 그가 난방기 쪽으로 놓인 길고 딱딱한 가죽 의자에 혼자 앉아 있는 동안 긴 물개 모피 망토를 이은 호리호리한 인물이 설비가 빈약한 옛 미술관의 풍경을 따라 걸어갔다.

이 환영을 시작으로 관련된 수많은 추억이 떠올랐다. 이제 그는 서재에 앉아 30년이 넘도록 고독한 사색과 가족끼리 나눈 모든 담소의 장이었던 그 방을 새로운 눈으로 바라보고 있었다.

이곳은 그의 삶에서 진정으로 중요한 일 대부분이 일어난 방이었다. 이곳에서 거의 26년 전에, 신세대 젊은 여자들이라면 웃을 일이지만 아내가 얼굴을 붉히며 아이를 가졌음을 에둘러 전했다. 이곳에서, 한겨울에 교회로 데려가기에는 너무 허약했던 장남 댈러스가 부부의 오랜 벗이자 위풍당당하고 대체할 수 없는 주교인 뉴욕의 대주교에게 세례를 받았으니 그는 담당 교구의 오랜 자랑과 영예이기도 했다. 그곳에서 댈러스가 처음으로 뒤뚱거리며 마루를 걸어와 '아빠'라고 말했고 그러는 동안 메이와 보모는 문 뒤에서 웃고 있었다. 그곳에서 (엄마를 쏙 빼닮은) 둘째 아이 메리가 레기 치버스의 여러 아들 중에서도 가장 따분하고 믿음직한 아들과 약혼했다고 발표했다. 그곳에서 아처는 그들을 그레이스 교회로 데려다줄 자동차를 타러 내려가기 전에 면사포 위로 메리에게 입을 맞추었다(모든 토대가 흔들리는 세상에서도 '그레이스 교회에서의 결혼식'만큼은 변함없는 관습으로 남았다).

그와 메이가 자녀의 장래를 두고 늘 상의하던 장소도 이 서재였다. 두 사람은 댈러스와 막내아들 빌의 학업이나 '교양'에 대한 메리의 어쩔 수 없는 무관심, 운동과 자선에 대한 그 아이의 열정, '미술' 쪽으로 애매하게 방향을 잡는가 싶더니 결국 뉴욕의 떠오르는 건축 사무소에 정착한 산만하고 호기심 많은 댈러스에 대한 이야기를 나누었다.

요즘 젊은 남자들은 법과 사업에서 벗어나 온갖 새로운 일을 시작하고 있었다. 주 정치나 시정 개혁에 열중하는 게 아니라면 건축이나 조경 기술을 배운다며 중앙아메리카 고고학에 몰두하기도 했다. 또는 미국 독립전쟁 이전의 건물에 날카롭고 박식한 관심을 보였고 조지 왕조 시대의 건축 양식을 연구하고 변형하면서 '콜로니얼양식'이라는 용어를 쓸데없이 남용하는 데 반대하기도 했다. 요즘에는 교외의 백만장자 잡화상들이 아니면 '콜로니얼양식' 저택에 사는 사람이 없었다.

그러나 무엇보다도, 즉 아처가 가끔 무엇보다도 의미 있는 일로 손꼽는 것이지만, 어느 날 밤에 저녁 식사를 하고 하룻밤 묵어가려 올버니에서부터 찾아온 뉴욕 주지사(미국 26대 대통령인 시어도어 루스벨트는 1899년부터 1900년까지 뉴욕 주지사였다-옮긴이)가 집주인을 바라보더니 주먹으로 식탁을 내려치며 분개한 모습으로 이렇게 외친 것도 바로 그 서재에서였다.

"망할 직업 정치꾼들 같으니! 당신이야말로 조국이 원하는 사람입니다, 아처. 외양간을 깨끗이 청소하려면 당신 같은 분들이 청소를 도와줘야 해요."

'당신 같은 분들……'이라는 말에 아처의 가슴이 얼마나 벅차올랐던가! 그 부름에 얼마나 열렬히 응했던가! 오래전에 네드 윈셋이 소매를 걷어 올리고 진창 속에 뛰어들라고 호소하던 때를 떠올려주는 말이었다. 그러나 행동으로 모범을 보인 남자가 말하자, 자신을 따르라는 그 부름을 거부할 수가 없었다.

돌아보면 자신과 같은 사람들이 정말 조국에 필요한 이들이었는지, 적어도 시어도어 루스벨트가 의도한 적극적인 봉사에 필요한 사람들이었는지 아처는 확신할 수 없었다. 사실 그건 아니었다고 생각할 만한 이유가 있었다. 그는 주 의회에서 1년간 일한 뒤 재선에 실패했고, 그렇게 물러난 뒤에는 다행히 유용하긴 하지만 눈에 띄지 않는 시정 활동에 참여했으며 그러다 나라를 무관심에서 일깨우려는 개혁적인 주간지 한 곳에 가끔 논설을 쓰는 일로 되돌아갔다. 회고할 만한 활동이랄 것은 없었다. 그러나 그와 같은 세대, 같은 집단의 젊은이들이 기대하던 미래를 생각하면, 즉 그들의 시야가 돈벌이와 스포츠와 사교계라는 좁고 판에 박힌 분야에만 갇혀 있었음을 생각하면, 튼튼한 담을 지을 때 벽돌 하나하나가 중요하듯이 새로운 세상을 위해 조금이나마 기여했으니 의미 있게 여겨졌다. 공적인 생활에서 이룬 것은 거의 없었다. 그는 늘 천성적으로 사색가이며 예술을 사랑하는 사람이기 때문이다. 그러나 그에게는 고상한 사색거리와 기쁨을 주는 훌륭한 작품들이 있었고 위대한 인물과의 우정은 힘과 긍지가 되어주었다.

간단히 말해, 그는 사람들이 '선량한 시민'이라고 부르기 시작한 존재가 되었다. 뉴욕에서 지난 오랜 세월 동안 자선이나 시정, 예술과 관련해 새로운 움직임이 있을 때마다 사람들은 그에게 의견을 구하고 그의 이름을 원했다. 장애 아동을 위한 학교를 처음 세우거나 메트로폴리탄 미술관을 개편할 때, 그롤리에 클럽(1884년에 창설된 클럽으로 프랑스 정치가이자 애서가였던 장 그롤리에의 이름을 딴 것이다-옮긴이)을 설립할 때, 새 실내악단을 준비할 때 사람들은 "아처 씨에게 물어보자"라고 말했다. 하루하루는 충만했고 품위 있게 채워졌다. 그가 생각하기에 남자로서 더는 바랄 게 없는 삶이었다.

자신이 놓친 것이 있음을 알고 있었다. 그것은 인생의 꽃이었다. 그러나 이제는 도달하기 어렵고 불가능한 것으로 여겨져서, 그 일로 한탄해봤자 복권에서 일등에 당첨되지 않았다고 절망하는 것과 마찬가지였다. 그의 복권에는 무수히 많은 표가 있었고 그중에 일등은 단 하나였다. 너무나 확실하게 불리한 상황이었다. 엘런 올렌스카를 생각하면 책이나 그림에만 존재하는 가상의 연인을 떠올릴 때처럼 추상적인 느낌이 들었고 담담했다. 엘런은 그가 놓친 모든 것을 복합적으로 보여주는 환상이 되었다. 희미하고 미약했으나 그 환상 때문에 다른 여자들을 생각할 수가 없었다. 그는 이른바 성실한 남편으로 살았고, 메이가 폐렴에 걸린 막내를 간호하다가 감염되어 갑작스레 세상을 떠났을 때도 진심으로 슬퍼했다. 두 사람이 함께 보낸 오랜 세월은 결혼생활이 지루한 의무일지라도, 그 의무의 존엄성을 지키는 한 지루함이 그리 중요한 문제가 아님을 그에게 알려주었다. 그런 생활에서의 일탈은 추악한 욕망이 싸우는 현장일 뿐이었다. 그는 서재를 둘러보며 자신의 과거에 경의를 표했고 또한 슬퍼했다. 어쨌든 예전 방식이 그립기도 했다.

댈러스가 영국제 메조틴트 판화(동판에 직접 흠집을 내서 섬세하게 명암을 표현하는 메조틴트 기법으로 만든 판화-옮긴이)와 치펀데일 양식 보관함, 그가 좋아하는 파란색과 흰색으로 산뜻하게 갓을 씌운 전등 몇 개로 꾸며준 방을 한 바퀴 훑어본 뒤, 시선은 한 번도 버릴 생각을 해본 적 없는 낡은 이스트레이크 책상과 여전히 잉크스탠드 옆에 놓인 메이의 첫 사진으로 되돌아갔다.

그 사진 속에서 메이는 선교회 정원의 오렌지 나무 아래에서 보았던 때처럼 키가 크고 가슴이 봉긋하며 호리호리한 모습으로, 풀 먹인 모슬린 옷을 입고 펄럭이는 밀짚모자를 쓰고 있었다. 메이는 그가 그날 보았던 모습을 잃지 않았다.

한결같은 수준은 아니었지만 지나치게 하락한 적 없이 너그럽고 성실했으며 지칠 줄 몰랐다. 그러나 메이는 상상력이 너무 부족하고 성장할 능력이 없어, 젊은 시절의 세상이 산산이 부서졌다가 다시 세워졌는데도 그 변화를 눈치채지 못했다. 이 견고하고 밝은 무지 때문에 메이의 눈앞에 펼쳐진 지평선은 외관상 이전과 똑같이 유지되었다. 메이가 변화를 인정하지 못하는 탓에 아처가 자기 의견을 아내 앞에서 감추듯이 아이들도 자기 생각을 숨겼다. 처음부터, 아버지와 자녀들이 무의식적으로 협력하여 모두가 똑같은 생각인 척하는 일종의 악의 없는 가족적 위선이 존재하게 되었다. 그리하여 메이는 이 세상이 자신의 가정처럼 다정하고 화목한 집으로 가득한 좋은 곳이라고 생각하며 죽었다. 무슨 일이 일어나든 아처가 댈러스에게 그들 부부의 삶을 이끌어준 그 원리와 편견을 계속 심어줄 것이고, (뉴랜드가 메이를 뒤따르면) 댈러스도 어린 빌에게 그 신성한 믿음을 전해주리라 믿었기에 묵묵히 세상을 떠났다. 그리고 메이는 메리를 자신만큼이나 굳게 믿었다. 그래서 어린 빌을 무덤에서 낚아채듯 구해내고 그렇게 애쓰느라 목숨을 내주며, 세인트마크 교회에 있는 아처가의 납골당 자리로 기꺼이 들어갔다. 그곳에는 이미 아처 부인이 며느리는 의식해본 적도 없는 무시무시한 '추세'에서 벗어나 안전하게 누워 있었다.

메이의 사진 반대편에는 딸의 사진이 놓여 있었다. 메리 치버스는 어머니 못지않게 키가 크고 아름다웠지만 달라진 유행에 걸맞게 허리가 굵고 가슴이 납작하며 자세가 약간 구부정했다. 푸른 띠를 두른 메이 아처의 20인치 허리로는 메리 치버스의 뛰어난 운동 기량을 쉽게 성취할 수 없었을 것이다. 그리고 그 차이는 일종의 상징처럼 보였다. 메이는 그 옷차림처럼 바짝 졸라맨 삶을 살았다. 메리는 어머니만큼 관습적이었고 더 똑똑하지도 않았지만 더 자유롭게 살았고 더 포용력 있는 관점을 지녔다. 새 질서에도 좋은 점이 있었다.

전화기가 딸깍거렸고 아처는 사진에서 눈을 떼고 옆에 놓인 송화기를 들었다. 놋쇠 단추가 달린 옷을 입은 사환 소년의 다리가 가장 빠른 통신 수단이었던 시절에서 얼마나 멀리 왔는지!

"시카고에서 온 전화입니다."

아…… 댈러스에게서 온 장거리 전화가 분명했다. 회사는 재기 넘치는 젊은 백만장자가 미시간호 호숫가에 지을 대저택에 관해 논의하도록 그를 시카고로 보냈다. 그런 일에는 늘 댈러스를 보냈다.

"여보세요, 아버지…… 네, 댈러스예요. 혹시…… 수요일에 배를 타시면 어떨까요? 모리타니아호(1906년부터 1934년까지 대서양을 횡단한 큐나드 선박 회사의 여객선-옮긴이)예요. 네, 다음 주

수요일이에요. 고객이 저에게 뭔가 결정하기 전에 이탈리아 정원 몇 군데를 보고 와달라며 당장 다음 배를 타라고 하네요. 6월 1일에 돌아올 예정이에요……."

즐겁고 멋쩍은 듯한 웃음소리 때문에 목소리가 끊겼다.

"그러니 서둘러야 해요. 네, 아버지, 아버지가 도와주시면 좋겠어요. 꼭 와주세요."

댈러스가 방에서 말하는 듯한 느낌이 들었다. 좋아하는 난롯가 안락의자에 느긋하게 앉아 있는 것처럼 목소리가 가깝고 자연스럽게 들렸다. 장거리 전화가 전등이나 닷새 안에 대서양을 횡단하는 일처럼 당연한 현상이 되었기에 평소라면 아처도 놀라지 않았을 것이다. 그러나 그는 웃음소리에 깜짝 놀랐다. 그 멀고 먼 거리를 건너, 그러니까 숲과 강, 산, 평원, 떠들썩한 도시와 무심하고 분주하게 움직이는 수많은 사람을 건너 댈러스의 웃음이 다음과 같은 뜻을 전할 수 있다니, 여전히 경이롭게 느껴졌다.

'물론 무슨 일이 있어도 저는 1일에는 돌아와야 해요. 패니 보퍼트와 5일에 결혼할 예정이니까요.'

다시 목소리가 들렸다.

"생각해보신다고요? 안 돼요. 잠깐도 안 돼요. 지금 승낙하셔야 해요. 안 되는 이유를 말씀해주시겠어요? 하나라도 이유를 대실 수 있으면…… 안 돼요. 그건 저도 알고 있어요.

그러면 가시는 거죠, 네? 내일 아침 가장 먼저 큐나드 선박 회사 사무실에 전화를 거시리라 믿을게요. 돌아오는 배는 마르세유에서 출항하는 걸로 예약하시는 편이 좋아요. 그러니까요, 아버지. 둘이서 이런 식으로 하는 여행은 이게 마지막일 거예요……. 아, 좋아요! 그러실 줄 알았어요."

시카고에서 온 전화가 끊겼고, 아처는 자리에서 일어나 방을 서성거리기 시작했다.

둘이서 이런 식으로 하는 여행은 이게 마지막일 것이다. 아들의 말이 옳았다. 댈러스가 결혼하고 나서도 함께할 다른 '기회'는 틀림없이 많을 것이다. 두 사람은 마음이 잘 맞는 친구였고 패니 보퍼트는 사람들이 어찌 생각하건 이 친밀한 관계를 방해하지 않을 듯했다. 오히려 그동안 본 모습에 따르면 그들 사이에 자연스럽게 어우러질 것이다. 그래도 변화는 변화고 달라질 것이 분명했으며, 미래의 며느리에게 호감을 느끼기는 했지만 아들과 둘이서 보낼 이 마지막 기회를 붙잡고 싶기도 했다.

여행하는 습관을 잃어버렸다는 심오한 이유 말고는 이 기회를 붙잡지 않을 이유가 없었다. 메이는 아이들을 바다나 산으로 데려가는 것처럼 타당한 이유가 있을 때가 아니면 움직이기를 싫어했다. 39번가에 있는 집이나 뉴포트에 있는 웰랜드가의 안락한 별장을 떠나야 하는 이유를 달리 떠올리지 못했다. 댈러스가 학위를 딴 후에 메이는 여섯 달 동안 여행을 다니는 것이 의무라고 생각했다. 그래서 온가족이 옛날식으로 영국과 스위스, 이탈리아를 여행했다. (이유는 아무도 몰랐지만) 시간이 빠듯해 프랑스는 건너뛰었다. 아처는 프랑스의 랭스와 사르트르 대신 몽블랑 산맥을 고려해보라는 말에 댈러스가 격분하던 모습을 기억했다. 그러나 메리와 빌은 등산을 하고 싶어 했고 댈러스를 따라 영국의 대성당을 돌아다닐 때부터 이미 연신 하품을 했었다. 자녀들에게 늘 공정했던 메이는 운동을 선호하는 성향과 예술을 선호하는 성향 사이에서 치우침 없이 균형을 유지해야 한다고 주장했다. 실제로 남편에게 파리로 가서 2주를 보내다가 남은 가족이 스위스 유람을 '마치면' 이탈리아 호수에서 다시 만나자고 제안했다. 그러나 아처는 거절했다. 그는 "모두 함께 다녀야지" 하고 말했다. 그가 댈러스에게 그렇게 좋은 본을 보여주자 메이의 얼굴이 환해졌다.

약 2년 전에 메이가 죽었으니 똑같은 일과를 지속할 이유는 없었다. 자녀들은 그에게 여행을 하라고 다그쳤다. 메리 치버스는 아버지가 해외에 나가 '미술관을 보면' 도움이 되리라고 굳게 믿었다. 자신은 그런 치료법을 도무지 이해할 수 없었기 때문에 그 효과를 더더욱 확신했다. 그러나 아처는 자신이 습관과 기억에 얽매였고, 새로운 것을 생각하면 깜짝 놀라 움츠러든다는 사실을 깨달았다.

지금 과거를 돌이켜보며, 그는 자신이 판에 박힌 생활에 얼마나 깊이 물들었는지를 절감했다. 의무를 다할 때 가장 나쁜 점은 분명 다른 것을 할 수 없게 된다는 사실이었다. 적어도 그의 세대에 속한 사람들은 그렇게 여겼다. 옳은 것과 그른 것, 정직과 부정, 존경할 만한 것과 그 반대인 것을 철저히 구분했기에 예기치 못한 요소가 설 자리가 거의 없었다. 늘 머무는 곳에 아무렇지도 않게 침잠했던 상상력이 갑자기 일상의 수면 위로 솟아올라 운명이라는 길고 구불구불한 길을 바라보는 순간이 있다. 아처는 그렇게 공중에 떠올라 질문했다…….

그가 자란 작은 세상에, 그를 굴복시키고 얽매던 그 기준 중에 남은 것은 무엇인가? 바로 이 방에서 오래전에 불쌍한 로런스 레퍼츠가 비웃듯이 내뱉던 예언이 떠올랐다.

"상황이 이런 식으로 계속된다면, 우리 자녀들이 협잡꾼들 집에 초대받으려 다투고 보퍼트의 사생아들과 결혼하는 꼴을 보게 될 겁니다."

아처에게 평생의 자랑거리인 장남이 바로 그렇게 하려는 중이었지만, 누구도 놀라거나 비난하지 않았다. 애늙은이 같았던 젊은 시절과 여전히 똑같아 보이는 고모 제이니까지도 분홍색 솜으로 감싸둔 어머니의 에메랄드와 작은 진주알을 꺼내 와 씰룩거리는 손으로 미래의 신부에게 건넸다. 그리고 패니 보퍼트는 파리의 보석상에서 '세트'로 받지 못해 실망했다는 기색을 보이지 않고 그 고풍스러운 아름다움에 감탄하며, 그 보석을 착용하면 분명 이자베의 세밀화 속 주인공이 된 기분일 거라고 말했다.

부모가 세상을 떠난 뒤 열여덟 살에 뉴욕에 나타난 패니 보퍼트는 올렌스카 부인이 30년 전에 그랬듯이 뉴욕의 마음을 사로잡았다. 다른 점이 있었다면 사교계가 그를 불신하고 두려워하는 대신 거리낌 없이 즐겁게 받아들였다는 사실이다. 패니는 예쁘고 유쾌한 성격에다 교양이 있었다. 무엇을 더 바라겠는가? 아버지의 과거나 패니의 태생에 관해 반쯤 잊힌 사실을 적대적으로 들추어낼 만큼 고루한 사람은 없었다. 나이 지긋한 사람들만이 뉴욕 사업계에서 거의 알려지지도 않은 보퍼트의 파산이나, 그가 아내와 사별한 뒤 악명 높은 패니 링과 조용히 결혼해 새 아내와 아내의 미모를 물려받은 어린 딸을 데리고 이 나라를 떠났다는 사실 정도만 기억했다. 그 뒤로 보퍼트가 이스탄불에서, 그다음에는 러시아에서 지낸다는 소식이 들려왔다. 십여 년이 흐른 뒤, 미국인 여행자들은 그가 큰 보험 회사를 차린 부에노스아이레스에 갔다가 그에게 환대를 받았다. 그와 아내는 풍족함을 누리다 그곳에서 세상을 떠났다. 그리고 고아가 된 그들의 딸은 메이 아처의 올케인 잭 웰랜드 부인에게 맡겨져 어느 날 뉴욕에 나타났다. 웰랜드 부인의 남편이 이 여자아이의 후견인으로 지정되었던 것이다. 덕분에 패니는 뉴랜드 아처의 아이들과 사촌이나 다름없이 지내게 되었고 따라서 댈러스의 약혼 발표에 놀라는 사람은 아무도 없었다.

세상이 얼마나 먼 길을 걸어왔는지 이보다 더 분명하게 보여주는 예시는 없을 것이다. 요즘 사람들은 개혁이나 '운동,' 유행과 맹목적인 숭배와 온갖 하찮은 일들로 너무 바빠서 이웃들에게 신경 쓸 겨를이 없었다. 게다가 모든 사회 구성원이 거대한 만화경 속의 똑같은 평면에서 빙빙 돌고 있는데, 다른 사람의 과거가 뭐 그리 중요하겠는가?

뉴랜드 아처는 호텔 창문으로 당당하고 화려한 파리의 거리를 내다보다가, 젊은 시절처럼 혼란과 열망으로 심장이 뛰는 것을 느꼈다. 폭이 점점 넓어지고 있는 조끼 밑에서 심장이 이렇게 마구 요동치다가 다음 순간 가슴이 헛헛해지며 관자놀이가 달아오르다니, 실로 오랜만에 겪는 일이었다. 패니 보퍼트 양 앞에서 아들의 가슴도 이렇게 뛸지 궁금했다. 그는 아닐 거라고 결론을 내렸다.

"물론 활발하게 뛰겠지만 리듬은 달라."

그는 아들이 약혼을 발표하고 가족들이 당연히 받아들

이리라 생각하며, 얼마나 냉정하고 침착한 태도를 보였는지를 떠올렸다.

"다른 점은, 이 젊은이들은 원하는 것을 당연히 얻으리라고 생각하지만 우리는 거의 항상 당연히 얻지 못하리라 생각했다는 거야. 궁금한 건…… 이미 그렇게 확신한다면, 과연 심장이 맹렬하게 뛸 수 있을까?"

이날은 파리에 도착한 다음 날이었다. 봄 햇살이 좋아서 아처는 열린 창문 앞을 떠나지 않고 방돔 광장(고풍스러운 건물로 둘러싸인 팔각형 광장으로 파리 제1 지구에 위치한다-옮긴이)의 널찍한 은빛 전경을 내려다보았다. 댈러스와 해외여행을 하기로 하며 그가 요구한 조건 중 하나, 아니 거의 유일한 조건은 파리에 가면 최신식 '호화 저택' 같은 곳에 억지로 데려가지 말라는 것이었다.

"아, 좋아요…… 물론이죠."

댈러스가 온순하게 동의했다.

"아주 케케묵은 곳으로 모시고 갈게요…… 브리스틀 호텔 같은 곳으로……."

아처는 왕들과 황제들이 지냈던 백 년 넘은 저택들이 이제는 구식 호텔로 불리며 예스러운 불편함과 아직 남은 향토색을 찾을 때 가는 곳이라는 이야기를 듣고 할 말을 잃었다.

처음 몇 년간은 초조한 나머지, 파리로 떠나는 장면을

머릿속으로 몇 번이고 그려보았다. 그러다가 그 개인적인 꿈이 차차 시들어가면서, 그 도시를 올렌스카 부인이 사는 장소로만 생각하려 애쓰게 되었다. 밤이면 식구들이 모두 잠자리에 든 뒤 홀로 서재에 앉아, 마로니에가 늘어선 거리에서 눈부시게 분출하는 봄기운, 공원의 꽃과 조각상, 꽃수레에서 훅 풍겨오는 라일락 향기, 거대한 다리 밑에서 장엄하게 굽이쳐 흐르는 강, 각자의 힘찬 동맥을 예술과 학문과 쾌락으로 터질 듯이 채우는 삶을 떠올렸다. 지금 그 광경이 눈앞에 찬란하게 펼쳐졌지만 아처는 그 광경을 바라보며 겁이 많고 시대에 뒤떨어진 부적격자가 된 기분을 느꼈다. 한때 꿈꾸었던 거침없고 당당한 인물에 비하면 잿빛 얼룩에 불과한 남자가 되어버린 것만 같았다…….

댈러스가 아버지의 어깨에 기분 좋게 손을 얹었다.

"보세요, 아버지. 여기 참 근사하지 않아요?"

두 사람은 잠시 그곳에 서서 말없이 창밖을 내다보았다. 그러다 젊은이가 입을 열었다.

"그건 그렇고, 드릴 말씀이 있어요. 5시 반에 올렌스카 부인을 찾아뵙기로 했어요."

댈러스는 가볍고 무심하게 말을 던졌다. 다음 날 저녁에 탈 플로런스행 기차의 출발 시각처럼 평범한 정보를 전하는 듯한 태도였다. 아처는 아들을 바라보았다. 언뜻 그 젊고 명랑한 눈에 증조모인 밍곳 부인의 심술기가 스치고 지나가는 듯했다.

"아, 제가 말씀드리지 않았나요?"

댈러스가 말을 이었다.

"패니는 제가 파리에 있는 동안 세 가지를 실천하도록 맹세하게 했어요. 드뷔시의 최신 음악이 실린 악보를 구하는 것, 그랑 기뇰 극장(1897년부터 1962년까지 운영한 극장으로 폭력적인 공포물을 주요 상연했다-옮긴이)에 가는 것, 그리고 올렌스카 부인을 뵙는 거예요. 아시겠지만 보퍼트 씨가 성모승천대축일을 맞아 패니를 부에노스아이레스에서 여기로 보냈을 때, 올렌스카 부인께서 아주 자상하게 돌봐주셨잖아요. 패니는 파리에 친구가 하나도 없었는데 올렌스카 부인이 축일마다 패니를 데리고 다니며 친절하게 대해주셨대요. 그분이 보퍼트 씨의 첫 부인과 아주 친한 벗이었다던데요. 물론 우리 친척이기도 하고요. 그래서 오늘 아침 외출 전에 전화를 걸어 아버지와 제가 이틀간 여기에서 지낼 예정이니 뵙고 싶다고 말씀드렸어요."

아처는 아들을 뚫어져라 바라보았다.

"내가 여기 왔다는 걸 말했다고?"

"당연하죠…… 안 될 이유라도 있어요?"

댈러스의 눈썹이 우스꽝스럽게 올라갔다. 대답이 들리

지 않자 그는 아버지에게 팔짱을 끼며 은근히 팔을 눌렀다.

"저기, 아버지, 그분은 어떤 사람이었어요?"

아처는 아들의 뻔뻔스런 시선 밑에서 자신의 얼굴이 달아오르는 것을 느꼈다.

"어서요, 솔직히 말씀해보세요. 아버지랑 그분은 친한 친구 아니었어요? 누구보다도 아름다운 분 아니었나요?"

"아름답다고? 모르겠다. 부인은 달랐지."

"아…… 바로 그거예요! 늘 그렇게 진행되기 마련이잖아요, 그렇지 않아요? 그 사람이 나타났는데 다른 거예요…… 이유는 모르죠. 패니에 대한 제 느낌이 딱 그래요."

아처는 팔을 빼고 한 걸음 물러섰다.

"패니에게? 아니, 이 녀석아…… 나도 그렇길 바란다! 하지만 모르겠구나……."

"맙소사, 아버지, 구닥다리 행세는 그만두세요! 그분이…… 한때는…… 아버지의 패니가 아니었나요?"

댈러스는 몸도 마음도 전부 신세대였다. 뉴랜드와 메이 아처의 첫 아이였지만 속마음을 감추는 방법의 기초조차 주입할 수가 없었다.

"비밀스러운 태도를 취하는 게 다 무슨 소용이에요? 그래봤자 사람들이 더 캐내려 할 뿐이죠."

신중하게 굴라는 말을 들을 때마다 그는 이렇게 반발했

다. 그러나 그와 시선을 마주한 아처는 놀리는 듯한 그 눈빛 너머에서 아버지를 향한 아들의 애정을 보았다.

"나의 패니라고?"

"그러니까, 그 사람을 위해서라면 모든 걸 다 내던져도 좋을 그런 상대 말이에요. 아버지는 그렇게 하지 않았지만."

사람을 놀라게 하는 아들이 말을 이었다.

"난 그렇게 하지 않았지."

아처가 근엄하게 아들의 말을 되풀이했다.

"그러셨죠. 아버지는 고리타분한 남자였으니까요. 하지만 어머니가 말씀하시길……."

"네 어머니 말이냐?"

"네. 돌아가시기 전날에요. 저만 들여보내라고 하셨을 때 말이에요…… 기억나세요? 어머니는 우리가 아버지와 함께 있으니 안전하고 늘 그러리라는 사실을 아신다고 말씀하셨어요. 예전에 어머니가 아버지에게 부탁했더니 아버지가 가장 원하던 것을 포기하셨다면서요."

아처는 이 이상한 이야기를 말없이 들었다. 창문 아래, 사람이 북적거리는 환한 광장을 그대로 멍하니 바라보았다. 마침내 그가 낮은 목소리로 말했다.

"네 어머니가 나에게 부탁한 적은 없다."

"맞아요. 제가 잊어버렸어요. 두 분은 서로에게 어떤 부탁도 하지 않으셨잖아요? 서로 아무 말도 하지 않으셨죠. 그냥 앉아서 서로를 바라보며 마음속에서 벌어지는 일을 짐작만 하셨어요. 사실 청각 장애인과 언어 장애인들이 사는 곳 같았죠! 그래도 우린 서로에 대해 알아낼 겨를이 없는데, 그에 비해 부모님 세대는 서로의 은밀한 생각을 더 많이 알았으니 좋았다고 생각해요…… 저기, 아버지."

댈러스가 갑자기 말을 멈추었다.

"저한테 화나신 건 아니죠? 혹시 그런 거면 화 푸시고 앙리 식당에 가서 점심을 먹자고요. 그러고 나면 저는 서둘러 베르사유에 가야 해요."

아처는 아들과 함께 베르사유에 가지 않았다. 그보다는 파리를 이리저리 돌아다니며 혼자 오후를 보내고 싶었다. 평생 제대로 표현하지 못하고 꾹 틀어막았던 후회와 억눌렀던 기억들을 모두 한꺼번에 마주해야만 했다.

시간이 조금 지나자 댈러스의 경솔한 행동이 유감스럽게 여겨지지 않았다. 어쨌든 누군가가 자신의 마음을 짐작하고 안타깝게 여겼음을 알고 나니 심장을 조이던 쇠고리를 벗어던진 것만 같았다……. 그리고 그 사람이 아내였다는 사실에 형언할 수 없는 감동이 밀려왔다. 댈러스는 애정 어린 통찰력을 지녔으나 이해하지는 못했을 것이다. 분명 아들에게는 그 일화가 헛된 좌절, 허비한 힘에 대한 한심한 예시일 뿐이다. 그러나 정말 그뿐이었을까? 아처는 한참 동안 샹젤리제의 벤치에 앉아 곰곰이 생각했다. 그러는 동안에도 삶의 물결이 일렁이며 곁을 지나갔다…….

거리 몇 개만 건너면, 몇 시간만 지나면, 엘런 올렌스카가 기다리고 있을 것이다. 엘런은 남편에게 돌아가지 않았고, 몇 년 전에 그가 세상을 떠났을 때도 생활 방식을 전혀 바꾸지 않았다. 이제 엘런과 아처를 갈라놓을 것은 없었다…… 그리고 그날 오후에 그는 엘런을 만날 예정이었다.

아처는 자리에서 일어나 콩코르드광장과 튀일리궁 정원을 가로질러 루브르 박물관으로 향했다. 엘런이 그곳에 자주 갔다고 말한 적이 있었기에 어쩌면 최근에도 다녀갔음직한 곳에서 남은 시간을 보내고 싶었다. 그는 오후의 눈부신 땡볕 아래서 한 시간가량 전시실을 돌아다녔고, 그림들은 하나하나 그가 반쯤 잊었던 광채를 쏟아내며 긴 여운을 남기는 아름다움으로 그의 영혼을 채웠다. 결국 그는 너무 굶주린 채 살아왔던 것이다…….

찬란히 빛나는 티치아노(이탈리아 르네상스 시대의 대표적인 화가-옮긴이)의 그림 앞에서, 그는 자기도 모르게 불쑥 말했다.

"하지만 난 겨우 쉰일곱이야……."

그러고 나서 그는 발길을 돌렸다. 그런 여름날의 꿈을 꾸기에는 너무 늦었다. 그러나 엘런 가까이에서 말없이 행복하게 우정과 동지애라는 조용한 결실을 누리기에는 결코 늦지 않았다.

그는 댈러스와 만나기로 한 호텔로 다시 돌아갔다. 두 사람은 함께 콩코르드광장을 가로질러 프랑스 하원으로 이어지는 다리를 건넜다.

댈러스는 아버지 머릿속에 어떤 생각이 오가는지 모른 채 신이 나서 베르사유에 대한 이야기를 마구 떠들어댔다. 가족들과 스위스에 가느라 놓쳤던 모든 광경을 한꺼번에 보려고 휴가를 떠났을 때 베르사유를 잠깐 본 적이 있었다. 수선스러운 열광과 독단적인 비판이 그의 입술 위에서 엎치락뒤치락했다.

아들의 말을 듣는 동안 아처는 자신이 무능하며 감정을 잘 표현하지 못한다는 느낌에 더욱 사로잡혔다. 아들이 둔감하지 않다는 사실은 알고 있었다. 그러나 그 아이에게는 운명을 주인이 아니라 동등한 존재로 바라볼 때 생기는 능숙함과 자신감이 있었다.

'바로 그거야. 이들은 모든 걸 감당할 수 있다고 생각해…… 자기들이 갈 길을 아는 거지.'

아처는 아들을 낡은 표지물과 더불어 이정표와 위험 신호까지 전부 쓸어버린 신세대의 대변자로 여기며 생각했다.

갑자기 댈러스가 아버지의 팔을 붙잡으며 걸음을 멈추

었다.

"와, 세상에!"

그가 외쳤다.

그들이 들어선 곳은 앵발리드(1670년에 부상 군인과 퇴역 군인이 거주하며 요양하도록 지은 건물-옮긴이) 앞, 나무를 심은 드넓은 공간이었다. 새싹이 돋아나는 나무들과 길게 뻗은 건물의 회색 전면 위로 망사르 지붕(프랑스의 건축가 쥘 망사르가 설계한 둥근 지붕으로 그 밑에 나폴레옹 1세가 안치되어 있다-옮긴이)이 절묘하고 우아하게 떠 있었다. 오후 햇살을 모조리 끌어 모은 그 지붕은 인류의 영광을 나타내는 가시적인 상징처럼 그곳에 매달려 있었다.

아처는 올렌스카 부인이 앵발리드에서 뻗어 나온 거리 근처 광장에 산다는 사실을 알았다. 그곳을 환히 밝혀주는 중심부의 광채를 잊어버리고, 그 동네를 조용하고 거의 외진 곳으로 상상했었다. 이제 기묘한 연상 작용에 의해 그 황금빛은 그에게 엘런이 사는 곳을 구석구석 비춰주는 빛이 되었다. 거의 30년 동안, 엘런의 삶에 대해 이상할 정도로 아는 게 거의 없지만, 엘런은 그의 폐에 이미 너무 짙고 너무 자극적으로 느껴지는 이 풍부한 대기를 호흡하며 살아온 것이다. 그는 엘런이 다녔을 극장과 엘런이 보았을 그림들, 엘런이 자주 드나들었을 근엄하고 화려한 옛 저택들, 엘런과 이야기를 나누었을 사람들, 끊임없이 들썩이는 생각들과 호기심과 이미지, 그리고 태곳적부터 내려오는 풍습 속에서 살아온 몹시 사교적인 국민이 창조해내는 그 비슷한 것들을 생각했다. 갑자기 예전에 그에게 "아, 좋은 대화라…… 그만큼 좋은 게 어디 있겠습니까?"라고 말하던 젊은 프랑스인이 떠올랐다.

그는 거의 30년 동안 리비에르 씨를 만나지 않았고 소식을 듣지도 못했다. 그 사실이 그가 올렌스카 부인의 생활에 대해 얼마나 무지한지 깨우쳐주었다. 두 사람은 반평생 이상 떨어져 지냈고 그사이의 긴 세월 동안 엘런은 그가 모르는 사람들 틈에서, 그가 어렴풋이 짐작만 할 따름인 사회에서, 그가 결코 온전히 이해하지 못할 환경에서 살아왔다. 그 시간 동안 그는 엘런과 관련된 젊은 날의 추억을 품고 살았다. 그러나 분명 엘런에게는 실체를 볼 수 있는 다른 친구들이 있었다. 어쩌면 엘런 또한 그에 대한 기억을 따로 간직했을 것이다. 그러나 그렇다 해도 그것은 매일 찾아가 기도할 시간을 낼 수는 없는, 작고 어두운 예배당 속 유물과도 같았으리라…….

두 사람은 앵발리드 광장을 가로질러 건물 옆으로 난 도로를 걷고 있었다. 화려하고 유서 깊은 곳이긴 했지만 어쨌거나 조용한 동네였다. 이런 풍경을 별 관심도 없는 소수만 누리다니, 파리가 장려해야 하는 풍요가 무엇인지 알 수 있었다.

날이 저물어가며 햇살에 물든 아지랑이가 은은하게 피어올랐고 노란 전등이 여기저기에서 모습을 드러냈으며, 그들이 들어선 작은 광장에는 오가는 사람이 거의 없었다. 댈러스는 다시 걸음을 멈추고 위를 쳐다보았다.

"여기가 분명해요."

그는 아처가 쑥스러워 움츠리지 않도록 조심스레 팔짱을 끼며 말했다.

현대식 건물로, 뚜렷한 특징은 없었으나 창문이 많았고 넓은 크림색 전면에 쾌적하게 발코니가 딸려 있었다. 광장에 선 마로니에의 둥근 꼭대기보다 한참 위쪽에 자리 잡은 어느 발코니에는 조금 전까지 햇빛이 비쳤는지 아직도 차양이 내려져 있었다.

"몇 층이더라……?"

댈러스가 짐작하듯이 말했다. 그리고 자동차 진입로 쪽으로 다가가서 수위실에 머리를 들이밀었다가 돌아와서 말했다.

"5층이에요. 차양이 내려온 집일 거예요."

아처는 순례의 목적지에 이른 사람처럼 위층 창문을 바라보며 꼼짝도 하지 않았다.

"어서요. 6시가 다 됐잖아요."

마침내 아들이 그에게 일깨웠다.

아처는 나무 밑에 놓인 빈 벤치로 힐끔 시선을 던졌다.

"저기 잠깐 앉아야겠다."

그가 말했다.

"왜요…… 어디 불편하세요?"

아들이 외쳤다.

"아니, 아무 문제 없다. 하지만 너 혼자 올라가는 게 좋겠다."

댈러스는 당황한 기색을 감추지 못하고 그의 앞에서 걸음을 멈추었다.

"하지만, 혹시, 아버지. 아예 올라가지 않겠다는 말씀이에요?"

"모르겠다."

아처가 천천히 말했다.

"가지 않으시면 올렌스카 부인이 이상하게 여기실 텐데요."

"먼저 가거라, 얘야. 나중에 뒤따라갈 수도 있으니."

댈러스는 황혼 속에서 아버지를 물끄러미 바라보았다.

"하지만 대체 뭐라고 말씀을 드리죠?"

"아들아, 너는 언제나 할 말을 알고 있잖느냐?"

아버지가 웃으며 대꾸했다.

"알았어요. 아버지가 구식이라 승강기를 좋아하지 않으셔서 5층까지 걸어 올라오신다고 말씀드릴게요."

아처가 다시 웃음을 지었다.

"내가 구식이라고 말해. 그거면 됐다."

댈러스가 다시 그를 보고는 도저히 믿을 수 없다는 몸짓을 보이더니 둥근 천장이 딸린 출입구 아래로 사라졌다.

아처는 벤치에 앉아 차양이 내려온 발코니를 계속 응시했다. 아들이 승강기를 타고 5층으로 올라가, 초인종을 누르고 현관으로 들어간 다음 거실로 안내 받기까지 걸릴 시간을 계산했다. 댈러스가 빠르고 자신만만한 걸음걸이로 유쾌하게 웃으며 방으로 들어가는 모습을 그려보며, 아들이 "그를 닮았다"라고 하던 사람들 말이 맞는지 곰곰이 생각했다.

그러고 나서 그는 이미 방에 와 있을 사람들을 떠올려보았다. 모이기 좋은 시간이었기에 아마 한 명 이상은 있을 것이다. 그들 사이에서 가무잡잡하고 핼쑥한 검은 머리 숙녀가 고개를 홱 들고 반쯤 몸을 일으켜 반지 세 개를 낀 길고 가느다란 손을 내밀 것이다……. 그는 엘런이 철쭉이 잔뜩 쌓인 탁자를 배경으로 난로 근처의 소파 구석자리에 앉아 있으리라 생각했다.

"올라가는 것보다 여기 있는 쪽이 나에게는 더 현실 같구나."

아처가 자기도 모르게 불쑥 말했다. 그는 현실의 마지막 그림자가 사그라질까 두려워, 시간이 흐르는 동안 그 자리에 붙박인 듯 앉아 있었다.

짙어지는 어스름 속에서 벤치에 앉아 한참을 보내는 동안, 그는 발코니에서 한 번도 시선을 떼지 않았다. 마침내 창문 사이로 빛이 새어 나왔고 잠시 후 하인이 발코니로 나와 차양을 올리고 덧문을 닫았다.

그 모습에, 그 신호를 기다렸다는 듯이 뉴랜드 아처는 천천히 일어나 홀로 호텔을 향해 걸었다.

월북 클래식
첫사랑 컬렉션

순수의 시대

펴낸날 초판 1쇄 2022년 7월 20일

지은이 이디스 워튼

옮긴이 김율희

펴낸이 이주애, 홍영완

편집장 최혜리

편집4팀 박주희, 장종철, 이정미

편집 양혜영, 박효주, 유승재, 문주영, 홍은비, 강민우, 김하영, 김혜원

마케팅 김예인, 최혜빈, 김태윤, 김미소, 김지윤, 정혜인

디자인 박아형, 윤소정, 기조숙, 김주연, 윤신혜

해외기획 정미현

경영지원 박소현

도움교정 박유진

펴낸곳 (주)윌북 출판등록 제2006-000017호 주소 10881 경기도 파주시 회동길 337-20

전화 031-955-3777 팩스 031-955-3778

홈페이지 willbookspub.com 전자우편 willbooks@naver.com

블로그 blog.naver.com/willbooks 포스트 post.naver.com/willbooks

페이스북 @willbooks 트위터 @onwillbooks 인스타그램 @willbooks_pub

ISBN 979-11-5581-492-5 04840
979-11-5581-430-7(세트)